LA FORMATION
DE LA SOCIÉTÉ FRANÇAISE MODERNE

CHEZ LES MÊMES ÉDITEURS

La Formation de la Société française moderne, Tome Premier. — *La Société et la Monarchie absolue (1661-1715)*, Paris, 1945.

Philippe SAGNAC
Professeur honoraire à la Sorbonne

LA FORMATION
DE LA
SOCIÉTÉ FRANÇAISE MODERNE

TOME II

LA RÉVOLUTION DES IDÉES ET DES MŒURS
ET
LE DÉCLIN DE L'ANCIEN RÉGIME
(1715-1788)

PRESSES UNIVERSITAIRES DE FRANCE
108, BOULEVARD SAINT-GERMAIN, PARIS

1946

DÉPOT LÉGAL

1re édition .. .. .. 4e trimestre 1946

PRÉFACE

Dans le second volume de cet ouvrage sur La Formation de la société française moderne, *nous continuons à suivre cette société, sous le gouvernement absolu de la monarchie, de 1715 à 1789. Société et gouvernement se transforment peu à peu, en conservant leurs cadres traditionnels. Si la société garde sa structure fondamentale, elle ne cesse, toutefois, de prendre, au cours du siècle, une physionomie nouvelle, sous l'action de forces puissantes : les unes, conscientes, dérivent d'elle-même ; d'autres, spontanées, qui semblent n'obéir ni à l'intelligence ni à aucune direction de la volonté humaine, donnent l'impulsion à toute la vie économique, tantôt favorisant, pour une très longue durée, le travail et la richesse, tantôt se retirant et en quelque sorte se recueillant, pour ne laisser place, souvent pour longtemps, qu'à une régression de l'activité, et, par suite, à la gêne, voire à la misère du plus grand nombre.*

Dans ce siècle, si tourmenté et si actif, nous distinguerons trois périodes. La première s'étend de 1715 à 1750 environ. L'esprit général du siècle, en économie sociale comme en philosophie, dans l'administration comme dans les mœurs, change visiblement, vers 1750 : voilà pourquoi nous ne faisons des trente-cinq années entre la Régence et cette date qu'une seule période, quitte à montrer la lente évolution qui s'y produit, car elle est loin d'être uniforme : l'essor économique, qui commence vers 1733, suffirait à y mettre une heureuse diversité. De 1750 à 1770, se déroule, pour la société, la période principale, toute d'expansion et de prospérité dans les divers domaines de l'action et de la pensée, malgré les revers militaires et l'humiliation de la France ; c'est l'époque où la bourgeoisie continue à s'enrichir encore davantage, et plus rapidement ; où elle achève de constituer ses cadres ; où elle forme en grande partie ses idées sociales, morales et politiques, et se prépare pour le jour où elle donnera l'assaut au régime. Enfin, de 1770 à 1789, sous l'action de forces dissolvantes, surtout après la Révolution américaine et la participation essentielle de la France à l'indépendance du Nouveau-Monde, vient le déclin rapide de la prospérité économique, la contraction de cette force qui pendant cinquante ans avait soutenu et élevé l'économie du pays ; c'est la gêne, voire la misère inéluctable pour la masse d'un peuple qui, par sa croissance graduelle, est devenu le plus nombreux de l'Europe. Époque où, sous des apparences radieuses, une Cour brillante, une paix glorieuse, une « douceur de vivre » que l'on célébrera tant plus tard, s'annonce, pour la haute société, seule bénéficiaire du régime, comme pour la monarchie absolue, une catastrophe que leur incapacité et leur aveuglement ne leur ont pas laissé prévoir, et que leur volonté obstinée va rendre encore plus terrible.

A travers ces trois périodes du siècle, la transformation de la société nous apparaît tantôt lente et presque timide, tantôt rapide et hardie, tantôt presque stationnaire, sinon dans sa réalité intime, du moins sous des apparences qui ont la vertu de bercer les douces illusions des heureux de ce monde. Mais un travail intérieur se poursuit, sous l'impulsion de forces nouvelles ou rajeunies et de grands exemples, venus du dehors, dont l'effet éclatera tout d'un coup.

Ces forces, tantôt très actives, tantôt somnolentes, il est très difficile de les saisir et d'en suivre le effets. La société du XVIIIe siècle, à mesure que le temps nous éloigne d'elle, nous devient plus étrangère, et il faut à nos contemporains du XXe siècle, préoccupés d'autres problèmes, un plus grand effort pour la comprendre. Sans doute les monuments, les tableaux et les statues, les meubles, les « modes », les mille riens de cette époque élégante, raffinée et si souvent frivole nous sont familiers ; c'est le style Louis XV et le style Louis XVI qui donne à nos villes leur si attachante physionomie : que seraient Paris, Bordeaux, Nancy, Tours, Aix, sans leurs belles places ou leurs avenues si bien ordonnées et si propices à des fontaines ou des statues des grands maîtres de l'art ? Mais les documents, fort nombreux, de nos Archives, qui recèlent la vie sociale du siècle, mais les souvenirs mêmes des contemporains ne sont plus que choses mortes. Nous ne pouvons même que deviner, par leurs écrits, l'influence qu'ont pu avoir en France et en Europe un Voltaire, un Diderot, un Rousseau. Cependant, à force de lire et de relire tous les « mémoires » et les « correspondances » de grands seigneurs et de grandes dames, de puissants ministres, d'illustres écrivains, même de second rang, voire de modestes bourgeois qui, s'ils n'avaient pris soin d'écrire leur « journal », comme l'avocat Barbier ou le libraire parisien Hardy, seraient restés inconnus, il nous semble que ces acteurs ou spectateurs des événements nous parlent à nous-mêmes, et peut-être nous donnent-ils l'illusion qu'avec tous les fragments épars de réalité ou de fiction romanesque qu'ils nous prodiguent nous pourrons reconstituer la physionomie de la société de leur temps. Les fortes études statistiques, économiques, presque toutes récentes, qui n'offrent ni mensonge intéressé ni fiction de conte ou de théâtre, viennent, dans leur impassible gravité, fortifier ce sentiment, en nous procurant un fondement solide, sans lequel nous n'aurions sans doute point entrepris cette étude.

Certes nous n'avons point la pensée de laisser oublier les grands livres des historiens du siècle passé. Mais, en histoire, les meilleures œuvres vieillissent, un peu comme des traités de physique. Après presque un siècle — le livre de Tocqueville sur L'Ancien régime et la Révolution *est de 1856 —, ou après soixante-dix ans — l'ouvrage de Taine sur* L'Ancien régime *est de 1875 — on conçoit aisément que l'on puisse revenir à ces grands sujets, qui commandent les « origines de la France contemporaine », en s'aidant de tout l'apport des historiens, des économistes et des littérateurs qui ont à leur tour scruté les faits et en ont parfois donné des interprétations nouvelles. Au reste, ce n'est point seulement l'état de la société française à la veille de la Révolution que nous nous sommes proposé d'étudier, comme Alexis de Tocqueville et Hippolyte Taine ; c'est, dans ce volume, comme dans le précédent, l'évolution sociale pendant les deux siècles de la monarchie absolue, et cela période par période, étape par étape, vers le dénouement tragique de la Révolution. Mais que de difficultés !*

La société d'un pays, et d'un grand pays tel que la France, est, en effet, un organisme très complexe, dont les divers organes sont ou paraissent tellement solidaires qu'il est bien difficile d'en expliquer les fonctions et le jeu d'ensemble, surtout avec les termes de notre vocabulaire social et politique, encore fort vague et incertain : que d'historiens modernes se sont plaints de cette insuffisance de la langue historique ! Voilà pourquoi certains d'entre eux créent parfois des mots nouveaux, ou attribuent à des mots de la langue usuelle un sens particulier, pour ne pas recourir à de longues périphrases et disposer de termes auxquels ils donnent une signification précise et scientifique (1).

Nous croyons, surtout depuis Montesquieu, à la parfaite solidarité des institutions d'une société. Mais ces « rapports » sont-ils entièrement déterminés par des lois rigides ? Dans la structure sociale d'un pays, à une époque donnée, tout est-il donc régi par un ordre nécessaire, semblable à celui de l'univers ? Certains se livrent à ce dogme, ou à cette hypothèse, peut-être plus géométrique qu'organique. Mais découvrons-nous bien tout cet ordre ? Ne reste-t-il pas, pour la liberté, une place, si faible soit-elle, dans le dévelop-

(1) Sur ces plaintes au sujet du vague des termes sociaux, économiques, politiques, voir notamment les travaux de F. Simiand, ceux de Labrousse sur le XVIIIe siècle, en particulier celui qui a pour titre *La Crise de l'Economie sociale à la fin de l'ancien régime et pendant la Révolution, 1770-1791*, t. Ier, 1944 : voir ses définitions des « phases », des « cycles », des « intercycles », pour l'histoire économique, etc.

pement des arts et des lettres ou des sciences, dans le progrès ou le déclin de la morale et des mœurs, dans la diffusion des connaissances humaines, dans l'essor du travail et de la richesse d'un pays ? Dans quelle mesure agissent les forces déterminantes ? Pourquoi sont-elles tantôt en action et tantôt en régression ? Quelle est cette force qui, dans certaines périodes, entraîne toute l'économie sociale, et, en d'autres temps, la laisse choir ? Force occulte bien plus que la pesanteur ; car celle-ci se mesure depuis Galilée et Newton, et celle-là reste encore cachée et mystérieuse, ne nous dit rien d'elle, ne nous permet de rien prévoir, paraît tout d'un coup, et disparaît de même, nous laissant étonnés et bientôt désemparés. Autant de questions qui se posent, et qui restent encore sans solution.

Nous ne pouvons donc, en certains domaines, déterminer des lois ni surtout remonter aux vraies causes des phénomènes. D'autres, après nous, pourront serrer de plus près les problèmes, reconstituer plus exactement l'organisme social de cette époque, en suivre avec plus de science le développement, donner de la réalité sociale, si complexe et si mouvante, des interprétations plus complètes et plus précises. Nous espérons toutefois que cet essai, tenté à la fin de notre vie d'historien, pourra permettre à d'autres d'aller plus loin, et rendre quelque service aux sociologues, dans leur recherche inlassable des lois qui gouvernent les sociétés (1).

(1) Voir à la fin du volume, notre note sur une Bibliographie des bibliographies relatives au siècle.

LIVRE PREMIER

LES TRANSFORMATIONS DE LA SOCIÉTÉ FRANÇAISE (1715-1750)

CHAPITRE PREMIER

LA MONARCHIE DE LOUIS XV ET L'ATMOSPHÈRE MORALE ET INTELLECTUELLE DE LA FRANCE

I. — *L'État et ses fonctions (1715-1750)*

Dans l'histoire de la société française, la mort de Louis XIV n'entraîne rien de tout à fait nouveau : les mœurs du XVIIIe siècle ont déjà paru, et la Régence a commencé avant la Régence. Mais la disparition du grand roi amène dans l'État la réaction qui depuis des années se préparait presque ouvertement. Elle éclate aussitôt contre le dur et sévère gouvernement dont il avait été si longtemps l'inspirateur et l'incarnation souveraine.

Il semble que le nouveau gouvernement soit aristocratique. Car c'est le chef de l'aristocratie opposante qui, maintenant, tient la régence, sous la propice minorité du jeune roi. Ducs et pairs, maréchaux de France, hauts magistrats du Parlement, tous veulent mettre en lisière ce pouvoir royal, absolu et sans limites, dont ils ont tant souffert dans leur orgueil et leur ambition ; et le régent, duc d'Orléans, se trouve contraint, par sa position de naguère dans les rangs de l'opposition, par les circonstances et surtout par son propre intérêt, de consentir à toute cette œuvre de réaction. A l'aristocratie il va laisser les départements ministériels, convertis en Conseils, et accorder au Parlement, en échange de la cassation du testament de Louis XIV, qui limitait considérablement ses pouvoirs au profit des bâtards légitimés, la faculté de présenter des remontrances aux ordonnances et aux édits royaux, suivant la vieille tradition.

La France semble revenue à des temps, comme la minorité de Louis XIII, où l'aristocratie était la véritable souveraine. Les Conseils sont établis : ils ont la faveur du Parlement comme des aristocrates. Le nom du duc de Bourgogne est vénéré (1) ; le parti vaincu en 1712, à la suite de la disparition subite de son chef, voit maintenant ses idées triompher. Et le Parlement est d'autant plus ravi qu'une place considérable lui est réservée dans deux de ces Conseils, où, en effet, des magistrats doivent être naturellement appelés : le « Conseil des Affaires du dedans du royaume », et le « Conseil des Affaires ecclésiastiques », « affaires » qui, pour le Parlement surtout, reposent essentiellement sur les libertés de l'Église gallicane, dont il a toujours été l'ardent défenseur, et qui, depuis la fameuse *Bulle Unigenitus*, sont entrées dans une période extrêmement critique. Quant aux autres Conseils : Affaires étrangères, Guerre, Marine, Finances, Conscience, ils sont exclusivement dans les mains de la haute Noblesse laïque ou ecclésiastique. Il n'y a plus de secrétaires d'État, de ces secrétaires à la Louvois ou à la Colbert, omnipotents, cassants, de ces bourgeois parvenus, si détestés. Au lieu d'un seul chef, à la tête d'un « département », il s'en installe maintenant plusieurs. On va donc délibérer, discuter ; mais agira-t-on ? Et y aura-t-il union dans chacun de ces Conseils, promptitude de décision, rapidité d'exécution ? Que deviendront les intendants ? (2). L'ancien personnel des « officiers », des trésoriers et receveurs généraux, dans les « généralités », des « élus » dans les élections, etc., ne va-t-il pas vouloir prendre l'administration, mais comment, et avec quelles traditions ? On n'a guère pensé à tout cela. On fait en hâte une expérience. Les grands nobles tiennent le pouvoir : cela leur suffit.

Ce n'est pas cependant sans contestation que les grands seigneurs, les Noailles, les d'Huxelles, les Saint-Simon s'établissent dans les Conseils. Les hommes de l'ancienne Cour, comme le maréchal de Villeroy, les anciens ministres, comme Torcy, Pont-

(1) Quand on parla du duc de Bourgogne au Parlement, cela fit une excellente impression ; de même, quand le régent parla des Conseils à établir.

(2) Les intendants se sont maintenus, dans un régime qui, en somme n'était plus le leur, et qui favorisait le morcellement de l'autorité, l'aspiration à l'émancipation, chez les « officiers », chez les grandes municipalités, et dans les Etats provinciaux Cependant ils sont restés, et peu à peu ont repris toute leur autorité et leur prestige. Il y aurait des travaux spéciaux à faire sur ce sujet.

chartrain, se montrent hostiles. L'abbé de Saint-Pierre, esprit « chimérique », un peu à la manière de Fénelon, ayant publié un traité où il vante la « Polysynodie », ce système de gouvernement formé, comme en Suède, d'une multiplicité de Conseils, le maréchal de Villeroy le prend à partie, et tempête si fort que le régent, qui, dans sa situation encore peu stable, a besoin de tous, cède et force l'Académie à exclure l'imprudent abbé, que, d'ailleurs, elle se refuse à remplacer, complice de l'opinion publique, qu'indigne un tel procédé. Le pouvoir royal n'était plus obéi qu'à demi ; on maugréait ; déjà l'opinion osait. Ce sera l'histoire du siècle : la monarchie devra souvent composer avec ce souverain aux mille voix qui fait son entrée en scène. En attendant, le gouvernement se voit obligé à la conciliation : à côté des aristocrates, plusieurs anciens ministres de Louis XIV prennent place dans les Conseils, mettant ainsi peut-être un peu de continuité dans l'administration, pendant que le régent essaye d'apaiser les querelles des partis (1), pour travailler à part, dans le mystère.

En réalité, tout ce régime « polysynodique » n'est, dès 1716, que pure apparence. Le régent, chef de l'État, n'a, certes, pas pu refuser au Parlement et à l'aristocratie leurs nouveaux privilèges et leurs places dans l'État. Mais il a son « secret ». Et, portant ses vues ambitieuses jusque vers le trône, espérant des circonstances, en présence d'un jeune roi de santé si frêle, la réalisation prochaine de son rêve, il travaille avec Dubois, son confident, à ne laisser aux Conseils que l'écorce de l'autorité. Il en garde avec ténacité, lui si peu travailleur, et que le travail fatigue vite, beaucoup plus vite que les plaisirs, toute la substance et tout le profit personnel : par-dessus le « Conseil des Affaires étrangères », c'est lui qui, avec son secrétaire intime Dubois, dirige toute la politique, dans le seul intérêt de son ambition et de sa gloire : politique toute personnelle, contraire de point en point à la grande politique de Louis XIV, et qui livre la France à l'Angleterre.

Au reste, peu à peu, les Conseils se discréditent eux-mêmes ; incapables d'agir, ils tombent enfin. Le gouvernement tempéré, auquel avaient aspiré naguère tant de réformateurs « patriotes », se montre impuissant. A part le droit de remontrances, recouvré par le Parlement, rien de ce que demandaient les réformateurs

(1) Des hommes de l'ancien gouvernement, désignés par Louis XIV, entrent dans les Conseils : le maréchal d'Huxelles, le maréchal de Villeroy, le chancelier Voysin ; de même, mais seulement avec voix consultative, Torcy, Pontchartrain, La Vrillière, anciens secrétaires d'Etat.

n'a été obtenu : ni les États généraux périodiques (ç'avait été, au début, une simple velléité chez le régent, à peine sorti de son ancienne position de duc d'Orléans, quand il était pressé par les ducs-pairs et par son ami le duc de Saint-Simon, trop confiant sans doute) ni le rappel des protestants, ni même l'abolition du fameux édit de Fontainebleau, révoquant l'édit de Nantes, qu'avaient tant espérée les Chevreuse et les Beauvillier et Saint-Simon lui-même, que Madame, princesse palatine, aurait voulu voir proclamer par son fils, et que réclamaient tous les « patriotes » soucieux de la repopulation, de l'enrichissement et de l'avenir de la France. Le régent lui-même, au dire de Saint-Simon, aurait vu tout l'avantage de ce rappel des huguenots ; et peut-être faut-il ici en croire le duc, car ce n'étaient pas les préjugés de la religion catholique qui pouvaient arrêter le régent. Le duc d'Orléans avait une vive intelligence des besoins de l'État. « Il se mit, dit « Saint-Simon, sur les réflexions de l'État ruiné où le roi avait « laissé la France, et de là sur le gain de peuple, d'arts, « d'argent et de commerce qu'elle ferait en un moment par le « rappel si désiré des huguenots, dans leur patrie, et finalement « me le proposa (1). » Mais ce ne furent que paroles et velléités.

Faut-il accuser la faiblesse du régent ? Et les huguenots n'ont-ils pas, dans cette affaire, leur part de responsabilité ? C'est ce qu'il est permis de penser, d'après ce qu'avoue elle-même, confidentiellement, à l'électrice de Hanovre, protestante, la princesse palatine, mère du régent, née protestante : « Il est impossible que « ce que vous souhaitez se fasse. Les choses auraient mieux été « si les réfugiés venus d'Angleterre ne s'étaient pas si mal tenus, « s'ils n'avaient pas voulu tout obtenir avec des airs de hauteur « et de vanterie. Ils ne se sont pas montrés soumis du tout, et « quoiqu'on leur eût dit de ne pas faire d'assemblée, qu'on le « leur eût défendu sévèrement, ils n'en ont pas moins fait de « publiques, et par là ils ont fait monter la moutarde au nez à « tous les prêtres et moines. Dès lors il n'y avait plus rien à faire, « ils ont tout gâté... (2) » En somme, la France de la Régence

(1) Saint-Simon, *Mémoires*, éd. Chéruel, t. XIV, p. 153. — Saint-Simon dit encore : « Les paroles de M. le duc d'Orléans ne furent jamais « que des paroles, « c'est-à-dire des sons qui frappent l'air. »

(2) *Correspondance de Madame*, trad. Jaeglé, lettre du 1er novembre 1717, t. II, p. 254. Voir encore la lettre du 11 décembre 1717, t. II, p. 257 : « La conduite des réfugiés a été conforme au caractère de tous les Français. Quand ils croient pouvoir espérer une chose heureuse, ils ne savent pas patienter et s'imaginent que tout est bien et qu'ils ont partie gagnée ; ils ne sont modérés en rien et n'en font qu'à leur tête... » — Dès le 13 septembre 1715, quelques jours après la mort de Louis XIV, Madame avait écrit (*ibid.*, p. 236) : « Il est difficile de croire que le Conseil des Affaires ecclésiastiques, qui ne sera composé que de prêtres, se montre favorable aux réfugiés... » Il faut donc aussi tenir d'abord

reste, dans son ensemble, malgré tous les changements de mœurs de la haute société, fidèle à son catholicisme toujours intolérant. Dans les transformations rapides du gouvernement, certaines traditions — et de toutes les plus puissantes, les traditions de l'État en matière de religion — demeurent. Et le régent lui-même, obéissant à ce courant d'opinion, les maintient.

Ainsi, pendant que la Noblesse se réjouit, comme dit Saint-Simon, de « notre renaissance, de notre réexistence des anéantissements passés », dans ses « Conseils » de gouvernement, le régent agit : avec Dubois, ensuite avec Law l'Écossais. Il y a, en réalité, deux gouvernements : l'un apparent, faible ; l'autre « secret » d'abord, très puissant, poussé par l'ambition personnelle du chef et par ses propres conceptions ou ses expériences ; car nous sommes à une époque de grandes expériences, où l'on risque, où l'on joue sa fortune, comme l'avenir même de la France. Et le gouvernement secret l'emporte bientôt, impatient de se délivrer de son rival. Dès 1718, devant l'impuissance de la Polysynodie, Dubois conseille au régent « la manière de gouverner du feu roi, « si commode, si absolue, et que les nouveaux établissements « faisaient regretter ». Les Conseils sont peu à peu supprimés : quatre d'abord, puis, en 1722 et 1723, les trois derniers. Le Contrôle général des Finances, vraiment devenu, depuis Colbert, le centre de toute l'administration intérieure, a été rétabli. Le Conseil d'en haut, le fameux Conseil, maître et arbitre souverain sous Louis XIV, reparaît, donnant l'impulsion générale à toute la politique. En 1723, la monarchie, après bien des tentatives infructueuses de l'aristocratie, semble revenir à Louis XIV, à cette forme de gouvernement bureaucratique et centralisateur qui a si longtemps fait ses preuves. L'État se retrouve, dans ses traditions du XVIIe siècle, les bonnes et les mauvaises.

Il se retrouve aussi sans crédit propre, après l'échec du « Système » de John Law et la grande débâcle financière de 1719-1720 : expérience poursuivie par le régent, et qui aurait dû réussir, si elle avait été sagement conduite et limitée à la constitution d'une banque d'État où le roi aurait trouvé, en cas de danger et de détresse, des ressources immédiates, comme l'État en Angleterre ou en Suède. Mais, comme on le sait, en liant sa « Compagnie » à sa Banque, Law finit par compromettre sa Banque même, et ce fut la fin de la Banque et du papier-monnaie. Avec l'échec du papier-monnaie disparaissait l'espérance du crédit à bon marché (1).

grand compte de cette résistance systématique de l'Eglise à tout rappel des huguenots.

(1) Voir sur l'ensemble de cette expérience, Pierre Muret, *La Prépondérance*

Les financiers, qui étaient les ennemis-nés de la Banque, reprenaient leur avantage, leur autorité : l'État avait besoin d'eux enfin pour liquider l'énorme dette publique, laissée par Louis XIV, qu'ils arrivèrent, par des « visas » successifs, à liquider au mieux des intérêts du trésor, c'est-à-dire par des banqueroutes partielles : n'était-ce pas le conseil donné, peu d'années auparavant, par le contrôleur général Desmaretz ? (1). Les rentiers qui avaient prêté leur argent, en pleine détresse du royaume, en pleine guerre, faisaient, comme de coutume, les frais de l'opération. Aussi, après cette grande aventure, l'État renonce-t-il aux innovations fiscales. Il revient à la tradition financière du temps de Colbert, à la modération dans les dépenses, à une certaine modération aussi des impôts, nécessitée, d'ailleurs, par le malaise des classes populaires et même des classes moyennes. Mais le papier-monnaie, la fièvre de spéculation ont donné, au temps de Law, une heureuse impulsion aux affaires, et de cette bienfaisante secousse l'effet persiste.

En attendant le retour à l'équilibre, l'État tend de plus en plus à restaurer les anciennes disciplines économiques, sociales, administratives. Les projets des réformateurs sont bien oubliés ; les velléités de libéralisme économique et politique ne sont plus de mode, pas plus en France que dans les autres États de l'Europe. On revient décidément, sur bien des points, à Louis XIV, à Colbert.

D'abord, l'État garde le contrôle de toute l'organisation du travail. Il conserve et dirige à sa guise les travaux publics, qu'il favorise de plus en plus, répondant en cela aux besoins généraux du commerce, attribuant des sommes importantes à l'entretien des grandes routes, si négligées à la fin de Louis XIV : dès 1747 il crée « l'École des ingénieurs des Ponts et Chaussées », sous la direction de Trudaine et de Perronnet, et il va bientôt, après 1750, constituer le « Corps des ingénieurs des Ponts et Chaussées », au siège du gouvernement et dans chaque généralité, sauf dans les pays d'États. Il rénove et régularise, avec Orry, le régime des corvées royales sur les « grands chemins » (1738). Enfin il développe son administration du commerce : un « Bureau du Commerce », établi en 1722, forme, à côté du « Conseil de Commerce », un service nouveau, avec, à sa tête, un « directeur du commerce », indépendant, sorte de ministre, dont le rôle s'étendra de plus en plus, grâce à l'impulsion que vont lui donner Trudaine, et plus

anglaise (1715-1763), liv. Ier, chap. III. *Les Crises financières, 1715-1723*, p. 111-139, et la bibliographie sur le « Système ».

(1) Voir notre t. Ier, p. 213.

tard, son fils, Trudaine de Montigny ; et, comme le Conseil comprend, outre les agents de l'État, tels que, d'abord, les quatre intendants du commerce, les « députés du commerce », choisis parmi les négociants des « Chambres », le « Bureau » et son chef se trouvent en rapports constants avec tous les hommes les plus compétents en la matière. Il s'ensuit que l'État n'ordonne à peu près rien qui n'ait été discuté par les négociants des grandes villes et des ports. Il est prisonnier, il est vrai, de vieilles traditions dont il ne veut pas se départir encore ; mais, peu à peu, il cédera davantage, le chef du « Bureau » entrant même dans les vues des négociants. En attendant, avec ses « inspecteurs des manufactures », qu'il multiplie — il y en a soixante-quatre, en 1754, au lieu de trente-huit, en 1715 — avec ses « bureaux de fabrique », qu'il accroît encore — on en trouve cinquante en Poitou, en 1750 (1) — il continue, comme sous Colbert, pour maintenir la loyauté de la marchandise, à faire la chasse à la fraude et à édicter toute une série de règlements, surtout de 1730 à 1740. Mais il favorise la création de nouvelles manufactures textiles ou métallurgiques par des privilèges et des subventions, et les exploitations de mines par des concessions royales, comme il le fait depuis Colbert. Sans doute l'initiative individuelle va, on le sent déjà depuis 1720 ou 1730, grandir de plus en plus ; mais le rôle de l'État dans toutes ces créations est le plus grand. On est encore loin d'une époque de libre activité.

Bien au contraire, c'est l'âge d'or de la réglementation, plus tyrannique certainement qu'à l'époque de Colbert, surtout après les espoirs qu'avait fait naître le mouvement de libéralisme économique de 1700 à 1713 ; c'est l'âge d'or du mercantilisme, du protectionnisme ; on tient les regards fixés sur la fameuse « balance du commerce », qui accuse la différence entre exportations et importations, et que l'on ne juge favorable que si elle penche du côté des exportations. L'État maintient avec rigueur le régime corporatif, tout en favorisant, comme on l'a vu, les grandes entreprises des « manufactures royales ». Il cherche aussi à hâter l'avènement du charbon et de son emploi général dans les hauts fourneaux et les forges, dévoreurs des bois de nos forêts, par la concession des mines, en vertu de son droit, confirmé et établi définitivement sur le sous-sol des terrains miniers (1744). Et ici encore, concédant ces terrains à des capitalistes privés, ou à des « sociétés par actions » ou « en commandite », il sert, souvent aux dépens des propriétaires du sol,

(1) Henri Sée, *Histoire économique de la France*, t. Ier, p. 346 et 348 (citant Boissonnade).

et même sans qu'il en revienne grand chose à lui-même et à la nation, le capitalisme individuel ou celui de certains groupes d'individus armés pour la lutte. De plus en plus, quelle que soit, d'ailleurs, la forme de l'État, que la monarchie reste absolue ou qu'elle devienne, politiquement, tempérée, des intérêts nouveaux ont surgi : le commerce et l'industrie exercent sur toute la vie nationale une telle influence que le gouvernement est obligé de les servir. N'est-ce pas le commerce et l'industrie qui apporteront au Trésor royal une bonne part de ses ressources ? N'est-ce pas eux qui donneront du travail à une population qui ne cesse de croître, surtout depuis 1730, en particulier dans les campagnes ? C'est la suite de la grande révolution commerciale et maritime commencée, au XVIe siècle, par la découverte et la colonisation du Nouveau-Monde.

Mais cette population croissante, dont presque personne ne se préoccupe encore, ni les agents de l'État, ni même les philosophes, l'État va-t-il continuer à la pressurer et à la laisser vexer par ses impôts ? Les contrôleurs généraux, surtout après 1740, commencent à reprendre la tentative, que Colbert n'avait pu mener à bien, d'une plus équitable répartition des impôts. Machault, ce grand ministre, veut assujettir le Clergé à l'impôt du vingtième des revenus fonciers, mobiliers, industriels et commerciaux (édit de mai 1749), et même limiter l'accroissement continu de ses biens, dits de « mainmorte », soustraits à la circulation générale et par là-même à des impôts nouveaux et des droits de mutation (édit de juin 1749) : simple tentative, d'ailleurs, malgré l'utilité publique, remarquablement exposée dans le préambule des édits et malgré le soutien du roi ; car, après l'Assemblée générale du Clergé, de 1750, tout d'un coup, le 23 mars 1751, la levée du vingtième sur les biens ecclésiastiques est suspendue par un arrêt du Conseil. Les privilégiés ont encore une fois gain de cause ; on dirait que le privilège du Clergé est vraiment sacré, comme la religion elle-même. De cette volte-face le monarque ne donne, d'ailleurs, nulle explication. Dira-t-on encore que la monarchie française est absolue ? Elle est bien plutôt arbitraire. Devant les résistances des puissants, elle cède, se rétracte, abandonne les réformes les plus justes et les plus nécessaires.

Dans le domaine de l'administration et de la « police », et sans faire, sur la soumission absolue des sujets au souverain, des théories à la fois civiles et religieuses dans le style majestueux de Louis XIV, Louis XV et ses ministres, les Fleury, les Machault, entendent ne renoncer à aucune des attributions que l'État s'est données et a exercées au siècle précédent. Aussi voit-on le gouvernement reprendre l'œuvre de centralisation où il l'a laissée au début de la Régence. Il n'arrive, d'ailleurs, que lentement, après le régent et le duc de Bourbon, à remettre les choses sur l'ancien pied. La réaction aristocratique a fait naître, en effet, après 1715, des aspirations à l'autonomie municipale et provinciale, dans les grandes villes et dans les vastes provinces, Languedoc, Bretagne, Bourgogne, ces vieux « pays d'États ». Ce n'était pas une nouveauté : les municipalités et les États provinciaux avaient dans le malheur des temps, avant 1715, repris un regain de vie (1). Avec des cités de plus en plus actives et des hommes nouveaux, les intendants des généralités, ces « vice-rois », comme les appelait John Law, sont davantage obligés de compter ; car ces cités, véritables métropoles du travail, et ces hommes, qui se sont faits eux-mêmes, s'imposent par leur fortune, leur initiative heureuse et leur puissance. On est, en effet, à une époque de renouveau (2). Sous un jeune roi, la France paraît jeune ; c'est, surtout après 1730, comme on verra, un essor économique et social sans précédent. Aussi l'absolutisme des intendants ne sera-t-il plus le même ; il se fera entre l'esprit des grandes villes et celui des intendants une conciliation, et ce sera même souvent une véritable collaboration, dans le sentiment commun de l'intérêt public.

C'est aussi par la conciliation, par la modération que le gouvernement entend mettre fin aux dangers menaçants du schisme dans l'Église de France. Aucun homme d'État du XVIIIe siècle n'osera reprendre avec la ferveur et l'obstination de Louis XIV le rôle de roi-prêtre, de directeur de conscience de toute une nation : les mœurs, les idées sont bien changées. Mais l'État est sans cesse agité par les violentes disputes provoquées, une fois de plus, par la « Bulle », et son rôle est tout entier dans des tentatives d'apaisement. Mais que de difficultés, par ces temps de fanatisme ! Le gouvernement intervient, d'abord, le moins qu'il peut, laisse la grande querelle se dérouler toute seule et enfin se calmer, jusqu'au jour où elle se réveille et finit, au milieu d'une crise dangereuse de miracles et de convulsions sur la tombe du diacre Pâris, à Saint-Médard. Il fallut bien rétablir l'ordre, mettre un terme à une thaumaturgie qui ramenait les extravagances et les cruautés des Anabaptistes d'Allemagne au temps de Luther.

(1) Voir le t. Ier, p. 198, 216.
(2) La question des municipalités de 1715 à 1750 et au delà mériterait une étude approfondie. Un article suggestif de Léon Cahen (*Revue des Etudes historiques*, 1899) montre bien l'essor des municipalités au temps de la Régence. Voir, sur Nantes, l'important ouvrage de Gaston Martin, *Nantes sous l'administration du maire Mellier* (1928, in-8°).

Le cardinal Fleury jugea l'occasion propice pour délivrer l'Église du jansénisme, toujours opposant en politique comme en religion. Déjà, auparavant, en 1730, il venait de déclarer loi de l'État la « Bulle Unigenitus ». L'Église parut pacifiée : il y avait alors peu d'évêques jansénistes, et les curés et simples prêtres gardèrent le silence, soit par lassitude, soit par désir de conciliation, sous les auspices d'un chef d'État qui ne voulait pas plus du triomphe de l'ultramontanisme que du gallicanisme janséniste. Le Parlement, lui aussi, après une interminable guerre de procédure, qui menait à des coups de force, des arrestations et des exils, finit par se soumettre, n'ayant plus une Église janséniste à ses côtés (1732). Cet apaisement religieux était dû au caractère souple et modéré de Fleury. Un évêque français, un cardinal ne pouvait guère employer, en matière de religion la violence d'un Louis XIV : Fleury mit plutôt en pratique les maximes d'un Richelieu, toutes de conciliation et de moyen terme, sans se rendre prisonnier d'aucun parti. Il savait, d'ailleurs, que le feu couvait toujours sous la cendre (1).

Pas plus que roi-prêtre, Louis XV ne prétend être directeur des mœurs. On a vu, d'ailleurs, combien cette direction, assumée par le grand roi, à l'apogée de son règne, lui avait échappé peu à peu, après les échecs et les désastres de sa politique européenne (2) Ce n'est pas le régent, ni le duc de Bourbon — et pour cause — qui auraient le dessein de s'ériger en censeurs des mœurs. Et, quand Fleury accède au pouvoir (1726), ce n'est pas lui non plus, qui, avec ses manières de gouverner, d'abord timides, toujours souples et conciliantes, ira s'immiscer dans les affaires et la vie intime des grandes familles princières et aristocratiques, vouées au plaisir et occupées de leur seul intérêt personnel. Et plus tard, on le sait de reste, le monarque lui-même ne contredira point aux mœurs frivoles et voluptueuses de son siècle.

Les mœurs libertines ne paraissent pas dangereuses au pouvoir. Mais l'exercice libre de la pensée peut lui paraître une entrave ou un péril. Pas plus que sous Louis XIV, le monarque ne renoncera au contrôle de la pensée française. La « direction de la librairie » reste une des fonctions essentielles du chancelier, qui peut d'ailleurs, la déléguer. Elle lui appartient exclusivement, non sans qu'il ait à se défendre des empiètements de la Sorbonne, du Parlement ou même du ministère. Vers 1750, on dénombre quatre-vingt-deux censeurs, occupés à lire tous les ouvrages de

(1) Voir, sur la force du sentiment janséniste et gallican à Paris, le *Journal de l'avocat Barbier*, t. Ier, p. 269.
(2) Voir le t. Ier, p. 201.

belles-lettres, de théologie, de jurisprudence, de médecine et de chirurgie, et même de géographie et de mathématiques ; ces censeurs refusent le « privilège », qui est, en somme le droit de propriété de l'auteur, s'ils jugent l'ouvrage contraire aux lois et aux bonnes mœurs, ou ils ne consentent à l'accorder qu'après revision et modifications ou suppressions des passages incriminés ; certains se montrent même fort tatillons ou de goût très timide ; ce qui amène des discussions parfois sans fin avec les auteurs. Mais, de plus en plus, les écrivains se défendent, publient même sans nom d'auteur, laissent courir un ouvrage, au besoin en le désavouant, quand on le leur attribue : pratique commune, à partir des *Lettres persanes* et de mainte œuvre de Voltaire (1).

Cependant des *Lettres persanes* (1721) le gouvernement de la Régence a bien connu l'auteur, et quel homme de haute considération et de grave profession se cache sous l'anonymat. Il n'est pas intervenu, il est vrai. Ces *Lettres* de Persans qui se disent d'Ispahan, et qui n'ont guère d'oriental que l'habit, n'atteignent pas, comme la *Polysynodie*, de l'abbé de Saint-Pierre, un système précis de gouvernement ni les ministres du feu roi, encore redoutables, mais, en général, les institutions, les idées et les mœurs d'une société, qui est, d'ailleurs, de toute évidence, la société française. Contre cette critique ironique et subtile, qui sous le Régent s'indignera ? Elle reste impersonnelle, collective. Cependant, quand le pouvoir échoit à Fleury, il ne saurait plus juger de la sorte. Certes, il paraît désarmé : le livre a couru, en France et de par le monde. Mais, quand le président de Montesquieu a l'ambition d'entrer à l'Académie française, en 1728, il rencontre l'opposition secrète du cardinal, qui se souvient des *Lettres persanes* ou que l'on en fait souvenir. Aussitôt, pour se mettre en règle, il désavoue certaines de ces *Lettres*, et le cardinal, arrivé sans fracas à ses fins, peut écrire au secrétaire perpétuel de l'Académie, l'abbé Dubos : « La soumission de M. le président de « Montesquieu a été si entière qu'il ne mérite pas qu'on laisse « aucun vestige de ce qui pourrait porter quelque préjudice à sa « réputation, et tout le monde est si instruit de ce qui s'est « passé, qu'il n'y a aucun inconvénient à craindre du silence que « gardera l'Académie (2). » Ce n'est pas, au reste, jusque vers 1750, le pouvoir royal qui s'offusque de certains ouvrages ou de cer-

(1) F. Brunetière, *La Direction de la Librairie sous Monsieur de Malesherbes*, dans ses *Etudes critiques*, 2e série (1904), p. 144-223. (Malesherbes fut directeur de 1750 à 1763.) Voir la bibliographie donnée par l'auteur.

(2) Lettre de Fleury, janvier 1728, citée dans le *Catalogue de l'Exposition de trois cents Lettres autographes de la donation Henri de Rothschild*, à la Bibliothèque Nationale, en 1933.

taines thèses de philosophie et de théologie, mais la Sorbonne, mais le Parlement. Et, plus tard, ce sera presque uniquement le Parlement qui condamnera les livres réputés les plus dangereux, le gouvernement n'agissant que dans des cas très graves, et ne pratiquant, d'ailleurs, qu'une politique ondoyante et diverse.

C'est à peu près vers cette date de 1750 (1) que d'Argenson se demande, dans ses *Mémoires:* « La France est-elle une monarchie « tempérée et représentative ou un gouvernement à la turque ? « Vivons-nous sous la loi d'un maître absolu, ou sommes-nous « régis par un pouvoir limité et contrôlé ? » Il est certain qu'en droit et en principe la monarchie de Louis XV reste absolue, comme celle de Louis XIV, mais il est aussi hors de doute que le gouvernement du nouveau roi ne ressemble à aucun autre : il ordonne, puis se rétracte ; il ose, puis cède ; il a changé sans cesse depuis le régent jusqu'à Fleury, ensuite de Fleury au roi lui-même ; et, s'il prétend à tout diriger, il ne dirige plus, en fait, ni la religion, ni les mœurs, ni la pensée de la société. Il ne règne que sur le temporel. Le spirituel, qui commençait à échapper au grand roi lui-même, lui devient tout à fait étranger. Les mœurs, l'opinion le limitent en fait, et les « pouvoirs intermédiaires », qui ont accru leur autorité, méditent déjà de le « contrôler ».

II. — *La société : l'atmosphère économique*

Au reste, la société n'attend pas la direction de l'État pour reprendre, après la paix (2), son régime de travail et son esprit d'initiative, en particulier dans le grand commerce maritime, qui est toujours à l'avant-garde. Le commerce libre des armateurs du Ponant et de Marseille, le négoce de la Compagnie privilégiée des Indes orientales sont, après la réorganisation de cette Compagnie, en 1722, en progrès rapides. Le trafic avec les « Iles d'Amérique », notamment avec Saint-Domingue, la Guadeloupe et la Martinique, procure en quantités toujours plus grandes les précieuses denrées qui depuis Colbert affluaient dans nos ports : le sucre, le rhum, le café, l'indigo, auxquels s'ajoute maintenant le coton, ce nouveau venu, qui supplantera en partie les autres textiles, et révolutionnera un jour l'industrie. Le commerce total de la France fait en trente-cinq ans un bond considérable : en 1715 il est de 215 millions de francs ; vers 1750, il atteint environ 600 millions ; il a presque triplé (3). Dans ces chiffres, le

(1) Marquis d'Argenson, *Mémoires*, en 1753-1754, t. IV. — Voir aussi Aubertin, *L'Esprit public au XVIII*e *siècle*, p. 279 et 280.
(2) Voir t. Ier, p. 212.
(3) H. Sée, *Histoire économique*, t. Ier, p. 333.

négoce avec les « Iles » entre pour une part importante ; la prospérité commerciale est surtout d'origine coloniale.

Cependant tout n'est pas dans le négoce extérieur, ni même dans le négoce intérieur qui fournit denrées et produits à la consommation de plus de 20 millions d'habitants. La France étant avant tout un pays agricole, c'est l'agriculture qui règle le rythme de sa vie économique. Or un fait nouveau, de très grande conséquence, se produit vers 1733 (1) : la hausse des prix des denrées, notamment du froment et de toutes les céréales, puis du vin, du bois, des laines. On avait vécu, de 1660 jusqu'à cette date, sous un régime de bas prix, malgré de fortes hausses dans les années de disette. Désormais, tout en tenant compte des fluctuations incessantes et des petits cycles de hausse relative, c'est une époque, presque un siècle, qui s'ouvre, avec une tendance générale à la hausse des prix. Cette montée des prix favorise la production des grains, développe les emblavures, dans un pays qui consomme avant tout du froment ou du seigle — le fond de la nourriture du paysan est encore aujourd'hui le pain (2). La hausse des prix des grains élève peu à peu la rente du sol. Et l'excédent de cette rente, tous frais de culture payés, reflue vers l'industrie et le commerce des villes, retentit sur toute la vie économique du pays ; car propriétaires fonciers, « laboureurs » et cultivateurs, profiteurs, plus ou moins heureux, de cette rente, ont désormais un pouvoir d'achat qui leur permet de demander à l'industrie et au commerce des étoffes, du linge, des vêtements, du bois, des outils, etc., ou même d'entreprendre des réparations et des améliorations dans leurs domaines. Et l'on peut dire avec certitude qu'à cette époque, quand les grains se vendent bien, tout va. La paix aidant, c'est un essor général de l'économie française, un élan donné à la production, et dont les effets ne tomberont même pas complètement pendant la longue guerre de la Succession d'Autriche, de sorte qu'après le traité d'Aix-la-Chapelle la tendance générale vers la hausse des prix et le rétablissement total du commerce extérieur amèneront une période de prospérité sans précédent.

(1) Labrousse, *La Crise de l'Economie française à la fin de l'Ancien régime et pendant la Révolution*, t. Ier, 1944, qui reprend avec une précision plus grande les faits et conclusions d'une *Esquisse* antérieure, sur les prix et revenus pendant tout le XVIIIe siècle.

(2) Dans les pays de vignobles, s'ajoute le vin au pain dans la consommation du cultivateur : il n'est pas rare de rencontrer aujourd'hui des paysans travaillant qui boivent par jour 1 à 2 litres de vin, en Touraine, par exemple, et qui mangent 2 livres de pain et davantage, avec des légumes en quantité, et parfois de la charcuterie ou de la viande, sans parler des produits de basse-cour. Dans l'Ancien régime, les malheureux se contentaient de légumes (et ils n'avaient pas la pomme de terre, ou bien ils la dédaignaient), de pain et de vin (bière ou cidre dans le Nord et le Nord-Ouest).

Pendant ce temps, la population, qui a beaucoup baissé, comme on a vu, dans la seconde partie du règne de Louis XIV (1), recommence à s'accroître. Le fait est hors de doute, bien qu'il ne soit pas possible de suivre le mouvement de la population à travers cette période de restauration. La quantité de main-d'œuvre augmente. Or précisément il est possible de l'occuper, dans les campagnes comme dans les villes, aux divers travaux d'une agriculture, d'une industrie et d'un commerce de plus en plus prospères.

De tout ce nouveau prolétariat — manouvriers, journaliers, même vignerons ou métayers — propriétaires fonciers, « laboureurs », gros fermiers, marchands-fabricants, négociants, armateurs, banquiers tirent un travail supplémentaire considérable : d'où résulte un enrichissement croissant. Bien qu'il n'y ait ni banque d'État ni papier-monnaie, la circulation de la richesse est maintenant plus facile et plus rapide : la lettre de change, le billet à ordre deviennent plus courants ; il y a des « agents de change » à Paris, près de la « Bourse », qui s'est créée en 1724, où l'on achète des lettres de change sur Amsterdam ou sur Londres ou bien des rentes sur l'État ; autant de facilités données au crédit, que continuent à servir les banquiers privés, plus nombreux, de Paris et de Lyon. Dans ce pays qui a subi déjà tant de banqueroutes, on voit, on touche des pièces d'or, des pièces d'argent, des piastres espagnoles que Marseille s'empresse d'échanger contre les soies, les cuirs, le coton et les produits du Levant. Les dépenses augmentent avec les gains. Les grands seigneurs, qui reçoivent des rentes foncières plus élevées, les fabricants, les négociants, même les « laboureurs » et les gros fermiers, tous enrichis, consomment davantage. Grands seigneurs et financiers rivalisent de luxe.

A ce spectacle, assez nouveau depuis 1685, d'une France riche et en plein essor, qui consomme et veut consommer autant qu'elle produit, jalouse de son bien-être et de ses commodités, les idées économiques commencent à se modifier. L'organisation capitaliste, déjà assez avancée en Angleterre, moins forte en France, qui s'oppose aux corporations du vieux régime, et réclame toujours plus de liberté, pour suffire à la demande de ses produits et se créer de nouveaux débouchés, fait réfléchir les économistes, successeurs de Vauban et de Boisguillebert. La circulation rapide de la monnaie, le progrès du crédit, qui fait passer l'argent épargné de la banque au grand atelier ou au

(1) Voir le t. Ier, p. 207.

comptoir du négociant, tous ces phénomènes nouveaux, ou maintenant plus faciles à observer, les obligent à reviser leurs doctrines mercantilistes et protectionnistes. L'or et l'argent sont-ils donc la richesse, comme le pensait Colbert ? Depuis Law, qui vient d'enseigner que la richesse réside non dans la monnaie, mais dans le signe de la monnaie, le papier, qui circule plus vite, et par suite dans le progrès indéfini du crédit, les idées, malgré l'effondrement du « Système », ont changé. Sans doute, dans un pays presque tout agricole et essentiellement conservateur comme la France, on ne trouve pas encore un économiste qui, tel David Hume, osera écrire que « les hommes et les commodités sont la « véritable force d'une communauté », et qui traitera de préjugé la fameuse « balance du commerce » et le nationalisme économique. Les Cantillon, les Melon, les Forbonnais sont encore des mercantilistes, mais ils ne le sont plus comme les théoriciens du siècle passé ; car, à leurs réserves, on sent que le système mercantile n'est plus pour eux un dogme. Conservateurs, ils acceptent le régime industriel et commercial, refusent de sacrifier les corporations à l'organisation capitaliste, tiennent, en somme, un moyen terme. Ce « juste milieu », si l'on peut ainsi dire, n'est-ce pas la formule qui caractériserait le mieux cette période de transition, d'attente ?

D'autre part, le progrès de la richesse et du luxe fait renaître en France, comme d'ailleurs en Angleterre, l'interprétation de ces phénomènes au point de vue moral et humanitaire. Voyant que le capitalisme et la richesse ou l'aisance des uns n'ont point diminué ni soulagé la misère des autres, les moralistes et les prédicateurs chrétiens, à la suite de l'auteur du *Télémaque*, bannissent le luxe de leur État ; des philosophes, comme Montesquieu, en blâment les excès, qui corrompent les nations (1). Mais les économistes, comme Melon, le jugent utile à la société, car il donne du travail à tous les corps de métiers, à une foule d'artistes et d'ouvriers ou d'ouvrières. Aussi, sans le prôner outre mesure, lui sont-ils, en somme, indulgents. Plus qu'indulgent se montre Voltaire dans sa satire *Le Mondain :*

> « Tout sert au luxe, aux plaisirs de ce monde,
> O le bon temps que ce siècle de fer !
> Le superflu, chose très nécessaire,
> A réuni l'un et l'autre hémisphère. »

(1) Cantillon, *Essai sur la nature du commerce* (1733). — Melon, *Essai politique sur le commerce* (1734). — Forbonnais, *Recherches et considérations sur les finances de France* (1758).

Et notre spirituel écrivain de présenter un tableau enchanteur de l'existence qu'offre le luxe à un « honnête homme » : le cortège des arts, du bien-être, de la propreté, des divertissements et des plaisirs qui le suivent. Quant à lui, ce n'est pas à Salente qu'il ira « chercher *son* bonheur », pas plus que dans l'Eden du premier homme, « jardin fameux par le diable et la pomme » (1). Mais le contraste entre la richesse et la misère, qui va élargir de plus en plus le fossé entre les heureux et les malheureux de ce monde, inspire d'autres sentiments à Thémiseul de Saint-Hyacinthe (1735) (2); dans ses âpres tableaux de la vie des paysans, « harassés, noirs et secs », couchant sur la paille ou même sur la terre, affamés, écrasés d'impôts, et, ne pouvant payer, poussés en prison par les collecteurs à cheval au milieu des cris perçants de leur famille.

En somme, si, vers 1735, et encore mieux vers 1750, la société connaît enfin la prospérité, elle reste soumise au même régime du travail, comme aux mêmes charges que du temps de Colbert ; la réglementation industrielle et commerciale est au moins aussi tyrannique, aussi gênante, surtout pour les grands fabricants et négociants qui travaillent indépendants des corporations, mais dans la subordination au régime strictement maintenu par l'État. Cependant des voix s'élèvent pour réclamer, sinon l'abolition, du moins l'atténuation et la modération de tout ce système, conformément à l'utilité publique. La réaction ne sera pas soudaine et violente ; elle ne pourra se faire que peu à peu, avec le changement des idées. L'esprit de conservation domine encore l'opinion : le consommateur demeure attaché à un régime qui lui assure le « juste prix », avec la loyauté de la marchandise. Et, en maintenant ce régime, l'État ne fait que garantir les intérêts du plus grand nombre de ses sujets.

III. — *La vie morale*

La richesse, surtout l'enrichissement rapide, la spéculation fiévreuse à Paris au temps de Law, contagieuse jusque dans les

(1) Montesquieu, *Grandeur et décadence des Romains*, chap. X. *De la corruption des Romains*. *Lettres persanes* (Les Troglodytes). Il ne blâme que les excès. Il dit, *Esprit des lois*, liv. XXI, chap. VI : « L'effet du commerce sont les richesses, la suite des richesses le luxe, celle du luxe la perfection des arts. » Voltaire, *Le Mondain* (1736) date probable. Voir *Œuvres choisies de Voltaire*, éd. Georges Bengesco, t. VI, *Poésies*, p. 147, et la note de la p. 329.

(2) Daniel Mornet, *Les Origines intellectuelles de la Révolution française, 1715-1787* (Paris, 1933, in-8°), p. 46, au sujet de l'*Histoire du prince Titi* (1735) qui eut au moins trois éditions. « Les alguazils les avaient liés ensemble et les faisaient marcher rudement entre leurs chevaux. Les femmes de ces malheureux, une grande fille et un petit garçon les suivaient en faisant des cris perçants et en arrosant le chemin de leurs larmes. »

villes provinciales, la cupidité dans les classes supérieures de la société, ont engendré des suites funestes et irréparables. Saint-Simon, Dalembert, bien d'autres les déplorent. « Époque de tant « de malheurs et de fortunes, écrit Dalembert au sujet du temps « de John Law, et surtout d'une dépravation remarquable dans « nos mœurs (1). » On ne cherche plus le gain dans le travail, mais dans les hasards du jeu : tel réussit, tel autre tombe ; tel qui a fait une fortune le matin est acculé à la ruine le soir et sort de l'aventure désespéré. Voilà ce que l'on vit en 1718 et 1719 rue Vivienne et rue Quincampoix, aux abords de la Banque et de la fameuse Compagnie du « Système ». Le parvenu fait comme le grand seigneur : il recherche le plaisir, et de tous les plaisirs le plus facile, le plaisir sensuel. Toute cette société riche, maintenant un peu mêlée, n'a plus d'autre morale : le bonheur personnel, immédiat ; la jouissance des sens. Et certes les grands seigneurs gardent les convenances, enveloppent leurs vices d'un voile décent, d'une parfaite politesse de Cour. Mais, au fond, ils marchent, dans la vie, sans croyance ; beaucoup, sous l'influence, directe ou indirecte, des sceptiques français, Fontenelle et Bayle, ou des déistes anglais, les Bolingbroke, les Collins et les Toland (2), dont vont se nourrir Montesquieu et Voltaire, ne sont plus, comme leurs pères, des chrétiens. Autour du jeune roi, l'impiété règne. Dans les salons, chez Mme de Lambert, la grande électrice à l'Académie française, chez la duchesse du Maine, chez Mme de Tencin, le scepticisme en matière de religion, sous des formes finement railleuses, est de mode. Et dès lors la contagion s'étend peu à peu à toute la partie supérieure de la société.

Mais cette morale de grand seigneur désœuvré — car l'aristocratie, après un sursaut éphémère d'ambition politique, reste en partie oisive, comme au beau temps de Louis XIV — ne peut, à la longue, qu'engendrer ennui et satiété. Certes, c'est la vie de salon qui domine à Paris, et, avec elle, l'ambition de briller, la recherche fiévreuse du succès, au théâtre, par le roman ou la poésie légère, avec, en perspective, un fauteuil à l'Académie,

(1) Dalembert, *Eloge de Montesquieu*, mis en tête du t. V de l'*Encyclopédie* (1755), juste après la mort du philosophe. On le trouvera aisément dans l'excellente édition classique de Camille Jullian, *Montesquieu, Extraits de l'Esprit des lois et des œuvres diverses*, 4e édition, 1907, in-12, p. 14.

(2) Le scepticisme, le déisme ne viennent pas d'Angleterre dès l'abord : la source en est en France, depuis le début du XVIIe siècle au moins. Sans parler de Descartes « l'homme au masque », comme on a dit (voir notre t. Ier, p. 16), ni de Vanini ni des libertins du temps de Louis XIII, il y a bien une chaîne, depuis sans doute Molière (en adoptant la thèse de F. Brunetière, qui peut être sans doute atténuée, mais qui est vraie, au fond), Saint-Evremond, Fontenelle, Bayle, tous ont eu une influence sur les Anglais. Puis les Anglais eux-mêmes ont, en France, au XVIIIe siècle, fortifié cette première influence sur les Français.

cette Académie que l'on raille quand on n'en est pas encore, tel l'auteur même des *Lettres persanes* (1), et où l'on cherchera bientôt à entrer de toutes manières, au besoin en faisant oraison et contrition ; car elle donne sécurité, honneurs et pension ; et combien de purs hommes de lettres ont alors besoin d'une pension et au moins d'une demi-liberté ! Mais le public veut autre chose que le salon ou la comédie ou les petits vers de Voltaire, si étourdissants d'esprit. Car l'esprit s'use vite. La science, qui satisfait tant Mme du Châtelet, enthousiaste de Newton, ne met en branle que l'intelligence. Et tout cela, plaisir sensuel, même satisfaction intellectuelle, grave ou légère, n'est pas toute la vie, et ne saurait remplir le vide du cœur. Alors on veut, dans l'existence ou au théâtre, qui doit représenter la vie, de l'amour vrai, de l'amitié, de la passion. Si l'on ne songe plus à son salut personnel dans l'autre monde, on se rabat sur ce monde-ci : on veut connaître les diverses « conditions » des hommes, déterminées en grande partie par leur profession, leurs grandeurs et surtout leurs misères, et on aime à se laisser émouvoir : les romans de Marivaux et de l'abbé Prévost, les comédies de La Chaussée font vivre des personnages semblables à nous, tout voisins de nous, dont les aventures et les malheurs touchent plus que ceux des héros de la Grèce et de Rome ; les pièces de Marivaux plaisent à un public aristocratique, raffiné, qui reconnaît avec une douce émotion ces « jeux de l'amour et du hasard » où une passion cachée, longtemps contenue, finit par s'avouer, au terme des sinuosités que l'esprit le plus subtil lui a fait suivre. Les milieux sociaux n'intéressent pas moins que les personnages et leurs conditions. Bref, depuis *Gil Blas* et les *Lettres persanes*, depuis les comédies de Dancourt, de Lesage et de Marivaux, ce sont les sociétés et les diverses classes de ces sociétés, française ou étrangères, qui retiennent l'intérêt, intellectuel et sentimental. De là naît un esprit de sociabilité plus général et plus intense que celui qui pouvait animer la nation au début du siècle. Et, sans que le sentiment domine encore — c'est tout juste s'il commence à prendre quelque place dans la vie morale — en vivant dans un âge de science, de politique et d'« affaires », on commence, vers 1740, à abandonner la morale du pur plaisir personnel, qui ne mène qu'au dégoût, pour s'attacher peu à peu à la morale de l'intérêt général.

Cette morale profane, qui remplacerait la morale chrétienne,

(1) *Lettres persanes*, Lettre LXXIII, « J'ai ouï parler d'une espèce de tribunal qu'on appelle l'Académie française. Il n'y en a point de moins respecté dans le monde... Nous n'avons point l'esprit porté à ces établissements singuliers et bizarres ; nous cherchons toujours la nature dans nos coutumes simples et nos manières naïves. »

est tantôt une idée, tantôt un sentiment, ou un mélange à la fois intellectuel et sentimental. Sans doute la notion de l'utilité sociale a été parfois exprimée dès le commencement du siècle : on la rencontre sous une forme originale et persuasive, chez un Vauban, comme, à l'étranger, chez un Leibniz. Mais, maintenant, elle est à la base des conceptions politiques et sociales. Elle fait le fond de la philosophie de Montesquieu, en ce que celle-ci présente de pratique : déjà très nettement exposée dans les *Lettres persanes*, où les malheurs du peuple des troglodytes démontrent la nécessité de la solidarité entre les hommes, elle anime bien des chapitres de l'*Esprit des Lois*, même quand elle n'est pas nettement formulée. C'est sur elle qu'est fondée la tolérance religieuse. « Il est utile, « lit-on dans l'*Esprit des lois*, que les lois exigent des diverses « religions non seulement qu'elles ne troublent pas l'État, mais « aussi qu'elles ne se troublent pas entre elles (1). » « Il faut, dit « encore Montesquieu, éviter les lois pénales en fait de religion » ; elles sont inutiles ; « l'histoire nous apprend assez que les lois « pénales n'ont jamais eu d'effet que comme destruction » (2). C'est encore suivant ce principe de l'intérêt général de la société, et non d'une classe unique, que Montesquieu critique fortement l'esclavage, la traite des noirs, qui passe pour chose naturelle, et qui n'est « utile » qu'à une partie de la nation, qu'elle enrichit (3) ; et c'est encore conformément à ce principe qu'il définit les devoirs de l'État envers ses sujets dans un sens à la fois antique et très moderne : « Quelques aumônes que l'on fait à « un homme nu dans les rues ne remplissent point les obligations « de l'État, qui doit à tous les citoyens une subsistance assurée, « la nourriture, un vêtement convenable et un genre de vie qui ne « soit point contraire à la santé (4). » Le meilleur en toutes choses pour la société n'est pas ce qui est utile à quelques-uns, mais ce qui est utile à la nation ; la meilleure constitution politique sera donc celle qui conviendra le mieux aux besoins et à l'esprit d'une société. A la notion d'utilité se joint, chez l'auteur de l'*Esprit des lois*, la notion de convenance, d'adaptation, de mesure aussi, bref ce à quoi les Grecs de l'Antiquité aspiraient toujours (τὸ πρέπον). Cette idée d'utilité sociale circule désormais dans la nation, propagée par les philosophes, par Voltaire, si pénétré d'esprit social, à la fois si moderne et si traditionaliste, et qui se

(1) *Esprit des lois*, liv. XXV, chap. IX.
(2) *Ibid.*, même livre, chap. XII.
(3) *Ibid.*, liv. XV, chap. V. Ironie de Montesquieu : « Le sucre serait trop cher, si l'on ne faisait travailler la plante qui le produit par des esclaves. » Argument des riches propriétaires de plantations.
(4) *Ibid.*, liv. XXIII, chap. XXIX.

plaît tant, dans ses œuvres historiques comme dans sa vivante correspondance, à marquer les progrès de la décence, de la politesse et de la sociabilité (1). Cependant, chez les philosophes de cette période, la notion d'intérêt général reste tout intellectuelle.

Or, vers 1740, chez quelques jeunes gens, elle est plutôt sentiment et même passion ; elle vient du cœur plus que de l'esprit. Comme, chez un jeune officier, né pour la gloire des armes, mais trahi par un corps trop frêle, cette idée sociale prend aussitôt une forme nouvelle, et se répand en résonances infinies ! « Les « hommes, en effet, ne font qu'une société, écrit à un de ses amis « le marquis Luc Clapiers de Vauvenargues ; l'univers entier « n'est qu'un tout, il n'y a dans toute la nature qu'une seule « âme, un seul corps ; celui qui se retranche de ce corps fait « périr la vie en lui, il se sèche, il se consume dans une affreuse « langueur, il est digne de compassion (2). » Son idéal, c'est vivre pour la société, lui être utile, la servir d'une manière ou d'une autre, en se donnant à elle avec passion, sans contrainte, sans préjugé, et en acquérant pour soi-même, à défaut de la gloire des armes, la gloire de la vertu et du talent. « Il y a des hommes, je « le sais — écrit-il à son ami Mirabeau — qui ne souhaitent les « grandeurs que pour vivre et pour vieillir dans le luxe et dans le « désordre..., mais de souhaiter, malgré soi, un peu de domination, « parce qu'on se sent né pour elle ; de vouloir plier les esprits et « les cœurs à son génie ; d'aspirer aux honneurs pour répandre le « bien, pour s'attacher le mérite, le talent, les vertus, pour « charmer son inquiétude, pour détourner son esprit du sen- « timent de nos maux, enfin pour exercer son génie et son talent « dans toutes ces choses, il me semble qu'à cela il peut y avoir « quelque grandeur... (3) » Échapper au pessimisme, exercer son talent, pour soutenir vertus et talents et « répandre le bien », tel est le rêve du jeune officier, avant que la maladie ne trahisse ses forces, lors de la retraite de Prague.

En somme, servir la société, telle est la morale qui, chez les âmes d'élite, s'oppose, vers 1740, à la morale facile de tant de gens du monde, qui ne vivent que pour eux-mêmes. Idée, sen-

(1) Voltaire, *Siècle de Louis XIV*, chap. XXIX, fin : « La décence, dont on fut redevable principalement aux femmes qui rassemblèrent la société chez elles, rendit les esprits plus agréables... On s'aperçoit aujourd'hui, jusque dans le fond d'une boutique, que la politesse a gagné toutes les conditions. Les provinces se sont ressenties avec le temps de tous ces changements. »

(2) Lettre de Vauvenargues à M. de Saint-Vincens (1740). On la trouvera commodément dans le livre classique de G. Lanson, *Extraits des lettres du XVIIIe siècle*, ainsi que dans son ouvrage sur Vauvenargues.

(3) Vauvenargues à Mirabeau (Verdun, 16 janvier 1740), lettre donnée par H. Gaillard de Champris, dans son édition des *Œuvres choisies de Vauvenargues* (1942), p. 303.

timent ? peu importe. Vauvenargues a l'âme d'un stoïcien, et Montesquieu fait l'éloge des philosophes stoïciens (1) : « nés pour « la société, ils croyaient tous que leur destin était de travailler « pour elle : d'autant moins à charge que leurs récompenses « étaient toutes en eux-mêmes, qu'heureux par leur philosophie « seule, il semblait que le seul bonheur des autres pût augmenter « le leur » (2). Le siècle, si frivole à tant d'égards, n'a pas manqué de grands serviteurs de la société, d'âmes vraiment stoïques ; combien d'exemples en sont restés dans toutes les mémoires, depuis le comte de Plélo jusqu'au chevalier d'Assas !

Cette morale laïque se répand déjà chez un grand nombre d'esprits qui ont perdu la foi au contact des doctrines françaises et anglaises, ou que les miracles des convulsionnaires de Saint-Médard ont détournés de toute croyance aux miracles en général, et même à ceux du Christ. Plusieurs s'affilient aux loges maçonniques, écossaises ou anglaises, qui essaiment en France, depuis 1721, de Dunkerque à Paris ; des officiers de l'armée, des grands bourgeois, parfois même des ecclésiastiques s'y unissent dans des sentiments de tolérance religieuse et de philanthropie. La franc-maçonnerie française n'est encore qu'à ses débuts : formée en vue de maintenir la paix et l'alliance franco-anglaise, elle garde bien difficilement son indépendance à l'égard des confrères anglais. Le gouvernement, à partir de Fleury, la laisse vivre, mais la surveille, toujours soucieux d'éviter les conflits, mais jaloux de sauvegarder l'ordre politique.

Les idées de morale laïque s'infiltreront encore peu à peu dans les diverses Sociétés et Académies déjà existantes ou qui vont se fonder dans toute la France. Ce n'est, d'ailleurs, qu'une diffusion assez lente, semble-t-il, et seulement chez les esprits cultivés, et dans les grandes villes. Dans les petites villes et les bourgs, ni la masse de la bourgeoisie, ni celle des artisans et des cultivateurs n'ont point entendu parler des nouvelles doctrines morales et continuent à vivre dans la tradition chrétienne.

Au reste, l'éducation, soit dans la famille, soit dans les collèges et les petites écoles, vit de routine, et l'on ne tire ni de la religion ni de l'instruction l'enseignement social et moral qu'elles devraient comporter. « On ne s'est pas encore avisé, écrit Duclos, de former « des hommes, c'est-à-dire de les élever respectivement les uns « pour les autres ; de façon qu'ils fussent accoutumés à chercher

(1) *Esprit des lois*, liv. XXIV, chap. X.
(2) Voir aussi le passage qui donne tout son prix à cet éloge, et qui est bien dans la manière prudente de Montesquieu : « Faites pour un moment abstraction des vérités révélées, cherchez dans toute la nature, et vous n'y trouverez pas de plus grand objet que les Antonins... »

« les avantages personnels dans le plan du bien général, et, dans « quelque profession que ce fût, qu'ils commençassent par être « patriotes. On trouve parmi nous beaucoup d'instruction et peu « d'éducation (1). » « Les avantages personnels dans le plan du bien général », la considération de la société dans son ensemble, avec les devoirs qui en résultent : voilà ce que l'on oublie ; et c'est le principal qui échappe. Turgot, tout jeune encore, flétrit, lui aussi, l'égoïsme d'une société mondaine qui gêne l'essor des sentiments naturels et instinctifs, et souhaite qu'on remette en honneur les « sentiments de compassion, de bienveillance » et qu'on détruise les « préjugés orgueilleux introduits par l'inégalité des conditions » (2). Il est hors de doute que vers 1740 et 1750 les esprits perspicaces commencent à jeter le cri d'alarme et à sonder l'abîme moral où sombrerait la société française, si elle ne se réformait pas.

IV. — *La vie intellectuelle et artistique et la diffusion des connaissances*

Avec le siècle, qui veut à tout prix faire du nouveau, et qui y réussira pleinement, avec les apports de l'étranger, qui se mêlent de plus en plus à l'esprit français, la conception de l'activité intellectuelle a changé du tout au tout. Un plus grand nombre de gens y participent, y jouent leur rôle, apparent ou caché. La société, en particulier la haute société, réclame sa part de plaisir ou d'autorité. Désormais on travaille pour elle ; on la scrute, on la décrit, on la peint ; on l'instruit des merveilles de la Terre et de l'univers ; on lui fait un cours de philosophie du droit et lui explique l'origine des lois, voire des institutions et de la monarchie française. La littérature s'enrichit de nouvelles provinces, qu'elle s'annexe avec orgueil, quand ont paru la *Théorie de la Terre*, de Buffon (1749) et l'*Esprit des lois*, de Montesquieu (1748). On garde encore l'idéal classique, presque en tout, dans la tragédie et la comédie, comme dans l'architecture et la sculpture (la peinture, plus légère et plus frivole, s'en dégage) ; mais cet idéal, celui des Racine, des Molière et des Boileau, est déformé par l'esprit social du siècle. Servir la société, critiquer ses sentiments et ses préjugés, pour lui inculquer des idées nouvelles ; lui plaire aussi, pour mieux agir sur elle, en épousant ses modes et ses manies, parfois même ses prétentions au fin langage, subtil,

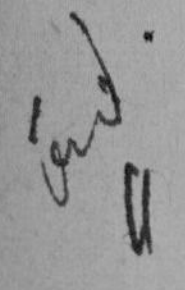

(1) Duclos, *Considérations sur les mœurs* (1751), chap. II.
(2) Turgot. Lettre à Mme de Graffigny, donnée dans les *Extraits des lettres du XVIIIe siècle*, de G. Lanson.

précieux, des salons du jour : voilà, dès la Régence, le but des Montesquieu, des Voltaire, des La Chaussée et des Marivaux.

C'est que, maintenant, la société est plus libre, plus vivante, plus attachante qu'elle n'a été depuis plus de trois quarts de siècle, avec son mouvement perpétuel, ce mélange un peu confus de gens de toute sorte, de « valets servis par leurs camarades, et peut-être demain par leurs maîtres (1) », d'étrangers ou de provinciaux qui, partis d'Écosse ou de Brive-la-Gaillarde, à qui l'on ouvre à deux battants toutes les portes, et qui s'élèvent en un clin d'œil au tout premier poste, et vous y « tournent l'État comme un fripier tourne un habit ». La société se défait et se refait, avec de nouvelles recrues, sorties de tous les coins, qui finissent par prendre les allures, les modes et préjugés de leur milieu d'accueil : vraie comédie humaine, curieuse à observer, à scruter ; et à quels beaux romans et « contes » ne va-t-elle pas prêter, quand on sait narrer comme Lesage, Marivaux, Prévost ou Voltaire ! Quel régal pour cette société toute neuve, qui, naïvement, sentimentalement, se plaît tant au spectacle d'elle-même !

Il est vrai qu'elle ne se contente pas de romans et de comédies, voire de tragédies, fussent-elles, comme *Zaïre*, les plus pathétiques que l'on eût encore applaudies, ayant pris à Shakspeare quelque peu de cet air farouche et barbare d'outre-Manche que ne connaissait pas Racine. Depuis 1700, on n'est plus seulement dans un âge de lettres pures, mais aussi et surtout dans un âge de science (2). Et par science il convient d'entendre, maintenant, après les sciences de l'univers et de la nature, les sciences de l'homme. Le public cultivé, beaucoup plus nombreux qu'à l'époque précédente, veut connaître les unes et les autres, en prendre au moins une teinture, pour en converser dans les salons, les réunions et les académies, en province comme à Paris ; et c'est cette curiosité universelle qui fera le succès des grandes œuvres de Buffon et de Montesquieu, ou des *Lettres anglaises* (1734), où Voltaire critique le système scientifique et philosophique de Descartes pour lui opposer celui de Locke et celui de Newton ; premières escarmouches qui annoncent ses *Éléments de la philosophie de Newton* (1738), où déborde son enthousiasme pour le nouveau système de la gravitation universelle.

La génération qui vit le tiers de siècle entre la Régence et la

(1) *Lettres persanes*, n° 138.
(2) Voir le t. Ier, p. 172. — Sur l'avènement de la science expérimentale en France et en Europe, voir *Peuples et Civilisations, Histoire générale*, t. X : *Louis XIV*, 2e édition, refondue et augmentée, 1944.

paix d'Aix-la-Chapelle assiste à la grande dispute entre cartésiens et newtoniens. Le système de l'attraction va-t-il triompher des « tourbillons » ? Tous les savants de France, voire les salons de Paris s'emparent de cette question essentielle avec une véritable passion. Plusieurs, et non des moindres, restent dans la tradition cartésienne ; mais déjà nombre d'entre eux font des réserves. De 1715 à 1740 Fontenelle et d'autres (1) essayent de tenir la balance égale entre Descartes et Newton. Mais enfin Newton l'emporte ; de grands savants, comme Maupertuis, font pleine et entière adhésion à son système (2) ; Mme du Châtelet, Voltaire, venant après les savants, vulgarisent « la philosophie de Newton ». La France, longtemps après l'Angleterre et les Provinces-Unies, devient toute newtonienne. Dans le monde des salons et des Académies, on ne parle plus des « tourbillons », mais de l'attraction universelle. Désormais l'attraction va envahir tout le champ des sciences expérimentales, soit sous ce terme même, soit sous le nom d'« affinité » ; le pas est déjà franchi dans la chimie et la biologie, aux Provinces-Unies, avec Boerhaave, en Angleterre avec Newton et ses disciples ; enfin dans la cristallographie, qui tend, après Huygens, à se constituer en science indépendante, et où Romé de Lisle fait appel aux « affinités ».

Avec le triomphe de Newton, la science expérimentale a maintenant ses méthodes fixées. Partir des faits, constatés par l'observation ou par l'expérimentation, et de là s'élever aux lois, mais non aux causes dernières ; éviter les pures hypothèses, se défendre de la tentation de recourir aux causes finales : tel est alors le « credo » du savant, dans tous les ordres de connaissances. Aucun savant désormais qui ose invoquer ces causes finales, mais, par prudence, aucun aussi qui ose les nier, en particulier la Providence : témoin Dalembert dans la préface trop habile peut-être de son *Traité de Dynamique*, cette œuvre si remarquable, qui, pour la première fois, présente une généralisation de la Mécanique (1743). Dans son *Histoire et théorie de la Terre* (1749), Buffon écarte les systèmes de son temps, fondés sur de pures hypothèses, souvent peu « raisonnables », et entend, en un « sujet « d'une vaste étendue, dont les rapports sont difficiles à rapprocher, « où les faits sont inconnus en partie, et pour le reste incertains »,

(1) Résistances de Du Fay, qui dans ses recherches sur l'électricité (1733-1737) adopte les hypothèses tourbillonnaires de Descartes.

(2) Maupertuis, *Discours sur la figure des astres* (1732), examinant la figure de la Terre et notamment l'aplatissement de la Terre aux pôles, donne des explications toutes newtoniennes. — Sur cette querelle entre Cartésiens et Newtoniens, voir l'ouvrage de Brunet sur l'influence de Newton en France, jusqu'en 1738, et son livre sur Maupertuis.

partir toujours des faits observés. « On doit se souvenir, ajoute-« t-il, qu'un historien est fait pour décrire et non pour inventer, « qu'il ne doit se permettre aucune supposition, et qu'il ne peut « faire usage de son imagination que pour combiner les obser-« vations, généraliser les faits et en former un ensemble qui pré-« sente à l'esprit un ordre méthodique d'idées claires et de « rapports suivis et vraisemblables ; je dis vraisemblables, car « il ne faut pas espérer qu'on puisse donner des démonstrations « exactes sur cette matière, elles n'ont lieu que dans les sciences « mathématiques, et nos connaissances en physique et en histoire « naturelle dépendent de l'expérience et se bornent à des induc-« tions (1). » Il est vrai qu'en combinant les observations et généralisant les faits, il est facile d'errer. Mais c'est parce qu'on n'est pas encore maître de tous les faits ; et c'est ce qui est arrivé alors à Buffon, qui, ayant eu l'heureux privilège d'une longue vie, a pu reprendre son sujet et en présenter plus tard une deuxième et plus exacte théorie générale. Et cela même démontre que les méthodes se perfectionnent, avec les progrès des diverses sciences et l'effort incessant de l'esprit.

Aussi, que de grands savants produit la société française dans la première moitié du XVIIIe siècle ! Buffon et Réaumur dans les sciences de la nature, Dalembert et Maupertuis, dans les sciences mathématiques et mécaniques, outre une foule de talents de premier ordre (2). C'est un magnifique développement dû au travail patient et intelligent de cette petite fraction de la bourgeoisie désintéressée, jalouse des grandes traditions de la science française depuis Descartes, Viète et Pascal. Dans les laboratoires ou les cabinets de travail de ces savants et des jeunes gens qui leur font cortège, au Jardin du roi, au Collège de France, ce n'est plus la société libertine et frivole qui s'agite, mais cette partie de la société solide, travailleuse, idéaliste, que l'on rencontre à toutes les époques de notre histoire. Vraiment trop peu honorée, comme l'a montré l'auteur des *Lettres anglaises*, dont l'enthousiasme éclate devant le tombeau de Newton, à Westminster, ce Panthéon national, elle n'en poursuit pas moins résolument ses découvertes et ses théories, fondées sur le raisonnement et sur l'expérience, qui l'amèneront à une conception nouvelle de l'univers.

(1) Buffon, *Histoire et théorie de la Terre*, tout au début.

(2) On peut citer Clairaut, le géomètre ; Du Fay, le physicien ; Dortous de Mairan, physicien aussi ; Romé de Lisle, le cristallographe ; Jean-Antoine Peyssonel, qui découvre la nature animale du corail (1723) ; Abraham Trembley, qui découvre la multiplication de l'hydre d'eau douce par bourgeons, à la manière d'une plante (1740).

En étudiant cet univers, on commence, en effet, à comprendre — déjà Descartes l'avait entrevu — que les forces de la physique, pesanteur, chaleur, son, lumière, magnétisme, ne sont que des formes diverses du mouvement. Ainsi on les rattache déjà les unes aux autres, en particulier la lumière et le son, qui, après les travaux de Sauveur et de Dortous de Mairan, apparaissent si voisins, par leurs phénomènes ondulatoires. De même, les naturalistes, comme Buffon, « combinent » un grand nombre d'observations, s'efforcent d'en découvrir les rapports. L'idée de l'enchaînement et de l'action mutuelle des phénomènes ou des faits conduit les recherches, forme une part essentielle de la méthode de découverte.

On l'applique maintenant à d'autres sciences que les sciences de la nature ; car l'homme aussi est dans la nature, avec sa psychologie, sa logique, sa morale, ses lois civiles, son histoire. Et de même qu'on observe des transformations dans la nature, et qu'on soupçonne déjà dans les espèces vivantes une sorte d'évolution (1) de même on découvre ou croit découvrir dans l'homme, en ses mœurs et ses institutions, une sorte de progrès. C'est une nouveauté, en France et en Europe, de démontrer que « les lois sont les rapports nécessaires qui dérivent de la nature des choses » ; et, comme cette nature est variable, selon le climat, le sol, etc., d'expliquer dans quelle mesure la diversité s'introduit dans les lois. Et c'est une autre nouveauté d'expliquer comment les peuples changent ; comment, après leur apogée, par des transformations de leurs lois, de leurs constitutions, de leurs mœurs, ils penchent vers leur déclin et leur ruine. Ces deux grandes nouveautés de la science morale et politique, Montesquieu les offre à son siècle. Qu'on aille dire ensuite dans les salons de Paris, comme celui de Mme du Deffand, que, dans son *Esprit des lois*, le président de Montesquieu a fait « de l'esprit sur les lois », il ne faudra guère voir en ce jeu de mots que la survivance de cette langue précieuse et de ce badinage frivole auxquels le président lui-même a jadis sacrifié, mais qui pourrait faire juger légère une œuvre grave, et calomnier peut-être, une fois de plus, le génie français. C'est croire qu'à Paris on est toujours dans un salon et que le trait d'esprit d'une femme du monde peut, d'un mot plaisant et banal partout colporté, apprécier une grande œuvre, fruit du labeur de toute une vie de savant. Cela même explique la société et ses mœurs.

Cette grande activité intellectuelle, qui s'exerce dans tous les domaines de l'intelligence, ne se borne pas aux lettres et aux

(1) Voir A. Giard, *Controverses transformistes*.

sciences. Le siècle ne serait pas le grand siècle de la sociabilité, s'il n'était aussi celui de l'art le plus élégant et le plus raffiné qui ait jamais été. Comme la littérature nouvelle, l'art de la Régence et de Louis XV est le fidèle miroir de cette société légère, de plus en plus portée à la jouissance et au luxe, qui se plaît à vivre en des décors de rêve, et dont Voltaire, dans son *Mondain*, a si bien su exprimer les goûts — n'étaient-ce pas déjà les siens ?

« Quel est le train des jours d'un honnête homme ?
Entrez chez lui : la foule des beaux-arts,
Enfants du goût, se montre à vos regards.
De mille mains l'éclatante industrie
De ces dehors orna la symétrie.
L'heureux pinceau, le superbe dessin
Du doux Corrège et du savant Poussin
Sont encadrés dans l'or d'une bordure ;
C'est Bouchardon qui fit cette figure,
Et cet argent fut poli par Germain.
Des Gobelins l'aiguille et la teinture
Dans ces tapis surpassent la peinture.
Tous ces objets sont vingt fois répétés
Dans des trumeaux tout brillants de clartés. »

Et après le décor, c'est le bain parfumé, c'est le plaisir « chez Camargo, chez Gaussin, chez Julie », et « les beaux vers, la danse, la musique », puis l'opéra, enfin le souper délicat au champagne, qui fait pousser ce cri de reconnaissance et de félicité :

« Qu'un cuisinier est un mortel divin ! »

Au reste, si quelques-uns de ces « honnêtes gens », fins connaisseurs, placent dans leurs galeries des Poussin ou des Corrège, sans parler des Flamands, la plupart ne veulent plus que des Watteau, des Pater, des Lancret, des Boucher, des représentations de fêtes galantes, de divertissements champêtres et raffinés, au milieu des bois ombreux, avec danses et musique, en attendant les scènes de famille sentimentales ou les portraits, de Greuze et de Chardin. Vers le milieu du siècle, un grand seigneur, faisant venir un peintre dans sa petite maison chez sa maîtresse : « Je « voudrais, lui dit-il, que vous peignissiez madame sur une escar- « polette qu'un évêque mettrait en branle ; vous me placeriez, « moi, de façon que je sois à portée de voir les jambes de cette « belle enfant, et même mieux, si vous voulez égayer davantage « votre tableau (1). » Et de fait, l'artiste se plie au désir du

(1) Cité par Taine, *L'Ancien régime*, éd. in-8°, p. 378-379, d'après le *Journal et mémoires de Collé* (octobre 1755).

Mécène, et le tableau est peint suivant son goût. La haute société, licencieuse, ne demande guère à l'art que de flatter sa passion. Sans doute les grands artistes ne cèdent pas toujours à ce désir ; telle est pourtant la pente où glissent quelques-uns. C'est bien, à cette époque, un art fait pour la société, où elle se reconnaît, où elle se plaît. Quelle entente dans le décor des palais, des hôtels, voire des grandes maisons bourgeoises ! C'est un style tout français, non plus celui de Louis XIV, trop majestueux et grave, mais varié, léger, où domine la fantaisie certes, mais, entre les mains des grands artistes, Boffrand, Natoire ou François Boucher, une fantaisie ordonnée. Dans les salons et les appartements, plus petits et plus intimes qu'au temps du grand roi, dans le salon ovale de l'hôtel Soubise (1737-1739), les appartements de l'hôtel de Rohan, ou ceux de l'Arsenal, aux plafonds, aux murs, sur les dessus de porte, quelle décoration élégante et riche sans excès, quelles brillantes couleurs, quelles nuances vaporeuses ! Et quels meubles splendides, s'harmonisant avec ces décors raffinés ! Parfois, dans la recherche de la fantaisie, certains accessoires de l'ameublement passent la mesure, oublient la destination de l'objet, se compliquent, se contournent. Mais contre cet excès les vrais artistes savent réagir. Au reste, si la fantaisie se donne libre carrière dans la peinture et la décoration, elle se modère dans la sculpture et l'architecture. Là sied plus de réalisme : les lois de l'équilibre, des proportions, s'imposent avec plus de rigueur. Aussi l'architecture, tout en s'allégeant, respecte-t-elle la tradition à la fois classique et française ; de même la sculpture, qui, de Bouchardon à Jean-Baptiste Lemoyne et à Pigalle, s'associe à elle pour orner palais, hôtels, églises ou abbayes.

Quel temps fut jamais plus fécond en œuvres d'architecture, en statues équestres, en ensembles de sculpture, que le règne de Louis XV ! L'essor de l'économie française, le goût du bien-être et de l'élégance, l'orgueil des grandes villes, maintenant plus riches et d'esprit plus libre, ont fait ce miracle. Que de dépenses pour bâtir ! Municipalités, grands seigneurs, financiers, bourgeois parvenus, évêques et abbés rivalisent de splendeur et de luxe. Dans les villes, capitales de province où l'on aspire à l'air et à la lumière, se dessinent des places monumentales, avec, tout autour, des édifices élégants, alignés, ordonnés, et, au centre, une statue, équestre ou pédestre, du roi qui incarne la France. A Paris, c'est la place Louis XV, qui commence à s'encadrer splendidement : sur un des côtés Jacques Gabriel construit le Garde-meuble, qui rappelle, non sans bonheur et originalité, la colonnade du Louvre, de Perrault. A Bordeaux, Gabriel dessine une vaste place, ouverte sur la large rivière de Garonne, à l'imitation de la place Louis-le-Grand, et construit l'Hôtel des Fermes, donnant ainsi à ce grand port une entrée majestueuse, qu'achèvera son fils, constructeur de la Bourse. Lyon, Montpellier, Reims, Nancy reçoivent, elles aussi, des places monumentales. Nancy, capitale du duché de Lorraine, et, en perspective, ville du roi, de par les clauses éventuelles du traité de Vienne (1738), est dotée des vastes places, éminemment françaises de goût, d'une élégance suprême, décorées par Boffrand et les grands artistes lorrains Héré et Lamour. Toutes les villes, au reste, villes de Parlement (Aix-en-Provence, Dijon, Rennes, etc.), villes industrielles ou commerçantes (Lille, Nantes, etc.), ou cités épiscopales (Strasbourg), s'embellissent : des rues nouvelles sont ouvertes ; des hôtels, des édifices de tout genre s'élèvent ; c'est une fureur de bâtisse qui, de tout le siècle, ne cessera plus. Les évêques et les abbés, ces grands seigneurs, rivalisent avec les cités les plus riches : le fastueux évêque de Strasbourg, Rohan, fait appel au premier architecte de France, Robert de Cotte, pour construire son palais (1728), merveille de goût et de confort, où pénètrent à flots l'air et la lumière ; d'autres rajeunissent leur résidence. Les abbés ne restent pas en retard, comme en témoigne l'imposante Abbaye-aux-Hommes, à Caen. Enfin que de beaux hôtels font bâtir grands seigneurs, hauts magistrats des Parlements et riches financiers ! Et que de splendides châteaux, comme, aux environs de Paris, celui de Champs, avec son dôme régnant sur de magnifiques jardins, gloire de l'architecte Chamblin (1720) ! Il n'est pas jusqu'aux écuries qui ne deviennent d'imposants monuments : telles les écuries de Chantilly, à l'allure de palais, bâties par Aubert, décorées de frontons où galopent des chevaux à grande allure.

A tous ces hôtels nouveaux ou rajeunis, à ces châteaux, ces parcs et leurs fontaines, que d'œuvres de sculpture viennent s'ajouter pour les orner, rivalisant avec la peinture, toutes reflétées dans des trumeaux brillants qui en multiplient l'image ! Entre les mains du grand Bouchardon, qui domine vers 1730-40, et de Jean-Baptiste Lemoyne, la sculpture, comme l'architecture, conserve la tradition classique, avec un certain abandon, une certaine légèreté, en harmonie avec les goûts de la société nouvelle.

Telle est l'atmosphère intellectuelle et artistique où vit alors la société cultivée et polie. Idées, sentiments, goûts, mœurs, tout a changé : évolution préparée depuis longtemps, et parvenue, par des transitions insensibles, par des repentirs et des corrections, à un état tout nouveau, vers 1730-1740.

Dans cette période qui commence à la Régence, la société polie s'instruit, s'affine encore. La diffusion des connaissances se fait plus facile, plus rapide, non seulement par le livre ou par les études du collège, mais par la conversation, le progrès de la sociabilité, l'établissement d'Académies dans les provinces. La vie provinciale tend à devenir moins terne et moins matérielle, et la bourgeoisie enrichie commence à y sacrifier aux lettres, aux sciences et aux arts.

Des « Académies », des « sociétés de lecture » se créent, sur le modèle des Académies de Paris ou des Académies de Rouen et de Bordeaux, déjà célèbres à la fin du règne de Louis XIV : à Orléans en 1725, à Toulouse en 1729, à Montauban en 1730, à Arras en 1736, à Clermont-Ferrand en 1747. Ensuite le mouvement se propage à un rythme plus rapide. C'est le commencement de la décentralisation intellectuelle de la France. Ces Académies provinciales font connaître les œuvres littéraires, les découvertes scientifiques ; elles-mêmes entendent lecture d'œuvres originales, de « communications » de sciences physiques et naturelles : telle la célèbre Académie de Bordeaux, où le président de Montesquieu fonde, en 1717, un prix d'anatomie, et où il lit des mémoires sur l'écho (1718), sur la transparence des corps (1720), sur le flux et le reflux (1720), sur le mouvement (1720) (1). Sans doute dans ces sociétés, qui réunissent grands magistrats et riches bourgeois cultivés, voire nobles seigneurs, on s'entretient aussi de poésie, mais les questions scientifiques, philosophiques et économiques commencent, vers 1740, à primer la poésie et même parfois les lettres pures. C'est qu'il n'y a plus de grand poète, depuis Racine. Et puis, comme s'en plaint Voltaire, le goût des vers est passé.

On s'intéresse maintenant aux sciences, à la politique, à l'économie, à l'histoire, où l'on cherche souvent moins des faits bien établis que des arguments en vue de théories politiques et sociales. Et comme cet état d'esprit vient de loin (2), il trouve un aliment nouveau et fortifiant dans les livres qui sortent d'Angleterre et que traduit vite en français toute une équipe d'écrivains, Muralt de Béat, l'abbé Prévost et bien d'autres. Bolingbroke, fuyant sa patrie au moment où s'annonçait le nouveau règne des Hanovre, s'est fixé plusieurs années à Paris : quelle influence il a eue sur Voltaire, sur Montesquieu, avant même le

(1) Camille Jullian, *Histoire de Bordeaux*. Montesquieu avait même formé en 1718 le projet d'une *Histoire physique de la Terre*. Il n'y donna pas suite : il était avant tout un écrivain, un philosophe, un juriste.

(2) Voir le t. Ier, p. 147, 171.

voyage de ces deux grands hommes en Angleterre, on le conçoit sans peine. Il est le vrai fondateur de ce « Club de l'Entresol », qui réunit l'abbé Alary, Montesquieu, le président Hénault, le chevalier de Ramsay, cet Écossais converti par Fénelon, et d'autres esprits éminents, pour discuter sur l'histoire et la politique ; « petite Académie », à laquelle Montesquieu aime à lire, comme à Bordeaux, ses écrits, son *Dialogue de Sylla et d'Eucrate*, et peut-être son étude « sur les finances de l'Espagne », qui sera plus tard fondue dans l'*Esprit des lois*, et où il distingue la richesse réelle, c'est-à-dire la production, et la richesse de fiction, à savoir la monnaie ; la première se détruisant et se renouvelant, la seconde ne se détruisant pas, mais, par son accroissement même, perdant de plus en plus de sa valeur réelle. Mais cette sorte d'Académie des sciences politiques ne peut se maintenir, sous le gouvernement de Fleury ; elle offusque le pouvoir ; elle doit se séparer (1). Fleury, il est vrai, sentant la lacune, veut fonder une chaire de droit public au Collège de France ; il demande un professeur à l'intendant d'Alsace ; mais celui que pourrait procurer l'Académie de Saint-Thomas, de Strasbourg, est protestant, les catholiques ne s'intéressant point à ces graves études, toutes désintéressées, et se préparant seulement à la pratique de la magistrature ; aussi le projet tombe (2).

C'est, en somme, dans ces sociétés, ces Académies, comme dans les salons parisiens — ceux de Mme Geoffrin, de Mme du Deffand, de Mme de Graffigny, sont, après 1740, et vers 1750, les plus influents — que commence à se former l'opinion publique.

V. — *L'opinion : ses revendications morales, éducatives*

Que réclame cette opinion pendant toute cette longue période qui d'abord a joui de la paix, et qui ensuite subit la guerre, la guerre qui s'éternise une dizaine d'années ?

Elle aspire avant tout à la paix. Les philosophes, dont la propagande est déjà intense, sont tous pacifiques. Car la civilisation, les sciences, les lettres, les arts, la richesse, le bien-être et la culture intellectuelle, tout ce qu'ils aiment, ne peuvent se développer qu'à l'abri de la paix. Certains écrivains croient même la « paix perpétuelle » possible, rêvent déjà d'une sorte de société

(1) Paul Janet, *Histoire de la science politique*, 2e édition, p. 425.
(2) Lemontey, *Essai sur l'établissement monarchique de Louis XIV*, au t. V de ses *Œuvres*, p. 86, en note. C'est seulement, ajoute Lemontey, en 1773 qu'on créa au Collège de France un cours de *Droit de la nature et des gens*, en faveur de Bouchaud, « un lourd pédant connu à peine par un commentaire de la Loi des Douze Tables ».

des nations, entretenue par des traités : noble illusion, que ne partagent certes pas tous les penseurs, ni surtout les hommes de guerre, même quand, par une rencontre heureuse, ils sont philosophes : tel le jeune Vauvenargues, qui ne voit dans la paix qu'une « courte trêve », et qui, l'accusant de « borner les talents et d'amollir les peuples », estime qu'elle n'est un bien ni en morale ni en politique (1). Mais c'est bien le maintien de la paix qui s'avère l'idéal des porte-parole de l'opinion, même des hommes d'État, d'un cardinal Fleury, après les longs et terribles conflits qui, pendant un siècle, ont ravagé l'Europe presque sans relâche. Et c'est, naturellement, le vœu le plus cher de tous ceux qui travaillent pour vivre ou s'enrichir, peuple et bourgeois grands et petits. Que la gloire, la gloire suprême, ne vienne que des armes, c'est un sentiment à la Vauvenargues, tout héroïque, que la nation ne nourrit plus, attentive au présent et au certain, ou ce qu'elle croit tel, insoucieuse de l'avenir, qu'il faudra bien qu'elle regarde un jour, car les grands problèmes de la vie nationale ne se résoudront pas d'eux-mêmes.

Point de revendications politiques générales. L'aristocratie a essayé de transformer le régime monarchique de Louis XIV en se glissant dans le gouvernement ; mais elle n'a pas tout à fait réussi, même au début ; et, d'ailleurs, la masse de la nation accepte l'absolutisme. Certes le pouvoir se déclare lui-même, en principe, « sans dépendance et sans partage », mais ce n'est plus la monarchie sans limites, sans aucune parole libre ; le « droit de remontrances » parlementaire est maintenant acquis, avec toutes les prétentions de contrôle législatif qu'il éveille, avec tous les conflits qu'il suscite, encore sans gravité pour le régime, non sans quelque danger pour l'ordre et l'esprit public. Le roi plane, comme l'incarnation de la France ; la France même ne se conçoit point sans le roi.

Point de réformateur, point de philosophe qui osât proposer un autre régime que la monarchie. Voltaire et Montesquieu font l'éloge de l'Angleterre, de son activité commerciale, de sa richesse, de ses mœurs, de sa tolérance, de ses philosophes et de ses savants et des honneurs qu'elle leur rend, enfin de sa constitution politique et de sa liberté. Mais ils ne vont pas au delà. Montesquieu présente un éloge, d'ailleurs contourné et indirect, de l'Angleterre et de sa constitution, où s'équilibrent les trois pouvoirs, exécutif, législatif et judiciaire, ce qui empêche tout despotisme ; mais il ne considère cette constitution qu'au point de vue théorique ; c'est le droit ; mais est-ce le fait ? Il répond lui-

(1) Vauvenargues, maximes 413 et 443.

même qu'il n'a pas à l'examiner. La réponse, il l'a donnée pourtant ; non dans l'*Esprit des lois*, œuvre toute théorique, mais dans ses « pensées » et ses « notes de voyage », fruit d'observations personnelles et de conversations, à Paris et à Londres, avec Bolingbroke et une élite d'Anglais, et qui montre toute la distance de la théorie à la pratique. Au fond, Montesquieu a bien vu que cette constitution anglaise tant vantée n'est faite que de coutumes et de pratiques, que c'est l'histoire qui peu à peu l'a formée et qui la modifie ; et précisément l'époque récente, singulièrement critique, de l'histoire d'Angleterre ne lui a-t-elle pas révélé tout ce qu'il y eut de changeant, de mouvant, même de révolutionnaire et presque d'anarchique dans la vie politique de ce pays si peu connu ? Certes, Montesquieu va contribuer plus que personne à inculquer aux Français, qui ne liront que l'*Esprit des lois*, et n'auront pu connaître ses pensées et ses notes encore secrètes, le sentiment de la supériorité de la constitution anglaise sur toutes les autres. Mais il faudra du temps pour que son œuvre, faite pour une petite élite, agisse profondément sur les esprits. Au reste, quant à lui, il se défend de vouloir appliquer à la France cette constitution étrangère, si bien équilibrée. Le meilleur régime, dit-il, est la monarchie, telle qu'elle existe — donc sans États généraux — mais avec des « corps intermédiaires » puissants, Clergé, Noblesse et surtout Parlements ; car ce Parlementaire de race voit le principal frein à l'absolutisme dans les remontrances et le contrôle des Parlements.

Pour le moment, que ce soit avec Fleury ou, après Fleury, dès 1743, avec le jeune roi, c'est la monarchie absolue et « sans contrôle » que Louis XV, se souvenant de Louis XIV, entend exercer. Et, quand, en 1744, le roi se trouve soudain malade et en danger, à Metz, à la frontière menacée, tous les Français brûlent des cierges et prient avec ferveur pour « Louis-le-Bien-aimé ». Malgré les vices, déjà affichés, du monarque, et qui bientôt passeront ceux de son aïeul, en dépit de sa paresse à faire son « métier de roi », ce métier que Louis XIV disait « délicieux », une explosion de loyalisme et d'amour l'accueille, et, dès qu'il est revenu à la santé, éclatent partout des *Te Deum ;* et ce sont des jours inoubliables dans l'histoire de la monarchie française : temps heureux où les armes de France, naguère incertaines, vont se couvrir de gloire aux champs de Fontenoy et y retrouver les traces des victoires des Turenne et des Condé ; où tout est de nouveau à l'honneur et à l'héroïsme. Si la monarchie est fondée, comme l'assure Montesquieu, sur l'honneur, elle est fondée aussi, en France, sur l'amour.

Pas plus que des réformes politiques, l'opinion ne réclame de grandes réformes sociales. Aucune attaque aux privilèges en général, sauf, en 1749, au privilège fiscal du Clergé ; aucune attaque non plus au régime seigneurial. A peine quelques velléités de revendication en faveur des misérables ; moins de pitié même pour eux, dans cette société riche ou aisée, qu'au temps de La Bruyère, de Vauban et de Fénelon. On a bien entendu un cri de justice et de charité sortir de la bouche éloquente de Massillon, au temps de la Régence (1) ; mais, au milieu de ce siècle, débordant de prospérité, on ne se souvient plus, et Massillon n'est plus là.

Pourtant, à l'occasion, Voltaire et d'autres encore se lamentent sur la décadence du siècle, et ces plaintes se répèteront, plus vives, après 1750. Sans doute Voltaire loue le progrès de la politesse, de la sociabilité, voire le luxe, qui, on le sait, n'est pas pour lui un vice, mais un bonheur et un bienfait. Et cependant il ne voit en tout que déclin, dans la politique comme dans les armes, dans les lettres comme dans les arts. Serait-ce seulement par dénigrement du règne de Louis XV et exaltation du « siècle de Louis XIV » ? Non ; Voltaire est historien et se pique d'impartialité. Mais il a vu la Cour de Louis XIV, l'armée du grand roi, ses entreprises si audacieuses, sa lutte contre un monde d'ennemis, et, au milieu de la plus grande détresse, sa fermeté indomptable ; il a lu les fortes et belles œuvres du « siècle », senti la grandeur des génies créateurs, de Corneille, de Descartes, de Molière, goûté la perfection de Racine ; et, quand il se tourne vers son temps, il ne retrouve plus rien qui approche de cette éblouissante splendeur. Exagère-t-il le déclin ? Et est-il seul à le déplorer ? Il est certes d'autres voix aussi autorisées que la sienne, et qui, sans accuser toute la civilisation de ce temps, critiquent violemment le fondement réel de toute société, à savoir la formation morale et intellectuelle des hommes qui la composent et la soutiennent. Ce sont des éducateurs, des hommes d'expérience, et qui s'entendent en valeurs humaines : le P. Porée, l'un des chefs du grand collège Louis-le-Grand, auquel Voltaire, son élève, a maintes fois rendu hommage, et le « bon Rollin », recteur de l'Université de Paris, dont les maîtres lisent, pour s'en inspirer, le *Traité des études* autant que l'*Histoire ancienne*.

Sans doute les Jésuites continuent à former le chrétien, les études littéraires, le latin, l'antiquité n'étant pour eux qu'un moyen. Mais déjà le P. Porée craint l'influence des idées et des mœurs antiques et donne à ses élèves cet avertissement : « Gardez-« vous, enfants, d'envier la destinée des républicains, soit anciens, « soit modernes. Ce que n'aurait pas pu ou ne pourrait jamais

(1) Massillon, *Petit Carême ;* voir plus loin, p. 49.

« vous donner aucune république, vous le trouverez dans ce « royaume (1). » Et il critique la monarchie élective de Pologne, le partage des pouvoirs en Angleterre, et loue l'autorité sans contrôle du roi de France. Les Jésuites enseignent fort peu la France et son histoire moderne, mais beaucoup l'antiquité profane, Cicéron, Virgile, Tite-Live. Quoi d'étonnant s'ils sentent eux-mêmes la contradiction et le danger ? Ils se plaignent des mœurs et des occupations trop mondaines de leurs élèves et de la fierté des fils de grandes familles : « A vous, s'écrie le P. Porée, « à vous surtout cette leçon, jeunes gens auxquels l'illustration « de votre race, l'éclat de votre maison, la grandeur de votre « fortune ou la conscience flatteuse de quelque valeur per- « sonnelle inspire un si fol orgueil. Vous voyez déjà ou vous « verrez un jour bien des hommes prêts à vous servir au moindre « signe ; et pour cela vous vous croyez moins obligés à servir « Dieu, et vous lui ménagez parcimonieusement de rares hom- « mages... Nous les remarquons, en effet, et nous les voyons avec « une indignation mêlée de pitié, ces jeunes gens trop fiers qui « ont une tenue si légère dans la maison de Dieu, qui se courbent « si difficilement devant lui. » Et, à une fête de Pentecôte, il renouvelle ses véhémentes objurgations : « Ils vous font pitié, « ces Apôtres, restés jusqu'à un âge si avancé si grossiers, si « incultes ; vous êtes plus à plaindre qu'eux, vous corrompus « dès la première enfance par une éducation molle et délicate (2). »

Certes le célèbre Père porte le fer dans la plaie, au moins oratoirement. Mais que font donc les Jésuites à Louis-le-Grand et dans tous leurs collèges ? Y donnent-ils une éducation virile et vraiment nationale ? Enflamment-ils leurs jeunes gens d'un enthousiasme patriotique par leur enseignement, leurs sermons et tous leurs « exercices » ? Ils leur offrent des ballets, des représentations théâtrales, leur apprennent à déclamer ; car ils estiment, à l'encontre de Bossuet, que le théâtre est utile à la société, pourvu qu'il soit moral, et qu'il peut servir, comme le pensent les philosophes, à la régénération de la nation (3). Aussi leurs élèves sortent-ils du collège bons déclamateurs et habiles

(1) A. Schimberg, *L'Education morale dans les collèges de la Compagnie de Jésus en France*, p. 155.

(2) *Ibid.*, p. 232, qui cite d'après le livre du P. de La Servière, *Le Père Porée* (Paris, 1889), p. 108.

(3) Discours de rentrée du P. Porée, 1733, dans A. Schimberg, p. 410. — Comparer cette idée du P. Porée avec l'hostilité de Bossuet et des Jansénistes au théâtre. Racine, âgé, disait à son fils : « Si vous alliez au théâtre, vous seriez déshonoré devant Dieu et vous déshonoreriez votre père devant les hommes. » — Cependant le P. Commire faisait des réserves, et, après avoir espéré que le théâtre enflammerait les jeunes gens du désir d'égaler les modèles de vertu qui

danseurs, mais fort mal instruits : quittant, d'ailleurs, le collège à l'âge de quinze ans, après la rhétorique, la philosophie étant réservée aux élèves qui poursuivront les études en vue de la théologie, ils n'attrapent qu'une instruction superficielle, exclusivement latine ; après quoi ils partent pour le régiment. Reçoivent-ils même une forte instruction chrétienne ? Écoutons encore le P. Porée : « A quoi bon, déclare-t-il, parler en chaire de la « prédestination, de l'existence de Dieu ou de l'immortalité de « l'âme ? Tout cela n'est propre qu'à faire naître au cœur des « inquiétudes ou des doutes indiscrets ; il est bon à la vérité « d'en parler quelquefois ; mais on doit le faire comme en « passant et sans faire mine de vouloir prouver (1). » Que de précautions ! Et aussi quel repli devant l'assaut des philosophes ! Il n'y a pas de formation doctrinale chez les élèves des Jésuites. Et en trouve-t-on davantage chez les élèves des autres congrégations ? Chose étrange : dans cette société, battue de la tempête philosophique et anti-chrétienne, il est rare que l'on expose aux jeunes gens les raisons de croire ; certes, le P. Laguille publie à Nancy, en 1739, ses *Préservatifs pour un jeune homme de qualité contre l'irréligion et le libertinage*, dédiés à « Messieurs de l'Académie de la jeune noblesse établie à Lunéville par Sa Majesté Stanislas Ier, roi de Pologne » ; mais c'est une exception ; encore se fait-elle jour dans une province point encore réunie à la France.

Une fois au régiment, comment vont se conduire nos jeunes nobles, et que deviendront-ils dans la vie ? Le « bon Rollin », qui a dans son Université une clientèle plutôt bourgeoise, n'a pas laissé cependant de suivre ceux de ses élèves et des élèves des congrégations qui ont choisi la carrière des armes. Et, en patriote, il exprime ses regrets, il exhale ses plaintes : « Nos jeunes gens, « écrit-il, sont pleins de courage, de sentiments d'honneur, « d'amour de la patrie ; ils ont du feu, de la vivacité, de l'esprit « et ne manquent pas de talents et de qualités qui peuvent « conduire à tout ce qu'il y a de plus grand. S'ils ont des qualités, « ils manquent quelquefois d'une éducation virile et vigoureuse, « seule capable de former les grands hommes... Nos mœurs, « malheureusement tournées par un goût presque général vers « la mollesse, les délices, le faux luxe, les plaisirs, l'admiration

y seraient représentés, il ajoutait : « Cependant, même en nous jouant, il faut tourner les mœurs vers la piété, les conduire vers les grandes images, à de grandes actions, et attirer dans les cœurs l'amour du Christ. »

(1) *Ibid.*, p. 191. — Voir encore p. 208 : « Parlez de Dieu avec discrétion, de peur qu'un moyen si efficace perde sa vertu si vous y recourez trop fréquemment. »

« des choses vaines et l'amour du faux éclat énervent le courage,
« dès les plus tendres années. Si notre jeune noblesse était élevée
« comme le fut Philopœmen (je parle de ce qui est compatible
« avec nos mœurs) si elle comprenait que la vraie grandeur ne
« consiste point à l'emporter sur les autres par le faste et la
« dépense, mais à s'en distinguer par un solide mérite, quels
« officiers, quels commandants, quels héros la France ne fourni-
« rait-elle pas !... Qu'il serait à souhaiter (et pourquoi ne
« l'espérerions-nous pas ?) que quelqu'un de nos princes, grand
« en tout, en courage comme en naissance, fît revivre dans nos ar-
« mées cet ancien goût de simplicité, de frugalité, de générosité,
« et tournât le goût de la nation vers le beau, le solide et l'honnête !
« Nulle conquête n'approcherait de cette gloire (1). »

De l'Université et des écoles cette critique si opportune se propage dans la nation. La bourgeoisie s'abandonne aux mêmes réflexions. Après la victoire de Fontenoy, que n'entend-on pas sur l'armée ? « Tous les gens sensés et non militaires, écrit « l'avocat Barbier, disaient à l'Opéra que ces honneurs mérités et « décernés à un étranger (2) devraient bien donner de l'émulation « à nos seigneurs destinés pour les grands emplois militaires non « pas par la bravoure, car ils en ont tous, mais pour travailler et « apprendre leur métier, parce qu'il est certain que c'est la tête, « la capacité et la connaissance de cent parties différentes qui « composent et forment un général supérieur à un autre (3). » Ces réserves, ces plaintes patriotiques ne cesseront plus ; nous les entendrons souvent, et pour cause, pendant la guerre de Sept ans. Elles sont, en somme, la réponse aux inquiétudes de Voltaire sur le déclin de la société de son temps, et s'accordent de tout point avec les réflexions de Duclos. Mais cette réponse, Voltaire ne l'a pas donnée. Les vraies raisons de la décadence ne sont autres que l'impiété, la dépravation des mœurs — dont Voltaire lui-même a été révolté, au collège (4) — et par suite la mollesse qu'amènent les plaisirs, le peu de travail et de capacité, l'indiscipline, voire la révolte (5), l'abaissement général des caractères. On trouve aisément dans la société française des

(1) Rollin, *Histoire ancienne*, publiée de 1730 à 1738, t. VIII, p. 155. Voir H. Ferté, *Rollin, sa vie, ses œuvres et l'Université de son temps*. (Paris, 1902.)

(2) On sait que le roi donna Chambord à Maurice de Saxe, qui fut nommé maréchal général, comme Turenne.

(3) *Journal de Barbier* (mars 1746), t. II, p. 483.

(4) A. Schimberg, *ouvr. cité*, p. 309-310. Révolte de Voltaire, en présence du jeune duc de Boufflers, au collège Louis-le-Grand. D'Argenson, lui aussi, était alors au collège. Il dit de Boufflers : « Il prodiguait des faveurs bien coupables pour tant de choses. Il avait des gens attachés à lui de tous métiers, des confidents, des prôneurs, des négociateurs, des coupe-jarrets. »

(5) Il y a dans les collèges, ceux des Jésuites et les autres, des révoltes fré-

hommes instruits — et qui alors ne s'est pas félicité, à la suite de Voltaire, de la diffusion croissante des connaissances ? — on y rencontre rarement des caractères : la vie sociale les a émoussés.

Comment donc redresser cette société, qui penche vers son déclin, au milieu du luxe le plus brillant et parmi les apparences les plus séduisantes, au temps de Fontenoy ? Les éducateurs, les moralistes, comme Duclos, n'hésitent pas à le proclamer : le relèvement se fera d'abord par l'éducation dans la famille. Toutefois certains ont, comme le P. Porée, peu de confiance dans les parents. Ils espèrent davantage de l'éducation à l'école : c'est là qu'on devra former des hommes qui serviront bien le pays. Enfin le redressement se fera par la pratique d'une vie simple, sans faste, toute de travail, qui mette chacun à même de remplir sa tâche, dans l'intérêt général.

quentes, insultes aux régents, etc. Voir Mornet, qui les signale et les date. Et, la discipline étant dure, les révoltes ne seront pas rares en plein XIXe siècle, jusque vers 1885.

CHAPITRE II

LES CLASSES DE LA SOCIÉTÉ (1715-1750)

Dans le mouvement social de cette époque, au milieu de cette atmosphère si mouvante, quel a été le genre de vie, le rôle de chacune des classes de la nation ?

Comme la société est une création collective et continue des diverses classes de sujets, et, dans chacune d'elles, des individus et de ceux-là surtout qui comptent vraiment, ces questions ont été déjà abordées par là-même ; mais il reste à préciser ce qui est de chaque classe sociale, de chaque catégorie plus petite, et à descendre jusqu'à la réalité élémentaire, l'individu.

I. — *Les privilégiés : la Noblesse*

La Noblesse, oisive sous Louis XIV — sauf ceux de ses membres qui, en temps de guerre, commandent l'armée — reste oisive sous Louis XV : son essai de gouvernement, au temps de la Régence, a, on l'a vu, échoué ; il ne pouvait réussir ; elle n'était pas prête à prendre en main le gouvernement de la France, elle n'en avait pas la capacité, et le désintéressement et la puissance de travail lui manquaient. La grande Noblesse vit trop souvent d'intrigues, de jeu, de spéculation ; il y a eu, parmi elle, quelques défaillances, comme celle du comte de Horn, voleur et assassin, dans la fièvre de gains subits et fabuleux au temps de Law : exception, d'ailleurs, mais triste exemple de la dépravation générale. Les mœurs sont déplorables : l'exemple vient de haut. La princesse palatine ne cesse de le déplorer. Son fils, le régent, mène une vie de débauche ; il va boire et manger chez ses maîtresses, et celles-ci boivent à qui mieux mieux. « Par malheur, dit « Madame, mon fils a une maudite maîtresse qui boit comme un « sonneur. De plus elle ne lui est pas fidèle du tout. Mais il s'en « soucie comme d'un fétu, il n'est pas le moins du monde jaloux, « ce qui souvent me fait craindre qu'il n'attrape quelque chose de « laid dans ce commerce-là. Dieu l'en préserve ! Cette compagnie

« du diable, avec laquelle il soupe toutes les nuits jusqu'à 3 « ou 4 heures du matin, cela est forcément malsain. » Et elle ajoute, dans sa lettre à sa correspondante : « Je vous le demande « en grâce, priez assidûment pour qu'il se convertisse ! (1) » Mais que pourrait la prière ? C'est une mère qui parle et qui croit encore que la conversion est possible. Elle rejette tout le mal sur les femmes. C'est elles qui corrompent son cher fils. Que ne dit-elle des femmes ? « Elles sont par trop légères et effrontées, en « particulier celles qui sont de la plus grande maison. Elles « sont pires que les femmes dans les maisons publiques. C'est « une honte que ce qu'on raconte qu'elles ont fait en public, au « bal ; on devrait les enfermer. Je ne comprends pas que le mari « soit endurant à ce point. » Il s'agit du duc de Bourbon, marié à Marie-Anne de Bourbon, Mlle de Conti. Mais que faisait, de son côté, le duc de Bourbon avec Mme de Prie ? Celle-ci mène, dit Madame, une « vie de polichinelle, qui l'a changée horriblement ». Le duc tombe malade à Chantilly. « Le médecin hollandais (Helvetius), qui le traite, lui a dit qu'il mourrait avant six mois s'il continuait la même vie. Mais le duc a répondu : « Ma vie et ma santé sont à moi, j'en veux faire ce qui me plaît » (2) On sait la suite : la fin rapide du duc et de sa maîtresse.

Dans le monde de la Cour et des courtisans, peu d'hommes qui maintiennent l'ancienne vie de famille. Louis XIV a perverti sa Noblesse. Madame remarque qu'il « n'est pas de mode du tout « d'aimer sa femme en ce pays-ci... Mais à bon chat bon rat ! « Les femmes en punissent bien les hommes. La vie que tout le « monde mène ici est vraiment étonnante... Parmi les gens de « qualité, je ne connais pas un seul couple qui s'aime et se soit « fidèle... » Il y a peut-être des exceptions, que ne voit pas Madame ; ce sont sans doute les couples, plus âgés, qui ont gardé encore un peu de l'esprit chrétien et de l'esprit de famille des anciens temps. Mais, maintenant, les bâtards ne se comptent plus : le grand roi a donné l'exemple. Et les enfants trouvés commencent. Que dire de cette grande dame qui fait exposer le fruit de ses amours coupables sur les marches de l'église Saint-Jean - le - Rond, cet enfant qui prendra un jour le nom de Dalembert, l'illustrera ? (3).

(1) *Correspondance de Madame*, 23 décembre 1717, t. II, p. 258. — Voir encore ce passage : « Mais espérons qu'un jour Dieu l'arrachera de ce labyrinthe et le tirera des mains de toutes ces méchantes gens », 14 décembre 1717.

(2) *Correspondance de Madame*, 3 mai 1721, t. III, p. 98-99.

(3) Mme de Tencin, sœur du cardinal de Tencin, voulut plus tard reconnaître l'enfant, devenu illustre, qui s'y refusa. On sait que le père était le chevalier Destouches.

Que d'avidité, que d'intrigues, quelle fureur de distinctions ! On l'a déjà observé à la Cour de Louis XIV ; mais quelle aggravation, quelle mauvaise tenue, quel langage, digne des poissardes des Halles ! Écoutons encore Madame, toujours indignée de ce qu'elle voit et entend : « Les marquises de Polignac et de Sabran « ne veulent pas permettre que deux duchesses (d'Olonne et de « Brissac) se mettent au-dessus d'elles, au bal de l'Hôtel-de-Ville. « Elles leur dirent : « Vous voulez vous mettre au-dessus de nous « pour montrer vos beaux habits qui sont de la boutique de « votre père. » Les duchesses répondent : « Si nous ne sommes pas « d'aussi bonne maison que vous, au moins nous ne sommes pas « des p....., comme vous. » — « Oui, nous sommes des p....., et « nous le voulons bien être, car cela nous divertit (1). » Langage de Régence. Que cela ait changé, plus tard, sous Fleury, il se peut, mais le fond reste le même. La Noblesse est irrémédiablement corrompue. Elle étale sa corruption, et Massillon s'en indigne ; si, plus tard, elle l'affiche moins, et l'enveloppe de quelque élégance, c'est peut-être moins par crainte de l'opinion ou de l'apostrophe de quelque rare prélat rigoriste, que d'un secret plaisir du contraste caché entre les apparences et la réalité.

L'éducation ne fait à peu près rien pour préserver du péril les jeunes nobles. Les parents les abandonnent aux précepteurs et aux gouvernantes, puis aux régents, surtout aux Jésuites, dont le grand collège de la rue Saint-Jacques est toujours très florissant, où, comme on a vu, l'on s'inquiète peu d'une éducation civique et nationale, où tout, exercices, ballets, représentations théâtrales, stimule le désir des succès mondains. Quelle différence avec l'éducation d'autrefois, cette éducation sévère donnée par le prince de Condé à son fils, qui devait être le grand Condé ! (2). Et quel enseignement d'adulation ! Dans son *Histoire de France* (1713), le P. Daniel fait l'éloge de la Révocation de l'Édit de Nantes et se montre partisan des prétentions des princes bâtards ; il apprend ainsi aux jeunes gens l'intolérance religieuse et la considération pour les enfants illégitimes, surtout ceux de haute naissance. Quel enseignement scientifique arriéré ou timide ! Pourquoi le P. André, dans ses *Éléments d'astronomie*, préfère-t-il parler du Soleil comme d'une planète ? Il est vrai qu'il prévient ses élèves : « Nous croyons, écrit-il, devoir avertir « les commençants que depuis près d'un siècle tous les astro-

(1) *Correspondance de Madame*, 14 mai 1722, t. III, p. 121-122.

(2) Instructions du prince de Condé à son fils. Le prince redoute les réunions élégantes, l'influence de sa femme. Voir le Duc d'Aumale, *Histoire des princes de Condé*, t. IV, p. 340.

« nomes de l'Europe ont adopté le système de Copernic, rectifié « néanmoins par le génie de Kepler. L'Académie des Sciences « n'en admet pas d'autre... Quoi qu'il en soit, nous ne laisserons « pas, dans les traités suivants, de parler du Soleil comme d'une « planète qui se meut réellement autour de la Terre (1). » Sans doute on peut enseigner l'astronomie en se fondant, provisoirement, sur les phénomènes apparents. Mais après les apparences, ne faut-il pas en venir enfin à la réalité ? Mais que pensera donc le « commençant » ? L'autorité de Copernic, fortifiée par Kepler et même par l'Académie, ne lui paraîtra-t-elle pas déjà douteuse, grâce au « quoi qu'il en soit », du Père, et même fausse, puisqu'on commence par admettre que la planète-Soleil se meut *réellement* autour de la Terre ? Et que de temps, chez les Pères, pour arriver enfin à l'éloge de Descartes, à Louis-le-Grand (1744), ou à Pont-à-Mousson (1755) ! (2). Aussi les élèves ont-ils peu de connaissances, surtout de connaissances scientifiques en harmonie avec l'esprit moderne. Leurs anciens avaient au moins reçu une bonne éducation militaire ; leur famille ne les gâtait point, et s'ils n'étaient pas plus savants (3), ils avaient, du moins, plus de caractère, plus de zèle, plus de feu. Eux, ils ne reçoivent ni une bonne instruction moderne ni une éducation civique et professionnelle ; d'ailleurs, c'est la paix qui règne jusque vers 1740, et l'on ne se forme plus. C'est bien ce que remarquent les hommes de ce temps : « Les hautes classes, écrit le marquis d'Argenson, « perdent en virilité ce qu'elles gagnent en politesse, et les jeunes « générations, qui montent à la vie vers 1700, cachent sous le « vernis des formes des habitudes foncièrement dépravées (4). » Comment les fils seraient-ils meilleurs que les pères ? Qui leur donnerait des leçons, des modèles ? Autour d'eux, ils ne voient que frivolité, intrigues, faveurs, corruption. Iront-ils croire quelque prédicateur hardi et sévère ? Et enfin le jeune roi ne donne-t-il pas l'exemple ?

Car, après le régent et le duc de Bourbon, même sous le grave cardinal Fleury, Louis XV, flatté, adulé, à qui, dès son enfance,

(1) A. Schimberg, *ouvr. cité*, p. 519. Le P. André (1675-1764) était un ami de Malebranche. Mais, quelle timidité d'esprit chez un ami de ce grand philosophe et savant !

(2) *Ibid.*, p. 520. Eloge de Descartes, par le P. Baudory (Louis-le-Grand). Eloge par le P. Guinard, professeur à Pont-à-Mousson, au concours de l'Académie française sur *L'Esprit philosophique* (1755).

(3) Bernis, *Mémoires*, p. 104 : « On doit avouer qu'autrefois on trouvait plus aisément parmi les grands seigneurs, dont plusieurs savaient à peine lire, des généraux... »

(4) D'Argenson, *Mémoires*, éd. Rathery, t. I, p. 15-17. — Bernis, *Mémoires*, t. I, p. 104.

son gouverneur disait, devant la foule assemblée à Versailles : « Sire, tout ce peuple est à vous », poussé par les courtisans, après son mariage, vers les maîtresses, et de maîtresse en maîtresse, vers la duchesse de Châteauroux, un moment repenti, car il a vu la mort de près, à Metz, retombe, à trente-cinq ans, et, cette fois, non plus entre les mains d'une grande dame de l'aristocratie, mais entre celles d'une bourgeoise ambitieuse et avide, lancée par les gens de finance et de maltôte : Mlle Poisson, mariée à un M. d'Étioles, qui devient la marquise de Pompadour (1745). Et, comme c'est une situation officielle que celle de maîtresse du roi (1), que la maîtresse est présentée, dans les formes du cérémonial, à la reine elle-même, aux princes et aux princesses et à toute la Cour, qu'elle devient la grande source des faveurs et des grâces, qu'elle a ou peut avoir sur toute la politique un énorme pouvoir, aussitôt l'aristocratie, déconcertée, se jugeant lésée dans ses intérêts comme dans sa considération, accable la favorite sans naissance de ses dédains et de ses sarcasmes et lui déclare une guerre sans merci. Mais la maîtresse est capable de se défendre ; elle prend peu à peu de l'expérience ; au reste, elle est soutenue par de puissants amis, qui s'attachent à sa fortune, pour faire d'abord la leur : financiers, comme les Pâris ; ecclésiastiques, comme l'abbé de Bernis ; hommes d'État, comme Machault ; philosophes, en tête Voltaire ; même savants, tels que Buffon ; écrivains, et surtout artistes, qu'elle retient par sa haute protection et ses fructueuses commandes, sans cesse renouvelées (2). Et bientôt, son cercle s'élargissant, elle va devenir le centre de la société et de l'État. Car elle seule a le pouvoir, par son charme, par ses changements de costume et même de physionomie, par ses inventions de représentations lyriques ou dramatiques, sur un petit théâtre d'amateurs, par ses diverses constructions de châteaux et leurs si élégantes décorations, enfin par toute la variété de la vie qu'elle donne à Versailles ou à Fontainebleau, d'égayer son royal amant, que l'ennui assiège, de l'occuper et de le retenir. Et l'aristocratie finit par être vaincue. Une partie, d'ailleurs, est passée, dès le début, à la puissance nouvelle, par intérêt, comme par habitude de la flatterie et de la servitude. Le reste suivra plus tard. C'est encore un pas que fait la grande Noblesse dans l'affaissement des caractères.

Qu'il reste dans cette Noblesse des hommes de haute valeur,

(1) Mario Roustan, *Les Philosophes au XVIIIe siècle*, a parfaitement développé cette idée.

(2) E. et J. de Goncourt, *Madame de Pompadour*, éd. augmentée, et illustrée (Paris, 1888, in-4°).

bien des noms et des actes ou des œuvres en portent témoignage : le comte de Buffon, le comte de Plélo, le marquis de Mirabeau, « l'Ami des hommes », le jeune Vauvenargues, à la droite et fière conscience. Mais, dans ses rangs aussi denses que jadis, point de grands généraux ; pas de héros vainqueurs ; peu de capacité militaire. Les chefs qui conduisent l'armée française à la victoire sont des étrangers : Maurice de Saxe, Lowendhal. Les nôtres ne peuvent venir qu'en sous-ordre. Et, après 1750, quand ils commanderont, ils seront honteusement battus. N'est-ce pas ce que déjà redoutent les excellents, mais impuissants éducateurs de la jeunesse, Rollin et le P. Porée, et ce que pressent avec amertume le public, après Fontenoy ? (1). Mais une élite se tourne déjà vers la science, l'économie sociale ou la philosophie, avec une véritable passion, celle de l'utilité générale comme celle de la gloire personnelle : ferment nouveau qui agit sur les jeunes gens, et dont ils ressentent fortement les effets (2). Par là l'aristocratie française se relève à nos yeux.

Elle se relève aussi par le sens de l'élégance et par le goût. Et c'est ce qui attire vers elle cette partie de la Bourgeoisie, véritable aristocratie intellectuelle, qu'ennoblit la création artistique ou littéraire, et ce qui la rapproche elle-même de cette élite d'écrivains, de savants et d'artistes dont la France sait maintenant s'honorer. Cela met un peu d'idéal et de raffinement dans cette société, souvent étrangement matérialiste, indifférente à la religion, mais où déjà, vers 1730-40, souffle ce sentiment nouveau qui fait de l'individu d'élite un serviteur de l'État, toujours prêt à étendre son esprit en un milieu actif et créateur, comme Paris, cet incomparable laboratoire social où se mêlent tant d'« hommes de tous les états, de toutes les provinces, de toutes les nations » (3).

Le noble — le grand noble surtout — a une autre élégance, et

(1) Voir plus haut, p. 37.

(2) Voir la correspondance de Mirabeau « l'Ami des hommes », et de Vauvenargues, dans les *Œuvres choisies* de Vauvenargues, par H. Gaillard de Champris *ouvr. cité.*

(3) Mirabeau à Vauvenargues : « Travaillez pour le public » (14 juin 1739), « Un homme de qualité ne doit pas s'enterrer ; il se doit à l'Etat » (7 janvier 1740). Vauvenargues à Mirabeau : « Je ne crois pas qu'il y ait rien de plus dangereux, et qui rétrécisse tant l'esprit, que de vivre toujours avec les mêmes gens. C'est un danger qu'on ne court point à Paris, à moins qu'on ne le veuille bien, et on y trouve tant de différences dans les mœurs, dans les goûts, dans les opinions, qu'au milieu de cette bigarrure on demeure maître de soi ; on n'imite que ce qu'on veut imiter, et les différences infinies qu'on a toujours sous les yeux étendent l'esprit, l'éclairent et l'empêchent de se prévenir. Et quel spectacle n'est-ce pas que cette variété ! Quel agrément de pouvoir vivre avec des hommes de tous les états, de toutes les provinces, de toutes les nations, et de réunir en un point tous les rayons de lumière épars dans cette multitude, qui renferme en son sein toutes les connaissances, tous les sentiments et tous les talents du monde ! » (27 septembre 1739).

qui séduit : celle de la dépense et souvent de la générosité. Il ne chicane pas avec ses domestiques, qui, de toute façon, se paient largement. Et, s'il sait demander à la Cour et obtenir des grâces, des gratifications et de belles places, il dépense largement ses revenus, et même au delà. Dans ces grandes familles, on ne songe guère à l'avenir ; on n'amasse point ; la vie de cour est trop coûteuse. On s'y ruine ; on vend des domaines, pour y suffire ; et même, avec l'essor de l'agriculture, les fermages augmentant de valeur, on n'arrive pas à équilibrer son budget. Les provinces ne connaissent plus guère ces grands aristocrates. Les Tavannes, de Bourgogne, vivent à Paris et à Versailles, et la province n'entendrait plus parler d'eux, si le comte Henri-Charles de Saulx, lieutenant-général, n'y exerçait les fonctions de commandant militaire (1).

S'il est beaucoup de familles qui continuent à vendre des terres et à s'endetter, il en est d'autres que parfois le jeu des successions relève, en réunissant les biens de plusieurs branches de la même race sur la tête d'un seul. Ce fut l'heureuse destinée du comte de Valbelle, colonel du régiment de Berri à vingt ans, fastueux seigneur provençal, possesseur de l'immense et splendide château de Tourves, dans son pays, et, à Paris, d'un bel hôtel avec un grand jardin, rue du Bac. Il devait être l'amant de Mlle Clairon, la fameuse actrice, et défrayer longtemps la chronique galante de Paris. La mort de son frère le marquis, qui laissa, dit-on, un nombre incalculable de bâtards, augmenta encore ses revenus. A ce compte, il pouvait jeter l'argent par les fenêtres, et faire, plus tard, de Tourves une résidence merveilleuse (2). Mais ce ne sont là que des exceptions. Le plus souvent, les grandes familles, un peu déchues du côté de la fortune, continuent à rechercher les filles très riches des « robins » et surtout des financiers. Et, s'il y avait encore quelque préjugé de mésalliance cinquante ou cent ans auparavant, il n'en reste plus maintenant que le mélange des hautes classes de la société se fait sans cesse et qu'avec le progrès du luxe les « biens de fortune » sont plus prisés que jamais.

Mais combien de familles nobles ne peuvent aspirer à se montrer à Versailles et à voir Paris, ce Paris fabuleux, qui paraît si loin, quand on vit en Languedoc ou en Provence ! Là, c'est la vie de château, monotone, sévère pour les enfants, souvent gênée,

(1) Sur les Tavannes, voir Roupnel, *ouvr. cité*, p. 285 et suiv.

(2) On trouvera sur le comte de Valbelle quelques pages, fort intéressantes, dans le livre d'André Hallays : *A travers la France : Provence*, 1912, p. 134-157, d'après des travaux d'Octave Teissier, de E. de Goncourt, etc.

étriquée. Ceux qui jouissent d'une belle aisance vont passer l'hiver à la ville voisine, pour revenir au printemps sur leurs terres. Mais combien de pauvres gentilshommes ne peuvent s'offrir ce délassement, surchargés de famille, obligés de veiller toute l'année à l'exploitation de leur domaine ! Ils continuent, comme leurs pères, à travailler eux-mêmes, à soigner leurs vignes, à surveiller leurs métayers, à recueillir leurs fermages, à percevoir ou faire percevoir leurs droits seigneuriaux, quand ils en ont. On a beau leur parler du grand commerce maritime pour leurs fils ; ce sont des terriens : un long atavisme les attache à la terre de France, cette bonne terre qui leur fait suivre le mouvement de la nature, le changement des saisons et des travaux, et qu'ils ne pourraient abandonner pour risquer l'aventure ; au reste, point tentés par le gain rapide, n'y ayant jamais eu aucune aptitude (1). Mais ils sont moins malheureux que sous Louis XIV. La terre rapporte, maintenant, bien davantage. Entre ces gentilshommes et les grands nobles de Versailles, point ou peu de rapports. Le genre de vie les sépare, et, par suite, les idées et les sentiments. Eux, ils ont gardé l'esprit de famille, sévère pour les enfants, le goût du travail, même manuel, l'esprit d'économie. Dans le Midi, ils tiennent des « livres de raison », livres de comptes écrits, de génération en génération, par le chef de famille, comme cela se pratiquait à la fin du Moyen âge ; coutume que l'on trouvait encore dans certains pays du Centre, tels que le Limousin et le Périgord, et dont parle Montaigne, qui déclare qu'« en la police « économique *son* père avait cet ordre », « que je sais louer, « ajoute-t-il, mais nullement ensuivre », « usage ancien, que je « trouve bon à rafraîchir, chacun en sa chaumière, et me trouve « un sot d'y avoir failli. » Ces gentilshommes vivant de leur terre sont souvent méprisés par Paris et les villes. Et « l'Ami des hommes » de s'emporter à bon droit contre cet injuste dédain : « Le titre de gentilhomme campagnard, dit-il, est devenu presque « ridicule parmi nous, comme s'il pouvait y en avoir de ville ! « Le nom de provincial est une injure, et les gens du bon air sont « offensés quand on leur demande de quelle province est leur « famille, comme si être Dauphinois ou Poitevin n'était pas être « Français. Cette misérable supériorité de l'habitant de la capitale « sur celui des provinces est rendue en monnaie, dans la province, « par le citadin au villageois et au campagnard (2). »

(1) Il n'y a d'exceptions que pour des familles aristocratiques de Marseille, qui se livrent à des entreprises maritimes, comme le font celles d'Italie. Mais cela est particulier aux vieilles cités de la Méditerranée, à ces grandes républiques maritimes, qui vivaient de commerce, de luxe et d'art.

(2) Montaigne, *Essais*, I, XXXIV. — Voir Charles de Ribbe, *Les Familles*

Il y a donc, plus que jamais, diverses classes dans la Noblesse : la haute aristocratie, pourvue des belles charges de cour, des commandements de l'armée et de la marine ; la Noblesse aisée des provinces ; la gentilhommerie campagnarde ; toutes s'ignorant, les dernières jalousant la première ; toutes attachées à leurs privilèges — c'est leur seul trait commun — mais ne formant pas un « corps », malgré la tradition du langage, et ne se présentant jamais en corps, depuis qu'il n'y a plus d'États généraux ; et c'est ce qui continue à faire la faiblesse de cet « ordre » de la nation.

II. — *Les privilégiés : le Clergé*

Le Clergé, ce corps si traditionaliste, s'est transformé, lui aussi, avec la société. Et, comme toutes les institutions, il est en décadence, et singulièrement affaibli par ses divisions religieuses, morales et sociales, plus profondes que jamais, n'étant point maintenu dans son unité, ou dans une unité au moins apparente, par un pouvoir fort.

Le haut Clergé — évêques et gros bénéficiers — continue à ne pas résider ; du moins les prélats les plus riches et les plus puissants suivent toujours la Cour. Le cardinal Fleury a essayé de les obliger à la résidence ; mais ses ordres n'ont pas été obéis. Comment contraindre d'aussi fastueux seigneurs qu'un évêque de Strasbourg, un archevêque de Bourges ou de Rouen, à passer toute leur vie dans leur diocèse ? A quoi leur serviraient les immenses revenus qu'ils retirent de leurs « menses épiscopales » et de « bénéfices » cumulés à plaisir ? Revenus qu'il est impossible de compter ; car l'*Almanach royal*, qui les indique, les diminue par système, tantôt de moitié, tantôt des deux tiers ou davantage ; de sorte qu'on ne peut que les connaître approximativement, pour cette époque (1). Combien, en effet, il est difficile de les évaluer, quand un grand personnage fait la chasse aux abbayes, comme le cardinal Dubois, qui, archevêque de Cambrai, a réuni sur sa tête sept abbayes très riches du Nord (Bergues, Saint-Bertin, etc.), « commencé, dit Saint-Simon, des ouvertures pour s'emparer de Citeaux et de Prémontré », et qui, pour ses « bénéfices », touche 325.000 livres (2) ! La plupart des grands

et la société en France avant la Révolution, 3e édition, 1874, p. 144 ; cite *L'Ami des hommes* (1758), chap. VI.

(1) Certains historiens donnent volontiers des chiffres. Ils multiplient les chiffres de l'*Almanach royal* par 2. Mais c'est chose vaine. C'est seulement par des *Mémoires* ou des *Correspondances* du temps que l'on peut connaître quelque peu la réalité ! Nous nous abstenons donc de reproduire les chiffres des *Almanachs royaux*.

(2) Saint-Simon évalue les revenus de Dubois. Voici, sous toutes réserves,

prélats ont plus de 100.000 livres, quelques-uns 200.000, et l'évêque de Strasbourg peut-être 400.000 : fruit des droits seigneuriaux et des dîmes, comme des fermages ou des métayages ; les uns en nature, les autres en argent, ceux-ci augmentant de valeur monétaire, et ceux-là ne baissant un moment que pour remonter, lors d'un nouvel affermage. Ces évêques, ces abbés de grandes abbayes mènent une vie de princes dans leurs hôtels et leurs châteaux ; c'est le même luxe, la même foule de serviteurs et de « domestiques » de tout rang, les mêmes dîners plantureux, les mêmes divertissements, concerts, bals et jeux de cartes qu'à la Cour ou dans les hôtels des princes et des plus grands seigneurs. Pendant qu'ils représentent et s'amusent, leurs « grands vicaires » administrent le diocèse déserté.

Cependant ces évêques non résidents ne sont pas la majorité ; mais c'est eux que l'on voit, dont on parle, pour flétrir l'abus qu'ils commettent, tandis que la plupart des autres restent dans leurs sièges perdus aux Alpes et aux Pyrénées — Fréjus, Vence, Glandève, Digne, Saint-Michel de Maurienne, Senez, Lescar, Oloron, etc. — le plus souvent sans se plaindre de la malchance qui les y a envoyés ; mais n'y eut-il pas un ambitieux qui aimait à se dire « évêque de Fréjus, par l'indignation divine » ? on sait comment il réussit à en sortir pour devenir précepteur du roi, puis premier ministre. Ces modestes prélats n'ont que de faibles revenus, 6.000, 10.000 livres, mais que l'Église de France jugera suffisants, quand le malheur l'aura réformée et moralisée, au début du siècle suivant. D'ailleurs, ils font eux-mêmes leur office. Il est vrai que les visites pastorales sont rares, que la confirmation n'est pas donnée à époques régulières, et que souvent l'évêque attend des années pour y procéder, réunissant dans la même ville plusieurs centaines de jeunes gens et de jeunes filles, d'âge très différent. Certes, dans les pays de montagne, mal pourvus de routes, les voyages sont difficiles, voire dangereux ; mais il est hors de doute que la rareté des visites pastorales tient à la diminution du zèle et peut-être de la foi chez les pasteurs eux-mêmes.

L'épiscopat n'est plus le grand épiscopat du temps de Fénelon et de Bossuet. Ce que Bossuet avait prédit et redouté, cet afflux, dans les rangs du haut clergé, de jeunes seigneurs, de fils de

cette évaluation : premier ministre, 150.000 livres ; surintendant des postes, 100.000 ; bénéfices, 325.000 (en comptant Cambrai pour 120.000) ; pension d'Angleterre, 960.000 ; total : 1.535.000. Peut-être faut-il ajouter 20.000 livres du Clergé, comme cardinal ; mais, dit Saint-Simon, « je n'ai pu le savoir avec certitude ». Il dit encore de Dubois, qu'il avait gagné beaucoup avec Law et qu'« il lui en était resté un prodigieux argent comptant ». Et il termine : « Quel monstre de fortune, et d'où parti ! »

ministres, sans vocation, a produit ses effets, et la religion en souffre. Après la mort de Louis XIV, restent encore quelques grands évêques de l'âge précédent : Noailles, le champion du gallicanisme, Fléchier, Mascaron, Massillon, les orateurs de la chaire chrétienne, Belzunce, le héros de la charité et de l'héroïsme, mort de la peste qui ravagea sa grande cité de Marseille. Il y a peut-être, après 1740, plus d'honnêtes prédicateurs qu'au siècle précédent, comme le remarque Voltaire ; mais les grands prédicateurs se sont tus. Après Massillon, on n'entend plus dans la « chaire de vérité » une voix autorisée, éloquente, qui fustige, en présence des grands, leur impiété et leur corruption, rappelle que les rois de France ne sont que les élus de la nation, en vertu d'un contrat originel, et enseigne aux puissants et aux riches que la prospérité n'est pas absolue et sans limites, mais que chacun a droit, de par Dieu, à la suffisante vie (1). L'Église de France se perd de plus en plus dans l'idolâtrie monarchique et la servitude. La haute Église est au niveau de la société mondaine, d'où elle sort, maintenant, tout entière (2), frivole et trop souvent cupide, peu soucieuse de remplir, avec les immenses richesses dont elle est pourvue, les services sociaux que, suivant la tradition, elle assume : l'assistance et l'enseignement populaire. Ces richesses, elle les défend jalousement, opiniâtrement, quand le roi, qui pourtant a le droit d'en disposer, d'après le Concordat même, lui demande de contribuer au « vingtième » de ses revenus, bref aux frais d'une longue guerre (3). Et il en sera ainsi jusqu'à la fin du régime : l'Église de France, la haute Église entend se placer à part de la société et de la vie nationale. Elle apparaît comme un « corps » étranger aux intérêts du roi, ne se soucie ni des guerres ni des frais qu'elles entraînent pour le royaume, met toujours en avant, pour payer le moins possible, ses privilèges traditionnels, fondés sur des services qu'elle rendit jadis, mais que depuis longtemps elle ne rend plus.

(1) Massillon, *Petit Carême* (1718) : « S'il a paru autrefois des impies, le monde lui-même les a regardés avec horreur. Mais aujourd'hui l'impiété est presque devenue un air de distinction et de gloire. » — « Ce n'est plus le souverain, c'est la loi, Sire, qui doit régner sur les peuples ; vous n'en êtes que le premier ministre. Ce sont les peuples qui, par ordre de Dieu, ont fait les souverains tout ce qu'ils sont. » « Tous les biens appartenaient originairement à tous les hommes ; la simple nature ne connaissait ni propriété ni partage. » Les « misérables » n'ont pas moins de « droit que les autres aux biens et aux plaisirs de la terre ».

(2) Il n'y a plus d'évêques issus de la « roture » après la mort de Massillon (1742). Au XVIIe siècle, le roi nomma évêques plusieurs « roturiers » : Bossuet, Fléchier, Mascaron, Massillon, etc. Il n'y a plus, après 1715, dans l'Eglise de France, que ces trois derniers qui ne soient pas nobles.

(3) Voir plus haut, p. 8.

De tous ces abus souffrent surtout les prêtres séculiers, qui, eux, se tiennent à la disposition des fidèles des villes et des campagnes. Les curés des villes sont dans l'aisance, à cause des dîmes, du « casuel » et des offrandes de riches parosssiens ; il en est beaucoup qui jouissent de revenus supérieurs à 3.000 et 4.000 livres (1). Mais combien d'autres n'ont juste que le nécessaire ! Les dîmes ne sont pas, en général, perçues par le prêtre desservant de la paroisse ; le « curé décimateur » est seulement tenu de donner à celui-ci, qui jouit du presbytère et du jardin attenant, un revenu de 350 livres par an, qu'on appelle la « portion congrue ». Salaire bien faible, si l'on pense à tous les soucis du ministère sacré dans une paroisse pauvre ; où, en pays de montagne, le prêtre doit porter l'extrême-onction dans des hameaux éloignés, par des sentiers abrupts, à cheval ; où les fidèles, mécontents de payer la dîme, viennent souvent mendier à la porte du presbytère. Comment pourrait-il, ce prêtre pauvre, se faire la providence de ses ouailles, sans une foi profonde à l'Évangile et à la charité chrétienne ? Sorti du peuple, il va au peuple. D'instinct, il est démocrate ; et son sens démocratique se fortifie sans cesse par la méditation de l'Évangile. N'est-ce pas dans l'Évangile que Massillon a trouvé son inspiration, cet appel éloquent à la justice et au droit social, lorsque, devant le jeune roi et les princes, il a osé déclarer que les « misérables » n'ont pas moins de « droit que les autres aux biens et aux plaisirs de la terre » ? Que prêchent à leur tour ces curés ou desservants des campagnes ? Et comment prêchent-ils ? Nous l'ignorons, malheureusement. On les a appelés, au XVIIIe siècle, des « officiers de morale ». Ce n'est sans doute pas sans raison ; il est probable qu'au lieu d'enseigner des dogmes difficiles à entendre pour des paysans incultes, très souvent illettrés, ils exposent surtout les principes de la morale chrétienne, avec des citations fréquentes des Évangiles.

Curés, vicaires, desservants, « prêtres habitués » (2), forment une armée compacte, qu'on a pu évaluer à soixante mille, moralement et chrétiennement solidaires, car ils ne forment pas un corps à part dans l'Église ; ils ne sont pas appelés aux Assemblées

(1) On peut s'en rendre compte par des documents postérieurs, mais qui valent pour le milieu du siècle, en particulier par les *Cahiers des curés et des Communautés ecclésiastiques du bailliage d'Auxerre pour les Etats généraux* publiés par Ch. Porée (Auxerre, 1927), et en général par les recueils de documents sur les Biens nationaux, comme celui de M. Marion et de Benzacar sur la Gironde, t. Ier.

(2) On trouve partout un grand nombre de « prêtres habitués », qui peuvent être, à l'occasion, de fort utiles auxiliaires du curé ou du desservant dans les bourgs et les villages.

du Clergé, ils n'ont aucun rôle dans l'administration de ses biens ni dans sa discipline ; ce sont de véritables sujets, imposés arbitrairement par leurs chefs à la contribution des « décimes », et maintenus dans une stricte obéissance, en vertu de l'Édit de 1695 qui a confirmé et même accru le pouvoir des évêques.

Séparés de la haute Église par leur origine, leur genre de vie, leurs habitudes, ils le sont par leurs sentiments et leurs idées. Tandis que la plupart des évêques, après la mort de Noailles, sont ultramontains, ils restent, eux, gallicans, voire jansénistes. Il est vrai que le jansénisme est alors avant tout gallicanisme. Mais les ouvrages de Nicole, de Pascal, du P. Quesnel sont toujours, pour eux, des compléments de la Bible et des Évangiles. Et ils trouvent dans les villes, surtout dans les grandes cités « parlementaires », une foule de fidèles jansénistes et gallicans. Depuis la mort du grand roi, Paris, en particulier le « pays latin », n'a pas changé. Les curés des paroisses y gardent une grande influence sur la bourgeoisie et sur le peuple. Le gouvernement a employé la contrainte, pour leur faire accepter la « Bulle ». Suivant Mercier, l'auteur du *Tableau de Paris*, Fleury aurait lancé, contre eux et leurs adeptes trente mille lettres de cachet (1). Mais c'est en vain. Certes, l'apaisement a fini par se faire, un moment, grâce à la souplesse du cardinal. Mais le gallicanisme n'a pas, au fond, désarmé ; car il puise sa force dans l'esprit national.

Il y a plus. Les curés se considèrent comme la partie vitale de l'Église. Ils nourrissent depuis longtemps, mais surtout maintenant, à la faveur des sentiments libéraux qui s'insinuent dans la société, des idées d'indépendance ecclésiastique, qui les opposent directement à l'épiscopat. Ils se déclarent, en effet, institués de Dieu, tout comme les évêques. C'est l'ancienne doctrine du syndic de la Sorbonne, Richer (2). Appuyés sur cette doctrine, ils deviennent plus unis et plus puissants. C'est une démocratie cléricale qui déjà se forme et s'agite. De ce danger les évêques n'ont pas encore conscience. Ils s'en apercevront, lorsqu'ils auront la maladresse de réveiller, après 1750, la querelle janséniste et gallicane ; car ils susciteront, du même coup, la dispute « richériste », et le mouvement d'opposition du « bas clergé », nourri de deux fortes doctrines, deviendra alors formi-

(1) Mercier, *Tableau de Paris*, éd. G. Desnoiresterres, 1853, in-12, chap. XLVIII, p. 150 : « Le cardinal Fleury a signé trente mille lettres de cachet dans l'affaire de la Bulle. »

(2) Sur le richérisme et le jansénisme au XVIIIe siècle, voir E. Préclin, *Les Jansénistes du XVIIIe siècle et la Constitution civile du Clergé* (thèse de doctorat Lettres, Paris, 1929).

dable. Les conséquences en seront terribles pour la congrégation religieuse la plus compromise avec les évêques ultramontains, et depuis la Régence si odieuse (1), la « Compagnie de Jésus ».

Que ne dit-on pas déjà des Jésuites ? Madame, mère du régent, ne cesse de répéter, dans ses lettres, combien ils sont haïs (2). Ils sont, en effet, détestés par l'Université, les diverses congrégations, en particulier l'Oratoire, par une foule de prêtres, chanoines et curés, enfin par la plus grande partie de la « robe » et de la Bourgeoisie. C'est qu'en effet ces congrégations, ces « corps » ou ces classes de la société sont fort hostiles à la fameuse « Constitution » (3). C'est, écrivaient les Pères de l'Oratoire, « une Constitution que la haine a conçue, que l'erreur a enfantée, « et qu'une autorité spirituelle, malheureusement surprise, a « arrachée au premier pasteur ». A Reims, où l'archevêque François de Mailly a excommunié six docteurs « appelants », où le clergé a fait cause commune avec les excommuniés, si bien qu'on ne s'est délivré des plus ardents que par des lettres de cachet, l'Université reste indifférente quand l'archevêque reçoit le chapeau ; mais les Jésuites se livrent à des manifestations enthousiastes. En venant se faire sacrer à Reims (1723) Louis XV se rend chez les Pères et ne paraît point au collège de l'Université (4). Aussi les haines s'avivent-elles. Et l'avocat Barbier de le constater : « Il n'y a, écrit-il, que les évêques et les abbés de cour qui aspirent « aux grâces qui se soient rangés du parti des Jésuites... Ces « pauvres Jésuites sont bien haïs du public. Mardi donc de ce « mois — août 1729 — c'était la tragédie du collège. On avait « affiché à leur porte le placard suivant : « Les comédiens ordi- « naires du pape représenteront aujourd'hui, sur leur théâtre « de la rue Saint-Jacques, *Les Fourberies d'Ignace*, et, pour « petite pièce, *Arlequin jésuite.* » Ce n'était là qu'une guerre d'ironie. Mais toutes ces lettres de cachet, lancées à tort et à travers, par des évêques ou des ministres, sous l'influence secrète des Jésuites, n'était-ce pas la guerre inexpiable, la guerre civile dans l'Église même (5) ?

(1) Saint-Simon prétend que deux ou trois jours avant la mort de Louis XIV, le duc de Noailles, le président du Parlement et lui envisagent le bannissement des Jésuites (*Mémoires*, éd. 1873, t. XI, p. 390).

(2) *Correspondance de Madame*, 1717, t. II, p. 250 : « Tous les Jésuites sont tellement détestés à Paris qu'il est impossible qu'ils le soient davantage dans le Palatinat. Il y a d'honnêtes gens parmi eux, mais la plupart sont très intrigants et par trop entreprenants, comme nous l'avons vu par deux confesseurs du roi. »

(3) La Bulle Unigenitus.

(4) Cauly, *Histoire du Collège des Bons-Enfants de l'Université de Reims* (Reims, 1885), citée par Schimberg, *ouvr. cité.*

(5) *Journal de Barbier*, t. Ier, p. 263.

Pendant qu'on dispute ferme sur la « Bulle » et qu'on se divise en partis irréconciliables, on laisse agir à sa guise l'ennemi commun : la philosophie et les philosophes. Qui leur répondrait ? Ce n'est pas que l'Église de France, lors de ses Assemblées générales, ne réclame toujours du pouvoir royal une censure plus sévère, des poursuites contre les livres et les auteurs incriminés. Mais le pouvoir est obligé de compter avec l'opinion, l'Académie et les « salons », où la philosophie a depuis longtemps pénétré, et qu'il est impossible d'empêcher de parler. Au reste, la philosophie ne se glisse-t-elle pas jusque dans le Clergé ? Certes, les Jésuites eux-mêmes, plus d'un demi-siècle après les Oratoriens, commencent, on l'a vu, à faire l'éloge de Descartes (1) ; mais, à ce moment même, le cartésianisme a fini sa carrière ; une nouvelle philosophie, issue de Locke et des Anglais, est édifiée par l'abbé Condillac, qui prétend démontrer que nos idées ne sont point innées, mais viennent toutes de nos sens (1746) (2), et c'est cette doctrine qui l'emporte : triomphe facile, car la voie lui est depuis longtemps préparée par le spirituel auteur des *Lettres anglaises*, et tout le mouvement social la favorise.

L'influence du Clergé diminue visiblement. L'autorité de la Sorbonne n'est plus acceptée avec la révérence de jadis. Les études de théologie faiblissent. Des thèses hétérodoxes, comme celle de l'abbé de Prades, futur théologien du roi athée Frédéric II, font scandale. La théologie subit la contagion de la philosophie moderne. Au reste, le Clergé s'adonne moins aux études théologiques qu'à la science et à l'érudition : dans ses rangs, que de noms illustres de savants ! : l'abbé Lacaille, qui va au cap de Bonne-Espérance observer les astres de l'hémisphère austral (1750) ; le génovéfain Pingré, lui aussi astronome et membre de l'Académie des Sciences ; une armée d'érudits et d'historiens, des Bénédictins surtout, continuateurs de la belle tradition de Mabillon, avec pour chef Dom Bernard de Montfaucon, ce prince de l'érudition, animateur de l'Académie des Inscriptions (1719). Avec la multitude de prêtres éclairés et de régents des collèges ecclésiastiques, dont plusieurs, le P. Porée, le P. Tournemine, le P. La Tour, le P. de La Rue, ont une influence éducatrice et sociale considérable, le Clergé reste un foyer de lumières, d'humanisme et de goût, auquel Voltaire lui-même a rendu un hommage reconnaissant. Par là — à la différence de beaucoup de nobles oisifs et inutiles — il joue encore dans la société un rôle de premier plan. Mais il n'est plus le seul,

(1) Voir plus haut, p. 42.
(2) *Essai sur l'origine des connaissances humaines* (1746).

car il rencontre dans les philosophes, les économistes et les savants laïques de formidables concurrents, et qui battent en brèche son influence. Au reste, le plus souvent il leur laisse le champ libre ! Sans doute il discute encore avec eux, oppose nombre d'ouvrages aux leurs (1), mais il n'a plus de grands controversistes, comme au siècle passé, et il faudrait du talent, et beaucoup, pour répondre au talent ; d'ailleurs, les ecclésiastiques qui en ont le tournent de préférence vers la science, l'érudition ou l'éducation de la jeunesse, ou encore vers l'administration financière de l'Église, la plus riche propriétaire du royaume, et l'administration provinciale, dans les grands pays d'États.

III. — *Les privilégiés : la Noblesse de robe et de fonctions publiques*

I. — Sur le devant de la scène se place maintenant la Noblesse de robe. Elle a grandi en considération et en prestige ; depuis qu'elle résiste au pouvoir royal, elle est redevenue populaire. Au fond, elle ne tient aux acclamations du peuple que pour fortifier et justifier ses prétentions politiques, qui vont jusqu'à limiter le pouvoir royal, en l'absence et à la place des États généraux de la nation (2), qu'elle déclare représenter dans son Parlement de Paris, à la grande indignation des vieux aristocrates comme Saint-Simon.

Cette haute magistrature continue de s'enrichir. Elle dépense certes, mais avec mesure — cette mesure héritée de la bourgeoisie, d'où elle sort — et ses capitaux, accrus de la rente foncière, qui va montant sans cesse, et des gages et « épices » des fonctions judiciaires, qui s'accroissent aussi, par abus, lui donnent une situation sociale qui deviendra bientôt prépondérante. Au reste, les grandes familles de l'aristocratie recherchent les filles des hauts magistrats ; les alliances deviennent plus fréquentes qu'au siècle précédent, et les deux Noblesses, l'ancienne et la nouvelle, par le moyen de l'argent, se mêlent de plus en plus. Aussi, vers le milieu du siècle, la magistrature parisienne, du moins la partie la plus riche, mène-t-elle la même vie que la haute Noblesse. Mais elle se mêle fort peu encore à la Cour. On ne la voit guère à Versailles. Elle demeure à Paris et, à la belle saison, dans ses châteaux des environs, à Bâville, à Champlâtreux. Dans les capitales provinciales, Bordeaux, Toulouse ou Dijon, elle est le centre d'une

(1) Voir sur ce point Daniel Mornet, *ouvr. cité*.
(2) Voir plus haut, p. 4, les récriminations de Saint-Simon contre cette prétention de représenter la nation.

société mondaine, plus grave que celle des aristocrates ou des « salons » parisiens. Et, grâce aux loisirs que lui laisse la jurisprudence — elle travaille peu et juge avec lenteur — quelques-uns de ses membres, conservateurs des vieilles traditions, le président Bouhier, du Parlement de Dijon, membre de l'Académie française, le président de Brosses, à Dijon encore (1), le président Hénault, à Paris, se livrent à des travaux d'érudition et d'histoire. Aussi, malgré les abus des « épices » et des « vacations », d'Argenson a-t-il pu écrire : « La magistrature est la plus estimable partie de la nation pour ses mœurs. »

Elle tend déjà à former une caste, à se fermer aux nouveaux bourgeois enrichis. Ceux-ci, d'ailleurs, ne nourrissent plus les mêmes ambitions qu'autrefois. Ce qui les tente, c'est le grand commerce de mer, la finance, la banque. Aussi trouve-t-on moins d'acquéreurs d'offices, et, l'offre étant supérieure à la demande, les offices de judicature ne cessent de baisser de prix. Un office de conseiller au Parlement de Rennes, qui valait 100.000 livres en 1666, n'en vaut plus que 55.000 vers le milieu du siècle (2). C'est, partout ailleurs, à peu près une perte de moitié, et même plus, à cause de la baisse de la valeur relative de la monnaie. La Magistrature grandit en puissance, en prétentions politiques, au moment même où ses offices commencent à se déprécier. Paradoxe, qui tient, on le voit, à cet esprit de caste, qui un jour la perdra.

Elle subordonne désormais ses fonctions judiciaires, qui, pour les sujets du roi, sont pourtant l'essentiel, à ses prétendues fonctions politiques et à des fonctions sociales qu'elle entend exercer presque seule, dans le silence ou l'effacement du pouvoir royal, au nom de la protection de la société et des bonnes mœurs. C'est, en effet, surtout le Parlement de Paris qui s'inquiète des thèses ultramontaines de Sorbonne, des livres contraires à la morale ou aux lois, plus minutieux et tracassier que les « censeurs » du gouvernement ou que le ministère. S'il est populaire, par ses remontrances au pouvoir royal, par son goût de l'opposition, il devient de plus en plus odieux aux écrivains, aux philosophes, à tous ceux qui ne vivent que de la liberté de penser et d'écrire. Voltaire et ses amis détestent encore plus les jansénistes parlementaires que les jésuites, car ils sont plus intolérants. Sans doute certains parlementaires, tels que le spirituel président Hénault, familier

(1) Il convient de remarquer que la Bourgogne est alors une terre d'élection pour les sciences juridiques, morales et politiques.

(2) H. Carré, *Louis XVI*, dans l'*Histoire de France*, de Lavisse, p. 188, et surtout son ouvrage sur *La Noblesse au XVIIIe siècle*.

des salons parisiens, tranchent-ils, par leurs manières et leurs sentiments, sur la masse de leurs confrères ; mais, dans l'ensemble, le Parlement apparaît, dès cette époque, comme une forteresse d'intolérance, et non un asile de liberté.

II. — C'est de cette Noblesse de robe que sortent maintenant les ministres, les secrétaires d'État, comme les intendants des provinces, quand ce ne sont pas des ecclésiastiques, ainsi qu'on le voit pendant cette minorité de Louis XV qui se prolonge singulièrement ; après le cardinal Dubois le cardinal Fleury. Le temps des aristocrates semble passé. A une monarchie administrative il faut des administrateurs : seuls parmi les grands privilégiés, les ecclésiastiques peuvent en fournir, se comportant en administrateurs remarquables dans plusieurs États provinciaux, comme ceux du Languedoc, ou dans de grands diocèses. C'est de la lieutenance générale de police qu'est sorti d'Argenson pour prendre la garde des sceaux ; ce sont deux d'Argenson, ses fils, qui sont à la tête de deux des plus importants secrétariats d'État, le marquis aux Affaires étrangères, et le comte, à la Guerre. On se croirait revenu à la tradition des Le Tellier, sous Louis XIV. Machault d'Arnouville, le grand ministre, est sorti, lui aussi, de cette même classe de gens de robe : fils, petit-fils d'hommes qui marquèrent dans l'administration, maître des requêtes, il passe de l'intendance du Hainaut au contrôle général des finances et devient ministre d'État (1749). C'est du corps des maîtres des requêtes que sortent en général les secrétaires d'État, comme les intendants, et c'est aussi du Conseil d'État ou directement d'une intendance que l'on passe souvent au gouvernement. Telle est la filière traditionnelle, celle qui, les « survivances », chères à Louis XIV, une fois éteintes, s'est établie, semble-t-il, définitivement, et qui donne à la monarchie administrative la solidité qu'elle possède encore. Elle procure au roi des travailleurs, en général des hommes intègres, comme Machault. Et c'est eux qui, à la tête des bureaux, et en dépit des interventions étrangères ou fantaisistes des maîtresses royales, maintiennent, sous Fleury, et après lui, la régularité de l'administration.

Ces personnages sont, naturellement, de leur temps, et se mêlent au monde de la Cour beaucoup plus que ne faisaient les Colbert, les Le Tellier et les Louvois, ces bourreaux de travail. Les d'Argenson, surtout le comte, secrétaire d'État de la Guerre, et le comte de Maurepas vivent au milieu des intrigues de Versailles, au temps de la Pompadour, et le comte d'Argenson passe une partie de son temps à combattre la favorite et à essayer de la remplacer par une autre de son choix. Seul Machault fait vraiment figure de grand ministre, se recueille dans ses hautes fonctions, où il apparaît comme un digne et courageux successeur d'un Colbert ; il est vrai qu'un Colbert, au XVIIIe siècle, ne peut plus compter sur la chance du grand ministre de Louis XIV : l'appui certain, envers et contre tous, du monarque.

L'existence de ces ministres et secrétaires d'État ressemble fort, dans un cadre différent, à celle de leurs prédécesseurs ; elle est fastueuse (1) ; mais elle est plus précaire, comme toutes choses alors. De cette instabilité les puissants du jour semblent s'accommoder ; ce sont les mœurs du temps. On s'habitue à des succès soudains, à des disgrâces non moins subites (2), à tous les changements dictés par la politique, plus mouvante que jadis et par la fantaisie du prince et de ses entours.

IV. — *La haute Bourgeoisie : les financiers*

La Bourgeoisie, que l'on a vue grandir sous Louis XIV, fait une nouvelle ascension. Et la partie la plus riche de cette classe si complexe se rapproche, par sa fortune, son genre de vie et ses mœurs, de la Noblesse ; parfois est-elle anoblie elle-même. A chaque montée de la Bourgeoisie, une fraction se détache de la masse et tend à s'assimiler aux classes supérieures. C'est le fait de la classe, relativement petite par le nombre de ses membres, des financiers et des grands capitalistes, qui dispensent le crédit, émettent les emprunts d'État et en favorisent le placement. A Lyon, à Paris, ils sont, maintenant, plus nombreux, et leur influence ne cesse de croître. L'énorme dette de l'État, en 1715, la spéculation effrénée au temps du « Système », le relèvement de l'économie sociale avec la paix, font de plusieurs d'entre eux des intermédiaires nécessaires à l'État. Naguère, sous le contrôleur général Law, ils étaient déjà dans la place ; après lui, ils en sont les maîtres.

Qui a retenu les noms de tous les contrôleurs généraux qui se sont succédé après Law (3) ? Mais tout le monde connaît les frères Pâris : Pâris Du Verney, Pâris de Montmartel, Pâris « la Montagne ». D'origine très humble — leur père avait, dit-on, tenu auberge sur la grande route de Lyon à Grenoble — ils

(1) On a vu plus haut, p. 47, les appointements de Dubois comme ministre : 150.000 livres, sans parler des « bénéfices ecclésiastiques ».

(2) Disgrâce de Maurepas, pour un complot contre la Pompadour (1749) ; disgrâce définitive d'un ministre qui avait rendu des services à la Marine. Il ne devait revenir au pouvoir, comme on sait, que sous Louis XVI, après vingt-cinq ans d'exil.

(3) Le Pelletier de La Houssaye (1720-1722) ; Dodun (1722-1726) ; Le Pelletier des Forts (1726-1730) ; Philibert Orry (1730-1745).

avaient commencé à s'enrichir, comme tant d'autres, dans les fournitures de vivres à l'armée d'Italie, pendant la guerre de la ligue d'Augsbourg, puis à l'armée de Flandre, dans la guerre de la Succession d'Espagne. Pâris Du Verney, le plus jeune des trois, et aussi le plus habile, devient un personnage : protégé par la marquise de Prie, il est imposé, comme « secrétaire des commandements » du duc de Bourbon, au contrôleur général des finances et même au secrétaire d'État de la Guerre, et s'ingère dans tout le gouvernement, qui souvent regimbe, d'ailleurs. Il règne sur les finances, manie et remanie les monnaies, abaisse la valeur nominale des espèces, aux dépens du Trésor, pour en relever le titre (1) ; tout le commerce en est bouleversé, les prix des denrées montent, le peuple proteste et réclame des salaires plus élevés, pour faire face à cette hausse. Mais le gouvernement, poussé par Du Verney, s'obstine, édicte les mêmes mesures de contrainte qu'emploient les gouvernements absolus, et qu'on avait subies déjà au temps de Chamillart et de ses « billets de monnaie », ou au moment du « Système ». Alors Du Verney cède, fait l'opération en sens inverse, diminue la valeur intrinsèque de la livre (1726), non sans opposition et sans nouvelles contraintes : interdiction de conserver les anciennes monnaies, dont le titre en or ou en argent était plus fort ; amendes, bannissement, même galères contre les détenteurs ou les joailliers qui fondent ces monnaies ou emploient le métal précieux à leurs bijoux (2).

Au Contrôle général, on ne voit plus l'action du contrôleur, mais la sienne. Le duc de Bourbon, ensuite Fleury, l'un et l'autre sans compétence financière, le laissent faire, malgré les échecs de ses essais. Maître absolu, il veut rétablir l'équilibre du budget, et, le dixième ayant été supprimé, le fameux dixième de Louis XIV, d'odieuse mémoire, il établit le « cinquantième » sur les revenus, qui, mal accueilli dans tout le royaume, par les Parlements et par les particuliers, ne produit presque rien. Alors il invente le droit de « joyeux avènement » (1725), adjugé à des traitants, qui y gagnent des fortunes, et, à l'occasion du mariage du roi, il vend des « lettres de maîtrise », qui, dans l'état de trouble et de gêne où est le commerce, trouvent difficilement preneurs.

A la Guerre, Du Verney semble mieux inspiré. Il reprend l'idée de Louvois sur les milices, ce germe d'armée nationale que l'on n'avait pas laissé grandir. Belle tentative, mais qui ne réussit pas au gré de son auteur, les villes se dispensant de cette charge

(1) Les louis tombent de 27 livres à 20 livres ; les écus, de 6 l. 18 sous à 4 livres. La valeur intrinsèque de la livre monte de 82 centimes à 1 fr. 25.
(2) H. Carré, *Louis XV*, dans l'*Histoire de France*, de Lavisse, p. 80.

et la laissant toute aux campagnes. Il en est de la milice comme de la taille : le privilège, dans cette société vieillie, se glisse partout, et toutes les belles théories sur l'intérêt général ne reçoivent point, en une monarchie pourtant absolue, l'application de laquelle on espérait tant (1). Du moins Du Verney va-t-il être plus heureux en contribuant à la création de l'École militaire. C'est une idée de Mme de Pompadour. Il la trouve excellente, en raison des « circonstances intérieures fâcheuses » (26 mai 1750) et il écrit à la favorite : « Le projet que vous pro-« tégez serait propre à faire une diversion. Je vais plus loin, et je « pense que la faveur qui s'y trouve pour la Noblesse et pour le « militaire est un de ces objets qui doit l'emporter aujourd'hui « sur toute autre considération. » Au reste, munitionnaire de l'armée, il ne laisse pas de faire de bonnes affaires : on le retrouvera dans la guerre de Sept ans, approvisionnant les armées, invité par Mme de Pompadour à favoriser les armées dont elle protège les chefs (2).

En relation étroite avec les maîtresses des chefs du gouvernement ou du roi, les grands financiers, comme Du Verney, sont tout puissants. Les ministres passent ; eux restent, sous tous les changements politiques. Ils possèdent l'argent, la technique financière, réelle ou prétendue, et la faveur royale, par le canal secret des femmes. Ils deviennent les maîtres de l'État. Au moment des grandes guerres, ils règnent sur les armées, comme sur le reste. On verra les résultats de ce règne, dans la guerre de Sept ans, avec la Pompadour pour complice, jusque dans le choix des généraux et même dans les plans de campagne.

Tous ces personnages de la finance vivent dans des hôtels somptueux et fraient parmi la plus haute société. Plusieurs sont anoblis : Pâris de Montmartel, banquier de Louis XV, est fait marquis par le roi. Antoine Crozat est marquis du Chatel († 1738) : très riche financier, il possède à Paris un des plus splendides hôtels ; de ses deux fils, l'un devient lieutenant-général ; l'autre, marquis de Tugny († 1740) s'est rendu célèbre par sa magnifique collection d'objets d'art, de dessins et de pierres gravées. Choiseul, comte de Stainville, épouse une Crozat (3). L'aristocratie ne dédaigne pas l'argent de la haute finance. Samuel Bernard († 1739), qui a fait une énorme fortune, dans ses prêts à l'État en détresse,

(1) H. Carré, *Louis XV*, dans l'*Histoire de France*, de Lavisse, p. 82.
(2) E. de Goncourt, *Madame de Pompadour*, p. 142.
(3) Une fille du lieutenant-général du Chatel. Sur Choiseul et sa carrière militaire et diplomatique, on espère l'ouvrage posthume de Pierre Muret : *Choiseul, Madame de Pompadour et le cardinal de Bernis* (1719-1758), qui est de premier ordre.

dans les fournitures aux armées de Louis XIV, dans ses relations avec les protestants réfugiés à l'étranger, enfin dans ses spéculations au temps de Law, reste un des plus puissants manieurs d'argent de cette époque, un de ceux qui ont le plus prêté aux deux rois. Lui aussi, sans être noble, marie sa fille unique à un Molé, de l'illustre famille parlementaire, et ses deux petites-filles épousent, l'une un Lamoignon — encore une alliance avec la grande « robe » —, l'autre un Mirepoix, d'une célèbre famille noble du Midi. Le rapprochement des hautes classes de la société se fait de plus en plus étroit, et, parmi elles, les mœurs et les goûts tendent à se niveler. Les grands banquiers et financiers sont maintenant de vrais gentilshommes ; quel raffinement de vie, de manières et d'esprit chez un Crozat, Pierre Crozat, frère d'Antoine, ce bel amateur d'art, l'ami de Watteau, faisant de son hôtel un splendide musée ! Ils sont des Mécènes pour les artistes et pour une foule d'artisans habiles, comme Paris en connut tant au siècle de Louis XV. Ils jouent dans le développement de l'art français un rôle de premier plan. Ils contribuent à faire de Paris le grand foyer de l'art européen. Entre leurs mains l'or, ce vil métal, se transforme heureusement en beauté.

A côté de ces grands manieurs d'argent se placent les « fermiers généraux », riches capitalistes, formés en société financière, qui recouvrent, moyennant un prix annuel, fixé d'avance par leur bail avec le Contrôleur général, les impôts autres que la taille, le vingtième et la capitation ; aides et droits sur les boissons, traites et douanes aux frontières intérieures ou extérieures (1) du royaume, gabelles du sel, droits sur le tabac, octrois de Paris, etc. L'organisation de ces « Fermes générales » remaniée en 1726, devient loi jusqu'en 1780. Les fermiers sont, à cette époque, au nombre de quarante. Ils doivent faire un fonds d'avance considérable et offrir, à chaque bail, tous les six ans, un pot-de-vin, de 300.000 livres au Contrôleur général. L'homme de paille au nom duquel est signé le bail, une créature du Contrôleur, reçoit, pour la peine d'avoir prêté son nom, 4.000 livres par an, soit 24.000 pour les six années de la durée du bail. Et une foule de pensions, de « croupes » sont établies sur le produit des Fermes, au bénéfice de grands seigneurs et de grandes dames. Beaucoup de fermiers n'ayant pas assez de fortune pour faire l'avance d'un million ou d'un million et demi, empruntent la somme ; au total, diminution opérée de tous frais d'intérêts et de salaires à leurs vingt mille employés des Aides et à ceux des

(1) Telles qu'elles sont fixées par les « capitulations » des provinces lors de la conquête : provinces à l'instar de l'étranger.

octrois et des douanes, et toute défalcation faite des « croupes », ils peuvent compter sur un bénéfice net d'une cinquantaine de mille livres par an. Ce ne sont point les sommes énormes dont parle la chronique. Mais parmi eux, il y a des financiers qui, en dehors de leur participation à la Ferme, se livrent à de grandes spéculations et y réalisent de gros profits ; et c'est sans doute ceux-là qui font accuser par le peuple tous les fermiers généraux de bénéfices scandaleux. Ce sont aussi surtout ceux-là qui mènent la grande vie mondaine et luxueuse de Paris.

Tout près des fermiers généraux, au-dessus ou à côté d'eux, les grands « officiers » de finance : trésoriers généraux des « généralités », receveurs généraux, « trésoriers de la bourse des États », en Languedoc par exemple. Ils ont eu et ont toujours l'occasion de prêter des fonds au roi ; leurs « offices » gardent une grande valeur. Ils fraient avec la Noblesse de robe, quand ils ne sont pas eux-mêmes anoblis, et ils vivent « noblement », dans les capitales provinciales, en relation étroite avec les Parlements et les Chambres des Comptes, où ils retrouvent des parents et des amis (1).

La « finance » est partout, dans la société et dans l'État. Et elle y joue déjà un rôle capital. La haute société s'en accommode aisément, sans voir le danger ; et il est à craindre que l'État ne se laisse asservir.

V. — *La haute Bourgeoisie :* *« négociants », armateurs, fabricants et marchands*

Ce n'est pas une classe inférieure à celle des financiers et officiers de finance que celle des « négociants » (2), des armateurs et des grands fabricants. Eux aussi sont des capitalistes, propriétaires de navires, de maisons de commerce, d'ateliers ou d'usines.

Avec le progrès industriel et commercial, dont les statistiques, on l'a vu, portent témoignage, le nombre des armateurs, comme la puissance de chacun d'eux, s'est accru, de 1715 à 1750. Plusieurs d'entre eux, à Rouen, à Nantes, à Bordeaux, à Marseille, sont millionnaires (3). Des dynasties d'armateurs se sont établies sans doute, à Saint-Malo, avec les Magon ; à Nantes, à Bordeaux,

(1) Les « agents de change » ne sont pas encore les riches financiers qu'ils deviendront au XIXe siècle et ne sauraient être placés à côté des gros capitalistes considérés ici.

(2) Turgot emploie ce mot pour désigner les très gros marchands, peu nombreux, qu'il distingue des marchands.

(3) Voir le t. Ier, p. 212.

à Marseille ; mais de nouveaux venus arrivent aussi dans ce siècle de belle initiative et de grands parvenus de toute sorte, qui dépasseront les anciens (1). Comme les Anglais et les Hollandais, ils se livrent, sans aucun scrupule, à la traite des nègres, qui vont peupler nos colonies des Antilles : commerce extrêmement lucratif, qui retentit sur toute la vie des grandes cités maritimes, lesquelles s'embellissent de plus en plus et prennent une activité inconnue jusqu'alors ; c'est à cette époque que Nantes et Bordeaux, comme Marseille, sous l'influence de leurs municipalités, des intendants ou des « gouverneurs », prennent cette physionomie de capitales provinciales que leur confèrent leurs places monumentales, leurs nouveaux édifices publics, leurs larges « cours » ou avenues, bordés de beaux hôtels ou de hautes maisons avec un « bel étage » élégant.

A côté des armateurs, les « négociants ». Parfois eux-mêmes sont « négociants » et, outre la commission et le transport, revendent des marchandises. Il est encore peu de « négociants » en France, on n'en trouve guère que dans les grands ports, et encore quelques-uns seulement, faisant le commerce en gros pour l'exportation ou l'importation.

Les « fabricants », les gros industriels, deviennent plus nombreux et plus actifs, sous des dénominations diverses. Ce sont les successeurs de ceux que nous avons vus déjà travailler en grand, sous l'impulsion de Colbert, dans les industries textiles surtout et, maintenant, de plus en plus, dans la métallurgie, ou l'industrie sucrière en plein essor. Il est deux sortes de fabricants. D'abord, ceux qui fabriquent par eux-mêmes dans de grands ateliers, où les ouvriers sont réunis par centaines, comme les Van Robais, à Abbeville ; ils sont encore rares : il est peu de grandes manufactures, où travail et capital soient concentrés, en dehors de celles de l'État, comme les Gobelins. Ensuite les « maîtres-marchands », qui ne fabriquent pas, mais font fabriquer, et dont on a vu déjà l'activité se déployer dès le temps de Colbert, enrégimentant les paysans-ouvriers des bourgs et des villages aux environs d'Amiens, de Lille, de Rouen, etc., fournissant la matière première — laine, lin, soie, coton — et souvent le métier à tisser.

Maintenant, la condition de ces « maîtres-marchands » de la ville a grandi : après les campagnes, dont ils accaparent la main-d'œuvre, ils se sont attaqués aux villes mêmes et à leurs maîtres et ouvriers ; et déjà partout ils cherchent à se subordonner les

(1) C'est ce qu'on verra notamment à Marseille, avec les Audibert, à Bordeaux, avec le Juif Gradis, etc. Voir plus loin, p. 153.

« maîtres-ouvriers » des corporations ou du travail libre. Que pourraient, à eux seuls, ces « maîtres-ouvriers » ? Ils ne possèdent pas assez de capitaux pour produire beaucoup ; ils n'ont pas non plus la connaissance précise des besoins et des goûts du marché français et des marchés étrangers pour modifier ou diversifier leurs produits. Tel est l'état des choses à Lyon. Les « maîtres-ouvriers » ne veulent plus y être assujettis aux « maîtres-marchands » ; ils obtiennent, en 1737, un règlement qui supprime le droit de maîtrise de 300 livres et leur accorde la liberté de fabriquer et faire fabriquer toutes les étoffes permises et de les vendre ou acheter, en gros et en détail. Protestations des « maîtres-marchands », à qui le règlement enlève leurs privilèges ; nomination d'un comité composé de membres des deux parties. Cependant la députation des « maîtres-ouvriers » a été désignée par le prévôt des marchands, sans l'assentiment de l'ensemble de ces maîtres. Accord de cette députation arbitraire sur un nouveau règlement et publication de ce règlement (1744) : celui qui voudra fabriquer à son compte aura à payer 200 livres et ne pourra avoir que deux métiers ; il ne pourra faire fabriquer que s'il paie 800 livres. Devant ce règlement, qui rend plus difficiles les conditions du travail pour les « maîtres-ouvriers », ceux-ci, se voyant trahis par la députation du prévôt, se révoltent, entraînant leurs « compagnons », et suspendent tout travail. L'émeute s'empare de Lyon. Les autorités se voient d'abord obligées de céder à l'orage : elles annulent le règlement nouveau, reviennent à l'ancien, celui de 1737 ; puis elles se vengent, font entrer des troupes et, redevenues maîtresses de la situation, rétablissent le règlement de 1744 : les « maîtres-marchands » restent vainqueurs. Ainsi triomphent, une fois de plus, les privilèges et le capitalisme, que, depuis Colbert, l'État n'a cessé de favoriser.

Les « maîtres-marchands » des grandes cités du travail, les armateurs et les « négociants » des grands ports deviennent, vers le milieu du siècle, et même avant, de puissants personnages. Ils prennent une influence croissante sur les municipalités de leurs villes. Comment en serait-il autrement ? Ce sont, à Nantes, à Bordeaux, à Rouen, à Marseille, etc., les armateurs et les « négociants » qui donnent au port, et par suite, à la ville leur activité et leur prospérité ; c'est l'entretien et l'agrandissement du port, le régime du travail sur les navires, les droits d'entrée et de sortie, qui deviennent, pour la municipalité, les questions les plus essentielles. Aussi, aux élections municipales, rétablies en 1715, des « négociants » ou des armateurs, tous membres des Chambres de commerce récemment établies, entrent-ils dans le corps des magistrats de la ville ; et quand, par besoin fiscal, les charges municipales sont de nouveau érigées en « offices », les grandes villes se rachètent souvent, et les capitalistes restent dans le « Magistrat ». Ils y siègent à côté des hommes de loi, magistrats des tribunaux, avocats ou procureurs, qui, auparavant, l'occupaient à peu près seuls. La physionomie des grandes municipalités se modifie (1). A Nantes, c'est un commerçant actif, intelligent, dévoué à sa cité, Gérard Mellier, qui remplit les fonctions de maire, dès la fin du règne de Louis XIV, puis pendant les années où le port de Nantes prend un nouvel essor, et où la ville, débordante de prospérité, ne cesse de s'embellir. A côté des injustices du capitalisme, tels qu'on les a vues s'établir à Lyon, il convient de montrer ses bienfaits, dans les villes, comme Nantes, où il a su faire participer tous les habitants aux bénéfices de ses progrès.

VI. — *La Bourgeoisie moyenne*

La moyenne Bourgeoisie s'est modifiée, elle aussi, surtout dans sa fraction intellectuelle et artistique, devenue plus nombreuse et plus influente. On peut la diviser en trois catégories : les hommes de loi ; les gens des carrières libérales : médecins, professeurs des Facultés, écrivains, savants, artistes ; enfin les marchands des grandes corporations. La première de ces catégories se maintient ; les deux autres, surtout la deuxième, ne cessent de monter.

Les hommes de loi sont toujours très nombreux : magistrats des présidiaux et des bailliages, notaires, procureurs, greffiers, « gruyers » des forêts royales et seigneuriales, receveurs des tailles, receveurs des Fermes, directeurs des greniers à sel ; « procureurs fiscaux » des seigneurs, une foule de gens tenant les intérêts seigneuriaux, surtout dans les grands « apanages » des princes ; « commissaires à terrier », dont les fonctions ne sont pas sans danger, au dire de praticiens du temps (2). Avec les avocats et toute la « basoche » de « clercs » de notaires et de procureurs, qui « grossoient » sur papier timbré, cela fait une population impor-

(1) Pour Nantes, voir l'ouvrage, déjà cité, de Gaston Martin sur Gérard Mellier. Mais à Lille, en 1749, il y a encore beaucoup de gentilshommes dans le « Magistrat » : vingt sur quarante-trois membres. Les autres sont des hommes de loi. A peine y voit-on un ou deux marchands. Cf. De Saint-Léger, *Histoire de Lille*, p. 411.

(2) Renauldon, *Traité historique et pratique des droits seigneuriaux*, 1765, in-4°. — De Fréminville, *La Pratique universelle pour la rénovation des terriers et des droits seigneuriaux*, 1757, 5 vol. in-4°, t. Ier, p. 99 et 100 : « Des indicateurs fidèles sont difficiles à trouver... On attend le commissaire au coin d'une haie pour lui passer trois balles au travers du corps... J'ai été nombre de fois lever des plans à la lune pendant la nuit, les indicateurs n'osant pas se montrer de jour, par la crainte que la cabale ne les ruine à la taille et aux charges publiques.»

tante et fort coûteuse aux plaideurs qui se plaignent à l'envi des frais élevés de la justice, sans que personne, ni le chancelier Daguesseau (1) ni aucun garde des sceaux, intervienne jamais pour y mettre des bornes. Les plaidoiries des avocats remontent moins au déluge qu'au temps de Racine et se perdent moins en digressions, au siècle de Voltaire ; elles sont en progrès, comme les sermons des prédicateurs ; mais elles ne coûtent pas moins.

Il est une petite catégorie de gens dont la situation semble bien s'être améliorée, par le cumul d'une foule de places, de petites places, il est vrai, mais qui, à la fin, ne laissent pas d'en faire une grande : ce sont ceux qui travaillent, dans de petites villes, pour les seigneurs, surtout pour les très grands seigneurs. On peut suivre l'ascension sociale de cette classe par l'exemple de la famille Delahante, issue d'un chirurgien du diocèse de Soissons, dont le fils Adrien vit à Crépy-en-Valois, notaire, puis procureur au présidial, « directeur des fermes du duché de Valois », apanage du duc d'Orléans ; bailli de diverses seigneuries appartenant au maréchal d'Estrées, et gruyer de Nanteuil (2). A sa mort, en 1737, la liquidation de sa succession procure plus de 74.000 livres. En outre, il y a la maison, avec son fournil, où l'on cuit le pain, et beaucoup de meubles et de linge. La cave n'est guère fournie en vins fins, il est vrai, et la bibliothèque n'est que d'un praticien, qui, tout occupé d'affaires, ne lit guère que des livres de droit ; mais quelle abondance de linge ! vingt-sept paires de draps, dix-neuf nappes, un service damassé ; vingt-trois douzaines de serviettes ; plus, pour remplacer les pertes, 125 aunes de toile ; pour le « linge de corps de Monsieur » : quatre-vingt-trois chemises de toile de lin et chanvre ; pour la « garde-robe de Madame » : seize douzaines de chemises, et huit robes (3). Ce praticien a deux fils, qu'il envoie au collège des Grassins, à Paris, qui lui coûtent, pour sept ans de pension, 10.000 livres : l'aîné, Adrien, fait ses études de droit et deviendra maître des Eaux et Forêts du duché de Valois ; mais — et ceci est du plus haut intérêt — il ne le devient pas uniquement par sa fortune, car il n'a pas assez de capitaux pour racheter cette charge. Or il a déjà fait ses preuves : « contrôleur des actes », à Crépy, « directeur ambulant des Insinuations de l'Apanage au département de Valois et marquisat de Coucy », « gruyer de la gruerie royale de Valois et Nanteuil-le-Haudoin », il s'est fait remarquer du « Conseil des fermiers »

(1) Saint-Simon le blâme de n'avoir rien fait au sujet de la procédure trop lente et trop coûteuse et de s'être arrêté à des détails inutiles.
(2) Delahante, *Une famille de finance au XVIIIe siècle. Les Delahante*, 2 vol. in-8°.
(3) *Ibid.*, t. Ier, p. 73.

du duc d'Orléans, qui siège à Paris, et qui tient entre ses mains la direction générale du vaste apanage du duc. Ce Conseil lui cède la charge au prix modéré de 30.000 livres, à cause de sa capacité. Et sa capacité donnant confiance, le jeune homme emprunte facilement, grâce aux notaires de Crépy ; on se cotise, pour l'aider : un maître-hôtelier lui prête 7.000 livres ; un « trésorier au bureau des finances » de Soissons, 6.000 ; un propriétaire de Crépy, 4.000 ; un « laboureur », 2.000 ; et le voilà installé à Villers-Cotterets (1748). Le second fils, Jacques Delahante, deviendra fermier général. Ainsi cette modeste famille de praticiens se hausse jusqu'au monde de la finance, par une lente ascension, grâce à un travail régulier et à une économie bien entendue. C'est, au reste, l'histoire d'une très grande partie de la moyenne Bourgeoisie (1).

A côté des « hommes de loi », tantôt au-dessous, tantôt au-dessus, se présente cette Bourgeoisie intellectuelle et artiste, qui, avec les besoins et les goûts nouveaux de la société, n'a cessé de se développer depuis Richelieu et Colbert. Elle se double, d'ailleurs, d'une classe ouvrière artiste, qui se distingue de l'ordinaire condition ouvrière, et mène, en contact étroit avec les grands architectes et décorateurs dont elle doit réaliser les intentions, une existence plus noble, illuminée d'un rayon d'idéal. Que de catégories il faudrait établir dans cette classe, depuis ceux qui vivent en grands seigneurs, comme Voltaire, qui construisent des palais, tels que le Garde-meuble, comme Gabriel, ou des fontaines monumentales, la fontaine de Grenelle, comme Bouchardon, décorent splendidement les grandes demeures, les Natoire, les Oppenord, les Boucher, les Lassurance, jusqu'aux simples architectes ou peintres d'humbles maisons de ville ou aux modestes écrivains et petits poètes, estimables, d'ailleurs, que la vanité semble multiplier dans ce monde frivole ! Et ne faudrait-il pas encore distinguer certaines sociétés spéciales, comme celle des théâtres, et surtout des actrices qui, à Paris, telle Adrienne Lecouvreur, forment le grand « demi-monde », en rapport avec les puissants du jour, les financiers, les grands seigneurs, et même le plus illustre des maréchaux de France, Maurice de Saxe ?

(1) Dans chaque ville, grande ou petite, même ascension, assurée par le travail et la loyauté. Par exemple à Avesnes, petite ville du Hainaut, dont M. Michel Missoffe a raconté l'histoire municipale, judiciaire, sociale, dans plusieurs ouvrages : les Bevière forment une famille remarquable, qui, après une lente ascension, donne des hommes de premier plan, comme Bevière : un des principaux notaires de Paris, élu en 1789 aux Etats Généraux, et Gossuin, qui sera un notoire Conventionnel.

Il faut, de toute évidence, renoncer à un rigoureux classement : la valeur individuelle des hommes ne le permet guère, ni les conditions extérieures dans lesquelles vivent les uns et les autres ; quelle différence, en effet, entre l'existence fastueuse et mouvante d'un Voltaire et la modeste et routinière vie de ce travailleur de génie qu'est Diderot (1) ! Mais cette classe de la société ne recherche pas tant la fortune que les honneurs, la considération, la puissance. Elle est jalouse de son influence intellectuelle et sociale, on le sent dès le milieu du siècle. Elle fraie dans les « salons », les cercles aristocratiques. Bientôt elle sera de plus en plus recherchée, cajolée, redoutée. Elle n'a rien de commun avec les secs praticiens et hommes de loi, qui vivent des us et abus du régime social. Elle produit, d'ailleurs, des richesses considérables, qui se répandent en France et dans toute l'Europe : livres, tableaux, statues, gravures, meubles d'art, « modes ». Elle fait vivre, de son talent, une foule d'imprimeurs et d'ouvriers de toute sorte, d'artisans et de femmes, ces indispensables auxiliaires, pourvus de connaissances techniques et souvent d'un goût délicat, unique en Europe. Dans la « balance du commerce », on peut compter par millions ce que rapporte à Paris la seule exportation des livres. Et quelle influence morale sur l'Europe n'acquiert pas déjà cette Bourgeoisie intellectuelle et artistique !

Enfin vient la classe des marchands des grandes corporations, comme ceux des « Six Corps » de Paris. Beaucoup, dans les grandes villes, sont aisés ou même riches, comme les orfèvres de Paris, sur le quai de la « Cité », qui porte toujours leur nom (2), ou les merciers, les épiciers. Ils ont, on l'a vu, à se défendre de l'ambition des grands « marchands-fabricants », qui veulent à tout prix prendre la direction de la fabrication des produits, à l'aide de leurs capitaux et de la protection de l'État. Mais ils résistent ; ils gardent l'esprit des anciennes corporations de métier ; pour eux, la loyauté et « le juste prix » de la marchandise font loi. Dans ces maisons, souvent tenues, de père en fils, honnêtement, simplement, c'est la vieille morale qui règne. La vie de famille y est celle du bon vieux temps, dans les villes provinciales et même à Paris. On envoie les enfants au collège, d'où ils sortent plus ou moins barbouillés de latin, avant de prendre la succession des pères à la tête de l'ancienne et honorable maison, à moins qu'ils ne montrent des talents différents ou supérieurs,

(1) Nous parlons du Diderot de cette période, donc bien avant son voyage en Russie.

(2) Mais qui ne porte plus que leur nom : la corporation a émigré sur la rive droite de la Seine, au Marais et ailleurs.

comme le fils du coutelier de Langres, qui, répugnant au métier, et poussé par son génie, a changé de voie, s'est fait lui-même, est devenu Denis Diderot. Cette classe, dans les grandes villes surtout, a déjà une certaine culture intellectuelle ; elle l'entretient par la lecture, par le théâtre qu'elle adore, et parfois la classe supérieure de ce monde marchand fraie avec les « négociants » et les financiers ou les avocats dans les cercles ou les Académies qui un peu partout sont en train de s'établir. Mais il faut attendre pour qu'elle soit à peu près de niveau avec le monde intellectuel et que les nouvelles idées la pénètrent.

En général, cette Bourgeoisie moyenne reste fort respectueuse des lois et des autorités. Mais la critique est déjà vive chez certaines classes, plus intellectuelles, comme les avocats des grandes villes. Les avocats parisiens, Marais, Barbier, dont nous possédons les mémoires ou plutôt le « journal », ne croient plus aux miracles de la religion chrétienne, répudient tout fanatisme, détestent les persécutions, se montrent pitoyables au sort des jansénistes. « La bonne ville de Paris, écrit Barbier en 1733, est « janséniste de la tête aux pieds... Les femmes, femmelettes et « femmes de chambre s'y feraient hacher (1). » Quant à la question d'argent, ces avocats expriment tous les regrets que leur inspirent les banqueroutes de l'État quand elles fondent sur de pauvres gens : « On retranche à cent pauvres familles des rentes « viagères qui les faisaient subsister, acquises avec des effets « dont le roi était débiteur et dont le fonds est éteint ; on donne « 56.000 livres de pension à des gens qui ont été dans les grands « postes où ils ont amassé des biens considérables, toujours aux « dépens du peuple, et cela pour se reposer et ne rien faire. » Mais cette Bourgeoisie aime l'ordre et déteste les scènes populaires, comme celles de Saint-Médard, et tous les troubles de la rue. « Mon père et moi, dit Barbier, nous ne nous sommes pas mêlés « dans ces tapages, parmi ces esprits caustiques et turbulents... « Je crois qu'il faut faire son emploi avec honneur, sans se mêler « d'affaires d'État sur lesquelles on n'a ni pouvoir ni mission (2). » Cela ne l'empêche pas, en patriote vigilant et sans jactance, tout en se réjouissant de Fontenoy, de constater avec regret que ce sont des généraux étrangers qui conduisent nos troupes à la victoire, et de remarquer le peu de capacité de nos jeunes officiers ; ce qui lui inspire des craintes pour l'avenir (3). C'est une Bour-

(1) *Journal de Barbier*, t. Ier, p. 269.
(2) Aubertin, *L'Esprit publié, ouvr. cité*, p. 180, 362. Vers 1718, mais ceci peut s'appliquer aux événements postérieurs.
(3) Voir plus haut, p. 37.

geoisie conservatrice, ordonnée, honnête, de mœurs simples, dégagée, du moins dans son élite intellectuelle, des croyances surnaturelles, mais respectueuse de la religion, tolérante déjà, ennemie de toutes les persécutions (serait-elle favorable aux « non-catholiques » ? c'est une autre question difficile à trancher et encore très complexe (1)) essentiellement attachée à la monarchie et jalouse de la gloire de la nation.

Mais, à côté de cette élite qu'animent ces sentiments généreux, il ne faut pas oublier la nombreuse classe marchande, qui tient avant tout à ses privilèges corporatifs, et il convient de se rappeler que les commerçants de certaines villes, Marseille, Bordeaux, etc., sont extrêmement attachés à leurs privilèges spéciaux, relativement aux droits sur les marchandises du Levant imposés aux autres ports du royaume (2), ou bien à la circulation et à l'exportation des vins du vignoble d'Aquitaine autres que ceux du Bordelais (3). C'est le cantonnement et ses avantages qui plaisent à ces villes et à leurs bourgeois grands et petits. Il ne faut pas leur demander l'esprit de solidarité d'une véritable nation, mais tout au plus l'esprit municipal, le seul qu'ils comprennent, car leur ambition, à tous ces négociants et « marchands-fabricants », ne va guère au delà de l'entrée, à la suite des hommes de loi, dans le corps des magistrats qui administrent la cité.

VII. — *La petite Bourgeoisie*

Cet esprit de solidarité nationale, encore moins pourrait-on l'attendre de cette masse de petits bourgeois, qui vivent assez difficilement ; masse complexe, composée surtout de très modestes marchands, d'une foule d'employés et de commis des Aides ou des Douanes, et d'une multitude d'agents de second ordre au service des seigneurs, dans tous les fiefs du royaume.

Les marchands et « marchands-ouvriers », très souvent

(1) Il est certain que vers 1740-1750 on n'est plus, d'abord au centre même du gouvernement, dans le même état d'esprit à l'égard des protestants qu'au temps des Ordonnances de 1724, qui maintenaient, en droit et en fait, toutes les mesures persécutrices de Louis XIV. Mais il est aussi hors de doute que l'état d'esprit de la bourgeoisie parisienne était fort différent, à ce sujet, de celui des bourgeois de Nîmes ou de Montauban. Et l'on s'en apercevra bien non seulement au temps des Calas et des Sirven, à Toulouse, mais, en 1790, en pleine Révolution, à Nîmes, à Montauban. Le fanatisme religieux, surtout dans le Midi, et aussi la jalousie des intérêts sont des obstacles toujours fort longs à détruire.

(2) Le droit de 20 % sur les marchandises du Levant, imposé aux ports du Ponant : c'est le privilège de Marseille.

(3) Bordeaux était le port de sortie obligé de tous les vins d'Aquitaine qui devaient y payer un droit. Cela favorisait les vins du Bordelais.

groupés en corporations, ont à lutter, comme on a vu, contre les gros « marchands-fabricants », qui, usant de leur puissance capitaliste, entendent les assujettir, avec le soutien du gouvernement. Mais ils sont en passe de succomber : les « marchands-fabricants » peuvent seuls disposer du travail des campagnards, qui est à meilleur marché que le travail des ouvriers citadins, et faire une concurrence victorieuse à ces artisans, petits patrons, sans capitaux, qui ne travaillent qu'avec quelques rares « compagnons » ou apprentis, et qui, soumis aux règlements et aux limitations corporatives, sont condamnés, par leur infériorité même, à la domination économique des plus forts. C'est une classe sociale travailleuse et honnête, qui, courageusement, s'efforce de se maintenir. Elle n'est pas encore vouée à la disparition, en vertu d'une économie « libérale », favorable aux seuls puissants, mieux armés pour la lutte économique ; mais le moment est proche où tout le système corporatif, dont elle vit, va être dénoncé par les économistes d'une nouvelle école.

Quant aux agents subalternes des Fermes générales, aux agents inférieurs des seigneurs et à la foule des « officiers » de toute sorte qui se paient sur leurs maîtres et sur le public, ils forment le groupe des petits profiteurs de la société, qui cherchent à tirer le plus possible parti de leur situation, dans leurs inquisitions, perquisitions, exactions et amendes. Bien au-dessous des « hommes de loi », qui, par leur « procédure », volent les plaideurs des grands seigneurs qui n'ont que la peine de demander, de prendre et de recevoir, eux, ils grappillent, en tourmentant : ce sont surtout les classes moyennes qui, avec le Trésor public, en souffrent.

Cette petite bourgeoisie vivote, conserve les traditions de famille, reste fort peu instruite et n'aspire guère à s'élever. Au reste, elle n'en a guère le loisir ; ses occupations professionnelles l'absorbent. Mais elle envoie ses enfants aux petites écoles, qui sont, en général, gratuites, souvent tenues par des « Frères de l'Institution chrétienne », qui enseignent la lecture, le calcul et le catéchisme (1).

VIII. — *Les ouvriers*

On a depuis longtemps distingué, parmi les ouvriers de l'industrie, ceux qui s'adonnent aux travaux délicats, aux œuvres d'art suivant les dessins des grands artistes, à la fabrication

(1) C'est l'époque où cette fondation de Jean-Baptiste de la Salle († 1719) est en plein essor, l'Institut ayant été approuvé par Benoît XIII (1725) et ses immenses services reconnus.

d'une foule d'objets, appelés « articles de Paris » ; car très nombreux sont à Paris ces artisans et ouvriers « compagnons » qui exercent le métier de père en fils, soit dans les faubourgs, comme le faubourg Saint-Antoine, siège de l'ébénisterie et de la fabrication du meuble, soit dans les quartiers du centre de la ville, sur la rive droite de la Seine, dans ces rues étroites, souvent bordées de vieux hôtels et d'anciennes maisons à encorbellements qui remontent parfois au Moyen âge, entre l'Hôtel-de-Ville, la Bastille, le Temple et les Halles, et dans les îles Saint-Louis et de la Cité : c'est le quartier des joailliers, des orfèvres, des horlogers, des bronziers, des tabletiers, des éventaillistes, etc. Il est naturel que ces ouvriers artistes gagnent des salaires assez élevés. De même les ouvriers imprimeurs, graveurs, qui donnent au livre français — et quels artistes pour l'illustrer ! — sa réputation de goût et de beauté.

En dehors de cette élite, peu nombreuse encore dans le royaume, les ouvriers ne font masse que dans les très grandes cités industrielles, enfermés le plus souvent dans le rigide système corporatif et obligés d'accepter les salaires fixés par les maîtres, et confirmés par les municipalités. Dans les campagnes, où ils sont, au total, beaucoup plus nombreux, les ouvriers-paysans se trouvent toujours très dispersés, soit dans les bourgs voisins d'une grande ville, soit en des villages et des hameaux perdus. Il ne peut donc naître une « conscience de classe », comme on dit aujourd'hui, que dans les grands centres de travail. Là les occasions de se faire jour ne lui manquent pas, maintenant qu'avec l'essor industriel le nombre des travailleurs s'est multiplié, et que ceux-ci trouvent parfois pour auxiliaires, dans la lutte contre le capitalisme des « marchands-fabricants », leurs propres patrons, réduits à l'état d'artisans. C'est, on l'a vu, l'histoire des grèves et des troubles de Lyon, en 1744.

L'essor de la prospérité agricole entraînant le progrès industriel, et celui-ci réclamant une plus abondante main-d'œuvre, qui s'est heureusement trouvée après 1730, et qui n'attendait que de l'emploi, il est arrivé que les salaires se sont maintenus à peu près au même niveau que vers 1715 ou 1720, malgré la hausse constante du prix des denrées. La péréquation, qui, en toute justice, eût dû se faire, n'a pas eu lieu. Et, d'une manière générale, l'ouvrier a été aussi malheureux qu'auparavant. De là plaintes, récriminations, réclamations de salaires en rapport avec le prix plus élevé de la vie. Refus des maîtres, refus de leurs « jurandes », soutenues par les magistrats municipaux, voire par les Parlements : éternelle histoire des conflits entre le « maître », seul arbitre des conditions du travail, et le « compagnon », privé de tout droit, même du droit de grève, et qui ne peut porter ses plaintes au gouvernement, lequel y reste sourd. Il est impossible d'établir le taux moyen des salaires, et même celui que reçoivent les ouvriers dans chaque sorte de profession ; tout varie de ville à ville ; de plus, les ouvriers des manufactures royales reçoivent, en plus du salaire, la nourriture, et cela dans l'intérêt même du travail, qui reste continu et efficace, l'ouvrier ne sortant pas de l'usine et échappant ainsi à la tentation de boire (1).

Pour beaucoup d'ouvriers, c'est la misère ; rien n'est, d'ailleurs, prévu pour les cas de maladie. Dans les années où la récolte est médiocre et le prix du pain élevé, comme en 1725, les ouvriers se révoltent : à Paris, au faubourg Saint-Antoine, ils attaquent les boutiques des boulangers. A Caen, à Lisieux, à Rouen, émeutes et pillages. Et l'armée des mendiants s'accroît. On les enferme dans des hôpitaux, suivant la coutume ; mais, n'ayant pas de quoi les nourrir, les administrateurs les relâchent ; et la maréchaussée, pitoyable à ces malheureux, refuse de les arrêter ; si bien que le roi doit recruter des archers en Suisse (2).

L'ouvrier n'a pas seulement à sa disposition la rupture du contrat de travail et la grève et, pour le soutenir, ses « compagnonnages », plus vigilants et plus actifs, dans cette période de fréquents conflits entre travail et capital ; il a aussi la désertion. Ce n'est pas un moyen nouveau : le règne de Louis XIV l'a bien connu ; mais les désertions deviennent plus fréquentes. La main-d'œuvre française est, en effet, recherchée en Europe ; elle s'est façonnée, affinée, depuis Colbert, et les États voisins, qui, dans l'intérêt de leur commerce et de leurs finances, pratiquent le mercantilisme et favorisent le capitalisme, lui ouvrent toutes grandes leurs frontières, en particulier les États germaniques, où ont déjà afflué les « réfugiés » huguenots, et l'Espagne, où, sous des rois français, commencent à prospérer des manufactures de draps et de tapisseries. Sans doute des peines sévères frappent les délinquants. Mais il arrive que le gouvernement n'ose les appliquer, comme à Sedan, où, en 1738, des désertions d'ouvriers s'étant produites, il est recommandé à l'intendant de n'user de ses pouvoirs qu'« après épuisement des moyens de conciliation ». Les intendants sont déjà portés à la prudence, et, pour éviter des troubles graves, ils cherchent à intervenir en arbitres plutôt qu'en soutiens systématiques des patrons. Il y a là, vers le milieu du siècle, une tendance nouvelle de l'Administration.

(1) H. Carré, *Le Règne de Louis XV*, dans l'*Histoire de France*, de Lavisse, t. VIII-II, p. 82. Carré ajoute : « un peu partout les Parlements entretenaient l'agitation ».
(2) *Ibid.*, p. 83.

IX. — *Les paysans*

Dans le monde des campagnes bien plus que dans le prolétariat des villes, se sont faits des changements heureux. Le progrès de l'agriculture, si faible qu'il ait été, a repeuplé les provinces. Les prix du blé montent après 1733 ; la culture est rémunératrice ; le revenu s'accroît. On recherche les terres ; on en améliore la gestion : c'est surtout le fait des bourgeois propriétaires de fiefs ou de fermes. Des pays, comme la Bourgogne (1), qui s'étaient voués au métayage au XVIIe siècle, viennent au fermage. Mais le Midi et le Centre restent fidèles au métayage. Les prix des fermes montent.

Les « laboureurs », les gros fermiers, enrichis par les hauts prix des denrées, sont dans l'aisance. Ils ne manquent pas de capitaux pour développer la culture. Ils prêtent même parfois de l'argent (2), comme ce « laboureur » de Crépy-en-Valois qui aida Adrien Delahante dans l'achat d'une charge de maître des Eaux et Forêts. Ce sont les « coqs de paroisse ». Ils sont, avec quelques bourgeois, maîtres du « finage », car les grands seigneurs restent absents de leurs terres. Ayant de l'argent, « laboureurs » et fermiers vivent mieux qu'autrefois, font de la dépense, demandent à l'industrie outils, vêtements et linge etc., et contribuent à son essor. Tout se tient dans l'économie sociale. Ils voient ainsi, à côté d'eux, refleurir le travail industriel de ces « paysans-ouvriers » qui, n'ayant souvent qu'un lopin de terre, demandent à la filature et au tissage ou à de petits commerces ou industries un supplément de ressources, en Bretagne, en Normandie, en Picardie, en Flandres. Toute cette main-d'œuvre, qui s'accroît sans cesse, trouve de l'emploi ; car les débouchés des draps, des toiles, de toutes les étoffes diverses qu'elle fabrique s'ouvrent plus largement qu'autrefois vers le Levant, l'Espagne et l'Amérique espagnole, et surtout vers l'intérieur du royaume, dont le pouvoir d'achat s'est accru avec l'augmentation graduelle de la population et l'aisance d'un plus grand nombre d'habitants.

Cependant ce n'est pas, comme, d'ailleurs, sous l'Ancien régime, une prospérité dont tous profitent également. Trop de gens restent sans aucune propriété, en Bretagne, en Normandie, même en Flandre wallonne ; trop de familles de métayers, de petits vignerons, sont encore misérables. Pour elles, aucun progrès, ni dans l'alimentation, ni dans le vêtement, ni surtout

(1) Roupnel, *ouvr. cité,* sur la campagne dijonnaise.
(2) Voir plus haut, p. 66.

dans le logement, qui est la dernière chose à laquelle un paysan de France porte son attention. La santé de beaucoup d'entre elles ne résiste pas : que d'enfants fauchés dans le tout jeune âge ! La moyenne de la vie humaine, dans certains pays comme les Mauges de l'Anjou, n'est guère que de vingt ans (1). Il y a là un nombreux prolétariat de journaliers, de petits métayers, de vignerons, accablé d'impôts par les riches « coqs de paroisse », et pour lequel la société ne fait rien : à peine cherche-t-on à les instruire un peu dans la religion et à leur apprendre à lire et à écrire ; mais de ce côté encore, on ne constate pas de progrès sérieux.

X. — *Conclusion*

De 1715 à 1750 la société française a été agitée par des mouvements en sens contraire, qui ont fini par se concilier dans la tradition monarchique.

Depuis la fin du règne de Louis XIV et le « Système » de Law, s'est opéré un brassage des classes de la société comme on n'en avait pas encore vu. L'argent surtout, la faveur aussi, conférant des « lettres de noblesse » à nombre de bourgeois, ont constamment rapproché l'aristocratie d'argent de l'aristocratie de naissance. C'est l'époque des grands parvenus : le fils d'un aubergiste de Brive-la-Gaillarde, premier ministre et cardinal ; un spéculateur économiste écossais, qui a couru l'Europe, contrôleur général des finances et hardi directeur de Banque et de Compagnie de commerce. Et c'est aussi le temps des parvenus de moindre envergure, voire de tout petits fermiers ou « laboureurs ». Aussi n'est-ce plus seulement le moment de *Turcaret;* c'est encore celui du *Paysan parvenu* et celui de l'égalité raisonnable des hommes que présente Marivaux dans son *Ile de la raison.*

Un mouvement contraire se dessine aussi : les hautes classes tendent déjà à se fermer, à se muer en castes. La Noblesse de robe, fondée sur l'hérédité et définitivement constituée, rétablie dans ses droits ou ce qu'elle appelle ainsi, entend déjà fermer ses rangs. La Noblesse militaire est animée du même esprit et accueille les étrangers de famille princière plus aisément que des bourgeois braves, mais sans aïeux.

Cependant les tendances aristocratiques, très fortes après la mort de Louis XIV, n'ont pas pu l'emporter sur les traditions de la monarchie absolue du grand roi. La monarchie s'est réveillée

(1) Andrews, *Les Paysans des Mauges d'Anjou au XVIIIe siècle*, thèse de doctorat de l'Université de Paris 1935.

pour les reprendre, grâce aux hommes de robe, seuls capables de remplir les fonctions du gouvernement, et ce sont encore des dynasties bourgeoises, autres, il est vrai, que celles de l'âge précédent, qui gèrent l'administration du royaume : les trois d'Argenson, le père et les deux fils ; Machault d'Arnouville ; Chauvelin, Maurepas (1). La monarchie est revenue à Louis XIV, par impossibilité de changer ; elle se retrouve bientôt dans le même cadre majestueux de représentation, à Versailles, mais avec moins de gravité, de majesté, et de despotisme apparent.

Malgré l'effort de la société pour rapprocher naissance, argent et talent — et cet heureux effort se sent vers le milieu du siècle, à Paris surtout — c'est l'action de la monarchie et des anciennes mœurs qui prévaut, et qui maintient le privilège, certes sapé par l'argent et par l'esprit, mais toujours puissant. C'est un principe de division et non d'union. C'est l'oppression du faible par le fort, du haut au bas de l'échelle sociale ; et, malgré la nouvelle morale de l'intérêt général, conçue par une élite généreuse, cela est conforme aux lois et aux coutumes dans une société qui n'est plus chrétienne que de rite et d'habitude.

(1) Chauvelin (1685-1762), président à mortier au Parlement, garde des sceaux (1727), secrétaire d'Etat des Affaires étrangères et ministre, disgracié (1737). — Maurepas appartient à une branche des Phélypeaux ; fils de Jérôme Phélypeaux, comte de Pontchartrain, ministre de Louis XIV, il reçoit le département de la Marine (1723) ; disgracié (1749) ; ministre de Louis XVI (1774-1781).

LIVRE II

L'ÉPOQUE DE LA PROSPÉRITÉ ET DE L'ÉMANCIPATION SOCIALE (1750-1770)

CHAPITRE PREMIER

LES DOCTRINES NOUVELLES

La société française poursuit son émancipation par rapport à l'État et à l'Église. Le gouvernement la tient encore, vers 1750, enchaînée par une réglementation économique qui, dans l'état prospère dont elle jouit, n'a plus sa raison d'être et n'est qu'une gêne intolérable ; par sa hiérarchie corporative, depuis longtemps désuète ; par sa censure vigilante sur tous les écrits, sinon sur la pensée pure ; enfin par une intolérance religieuse, qui est moins de son fait que de celui de l'Église, restée dans les vieilles traditions de Louis XIV. La société cherche à se dégager de tous ces liens, à vivre d'elle-même, pour elle-même, à faire une propagande libérale, dans l'intérêt général de l'État comme dans le sien, et avec une telle force de conviction que les gouvernants eux-mêmes commencent à être persuadés de plus en plus de la bonté de certains principes nouveaux. On va voir, en effet, le gouvernement, sinon dénouer tous ces liens qui enserrent la société, du moins les desserrer, surtout dans le domaine de l'économie, parfois même dans le domaine intellectuel : il comprend maintenant que cette politique, réclamée par l'utilité sociale, ne saurait que servir ses propres intérêts, en particulier celui de ses finances, intimement liées à l'activité et à la prospérité du pays, et qu'il ne peut plus, dans l'état de l'opinion publique, dont la force grandit, aller sans danger jusqu'à une inquisition religieuse et intellectuelle aussi dure que celle de Louis XIV.

Cette brillante époque de vingt années — la plus prospère de la monarchie française — ne s'est point écoulée sans conflits graves et sans combats, du commencement jusqu'à la fin. Et, si elle a vu la plus grande guerre du siècle, sur terre et sur mer, elle a été pleine de contestations intérieures, de rivalités, voire de chocs violents de pouvoirs. Dans cette société, où la richesse générale n'a cessé de croître, l'opinion publique s'est formée.

Cette période s'ouvre par un éclat : la rupture en visière du chef du parti philosophique au gouvernement de Louis XV : Voltaire, dégoûté de la Cour, de la censure et de l'intolérance de l'Église, quitte la France et se rend à Berlin, auprès du roi de Prusse, Frédéric II. Mais il laisse à Paris toute une propagande philosophique, à laquelle il ne cessera de participer, en sécurité, jusqu'à ses derniers jours.

I. — *La science et la philosophie naturelle*

Ce mouvement philosophique s'appuie sur la science, ses découvertes, qui, maintenant, représentent un acquis considérable, dû à tous les savants de France et d'Europe depuis près de deux siècles. Et c'est avec raison que Dalembert a pu dire : « Le milieu du siècle paraît destiné à faire époque dans l'histoire de l'esprit humain par la révolution qui semble se préparer dans les idées. » Coup sur coup, en effet, se publient, au même temps que l'*Esprit des lois*, de Montesquieu (1748), l'*Essai sur l'origine des connaissances humaines*, de Condillac (1746), l'*Introduction à la connaissance de l'esprit humain*, de Vauvenargues (1746), la *Théorie de la Terre* et le premier volume de l'*Histoire naturelle*, de Buffon (1749), le premier volume de l'*Encyclopédie* (1751), auxquels on peut ajouter *Le Siècle de Louis XIV*, de Voltaire (1751) ; enfin tout un système de philosophie générale va se développer, imité des Anglais et de Locke, justifié par la science expérimentale, sous la plume de Condillac (1).

La science de l'univers, et avec elle, la science économique, envahit tout. Voltaire, qui s'est, dans sa jeunesse, si vivement intéressé aux sciences, qui semble même, durant son long séjour à Cirey, s'être tourné vers elles, a noté, à regret, cet envahissement, discerné avec sa sagacité coutumière le changement du

(1) *Traité des sensations* (1754).

goût de la nation, son dédain de la poésie (1). L'énorme effort scientifique du XVIIe siècle se poursuit, en effet, mais, après 1750, avec plus d'ampleur et de rapidité ; car les découvertes de chaque science spéciale réagissent sur les autres sciences, les mathématiques sur la mécanique et la physique, et la physique sur la chimie et la biologie ; et, d'autre part, la communication constante de tous les savants de l'Europe établit une émulation bienfaisante dans les recherches, des discussions fécondes dans les grandes Académies : « Société royale », de Londres ; Académies des Sciences de Paris, de Berlin, de Saint-Pétersbourg, Académies d'Italie, des Pays-Bas. Les mathématiques ne cessent de progresser, avec Dalembert, Clairaut et Maupertuis, rivalisant avec les écoles suisse et allemande, des Bernouilli et d'Euler. Des branches nouvelles s'ajoutent à cet arbre déjà puissant : le calcul des probabilités est fondé, qui étend les applications du calcul à des questions de première importance pour la vie individuelle et sociale. Les sciences de la nature s'honorent des plus illustres représentants qu'elles aient eus jusqu'ici : après Réaumur, c'est Buffon qui domine, suivi de ses collaborateurs, Daubenton et Guéneau de Montbeillard, et de Lamarck, qui, à la fin de cette période, va commencer son illustre carrière. Il n'est pas jusqu'à la médecine qui, sous l'influence des sciences physiques et biologiques, ne se rénove, abandonnant les désuètes traditions de la Faculté de Paris, avec Bordeu, l'ami de Dalembert et des philosophes, et les savants de l'école de Montpellier.

La méthode scientifique, tout inductive, s'exprime, avec une clarté nouvelle, dans toutes les grandes œuvres scientifiques, ces vastes synthèses, qui commencent, et dont l'*Histoire naturelle*, de Buffon, après le *Traité de Dynamique*, de Dalembert, est un des principaux modèles. Partir des faits pour remonter aux lois, expliquer comment, et non pourquoi, les choses se passent ainsi ; ne pas recourir aux causes et surtout aux causes finales, en prêtant à la nature des intentions qu'elle n'a point : voilà le fond de la méthode de Buffon et des savants de ce temps. Dans l'étude de la Terre et surtout celle des animaux, c'est la méthode comparative que Buffon recommande : pour comprendre la formation de la Terre, il ne faut pas l'isoler de l'univers et du système solaire ; si l'on veut faire des découvertes sur l'homme, il est nécessaire de ne pas l'observer exclusivement, mais d'étudier les autres animaux, afin de saisir les analogies entre les

(1) *Dictionnaire philosophique*, article *Blé* : « Vers 1750 la nation, rassasiée de vers, de tragédies, de comédies, de romans, d'opéras, d'histoires romanesques, de réflexions morales plus romanesques encore, et de disputes sur la grâce et les convulsions, se mit à raisonner sur les blés. »

êtres (1). Sans doute la théorie que Buffon donne de la Terre n'est qu'une première ébauche de son futur chef-d'œuvre, elle ne tient compte encore que de l'origine neptunienne des roches qui la forment et de l'action des eaux courantes, elle ne fournit pas l'explication de la formation des montagnes et de la projection de roches ignées à leurs cimes ; mais déjà quelle synthèse de faits connus, d'observations personnelles, accompagnées d'hypothèses, qui ne sont, d'ailleurs, données que pour des hypothèses par ce grand savant à l'imagination si riche !

Quelle révolution dans les idées n'amène pas le progrès de la science ! La science moderne ruine définitivement le recours qu'elle faisait encore, au XVIIe siècle, aux dogmes théologiques et aux principes métaphysiques. La Terre n'est plus, pour aucun esprit cultivé, au centre du monde ; c'est une des plus petites planètes, gravitant autour de la toute petite étoile que nous nommons le Soleil. Et tous les ouvrages scientifiques, comme les livres de vulgarisation, nombreux à cette époque, l'enseignent ; Buffon le fait, lui, avec toutes les preuves tirées de la science de son temps. Ainsi la conception « anthropocentrique » est ruinée, et l'univers élargi à l'infini. La conception biblique de la création du monde ne peut plus résister aux savants : la création n'est, pour eux, qu'une très lente évolution ; la Terre s'est formée, au cours de nombreux millénaires, de couches successives de matières déposées au fond des mers qui longtemps l'ont couverte, et les phénomènes actuels rendent compte des phénomènes passés. L'homme, malgré sa supériorité d'intelligence sur tous les êtres vivants, doit être rangé parmi les animaux. La science naturelle reconnaît des « espèces » d'animaux. « Ce qu'il y a de plus « constant, de plus inaltérable dans la nature, c'est l'empreinte « ou le moule de chaque espèce », déclare Buffon. La forme de l'animal reste. Et cependant elle varie, dit encore Buffon, suivant le climat et le genre de nourriture ; si bien que les espèces peuvent se transformer avec le temps (2) : humble début d'une philosophie transformiste, qui se développera, chez Buffon lui-même, en attendant Lamarck. S'il y a des espèces, des genres, et enfin

(1) Voir la dissertation en tête de la partie qui traite des « animaux carnassiers » : « Quelle connaissance réelle peut-on tirer d'un objet isolé ? le fondement de toute science n'est-il pas dans la comparaison que l'esprit humain sait faire des objets semblables et différents de leurs propriétés analogues ou contraires, et de toutes leurs qualités relatives ? — Voir encore le début de l'*Histoire naturelle de l'homme :* « Pour peu qu'on ait réfléchi sur l'origine de nos connaissances il est aisé de s'apercevoir que nous ne pouvons en acquérir que par la voie de la comparaison ; ce qui est absolument incomparable est entièrement incompréhensible... »

(2) *Histoire naturelle* de Buffon : « Le Cerf ».

des « règnes », il n'en reste pas moins que déjà, pour certains savants et philosophes, qui ont sous les yeux des observations nouvelles, (1) pierres, plantes, animaux, y compris l'homme, se rapprochent ; que des uns aux autres se fait une transition insensible (2) ; que des plantes aux animaux qui s'en nourrissent, et de ceux-ci à l'homme, qui consomme leur chair, la matière nutritive circule sans cesse, et que de la mort naît la vie ; et ainsi « la nature se répare elle-même et se renouvelle » ; il est dans l'ordre que la mort serve à la vie, que la reproduction naisse de la destruction » (3).

Les grands savants de ce temps se livrent avec confiance à des théories, fondées certes sur l'expérience et la raison. Mais l'accord des théories avec l'expérience signifie-t-il qu'elles expriment la réalité des choses ? C'est là un souci qu'ils n'ont peut-être pas tous également, entraînés qu'ils sont, dans cet âge nouveau de la science, par leur imagination enthousiaste et la perspective de plus grandes découvertes encore. Mais tous ne cessent d'interroger la nature, où l'homme leur apparaît comme un grand agent destructeur, qui a déjà réduit les sociétés animales, comme celles des castors (4) ; où tout se détruit et tout se répare et se renouvelle ; où, comme le proclamera bientôt Lavoisier, « rien ne se perd, rien ne se crée ».

Ainsi la science poursuit ses progrès, sans plus se soucier ni de métaphysique ni de théologie. Si elle aboutit à des résultats autres que les faits consignés dans la *Genèse* sur la formation de l'univers et de la Terre, elle ne s'en émeut point ; et, si la Sorbonne inquiète les savants, ceux-ci restent sur leurs positions, comme Buffon, séparent la science de la théologie, revendiquent pour elle un domaine définitivement indépendant. Qu'ils usent de prudence et que, dans leurs ouvrages, ils ne partent pas en guerre contre Dieu et les Livres saints, dont ils n'ont que faire, soit : c'est un autre domaine que le leur, un domaine sacré, qu'ils respectent (5). Mais, dans son indépendance, la science n'entre-t-elle pas, que les savants le veuillent ou non, en conflit avec la

(1) Celles de Peyssonnel, de Trembley sur le corail et sur l'hydre d'eau douce, voir plus haut, p. 25, n. 2.
(2) Chez Diderot, Robinet, etc.
(3) Buffon, *Histoire naturelle*, « Des animaux carnassiers ».
(4) Buffon, *Histoire naturelle*, « Des animaux sauvages » : « Dans les pays où les hommes se sont répandus, la terreur semble habiter avec eux ; il n'y a plus de société parmi les animaux, toute industrie cesse, tout art est étouffé ; ils ne songent plus à bâtir... » Voir aussi « Le castor ».
(5) C'est là le sens de la réponse de Buffon à la Sorbonne (1751). C'est aussi le sens de la préface de Dalembert à son *Traité de Dynamique*. Voir Sagnac sur Dalembert et Buffon, dans *La Révolution française*, 1923.

religion ? L'expérience, la raison guident les savants. Mais chez les philosophes, qui ne sont pas des savants voués aux longues et patientes recherches, ne conduit-elle pas, sinon à l'athéisme, du moins au matérialisme ? Et ne va-t-on pas voir les Diderot, les Robinet et bien d'autres émettre la théorie de la matière pensante ?

II. — *La philosophie humaine et sociale*

Tous ces résultats de la « philosophie naturelle » conduisent à une nouvelle conception de l'homme et de l'humanité. Certes l'homme, au point de vue anatomique et physiologique, doit être rangé parmi les animaux ; mais il leur est tellement supérieur par la pensée, la réflexion, qu'il leur commande, les fait servir à son usage ou les détruit, et qu'à ce titre il faut le placer à part. Et c'est ce que fait Buffon, dans son *Histoire naturelle de l'homme.* Mais cette pensée, cette « âme », est-elle, comme le déclare Buffon en plein XVIIIe siècle, immatérielle, plus réelle même que notre corps, que nous ne connaissons que par nos sensations, comme tous les objets extérieurs, dont nous ne savons rien de certain et d'adéquat à eux-mêmes ? Il est hors de doute que la plupart des philosophes du siècle se séparent ici du grand savant. Au XVIIe siècle on parlait de l'âme, dans la philosophie de Descartes, et de même dans celle de Malebranche. Maintenant, on cherche à rayer ce mot de la langue ; on ridiculise l'âme. Il n'y a plus d'« idées innées » à la manière de Descartes. Mais y a-t-il seulement des idées qui classent, enchaînent ? On répond que toutes nos connaissances nous viennent par le toucher, la vue, l'ouïe, l'odorat et le goût, et que c'est de nos sensations et d'elles seules que nous formons nos idées. Doctrine toute anglaise, empruntée à Locke et à ses successeurs anglais par Condillac, comme par Voltaire, qui raille l'âme, c'est-à-dire l'entendement pur, de Descartes et de Leibniz. Mais quand Leibniz répond à Locke : « Il n'y a rien dans l'entendement qui n'ait été d'abord dans le « sens, si ce n'est l'entendement même », Voltaire ne répond rien ; il continue à répandre son ironie banale sur cette pauvre âme humaine et ses idées innées, soit dans ses fameuses *Lettres sur les Anglais*, soit dans ses divers romans, *Micromégas* et autres, sans examiner à fond le problème ; car, en philosophie générale, Voltaire, qui se connaît bien, est, suivant ses propres expressions, « comme les petits ruisseaux, qui sont clairs parce qu'ils sont peu « profonds ». Mais d'autres, plus profonds, comme Diderot, ne concluent pas autrement, suppriment le principe spirituel, immatériel, auquel Buffon rend hommage, et font de la pensée un dérivé de la matière. On le sent déjà dans leurs ouvrages, même dans ceux qu'ils osent publier ; car ils se gardent bien de mettre au jour, par exemple, un *Rêve de d'Alembert*, qui ferait, comme naguère la fameuse thèse de l'abbé de Prades, (1755) un beau tapage en Sorbonne ou au Parlement, et conduirait l'auteur tout droit à la Bastille, ou de nouveau à Vincennes (1).

L'homme, qui n'acquiert ses idées que par ses sensations — c'est le « credo » des philosophes — est partout le même, suivant Voltaire (2) : il veut dire sa « nature intime », ses instincts, ses passions ; car la « coutume » y met la variété. Aussi, après l'étude qu'a faite le XVIIe siècle de l'homme en général, le XVIIIe siècle s'attache à la société, aux conditions, aux mœurs, à tout ce qui introduit sur la scène du monde de la diversité. L'homme est avant tout un être social. Les hommes du XVIIIe siècle professent un respect infini de l'institution sociale ; car, pour eux, c'est la société qui fait l'homme. Le bien moral, c'est le bien et l'utilité de la société. On a déjà vu naître cette morale sociale. Vauvenargues en a donné une forte définition (3) : « Afin qu'une chose soit regardée comme un bien par toute la « société, il faut qu'elle tende à l'avantage de toute la société ; « et afin qu'on la regarde comme un mal, il faut qu'elle tende à « sa ruine : voilà le grand caractère du bien et du mal moral... « Qui dit une société dit un corps qui subsiste par l'union de « divers membres, et confond l'intérêt particulier dans l'intérêt « général : c'est là le fondement de toute la morale. » Et, comme la religion, ajoute-t-il, n'est pas assez puissante pour détruire la « cupidité » des hommes, il a fallu encore des lois, des règles, que l'on ne peut enfreindre sans des peines terribles et des « supplices ». « Nous naissons, nous croissons à l'ombre de ces conven- « tions solennelles, nous leur devons la sûreté de notre vie et la « tranquillité qui l'accompagne. » Mais qu'est-ce qui est utile à la société ? Où est le bien social ? C'est, pour les hommes du siècle, la science qui l'enseigne, c'est-à-dire la raison et l'expérience. Ainsi la morale sociale se subordonna à la science, à des concep-

(1) On se rappelle que c'est à Vincennes que Diderot fut conduit, après sa *Lettre sur les aveugles* (1749).

(2) Voltaire exprime souvent cette idée, *Essai sur les mœurs*, introd. chap. IV, au début ; chap. VI et dernier chapitre : « Tout ce qui tient intimement à la nature humaine se ressemble d'un bout de l'univers à l'autre ; tout ce qui peut dépendre de la coutume est différent, et c'est un hasard s'il se ressemble... L'empire de la coutume répand la variété sur la scène de l'univers. La nature y répand l'unité. »

(3) Vauvenargues, *Introduction à la connaissance de l'esprit humain*, liv. III, éd. des *Œuvres choisies de Vauvenargues*, par H. Gaillard de Champris, 1942, p. 72.

tions rationnelles. Et si la science se dégage de la croyance, notamment de la croyance à la Providence, bien plus, si elle penche vers le matérialisme, ce sera une morale laïque, indépendante de toute révélation, et même naturaliste, chez les penseurs les plus hardis, comme Diderot, qui célébreront l'homme d'Otaïti. Quoi qu'il en soit, c'est le culte de la société et des institutions sociales que l'on retrouve dans toutes les doctrines du temps, avec celui de la science et de l'instruction, qui organisera la société et lui donnera ses lois. D'origine humaine, la société se conduira suivant des lois humaines, conformes à la raison : c'est la renonciation aux plus anciennes traditions, aux dogmes théologiques et aux principes métaphysiques.

Tout, chez l'homme, étant humain — ses institutions sociales, ses lois, ses arts et ses sciences, comme sa religion et sa langue — et tout changeant et se modifiant chez les divers peuples et au cours des âges, c'est un spectacle que les philosophes du siècle se donnent à eux-mêmes et qu'ils mettent sous nos yeux, soit dans l'*Encyclopédie*, la grande œuvre collective de ce temps, soit dans l'*Essai sur les mœurs et l'esprit des nations*, de Voltaire. Ce qui en ressort avec évidence, c'est le progrès de l'esprit humain et de l'espèce humaine. Après le progrès de la nature, exposé par les savants, comme Buffon, le progrès de l'humanité. Certes, l'idée n'est pas nouvelle ; elle est cependant assez récente ; on l'a vue naître, au XVIIe siècle, à propos de la « querelle des Anciens et des Modernes », au temps de Perrault et d'Houdar de La Motte. Mais, maintenant, elle prend un développement nouveau et un sens général, surtout entre les mains des encyclopédistes, qui, pour la première fois, osent présenter une synthèse des sciences sociales, parfois rudimentaire ou dépassant les faits dont dispose la science de leur temps, mais en somme, vraiment scientifique par la méthode et l'effort patient qu'elle révèle.

L'homme est, de sa nature, un être sociable : tel est le point de départ ; c'est un fait, et ce fait est incontestable, sans entrer dans des discussions sur l'origine de la société. La société donc se forme ; et, avec elle, naît la religion : d'abord culte des forces de la nature, des astres, du soleil, qui répand la vie sur la Terre ; puis culte des héros, d'un Hercule, bienfaiteurs des hommes ; enfin, après ces primitives idolâtries, culte, plus pur, d'un Dieu unique. Par son dogme de la Providence, la religion sert de frein moral, devient un moyen de gouvernement. Elle a une utilité sociale ; c'est dans cette vue que la société humaine l'a créée. D'origine sociale, comme la religion, sont la morale, le droit. La distinction du juste et de l'injuste ne devient nette que dans l'« état civil ». Les institutions fondamentales, les assises de la société, la famille et la propriété ne sont que des institutions sociales — comme l'ont enseigné les grands jurisconsultes protestants du XVIIe siècle, et comme le reconnaît Montesquieu. Pour protéger ces institutions capitales, naissent les lois, les gouvernements. Les meilleurs gouvernements sont ceux qui conviennent le mieux à chaque peuple, suivant l'étendue de son territoire et la forme de son activité. De même les meilleures lois économiques sont celles qui favorisent le mode de travail essentiel, l'agriculture, et lui laissent la liberté. En même temps qu'apparaissent les premières institutions sociales, naît et se développe le langage. Mais d'abord, avant le langage, le chant, qui dérive de l'exercice spontané des organes de la voix, à l'imitation des bruits et des sons naturels. Et du chant sort la danse, qui revêt un caractère sacré ; enfin l'idiome parlé, qui, lentement, à travers les âges, progresse, parvient à exprimer les sensations, les sentiments, les idées, aux fins utilitaires de la société. Car les premières connaissances, les premières sciences sont, d'abord, les plus utiles : l'agriculture, la médecine, et, avec l'agriculture, l'observation des astres, des saisons, et la géométrie pratique en vue de l'arpentage des terres. Ce n'est que beaucoup plus tard que sont nés, avec la curiosité désintéressée, les autres sciences et les autres arts : alors seulement, l'instrument essentiel, la langue, étant plus riche, plus délicat, mieux formé, par le rapprochement des hommes et l'intensité croissante de la vie sociale, ont pu naître et progresser la poésie, le théâtre, la musique, qui, à l'origine, gardent, comme la danse, des rapports intimes avec la religion. C'est la société seule qui crée, forme, affine, ou altère le langage ; elle seule qui crée les arts. Ainsi tout dérive de l'effort humain ; point n'est besoin de recourir, pour expliquer les faits, aux dogmes traditionnels. Tout a une origine humaine, et non divine, dans la société humaine. Et si Diderot, Dalembert et leurs collaborateurs de l'*Encyclopédie* sont allés, par leurs hypothèses, au delà des bornes que leur permettait la science de leur temps, ils ont eu le très grand honneur de fonder une science sociale qui n'a pas été sans profit pour leurs successeurs. La notion de progrès en est sortie profondément renouvelée, dans tous les domaines de la pensée et de l'activité des hommes (1). Désormais cette idée fait partie du « credo » des « honnêtes gens » ; Voltaire la développe, la vulgarise (2), et, à la fin du siècle, en pleine Révolution, dans un

(1) Le meilleur ouvrage sur l'esprit de l'*Encyclopédie* est celui de René Hubert, *Les Sciences sociales* dans l'*Encyclopédie*, 1923.

(2) Cette notion de progrès est déjà courante avant l'*Encyclopédie*. Dans un *Discours*, écrit en 1750, Turgot disait : « On voit s'établir des sociétés, se

ouvrage de synthèse, plus bref, Condorcet en fera comme son testament. N'est-ce pas aussi le testament de cette époque ?

Au milieu de ce progrès, qui, au dire des philosophes, n'est peut-être pas continu, il est cependant quelque chose de stable, ou qui doit le rester : c'est la solidarité qui relie les institutions fondamentales d'un État, et qui tient au climat, au sol et au tempérament du peuple ; si bien que le meilleur gouvernement pour un pays est, comme on a vu, celui qui lui convient le mieux. Là encore apparaît la notion essentielle de l'utilité sociale : principe général auquel adhèrent pleinement Montesquieu, Voltaire et tous les philosophes, même Rousseau.

III. — *La diversité des doctrines ou des tendances philosophiques*

Si la plupart des philosophes français s'accordent dans le culte de la science rationnelle et expérimentale et dans celui de l'institution sociale, comme en leur confiance au progrès de l'esprit humain, ils émettent cependant des doctrines politiques et sociales très diverses et même opposées sur nombre de points très importants. En outre, à défaut de doctrines fermes et dogmatiques, certains, comme Voltaire, n'expriment que des vues particulières, et on ne peut saisir chez eux que des tendances ; mais peu importe : tendances ou doctrines n'en jouent pas moins leur rôle.

Il est d'abord une école — le mot n'est pas trop fort — qui se détache par son dogmatisme et sa prétention dominatrice : celle des physiocrates. Avec le Dr Quesnay, médecin de Mme de Pompadour, qui en est le créateur et l'apôtre inlassable, elle se développe après 1750, soit dans l'*Encyclopédie*, où paraissent les fameux articles *Fermiers*, *Grains*, du maître, et par son *Tableau économique* (1758). Et les disciples, Mercier de la Rivière, l'abbé Baudeau, Dupont de Nemours, Mirabeau « l'Ami des hommes », d'autres encore, continuent le maître, propagent la doctrine. C'est toute une doctrine morale, sociale, économique. Elle a pour

former des nations qui tour à tour dominent d'autres nations ou leur obéissent. L'intérêt, l'ambition, la vaine gloire changent perpétuellement la scène du monde et inondent la terre de sang, mais, au milieu de leurs ravages, l'esprit humain s'éclaire, les mœurs s'adoucissent, les nations isolées se rapprochent les unes des autres, le commerce et la politique réunissent enfin toutes les parties du globe, et la masse totale du genre humain, par des alternatives de calme et d'agitation, de biens et de maux, marche toujours, quoique à pas lents, vers une perfection plus grande. » On s'est souvent récrié sur la nouveauté de ces vues ; mais elles ne font que redire ce que Voltaire, Montesquieu, l'abbé de Saint-Pierre avaient déjà exprimé dans des ouvrages bien antérieurs, et ce que pensaient ou disaient vingt ans auparavant les illustres membres du Club de l'Entresol.

point de départ cette morale sociale, édifiée par les moralistes de l'époque précédente, qui est fondée sur l'intérêt général. Certes, il y a des lois positives, comme l'a montré Montesquieu, qu'il faut respecter, car elles sont le lien nécessaire de la société ; mais ces lois positives, pour être bonnes, doivent traduire seulement et « déclarer » les lois naturelles, antérieures et supérieures à elles. « Instituées par l'Etre Suprême », « immuables et irréfragables », « elles sont les meilleures lois possibles ». « Toutes ces « lois existent éternellement d'une manière implicite dans un « Code naturel, général, absolu, qui ne souffre jamais d'excep- « tions, jamais de vicissitudes (1). » C'est un véritable absolutisme, un « despotisme légal ». On ne saurait ignorer ces lois. Il faut donc les enseigner. Elles seront la base de l'instruction publique et privée, déclare Quesnay (2). Le souverain ne doit pas porter atteinte à ces lois qui commandent la liberté. Liberté de l'économie nationale et propriété, dans le sens le plus complet, voilà ce que les physiocrates réclament du souverain. Ce sont des « droits naturels » de l'homme ; c'est dire que, dérivant de la nature, ils sont supérieurs à la société et à l'État. Par cette liberté et ce droit de propriété, la production augmentera ; l'agriculture sera prospère ; pourvu que l'État ne prenne au propriétaire que la part maximum qu'il peut raisonnablement lui demander sur le « produit net », c'est-à-dire le produit défalqué de tous les frais de culture, pourvu qu'il laisse aux producteurs la faculté de libre circulation intérieure et d'exportation, qui seule donne aux grains et aux produits du sol toute leur valeur, et incite à étendre toujours davantage les surfaces cultivées, la richesse foncière ne cessera de croître ; et, avec elle, la consommation, puis la population, qui est la véritable richesse d'une nation. Que les physiocrates, qui ne voient guère dans l'économie sociale que l'agriculture et les propriétaires fonciers, traitent fabricants et commerçants de « classe stérile », il n'est que trop vrai ; aussi des économistes, qui partagent leur doctrine de liberté économique, seront les premiers à corriger et assouplir leur système, trop dogmatique et trop absolu ; et ce seront les Vincent de Gournay, les Trudaine et les Turgot. Mais, si les physiocrates n'ont pas tenu compte de toute la réalité économique, en prétendant que le sol est la seule source de la richesse, et que

(1) Abbé Baudeau, dans Daire, *Collection des principaux économistes*, t. II, p. 789.

(2) Quesnay : « La loi fondamentale de toutes les autres lois positives est l'institution de l'instruction publique et privée des lois de l'ordre naturel. » Ed. Oncken, 375. — Baudeau (Daire, t. II, p. 783) : « Les philosophes et les politiques ont absolument oublié l'instruction morale économique. »

l'industrie et le commerce ne créent pas de valeurs nouvelles, ils ont compris et mis en pleine lumière l'importance de la propriété foncière et les nécessités de la production, dans un pays, comme la France, où l'agriculture est la principale industrie. Or c'était là une nouveauté : depuis la mort de Sully on ne se souciait guère des campagnes et des agriculteurs ; toute la sollicitude de l'État était réservée aux marchands et aux fabricants. Désormais, que ce soient Quesnay et ses disciples physiocrates ou Vincent de Gournay et ses adeptes, c'est la liberté de l'activité agricole, comme de l'activité commerciale et industrielle, que tous réclament de l'État.

En dehors de cette école des « droits naturels » de l'homme, toutes les doctrines des philosophes français ne reconnaissent à l'individu que des droits dérivés de la société. Non qu'ils rejettent entièrement l'individualisme ; mais, pour eux, ces droits individuels n'existent que par la société. Avant la société, il ne peut y avoir que possession, et possession précaire ; c'est par la société qu'est fondé le droit de propriété ; c'est elle seule qui le garantit. Sur ce point capital, Montesquieu, Voltaire, les Encyclopédistes sont tous d'accord (1).

Même accord sur la liberté de conscience et sur les rapports du spirituel et du temporel. Ils réclament la liberté pour l'État à l'égard de l'Église, et pour les sujets à l'égard de ces deux puissances. Montesquieu préconise la séparation du spirituel et du temporel, qui sont confondus à l'encontre des intérêts et du pouvoir même de l'État ; les lois civiles et les lois religieuses sont deux ordres de lois qui ne devraient avoir rien de commun (2). L'État n'est-il pas assujetti à l'Église par les lois sur le mariage ? Si Montesquieu, après sa distinction des deux sortes de lois, civiles et religieuses, admet encore l'intervention des deux pouvoirs dans cette législation du mariage et concède que « c'est à la loi de religion à décider si le lien sera indissoluble ou non », Voltaire, plus hardi, plus logique, demande « que tout ce qui « concerne les mariages dépende uniquement des magistrats

(1) Montesquieu, *Esprit des lois*, liv. XXVI, chap. XX : « Comme les hommes ont renoncé à leur indépendance naturelle pour vivre sous des lois politiques, ils ont renoncé à la communauté naturelle des biens pour vivre sous des lois civiles. Ces premières lois leur acquièrent la liberté ; les secondes la propriété. » — Voltaire, *Dictionnaire philosophique*, t. II, p. 432 : « Dans l'état de société nous ne tenons aucun bien, aucune possession de la seule nature puisque nous avons renoncé aux droits naturels pour nous soumettre à l'ordre civil qui nous garantit et nous protège ; c'est de la loi que nous tenons toutes nos possessions. »

(2) Montesquieu, *Esprit des lois*, liv. XXVI, chap. IX. — Voltaire, *Dictionnaire philosophique*, t. II, p. 68-70, p. 411 ; t. III, p. 625 ; t. IV, p. 29.

« et que les prêtres s'en tiennent à l'auguste fonction de les « bénir » (1).

Tous s'élèvent contre l'intolérance de l'Église et de l'État, soit à l'égard des non-catholiques, soit à l'égard des écrivains et des savants. Les philosophes ne cesseront pas de réclamer la liberté de penser et d'écrire : c'est pourquoi, ne pouvant plus, après sa rupture avec la Cour, se soumettre au régime de censure et de condamnation qui naguère envoya Diderot à Vincennes, Voltaire réside à Ferney, à l'extrême frontière, en exil volontaire ; les philosophes Dalembert et même Diderot redoublent de prudence. Et pourtant ils ne sont pas des révolutionnaires, décidés à jeter à bas tout le régime. Montesquieu fait certes l'éloge de la Constitution anglaise, en théorie, du moins ; mais il n'en recommande nullement l'application à la France. Il veut seulement tempérer la monarchie française, devenue absolue et arbitraire, par des pouvoirs intermédiaires, suivant les anciennes traditions, et, en l'absence d'États généraux, qu'il ne réclame point, par les Cours souveraines, les Parlements. Les collaborateurs de l'*Encyclopédie*, Diderot, Jaucourt, Boulanger, Boucher d'Argis, etc. ne vont pas beaucoup plus loin que Montesquieu : ils désirent, eux aussi, une monarchie tempérée, suivant les traditions françaises ; ce sont des réformateurs, non des destructeurs (2). Voltaire lui-même, qui a eu à souffrir du gouvernement absolu, s'en accommoderait volontiers, espérant qu'un ministre philosophe pourrait se servir de l'absolutisme pour ordonner et réaliser les réformes nécessaires et la suppression des abus les plus criants. Ainsi la liberté réclamée par les grands philosophes n'est que la liberté politique traditionnelle de la France ; ils ne détruisent point l'édifice pour le rebâtir tout entier ; ils ont le sens de l'ordre, et ils ont soin de recommander, dans l'œuvre de réforme, une sage lenteur et des gradations prudentes. S'ils ne professent pas l'optimisme, s'ils ne pensent point que « tout est pour le mieux dans le meilleur des mondes possibles », s'ils ne proclament pas que l'homme est naturellement bon, car les Voltaire et les Montesquieu sont hommes d'expérience, ils ne professent pas davantage le pessimisme chrétien. Pour eux, le monde est ce qu'il est. On peut l'améliorer par la science, par la bienfaisance, par le sens de l'utilité sociale. On peut le rendre plus juste, plus heureux : il n'est, pour cela, que de détruire la guerre,

(1) *Esprit des lois*, liv. XXVI, chap. XIII ; *Dictionnaire philosophique*, t. III, p. 625 ; t. IV, p. 29. — Les protestants, Burlamaqui, Rousseau iront beaucoup plus loin. Ils sont de Genève. Ce n'est plus la philosophie française proprement dite.

(2) Voir René Hubert, *ouvr. cité*. Pour Montesquieu, voir plus haut, p. 33.

la superstition, l'intolérance, les abus évidents, et de faire reculer la misère par le travail et la moralité. Telle est la pensée des philosophes, en particulier celle de Voltaire, qui l'exprime par le roman et le théâtre, par de véritables « traités », comme celui de la Tolérance (1763) ou dans son *Dictionnaire philosophique*, et qui essaie, dans la mesure de ses forces, de la réaliser autour de lui, parmi ce village qu'il a fait surgir auprès de son seigneurial château de Ferney, asile de liberté et suprême foyer de civilisation française.

La philosophie de Rousseau, « citoyen de Genève » et protestant, n'a que quelques traits communs avec celle des Français, et, dans son ensemble, elle apparaît complètement opposée : d'ailleurs contradictoire (1), si l'on prend le *Discours sur les sciences et les arts* et le *Discours sur l'origine de l'inégalité* (1755), d'un côté, et de l'autre, le *Contrat social* (1761), car les premiers suppriment la civilisation pour retourner à la nature, toujours bonne, suivant le philosophe, et le dernier rétablit « l'état civil », dont il accueille l'avènement par un véritable dithyrambe, avec toutes ses heureuses conséquences, la liberté, l'égalité et la propriété. Certes Rousseau finit par faire de la propriété un droit social, comme les philosophes français ; il semble hostile, comme eux, à la puissance ecclésiastique (2) même à la religion révélée, et il va jusqu'à déclarer que le christianisme est contraire au patriotisme ; mais, après une éloquente diatribe contre les chrétiens qui, en suivant leurs principes, seraient incapables de défendre leur patrie (3), ne dit-il pas, dans la *Profession de foi du Vicaire savoyard :* « Socrate, prenant la coupe empoisonnée, bénit « celui qui la lui présente et qui pleure ; Jésus, au milieu d'un « supplice affreux, prie pour ses bourreaux acharnés. Oui, si la « vie et la mort de Socrate sont d'un sage, la vie et la mort de

(1) Rousseau cherche à atténuer la contradiction, dans les *Dialogues* et ailleurs. « La nature humaine ne rétrograde pas, et jamais on ne remonte vers les temps d'innocence et d'égalité, quand une fois on s'en est éloigné. » Pour nous, la contradiction subsiste, mais c'est à sept ans de distance. Rousseau, pendant ce temps, a changé.

(2) Si le mariage est laissé au clergé, le prince « n'a plus de sujets que ceux que le clergé veut bien lui donner. » « Maître de marier ou de ne pas marier les gens, selon qu'ils auront ou n'auront pas telle doctrine, n'est-il pas clair qu'il disposera seul des héritages, des charges, des citoyens, de l'Etat même qui ne saurait subsister, n'étant plus composé que de bâtards ? » « Le souverain n'est plus Souverain, même au temporel »; le vrai maître c'est le prêtre. (*Contrat social*, liv. IV, chap. VIII, note de Rousseau (à la fin).

(3) *Contrat social*, liv. IV, chap. VIII : « Loin d'attacher les cœurs des citoyens à l'Etat, le christianisme les en détache, comme de toutes les choses de la terre. » C'est « une religion toute spirituelle, occupée uniquement des choses du ciel ; la patrie du chrétien n'est pas de ce monde ». « Une société composée de chrétiens périrait par sa perfection même. »

« Jésus sont d'un Dieu » ? Et cependant, pour lutter contre la religion chrétienne, l'État déclare-t-il, doit créer une « religion civile », n'admettant qu'un petit nombre de dogmes simples : l'existence de Dieu, la vie future, la récompense des justes et le châtiment des méchants, la sainteté du contrat social et des lois. C'est par ces dogmes et cette foi nouvelle que l'État fortifiera l'esprit social. A l'État il appartiendra de fixer les articles de cette croyance, « non pas précisément comme dogmes de religion, « mais comme sentiments de sociabilité, sans lesquels il est « impossible d'être bon citoyen ni sujet fidèle » (1). Et, en inculquant ces sentiments à chaque citoyen, l'État comptera moins sur les lois qu'il édicte que sur l'opinion et les mœurs. « Je parle, dit Rousseau, des mœurs, des coutumes, et surtout de « l'opinion, partie inconnue à nos politiques, mais de laquelle « dépend le succès de toutes les autres. » Car, ajoute-t-il, « les « règlements particuliers ne sont que le cintre de la voûte dont « les mœurs, plus lentes à naître, forment enfin l'inébranlable « clef » (2). En donnant à l'État les moyens de garantir les droits de l'individu, la liberté, la propriété, l'égalité des droits, ces institutions fondamentales de la société, nées du passage de l'état de nature à l'état civil, Rousseau se rapproche des idées et des tendances de Montesquieu, de Voltaire et des Encyclopédistes ; mais il s'en détourne complètement en créant une « religion civile », fondée sur la croyance en la Providence et l'immortalité de l'âme, et qui réintroduit dans l'État la pire intolérance. Car ces dogmes, « l'État peut bannir quiconque ne les croit pas, « dit Rousseau ; il peut le bannir, non comme impie, mais « comme insociable » ; même le punir de mort, s'il détruit le contrat, ce lien moral qui unit les divers éléments de la société et qui ne saurait se maintenir que par la foi civique, portée jusqu'à l'esprit de sacrifice. Rousseau a beau séparer, dans la constitution de l'État, les divers pouvoirs, et faire des lois « l'expression de la volonté générale » des citoyens ; il n'en donne pas moins à son État une puissance monstrueuse, en enchaînant tous et chacun dans les liens de sa terrible et intolérante « religion civile ». L'État, si fortement armé, au lieu de protéger les citoyens, n'ira-t-il pas les opprimer ? Et l'individualisme, qu'a eu en vue le philosophe, ne risque-t-il pas de se changer en despotisme social ? Aussi Voltaire, les Encyclopédistes, en tête Diderot et Dalembert, considèrent-ils Rousseau comme un ennemi très dangereux. Comment ces fervents tenants de la liberté, de la

(1) *Contrat social*, liv. II, chap. VIII, *De la religion civile.*
(2) *Contrat social*, liv. II, chap. XII (à la fin).

civilisation, des arts et du théâtre, qui ont jeté le ridicule sur « l'homme de la nature » — en vous lisant, lui écrivait Voltaire après les premiers *Discours*, « il me prend envie de marcher à quatre pattes » — et qui ne cessent de lutter, à leurs risques et périls, contre l'intolérance des Églises et de l'État, ne s'indigneraient-ils pas d'un système social et politique qui fonderait le pire des despotismes ?

Qu'il y ait des contradictions dans la suite des écrits de Rousseau, il n'est que trop vrai (1). Mais peu importe : certaines de ses déclarations, antérieures à son *Contrat social* (1761) et opposées à la doctrine du contrat, n'en subsistent pas moins. Comment oublierait-on que la propriété n'est qu'un vol, après ce passage fameux du *Discours sur l'origine de l'inégalité ?* : « Le « premier qui, ayant enclos un terrain, s'avisa de dire : *ceci est* « *à moi*, et trouva des gens assez simples pour le croire, fut le « vrai fondateur de la société civile. Que de crimes, de guerres, « de meurtres, que de misères et d'horreurs n'eût point épargnés « au genre humain celui qui, arrachant les pieux et comblant le « fossé, eût crié à ses semblables : « Gardez-vous d'écouter cet « imposteur ; vous êtes perdus si vous oubliez que les fruits sont « à tous et que la terre n'est à personne ! »

En partant de ce principe, n'arrive-t-on pas à la communauté des biens, et, de proche en proche, à un total communisme social ? Alors agissent sur certains philosophes, Mably, Morelly, et même, semble-t-il parfois Rousseau lui-même, les grands exemples de Sparte et de Rome, où tout était sacrifié à la patrie, où tous les citoyens étaient égaux en droits et recevaient une éducation commune. Dans son *Code de la nature* (1765) Morelly présente un projet d'éducation tout imité de Sparte : « A cinq ans, « tous les enfants seront enlevés à la famille et élevés en commun « aux frais de l'État d'une façon uniforme. » Rousseau distingue deux sortes d'institutions « contraires » : l'une publique et commune, l'autre particulière et domestique ». Dans son *Émile*, c'est une éducation particulière et domestique qu'il se propose, avec un précepteur, seul maître, à la place du père, et disposant de son disciple à son gré. Mais c'est là un cas individuel et, au fond, exceptionnel. Aussi envisage-t-il aussi, même dans l'*Émile* et

(1) Nous voyons des contradictions, comme beaucoup d'autres, Espinas, etc. Mais certains, comme Lanson, ont parlé de *L'Unité de la pensée de J.-J. Rousseau* (*Annales de la Société J.-J. Rousseau*, t. VIII, 1912, p. 131. En suivant l'idée de nature, on peut, en effet, montrer un développement assez cohérent ; mais restent des positions bien différentes à fondre et à confondre, celles de 1750-1755 et celles de 1761. Voir notre étude sur Rousseau, dans *Peuples et Civilisations*, t. XI, *La Prépondérance anglaise*, par Pierre Muret, 2e édition, 1944, p. 598.

dans son *Projet sur le gouvernement de Pologne*, l'éducation publique, critiquant fortement celle qui est donnée dans les collèges français du siècle, célébrant celle qu'avaient établie les anciens Grecs et les Romains (1). « Voulez-vous prendre une idée de « l'éducation publique, lisez la *République* de Platon. Ce n'est « point un ouvrage de politique, comme le prouvent ceux qui ne « jugent des livres que par leurs titres, c'est le plus beau traité « d'éducation qu'on ait jamais fait... (2) Les bonnes institutions « sociales sont celles qui savent le mieux dénaturer le cœur de « l'homme, lui ôter son existence absolue pour lui en donner une « relative, et transporter le *moi* dans l'unité commune ; en sorte « que chaque particulier ne se croit plus un, mais partie de « l'unité, et ne soit plus sensible que dans le tout (3). » Sans doute, pour Rousseau, les qualités d'« homme » et de « citoyen » sont contradictoires ; la formation du citoyen est exclusive. Aussi il est bien obligé, non plus dans l'*Émile*, mais dans ses autres écrits, d'envisager la réalité, qui est l'État, la patrie. Que dit-il aux Polonais, menacés de disparaître ? Il leur vante l'éducation publique. « C'est elle qui doit donner aux âmes la forme nationale. « Les peuples sont à la longue ce que le gouvernement les fait « être : guerriers, citoyens, hommes quand il le veut, populace, « canaille, quand il lui plaît. » Et, dans le *Contrat social*, il réclame de l'individu le sacrifice total à la patrie menacée.

Comment tous ces systèmes, soit communautaires parfaits, soit destructeurs, en fin de compte, au profit de l'État, des libertés et des droits de l'individu, auraient-ils pu ne pas être attaqués par Voltaire et la plupart des Encyclopédistes ? On le voit, il s'est formé, au milieu du siècle, des doctrines très différentes. A vrai dire, dans cette bataille des idées, il ne reste, aux divers philosophes, que quelques points communs, et encore ! Dans ce chaos, il est difficile de reconnaître une doctrine unique et de parler de « la doctrine » (4), comme s'il n'y en avait qu'une. En

(1) Je n'envisage pas comme une institution publique ces risibles établissements qu'on appelle collèges. (*Emile*, liv. Ier, éd. Firmin Didot, 1889, p. 10).

(2) *Emile*, liv. Ier, p. 10.

(3) *Emile*, p. 9. « Un citoyen de Rome n'était ni Caïus ni Lucius ; c'était un Romain, mais il aimait la patrie exclusivement à lui... Celui qui dans l'ordre civil veut conserver la primauté des sentiments de la nature ne sait ce qu'il veut. » Mais, comme l'auteur du *Contrat social* célèbre l'état civil et ne propose des réformes que pour et dans l'état civil, il s'ensuit que l'homme ne peut pas y « conserver la primauté des sentiments de la nature » et alors n'arrive-t-on pas à l'institution publique, qui fortifie l'amour de la patrie ?

(4) Dans son livre célèbre sur *L'Ancien régime*, Taine étudie : liv. III, « L'esprit et la doctrine », et, dans le liv. IV, « La propagation de la doctrine », faisant une doctrine révolutionnaire unique, absolument destructrice de toute tradition, avec toutes les idées de Montesquieu, de Voltaire, de Diderot, de Rousseau, etc. Il est impossible d'accepter une telle théorie : elle est tout

réalité, il y a des doctrines ou, du moins, des idées très diverses ; les unes sont rationnelles, et plus ou moins expérimentales ; les autres font une place considérable au sentiment plutôt qu'à la raison, et c'est parce qu'elles dérivent du sentiment qu'elles se rapprochent de la croyance et fondent la moralité sur la conscience : « Conscience, immortelle et céleste voix... »

IV. — *Les tenants de la tradition*

Cependant, si ces idées sont souvent en lutte les unes contre les autres, elles minent, en général, la tradition religieuse, vieille de dix-huit cents ans, et la tradition de l'absolutisme monarchique, qui ne date que de Louis XIV. Aussi rencontrent-elles une résistance obstinée des écrivains qui ne se sont pas rangés dans le parti philosophique et qui tiennent avant tout à la religion ; écrivains point médiocres, qui se font lire, et qui ont, eux aussi du succès. Fréron, directeur de l'*Année littéraire*, la bête noire de Voltaire, et que Voltaire persécute, exécute, parce que Fréron est lu et écouté ; Palissot, qui attaque directement Helvétius, Diderot et toute la secte dans sa comédie des *Philosophes* (1760), et que Voltaire, fin politique, n'ose pas trop blâmer, et dont il se contente de déplorer la conduite dans une lettre à l'auteur lui-même. Et, après eux, que d'écrivains sans talent ! Que de ternes prédicateurs ! Mais toutes ces œuvres, tous ces sermons, sont lus, entendus. La tradition religieuse et la tradition monarchique, même absolue, sont encore très fortes. Les systèmes philosophiques ont leurs fissures. Ils ont aussi leurs contradictions. Comment les traditionalistes ne s'empareraient-ils pas de ces divergences et de ces oppositions ? Rousseau peut leur servir contre Voltaire et Diderot et contre l'athéisme déclaré des d'Holbach et des Helvetius. En vain les tout-puissants Dalembert et Voltaire, forts de l'appui de Malesherbes, directeur de la librairie, accablent-ils Fréron, font suspendre son journal ; l'écrivain riposte, critique les ouvrages de la secte, avec une intelligence qui met celle-ci en fureur, et une équité que l'on ne trouve pas chez elle. Il sait louer les nouveautés de Rousseau. Il se maintient, malgré les cris d'orfraie de ses adversaires, pendant trente ans dans ses droits de critique. « Les philosophes, dit-il « dans son *Année littéraire*, en 1772, crient sans cesse à la persé- « cution, et ce sont eux-mêmes qui m'ont persécuté de toute « leur fureur et de toute leur adresse... Le but qu'ils se pro-

abstraite, elle ne tient aucun compte des diversités, de l'opposition totale de Voltaire et des Encyclopédistes à la philosophie de Rousseau, etc.

« posaient était l'extinction d'un journal où je respecte aussi peu « leur doctrine détestable que leur style emphatique, et où, « faible roseau, j'ai l'insolence de ne pas plier devant ces cèdres « majestueux. » Et, à côté de Fréron, combien d'ecclésiastiques se portent à la défense de l'Église et de la religion ! C'est l'avocat Moreau, avec son *Mémoire pour servir à l'histoire des Cacouacs* (1757), l'abbé Bergier, avec le *Déisme réfuté par lui-même* (1765), la *Certitude des preuves du christianisme* (1767), l'*Apologie de la religion chrétienne* (1769), l'abbé Mayeul Chaudon, avec son *Dictionnaire anti-philosophique* (1767), l'abbé Guénée, avec les *Lettres de quelques juifs portugais* (1769), le jésuite Feller avec son *Catéchisme philosophique* (1774) ; bien d'autres continueront le combat.

La plupart de ces défenseurs de la foi sont peu connus aujourd'hui, mais ils l'ont été de leur temps, et leurs livres ont été lus. Ils ont commencé par lancer des injures à leurs adversaires et aussi des menaces, ayant pour eux les pouvoirs publics, la Sorbonne et le Parlement. Ils ont répondu par des arguments scolastiques, suivant la tradition. Mais ils sont assez vite passés sur le terrain même de leurs ennemis. Pour réfuter Rousseau, ils font appel, comme lui, au sentiment, à l'idéalisme, ils se servent de Rousseau lui-même dans la grande lutte contre le matérialisme des d'Holbach, des Helvètius et de l'*Encyclopédie*. Le P. Fidèle publie son *Chrétien par le sentiment* (1764) : ce sont les consolations de la religion (1). Excellente tactique, en un siècle de plus en plus sensible, et sans doute la seule capable de ramener à la religion des âmes qu'en ont détournées les dogmes absolus et la rigueur des rites et des pratiques.

Pour répliquer à Voltaire et aux « Cacouacs », il faudrait écrire d'une autre encre. Mais qui pourrait rivaliser d'esprit et d'ironie avec l'auteur de *Candide*, de la *Princesse de Babylone* et de tant d'autres contes qui ont jeté le discrédit sur la religion (2), sur l'Église, sur « le vieux des Sept-Montagnes », qui va « en « grand cortège à la porte du temple, coupe l'air en quatre avec « le pouce élevé, deux doigts étendus et deux autres pliés, en « disant ces mots dans une langue qu'on ne parle plus : *A la « Ville et à l'Univers;* » sur « le roi des rois », possesseur du monde « de droit divin », non qu'il ait « cinq ou six cent mille hommes

(1) Daniel Mornet, *Les Origines intellectuelles de la Révolution*, p. 206 et suiv.

(2) *La Princesse de Babylone*, chap. XVIII. Il faut relire tout ce chapitre pour voir comment Voltaire attaque la papauté. Et c'est le même homme qui a fait au pape une belle dédicace de son *Mahomet* ! On voit comment il prend les choses, et par quels petits côtés, pour jeter le ridicule, et comment aussi des petites choses il passe aux grandes, sans en avoir l'air .C'est là son genre ; il n'insulte pas directement, il n'est pas grossier, et il n'en est que plus dangereux.

« pour faire exécuter ses cent et une volontés », mais parce qu'il « a quatre à cinq cent mille prophètes divins distribués dans les « autres pays » : « prophètes de toutes couleurs » qui « sont, « comme de raison, nourris aux dépens des peuples » ? Comment imiter, même de loin, cette fantaisie qui, en passant, jette un coup de patte à tel gouvernement ou telle société, qui tantôt loue avec élévation et finesse le passé glorieux d'un peuple pour en déprécier le présent mesquin, et tantôt marque de si justes traits la supériorité de la Ville sur la Cour, où ne vont que « des oisifs de bonne compagnie qui se trouvent là par hasard », tous les « plaisirs » n'étant plus « qu'à la Ville » (1) ? Les philosophes, dont les chefs sont de grands écrivains, parmi les plus grands de notre littérature, éclipsent aisément tous les défenseurs de la tradition et tous les tenants du régime absolutiste. Mais ceux-ci ont leurs adeptes, tout acquis aux vieilles doctrines, et leurs ouvrages auront souvent, au cours du siècle, trois et quatre et même parfois sept éditions, opposant sans se lasser propagande à propagande.

C'est dans la période de 1750 à 1770 que s'est livrée cette grande bataille des idées ; c'est dans ces vingt années qu'ont paru les grandes synthèses philosophiques et sociales et qu'a été forgée la machine de guerre que fut l'*Encyclopédie*. On verra comment l'opinion publique et les mœurs en ont été modifiées.

(1) *La Princesse de Babylone*, chap. XIX : « Amazan arrive à la capitale des Gaules. »

CHAPITRE II

LA DIFFUSION DES DOCTRINES ET LES ASPIRATIONS DE LA SOCIÉTÉ

I. — *Lectures et conversation*

Les doctrines nouvelles, si variées, exprimées de tant de manières, donnent lieu à une activité et à un commerce de librairie considérable : énorme bibliothèque qui réclame sa place aux dépens de l'ancienne. En France, en Hollande, que d'éditeurs habiles et prudents ! Ils multiplient les éditions des ouvrages, et obtiennent des succès inespérés : tel Marc Rey, d'Amsterdam, éditeur de Rousseau ; Lebreton, éditeur de cette *Encyclopédie*, dont quatre mille exemplaires se vendent en Europe, sans compter les contrefaçons de l'étranger, deux dans la seule Italie ; Panckoucke, éditeur d'un *Supplément à l'Encyclopédie*, auquel Voltaire, à l'âge de soixante-quinze ans, promettra, avec l'activité d'un jeune homme, toute une série d'articles d'une variété étonnante, sur des sujets littéraires, comme *Élégie*, *Épopée* ou *Fable*, des sujets de linguistique générale, de philosophie, comme *Fatalité*, *Folie*, *Fanatisme*, *Métamorphose*, *Métempsychose*, ou d'histoire des systèmes philosophiques, Locke ou Malebranche, qui « peut fournir des réflexions fort curieuses » (1). De tous ces ouvrages sort une éducation perpétuelle du public cultivé, qui lit. Avec les progrès de l'instruction et de l'opinion, ce public est devenu beaucoup plus large : Voltaire le constate souvent dans ses lettres à ses amis. Maintenant, on trouve plus de librairies, plus de bibliothèques publiques et privées, plus de facilités pour connaître les ouvrages, souvent fort chers, tels que l'*Encyclopédie*.

Et il n'y a pas que les livres. On en parle, on en dispute dans les réunions, dans les fameux « salons » de Paris, où des femmes du monde, souvent très cultivées, tiennent le dé de la conversation, et mettent aux prises philosophes, savants, économistes,

(1) Voltaire à Panckoucke (29 septembre 1769).

écrivains et grands seigneurs. Dans ces cercles comme n'en connaît ni l'Angleterre, où les femmes sont nulles, ni l'Italie, où, fières de leur beauté, elles ne songent qu'à l'amour, et, suivies de leurs cavaliers servants, qu'à la parade dans leurs loges de la Scala de Milan ou de San Carlo à Naples, les grandes dames parisiennes sont les reines de l'esprit et font l'opinion, les Académiciens et les ministres. Leur instruction générale, parfois même spéciale, surtout leur goût et leur tact enlèvent à la conversation des hommes éminents tout pédantisme, la maintiennent heureusement dans la décence et la discussion des grandes questions de philosophie, de morale, de lettres ou de sciences, à la portée de tout esprit curieux et bien fait (1). On discute en toute liberté, en toute impartialité, dans ces réunions choisies, parfois très restreintes, comme celle de Mlle de Lespinasse, où Diderot, cet improvisateur de génie, fait presque tous les frais d'un dialogue naturaliste, d'une hardiesse inouïe. C'est cette liberté indéfinie, qui pour tous, Français et étrangers de marque, donne tant de charme à ces salons, où les plus grands seigneurs, même des souverains, oublient leur naissance et leur pouvoir et les plus illustres savants et écrivains leur talent et leur supériorité d'esprit. Pas de police aux écoutes. Que de sujets abordés avec une variété, une franchise qui étonne les Anglais les moins conservateurs, comme Horace Walpole, si heureux de se mêler à cette société parisienne, qui aime autant la conversation que la comédie ou l'Opéra, parce qu'elle sait en faire comme un jeu où rivalisent les esprits les plus divers et un plaisir des plus délicats ! Pour l'étranger cultivé, Paris n'est pas seulement la ville où l'on se divertit, elle est celle où l'on goûte les plaisirs raffinés de l'intelligence. Et Paris, même après la défaite et l'humiliation nationale, conscient de son rôle de capitale européenne, sait encore accueillir avec faveur ses hôtes d'outre-Manche, les Gibbon, les Walpole et tant d'autres, comme si, entre les deux nations, il ne s'était passé rien de grave, et leur donner ces fêtes inoubliables et ces feux d'artifice de l'esprit français.

Au salon de la Chevrette, chez Mme d'Épinay, qui reçoit beaucoup de beau monde, et Grimm, grand porteur de nouvelles, et le petit abbé Galiani, c'est l'abbé qui, lorsque la conversation tombe un peu, la ranime de son esprit emprunté à Lesage et à d'autres romanciers, et qui, perché sur un fauteuil, et assaisonnant

(1) Dans Stendhal, *Rome, Naples et Florence*, voir le récit de Forsyth (1774), dans la 2e partie du volume (1817). Conversation chez Mme Du Deffand, où le chevalier expose les différences entre les mœurs anglaises et les mœurs françaises.

ses bons mots de ses gestes pétulants et de ses amusantes grimaces, émoustille la société. Au salon du Grandval, c'est le baron d'Holbach qui traite magnifiquement ses hôtes nombreux, Français et étrangers : là auprès de Diderot, de Rousseau, de Raynal, de Boulanger, de La Condamine, du chevalier de Chastellux, du médecin Barthez et du chimiste Rouelle, des académiciens Suard et Marmontel, on rencontre, à l'occasion, David Hume, Sterne, le député Wilkes, qui a dû fuir une Angleterre oublieuse, qui l'eût cru, des libertés individuelles, le célèbre acteur Garrick, l'illustre Beccaria, l'éternel Galiani, décidément de toutes les fêtes, parfois des princes allemands. « Arrivés à « 2 heures (pour le dîner), écrit un contemporain, nous y étions « encore presque tous de 7 à 8 heures du soir... C'est là « qu'il fallait entendre la conversation la plus libre, la plus « animée et la plus instructive qui fut jamais... Point de « hardiesse politique ou religieuse qui ne fût mise en avant et « discutée *pro et contra*... Souvent un seul y prenait la parole et « proposait sa théorie paisiblement et sans être interrompu... « D'autres fois c'était un combat singulier en forme, dont tout le « reste de la société était tranquille spectateur. C'est là que j'ai « entendu Roux et Darcet exposer leur théorie de la Terre, « Marmontel les excellents principes qu'il a rassemblés dans les « *Éléments de la Littérature*, Raynal nous dire à livres, sous et « deniers le commerce des Espagnols à La Vera-Cruz et de l'Angleterre dans ses colonies (1). » Et l'on entend aussi, sur tout sujet, les tirades éloquentes de Diderot, cette encyclopédie vivante, cet orateur-né. Dans ce salon, où ne fraient que des hommes, où l'on n'est jamais arrêté par le banal et bien bourgeois « Voilà qui est bon ! » de Mme Geoffrin, les répliques tournent parfois au discours ; alors ce n'est plus la conversation de salon, piquante, légère, spirituelle, mais une sorte d'académie, plus grave, avec la hardiesse du jugement en plus : franche assemblée de matérialisme et de naturalisme, présidée par l'auteur du *Système de la Nature*.

A côté de ces salons célèbres, qui forment l'opinion, en France et même en Europe, que de salons encore chez les grands banquiers, chez certains fermiers généraux, où les mêmes questions politiques, morales, religieuses, économiques sont abordées par les Morellet, les Galiani, les Grimm et tant d'autres !

Ce ne sont plus des salons, mais des réunions où dominent les

(1) Abbé Morellet, *Mémoires*, t. Ier, p. 133. — Roux (Augustin), médecin et chimiste (1726-1776). Jean Darcet, célèbre chimiste de l'Académie des Sciences (1725-1801).

bourgeois, que ces « Sociétés » ou « Académies » provinciales que l'on a vues déjà fleurir dans quelques cités importantes, et qui s'établissent peu à peu dans beaucoup d'autres. Elles font davantage parler d'elles, des concours qu'elles instituent, des prix qu'elles décernent : telle l'Académie de Dijon, à laquelle répondit Rousseau par son fameux *Discours sur les lettres et les arts*. Elles ont des bibliothèques, elles reçoivent des journaux (le *Mercure*, l'*Année littéraire*, le *Journal encyclopédique*), des publications techniques, utiles au monde bourgeois, engagé dans les affaires ; elles possèdent, en général, l'*Encyclopédie :* c'est un signe des temps (1). Elles s'intéressent maintenant aux grandes questions économiques, morales et sociales. C'est l'expérience, unie en tout à la raison. C'est par ces « Sociétés et ces « Académies » de Bordeaux, de Rouen, de Dijon, de Metz, de Lyon, de Caen, etc. (2) que pénètre dans un public toujours plus large, aristocratique et bourgeois, le goût des sciences, de la technique, de l'économie politique, de la philosophie, et que se répand et se précise la morale sociale, fondée sur le principe de l'intérêt général. C'est par elles aussi que se généralise et s'affine cet esprit de sociabilité qui, depuis le siècle de Louis XIV, distingue les Français parmi tous les peuples.

Aux loges maçonniques, d'origine anglaise et écossaise, que l'on a vues déjà s'établir dans quelques villes, en particulier à Paris, s'en ajoutent d'autres, en une foule de cités, jusqu'au jour où toutes s'uniront en un organisme central, le « Grand Orient » de France (1773). Leurs membres appartiennent, comme on l'a vu, à toutes les classes de la société : ecclésiastiques, nobles de la plus haute naissance, magistrats, bourgeois, négociants, fabricants. A la loge du Tendre Accueil, à l'Orient d'Angers, en 1770, on rencontre mêlés à des bourgeois de la ville, des chanoines de la cathédrale et des Bénédictins de Saint-Maur-sur-Loire. Ce ne sont point les questions politiques qui les rassemblent, mais l'esprit de tolérance et l'amour de la bienfaisance. Un profond attachement à la morale sociale les inspire.

Enfin, dans les écoles, où les idées nouvelles pénètrent d'ordinaire si lentement, un changement commence à se produire, surtout après l'expulsion des Jésuites (1762) malgré la puissance

(1) Gaston Martin, sur Nantes, milieu de négociants. *Les Chambres littéraires de Nantes et la préparation de la Révolution* dans les *Annales de Bretagne*, 1926, et dans *La Révolution française*, 1939.

(2) On doit y joindre les nombreuses « Sociétés d'agriculture », qui se créent à cette époque ; mais elles sont exclusivement techniques. — Sur les Sociétés et Académies après 1750, voir Daniel Mornet, *Les Origines intellectuelles...*, p. 145-152.

de la tradition. L'enseignement des sciences fait son entrée, encore timide, il est vrai, dans la plupart des collèges ; l'éducation devient plus française, plus « nationale » ; la morale, suivant la voie tracée par Rollin, Mably, Rousseau et tous les fervents admirateurs de l'Antiquité, n'est plus seulement la morale chrétienne, mais aussi la morale antique, toute d'héroïsme et de patriotisme, celle des grands hommes de Plutarque.

Pour bien marquer l'esprit de cette période capitale de 1750 à 1770, il faudrait suivre les progrès de l'esprit de sociabilité, sous l'impulsion de Paris : dans les provinces de l'Est, à Dijon, Besançon, Nancy, Metz, Strasbourg ; dans les pays du Nord, à Lille, Arras, Amiens ; en Normandie, à Rouen, à Caen ; dans les provinces de l'Ouest, à Angers, à Nantes ; dans le Midi, à Bordeaux, Montauban, Toulouse ; dans le Sud-Est, à Lyon, à Grenoble, à Marseille. Partout les hommes cultivés se rapprochent, nobles, ecclésiastiques, magistrats, bourgeois, dans le goût des sciences, des lettres et des arts et l'amour du bien public. Et rien ne peut, en effet, mieux servir l'intérêt général que ce mélange commençant des classes de la société, qui désormais se connaissent un peu, s'estiment peut-être, atténuent au moins leurs préjugés et leurs préventions. On s'entretient ensemble, on discute, car la philosophie nouvelle n'est pas admise sans contestation ; mais enfin elle se glisse dans ces groupes de province, même quand elle y est attaquée, et il se fait un lent travail, dont les progrès apparaîtront plus tard, presque tout d'un coup.

Dans toutes ces cités, parfois même dans des bourgs, des particuliers achètent des livres, sont abonnés à des journaux, reçoivent même, comme en Normandie, de ces recueils de « nouvelles » manuscrites, fabriqués à Paris (1). Partout on trouve, dans des bibliothèques privées, les ouvrages de Voltaire, de Montesquieu, de Rousseau (2). L'*Encyclopédie*, aux énormes volumes, recueille de nombreux souscripteurs dans des pays où l'on s'y attendrait le moins, où il n'y a pas d'Université, ni de grandes écoles, ni de grande ville : ainsi, en Périgord, quarante souscripteurs, dont vingt-quatre sont des curés (3). Certes cela ne veut

(1) D. Mornet, *ouvr. cité*, p. 153.

(2) Il faut se reporter à l'enquête de Mornet, p. 134 à 137, sur le nombre des éditions des ouvrages : question complexe ; car qu'est-ce qu'une édition ? quatre mille exemplaires ? Ou moins ? Ou plus ? D'autre part, il y a la question du rythme des éditions. Une grande collection comme l'*Encyclopédie*, qui a quatre mille souscripteurs en 1753, en recueille davantage à mesure que l'entreprise continue et se consolide ! Il y aura encore deux éditions après la première, et des contrefaçons en Italie et en Suisse.

(3) *Ibid.*, p. 157 : quarante souscripteurs en Périgord sur quatre mille souscripteurs du début. — A Dijon, en 1768, on trouve soixante exemplaires de

pas dire que ces lecteurs adhèrent à toutes les idées de l'*Encyclopédie ;* mais il est hors de doute qu'ils les estiment assez pour en faire les frais, et qu'ils sont déjà dans un état d'esprit prêt à les accueillir au moins en partie. A Toulouse, l'abbé Audra, professeur renommé de l'Université, dont les Parlementaires suivent les cours, est un ami de Voltaire et publie un abrégé de l'*Essai sur les mœurs* (1).

Si la diffusion des idées nouvelles, de 1750 à 1770, est lente, elle est certaine et acquise. Les philosophes la constatent, à la fin de cette période : Dalembert, Voltaire s'en réjouissent (2). Il est hors de doute qu'elle a été favorisée par les maladresses du pouvoir, par les scandaleux arrêts des Parlements, sans doute aussi par la déconsidération qui rejaillit sur la monarchie après l'humiliant traité de Paris. C'est dans les années 1763 à 1770 qu'elle est le plus rapide et que la victoire s'affirme, déjà décisive, au contact de la réalité et de l'expérience politique et sociale.

II. — *Les aspirations économiques et sociales*

Sous l'impulsion des faits, comme des théories nouvelles, qui ne sont, d'ailleurs, que l'expression variée de l'expérience, l'élite de la société, productrice de richesse, aspire à la liberté économique. Elle a réussi, à la faveur des circonstances, à créer une économie nationale de plus en plus prospère : les hauts prix des grains donnent au propriétaire foncier une rente toujours plus élevée ; les fermiers font un profit considérable ; les métayers eux-mêmes sortent de la condition misérable qui avait été la leur ; les petits propriétaires vendent bien leurs denrées et leurs vins. Il semble qu'une force mystérieuse entraîne l'agriculture vers une prospérité que depuis longtemps elle ne connaissait plus ; et ce mouvement, antérieur, on l'a vu, à 1750, se poursuit, avec plus de bonheur encore, de 1763 à 1770. Cette aisance des campagnes, qui permet au petit vigneron d'acheter du pain de seigle ou même de froment à des prix plus élevés — il vend lui-même son vin plus cher que jadis — reflue sur toute l'activité industrielle et commerciale : les petits propriétaires cultivateurs,

l'*Encyclopédie,* « chose inouïe pour une ville de province » et vu le prix 1.200 livres, somme alors considérable.

(1) D. Mornet, *ouvr. cité,* p. 157, donne d'autres exemples de prêtres qu'on peut appeler « libéraux » et même de déistes ou d'athées. Ce ne sont là que des sondages, il est vrai, mais déjà significatifs.

(2) Voltaire à l'abbé Morellet (14 juillet 1769) : « Le commerce des pensées est devenu prodigieux ; il n'y a point de bonnes maisons dans Paris et dans les pays étrangers, point de château qui n'ait sa bibliothèque. Il n'y en aura point qui puisse se passer de votre ouvrage... (le *Dictionnaire du Commerce*).

les « laboureurs », les fermiers, les métayers achètent aisément outils de travail, charrettes, vêtements, linge, et les industries textiles et mécaniques peuvent se développer ; et c'est, en effet, ce qui se produit partout, par suite de la solidarité étroite qui unit les diverses formes de l'économie nationale. Le marché intérieur reste, en effet, de beaucoup le meilleur des marchés. Mais le commerce extérieur trouve aussi son profit dans l'exportation de tous les produits nationaux, soit vers les pays traditionnellement clients de la France — le Levant, le Nord, l'Espagne et ses colonies d'Amérique — soit vers les « Iles », qui, en retour, envoient les produits coloniaux aux ports du Ponant, d'où, raffinés, comme les sucres, ils repartiront pour l'Europe septentrionale. L'augmentation de la valeur des exportations est remarquable : de 1764 à 1776, elles sont annuellement de 309 millions de francs (1).

Et pourtant, malgré ces beaux résultats dès 1750, que d'entraves à l'agriculture, à l'industrie et au commerce ! Que de règlements d'État et de ville, dans le régime du travail ! Que d'agents, d'inspecteurs, de gênes, d'amendes, de pertes de temps pour les producteurs ! Que d'entraves dans la circulation des marchandises, aux barrières douanières provinciales ! L'économie nationale est capable de se rénover toute seule, sans l'intervention d'aucun pouvoir politique ; elle vient de le montrer ; et ne le prouverait-elle pas beaucoup mieux encore, si on la laissait libre ? Voilà le raisonnement que font depuis longtemps, on l'a vu dès la fin du règne de Louis XIV (2), non seulement les théoriciens, mais les commerçants, les fabricants, les armateurs des ports, enfin la foule des propriétaires fonciers et des cultivateurs.

C'est une attaque générale aux règlements, aux privilèges, aux monopoles, aux corporations fermées et strictement réglementées. Mais la liberté n'est réclamée que par les plus forts. C'est la haute Bourgeoisie qui mène la campagne, en vue, certes, du progrès général. Mais on sait que le progrès ne se fait souvent qu'aux dépens des faibles. Dire que les corporations de marchands, de « maîtres-ouvriers » ne peuvent plus, avec leur technique vieillie, leur manque de capitaux et de crédit, le tout petit nombre de leurs compagnons et apprentis, suffire aux besoins d'une nation grandissante et riche de main-d'œuvre et aux demandes de l'étranger, c'est certainement ne rien avancer de contraire à la stricte réalité économique, mais c'est sûrement

(1) Les importations ne sont, dans cette période, que de 165 millions par an.
(2) T. Ier, p. 160-162.

détruire une organisation loyale et honnête qui a fait ses preuves durant des siècles et assuré la vie d'une foule de familles de petite Bourgeoisie. C'est asservir, comme on l'a vu déjà à Lyon (1), les « maîtres-ouvriers » aux « marchands-fabricants » capitalistes. Et si l'on vient ensuite favoriser le travail libre dans les campagnes, ce sera encore au profit de ces mêmes capitalistes et aux dépens des corporations des villes voisines. On vise uniquement à l'augmentation de la production. Et c'est, évidemment, de ce point de vue, la prospérité en général. Mais, dans les désirs de la haute Bourgeoisie, comme dans les théories des physiocrates, il n'est point question de la répartition des richesses et des profits. L'aspect humain des choses est totalement négligé. Il convient donc de s'entendre sur le sens de ces mots : liberté économique, prospérité nationale, que les échanges et la « balance du commerce » traduisent en livres, sous et deniers.

Quoi qu'il en soit, c'est dans cette direction que vont les aspirations des propriétaires fonciers, des fabricants, des gros marchands. « Marchands-fabricants » et négociants sont partout jaloux de développer leurs affaires, et de mettre à leur service la main-d'œuvre qui s'offre, toujours plus abondante, dans les campagnes comme dans les villes. Les propriétaires fonciers, nobles, bourgeois ou paysans, les gros fermiers, les métayers suivent, eux aussi, l'impulsion des économistes qui réclament la libre exportation des grains comme devant donner aux denrées tout leur prix et encourager les agriculteurs à étendre les cultures. Les hauts administrateurs entrent déjà dans ces vues ; toutefois beaucoup font des réserves. Que l'exportation des blés soit permise, quand la récolte est excellente et les stocks considérables, rien de mieux ; mais, dès que les stocks sont maigres et la récolte médiocre, la prudence oblige à suspendre l'exportation. En vain les purs physiocrates, dans leur dogmatisme abstrait et l'absolue confiance en leur doctrine, s'élèvent-ils, en tout temps et en tout lieu, contre les interdictions ou les restrictions du gouvernement ; l'opinion publique est plus forte ; chaque province craint pour sa subsistance, et va jusqu'à entraver la sortie de ses grains vers les provinces voisines ; si bien que même la liberté de circulation des denrées à l'intérieur du royaume est menacée. Aussi deux opinions opposées se font jour : d'un côté la secte — on peut, à bon droit, l'appeler ainsi — qui réclame la liberté de l'exportation, d'une manière absolue ; de l'autre, tous ceux — administrateurs et consommateurs — qui ne consentent à l'accorder que

(1) Voir p. 63.

lorsque les circonstances le permettent (1). Il y aura là, entre intérêts et idées opposés, un arbitrage à faire, et qui incombera à l'État, représenté par le Contrôleur général des finances et même par le « premier ministre » ou le ministre dirigeant. C'est aussi l'État qui arbitrera le grand conflit d'intérêts et d'idées entre les corporations et les marchands capitalistes, entre le travail corporatif et réglementé des villes et le travail libre des bourgs ruraux. Mais déjà on sent quelle puissance acquièrent les nouvelles conceptions économiques, quel intérêt y prennent gros producteurs et consommateurs, dans un pays où la population ne cesse de croître, et où, pour l'occuper et la nourrir, une nouvelle organisation du travail, plus libre, plus ample, mieux pourvue de capitaux et de crédit, dotée d'un outillage plus moderne, à l'imitation de l'Angleterre, devient de plus en plus nécessaire.

Certes, malgré la prospérité générale qui s'accuse de plus en plus vers la fin du règne de Louis XV, on souffre de l'accroissement des impôts : il faut payer les frais d'une guerre malheureuse, et un nouveau vingtième est réclamé par le roi. Les assujettis — propriétaires, riches et pauvres, marchands et bourgeois rentiers — paieront, et les riches et aisés peuvent, en effet, payer, jouissant de revenus bien supérieurs à ceux qu'ils recevaient dix ans auparavant ; mais ce sont les privilégiés et leurs défenseurs, les Parlementaires, riches parmi les plus riches, qui se lèveront contre le nouvel impôt, pourtant si nécessaire dans la détresse de l'État. Les plus pauvres auront à gémir de la surcharge. Mais celle-ci n'entraînera pas pour eux la misère noire. Pourtant il reste toujours une partie du peuple plongée dans la misère. Et nombre de contemporains, comme le marquis d'Argenson, ne parleront dans leurs *Mémoires* ou leur *Journal* que de scènes lamentables. C'est qu'il y a et qu'il y aura toujours, dans une société comme celle de l'Ancien régime, une foule de fainéants, de vagabonds et de mendiants (2) accourant, la main tendue, à la porte des châteaux, des églises et des couvents, que la paresse et la mendicité sont entretenues par les ecclésiastiques et les seigneurs, et par le roi lui-même, et qu'il y a bien de la différence, comme devait le dire bientôt une célèbre philanthrope d'Angleterre, entre la vraie bienfaisance et l'aumônerie. Ces scènes de pillage de grains, ces petits troubles locaux (3) sont seulement le fait d'une

(1) C'est un débat qui durera jusqu'à la Révolution, et au delà, et un débat très vif.

(2) Sans parler des maraudeurs, des fraudeurs, des faux-sauniers, très nombreux aussi.

(3) En les juxtaposant, d'après d'Argenson et d'autres, comme l'a fait Taine, on ne donne point la moindre idée de la grande prospérité générale ; on

poignée de gens, souvent malheureux par leur faute, ou de brigands et de fraudeurs qui trouvent aisément des complices dans certaines régions des frontières où sévit toujours la contrebande sur le tabac, le sel ou les boissons. Voilà les ombres au brillant tableau de l'économie française de 1760 à 1770. Ce serait Cependant une grave erreur que de ne fixer son regard que sur ces ombres, comme l'ont fait souvent bien des historiens de l'Ancien régime.

C'est sans aucun doute cette prospérité générale, surtout après la guerre de Sept ans, qui a contribué, en partie du moins, à la tendance qu'ont à se rapprocher les diverses classes de la société. On avait bien lu — nous parlons de l'élite des gens cultivés — dans Montesquieu, Vauvenargues ou Voltaire, qu'une véritable société ne forme qu'un corps, dont toutes les parties sont solidaires ; mais l'expérience économique, depuis 1715, et surtout depuis 1750, le faisait plus vivement comprendre et sentir. On saisissait sur le vif, par les faits de chaque jour, combien et avec quelle rapidité, la hausse des prix des denrées, et, par suite, de la rente foncière se répercutait sur l'activité de l'industrie et du commerce (1) et accroissait sans cesse la richesse générale et le bien-être de chacun, favorisait l'augmentation de la population, fortifiait l'État, comme la société. Quel meilleur moyen pour la société d'échapper aux critiques les plus graves et à un mécontentement dangereux que l'aisance et le bien-être de tous ceux qui travaillent, même au milieu d'un régime de privilèges et d'abus ! Équilibre d'ailleurs instable, dans une société fondée sur l'inégalité des droits et des devoirs et sur les privilèges des seuls riches et puissants. Mais, en attendant, on a devant soi ce spectacle, qui peut alors faire illusion. Aussi, malgré la lourdeur des impôts en 1762, point de soulèvement, sauf des Parlements, qui osent se dresser en porte-parole de la nation. D'autres sentiments, en effet, animent la société française ; la guerre de Sept ans a modifié l'esprit public (2). On comprend mieux l'intérêt général, même les nécessités fiscales, si dures qu'elles soient : la Bourgeoisie, même la riche Paysannerie, font leur éducation sociale.

Si la société forme et doit former un corps, il convient que toutes les parties jouent pleinement leur rôle et concourent au bien général. Convaincus de ce principe, beaucoup de contemporains remarquent qu'il y a un grand nombre d'oisifs et d'inutiles

se perd dans des détails purement accidentels et locaux, et on ne voit plus la réalité de l'ensemble.

(1) Voir encore, pour la démonstration lumineuse de ce fait, les *ouvrages cités* de Labrousse.

(2) Voir plus loin *Les Aspirations nationales*.

ou d'hommes sortis de la condition de leur famille pour exercer mal ou médiocrement des fonctions nouvelles. Oisifs, inutiles sont une foule de religieux et de religieuses, qui font des vœux perpétuels à un âge où leur volonté ne peut être assez éclairée. Le célibat des prêtres est déjà critiqué, à la suite de Montesquieu et de Diderot, ainsi que de l'abbé de Saint-Pierre, qui avait écrit : « Si quarante mille curés avaient en France quatre vingt mille « enfants, ces enfants étant sans contredit mieux élevés, l'État « y gagnerait des sujets et d'honnêtes gens, et l'Église des « fidèles (1). » Et à cette campagne qui commence contre les couvents et même l'Église, s'ajoute une offensive, qui désormais ne cessera plus, contre les richesses du Clergé, acquises par séductions ou violences. En 1770, De Cerfvol dans un livre, qui marque une date, revendique pour l'État ces richesses mal acquises. « Le « pouvoir souverain qui représente la nation a toujours le droit « de réclamer pour elle et de faire rendre au corps politique la « substance que d'infatigables sangliers avaient exprimée de « tous ses membres (2). » Oisifs encore nombre de nobles, qui ne font que jouer des comédies de salon, écrire des romans, voire des tragédies ou des petits vers, ou parader à la Cour. De nouvelles voix s'élèvent pour inviter la Noblesse à se livrer au grand commerce maritime : l'abbé Coyer publie *La Noblesse commerçante*, l'assurant, encore une fois, après Richelieu et Colbert, qu'elle peut se livrer au grand négoce sans déroger. C'est un signe des temps. On est à une époque où les rivalités commerciales sont plus âpres que jamais, où la richesse et la puissance des nations semblent dépendre du commerce universel. Enfin n'est-ce pas une calamité pour le royaume que tant de jeunes bourgeois abandonnent le commerce ou l'industrie de leurs ancêtres pour acheter des charges de finance ou de judicature, par besoin de considération et d'anoblissement, sans y être propres ? Ces griefs deviennent de plus en plus communs : preuve que l'on voudrait voir les individus et les classes sociales s'adapter aux besoins généraux de la nation, au profit de sa richesse et de sa grandeur.

III. — *Les tendances intellectuelles et morales*

Si les philosophes et les écrivains réclament à l'envi la complète liberté d'écrire, que le pouvoir leur refuse, et qu'ils prennent

(1) Montesquieu, *Esprit des lois*, liv. XXIII, chap. 21, et liv. XXV, chap. 4. — Diderot, *Œuvres complètes*, t. XIV, p. 54-59. — Abbé de Saint-Pierre, cité par Diderot, p. 55.

(2) De Cerfvol, *Du droit du souverain sur les biens-fonds du Clergé et des moines et de l'usage qu'il peut faire de ces biens pour le bonheur des citoyens* (Naples, 1770, in-8°, 164 p., Bibliothèque Nationale, Ld[4] 3008).

parfois à leurs risques, c'est vers la liberté de l'esprit que toute la société qui pense se tourne de plus en plus, sous l'impulsion de leur propagande. On lit, on s'instruit, encore trop peu au gré de Voltaire impatient. « On dit, écrit-il, que les livres ne sont bons à « rien. — Mais, messieurs les Welches, savez-vous que vous « n'êtes gouvernés que par des livres ? savez-vous que l'Ordon- « nance civile, le Corps militaire et l'Évangile sont des livres « dont vous dépendez continuellement ? Lisez, éclairez-vous ; ce « n'est que par la lecture qu'on fortifie son âme ; la conversation « la dissipe ; le jeu la resserre... (1) »

Et l'on profite de cette liberté pour professer parfois plus franchement que naguère l'irréligion. Les livres qui détournent de la morale chrétienne, qui enseignent la morale naturelle font fureur. *Les Mœurs*, de Toussaint (1748), ont eu un succès fou. « Il n'y a, dit l'avocat Barbier, personne dans un certain monde, « homme ou femme se piquant d'esprit, qui ne veuille le voir. On « s'aborde aux promenades en disant : « Avez-vous lu *Les* « *Mœurs ?* » Et le marquis d'Argenson constate : « Presque tous « les gens d'étude et de bel esprit se déchaînent contre notre « sainte religion... Elle est secouée de toutes parts, et ce qui « anime le plus les incrédules, ce sont les efforts que font les « dévots pour obliger à croire. Ils font des livres qu'on ne lit « guère (2), on ne dispute plus, on se rit de tout, et l'on persiste « dans le matérialisme (3). » Horace Walpole, dînant avec des savants, assiste à une conversation sur l'Ancien Testament qui lui paraît extrêmement libre et dangereuse : « Nos bonnes gens, dit-il, n'ont plus le temps d'être gais, ils ont trop à faire ; il faut d'abord qu'ils mettent par terre Dieu et le roi ; tous et chacun, hommes et femmes, s'emploient en conscience à la démolition (4). » L'Anglais, qui sait observer, voit bien, d'ailleurs, que ce n'est là qu'une mode, et qu'un système peut-être plus politique et social qu'anti-religieux et anti-déiste. « Ne concluez pas, dit-il, « que les personnes de qualité, les hommes du moins, soient « athées. » C'est comme un courant qui les entraîne. C'est un air que l'on prend. Il faut bien être philosophe !

Si l'on va jusque-là, ce n'est pas seulement suivant la pente de la philosophie, mais par réaction contre un Clergé de plus en

(1) Voltaire, *L'Homme aux quarante écus*, chap. X.

(2) On pourrait discuter ici. On a vu qu'il s'est fait toute une propagande anti-philosophique, au cours du siècle, et que bien des ouvrages, souvent médiocres, ont eu plusieurs éditions, en moyenne de trois à sept (au XVIIIe siècle) et quelques-uns même du succès.

(3) Aubertin, *L'Esprit public au XVIIIe siècle*, chap. sur d'Argenson.

(4) Horace Walpole, *Letters and correspondance*, 27 septembre 1765.

plus intolérant, d'ailleurs profondément divisé, et qui donne le stricte spectacle de ses factions. Les refus des billets de confession aux jansénistes soulèvent l'opinion. Et l'avocat Barbier de s'inquiéter, en 1751. « Il est à craindre que cela ne finisse sérieu-« sement ; on pourrait voir un jour dans ce pays-ci une révolution « pour embrasser la religion protestante (1). » En quoi il ne voit pas clair. Cela « finit sérieusement », en effet, non dans le protestantisme, mais dans l'impiété, pour nombre de gens du grand monde et même de la société bourgeoise, sans en excepter les ecclésiastiques, parmi les plus haut placés, et au moins, pour beaucoup d'autres, dans l'indifférence en matière de religion. Effet à prévoir, et qui déjà s'était annoncé, à la fin du règne de Louis XIV, au moment de la « Bulle ». L'esprit français, trop critique ou trop frivole, met à profit l'éternelle bataille, recrudescente, entre molinistes et jansénistes, dont il est las, pour se réfugier dans l'asile plus tranquille de la morale naturelle et de l'indifférence religieuse, sinon de l'impiété.

Sans doute l'impiété qui gagne déjà quelque peu la Bourgeoisie, la Bourgeoisie riche et de bon ton, ne pénètre point dans la masse bourgeoise ni dans la masse populaire. Et cependant le respect traditionnel du Clergé tend parfois à s'en aller, si l'on en croit l'avocat Barbier : « On a, dit-il, observé pendant le carnaval « de Paris que jamais on n'avait vu tant de masques au bal « contrefaisant les habits ecclésiastiques, en évêques, abbés, « moines, religieuses. » La mascarade commence. Mais ce n'est encore qu'un fait isolé et sans grande signification. Ce qui est plus grave, c'est le refus des sacrements et la mort de quelques grands seigneurs dans l'impénitence totale : fait, d'ailleurs, rare vers 1770. Car, en général, on tient à faire son salut et on a soin de se confesser ou même de communier, à l'article de la mort. Des déistes s'y résignent, pour ne pas faire scandale. « Mon-« tesquieu, écrit l'avocat Barbier (2), s'est confessé au P. Routh « qui le venait voir. M. le curé de Saint-Sulpice, qui l'a admi-« nistré, voulait qu'il fît une rétractation publique, mais le « P. Routh a dit au curé de faire son devoir et qu'il répondait « des sentiments de M. de Montesquieu. » C'est ainsi qu'avec un tel personnage qui était resté, au fond, l'auteur des *Lettres persanes*, un Père avisé réussissait à sauver la situation.

L'impiété ou du moins l'indifférence religieuse détourne les âmes de l'intolérance, qui reste inscrite dans les vieilles lois,

(1) *Journal de Barbier*, voir Aubertin, *ouvr. cité*, chap. sur Barbier.
(2) *Journal de Barbier* (février 1757). Cela a été écrit bien après la mort de Montesquieu, survenue en 1755. Mais nous ne suspectons pas le fait.

depuis la Révocation de l'Édit de Nantes et les Ordonnances de 1724 contre les protestants, et qui tantôt somnole, pendant les grandes guerres, tantôt, en pleine paix, se réveille tout d'un coup avec violence, parmi l'Église et surtout les Parlements. Dans une société où les mœurs semblent s'adoucir, quels scandales que les arrêts des Parlements contre les Calas, les Sirven et le jeune chevalier de La Barre, et quelles peines cruelles, hors de toute proportion avec ce qui n'apparaît à Voltaire que le délit d'un jeune imprudent, quand ce n'est pas, comme pour les Sirven et les Calas, une monstrueuse erreur judiciaire ! Aussi un revirement se fait-il dans l'esprit public, au cours de ces années 1766-1767 où Voltaire, du fond de son ermitage, se dresse en apôtre de la tolérance, plus glorieux qu'au temps même où il donnait, aux applaudissements du siècle, *Zaïre*, *Mahomet* et son *Siècle de Louis XIV*. L'idée de tolérance pénètre profondément dans toutes les classes de la société, parmi les grands seigneurs, acquis déjà à cette noble cause, les bourgeois éclairés et même le Clergé : non que l'Église de France ne continue pas, lors de ses Assemblées générales, de tonner contre le « tolérantisme » qui déborde dangereusement, mais on voit déjà de hauts ecclésiastiques recommander ou pratiquer la « tolérance civile » (1) ; ceux qui sont entrés dans les loges maçonniques ont déjà montré la voie (2) ; désormais, au sein de l'Église même, se poursuit tout un travail dans le sens de la justice sociale. Déjà Voltaire et Dalembert peuvent se féliciter de ses progrès. On était tombé des Jésuites dans les Jansénistes, après l'expulsion des premiers, et c'était « bien pis », déclare Voltaire ; car « il y avait des accommodements « avec le Ciel, du temps que les Jésuites avaient du crédit, mais les Jansénistes étaient impitoyables (3) ». Maintenant, les Jansénistes parlementaires sont vaincus, après les Jésuites, que Dalembert appelait des « persécuteurs et des insolents ». N'ayant plus contre elle ces farouches ennemis, la tolérance religieuse gagne tout ce que perd le fanatisme, et, comme dit Voltaire, « la lumière se répand de proche en proche » (4). C'est une révolution morale qui se prépare, après des siècles d'inquisition et de guerres religieuses.

(1) Boisgelin, qui est évêque de Lavaur (1765) et deviendra un des prélats les plus représentatifs de l'Eglise ; Champion de Cicé, évêque de Rodez (1770), futur archevêque de Bordeaux avant 1789. Voir les travaux de L. Lévy-Schneider sur Champion de Cicé, et de Lavaquerie sur Boisgelin.

(2) On a vu plus haut de hauts ecclésiastiques dans une loge d'Angers ; le fait est assez général vers 1770.

(3) Voltaire, lettre à Helvétius (1761) ; Dalembert, lettre à Voltaire, 2 mars 1764. Voir A. Schimberg, *ouvr. cité*, p. 273 et suiv.

(4) Voltaire à Chauvelin (2 avril 1764).

Les idées d'humanité, de bienfaisance gagnent de plus en plus cette société, si souvent frivole, au sommet, si sérieuse et si travailleuse, parmi les classes moyennes et les plus humbles de toutes. La raison et le sentiment s'unissent pour leur communiquer une force nouvelle. Après Rousseau, ce n'est plus la raison toute pure qui commande ; c'est aussi le sentiment. Voilà un nouveau mobile d'action ; il ne prendra cependant toute sa force et sa valeur que sous le règne de Louis XVI.

En attendant, un problème capital se pose pour la société, après le départ des Jésuites, ces grands éducateurs de la société polie depuis près de deux siècles. Comment former vraiment des hommes, des « citoyens » (1), des caractères ? Car c'est de caractères surtout que l'on manque : Bernis, le maréchal de Belle-Isle et bien d'autres ne cessent de s'en plaindre (2) ; il faut relever la nation, préparer à ses devoirs envers la patrie une nouvelle jeunesse.

Il ne s'agit pas seulement d'une instruction plus moderne, mieux adaptée aux idées du temps, il ne suffit pas de faire une part plus large aux sciences, de se dégager enfin de la tradition latine et scolastique ; il faut aussi et surtout une éducation plus mâle, plus virile, qui détourne des goûts mondains et fasse appel au cœur et à l'héroïsme. Parlementaires réformateurs, président Rolland et procureur général La Chalotais en tête, réclament une « éducation nationale », dirigée par la nation, en l'espèce par des laïques, gallicans et nationaux. Mais comment y parvenir ? Sera-ce avec des maîtres des diverses congrégations qui s'empressent déjà de prendre la place des Jésuites : Oratoriens, Bénédictins, Doctrinaires ? Sont-ils capables de donner cette « éducation nationale », ces maîtres, dont beaucoup sans doute sont remarquables, mais qui ne vivent pas dans le siècle ? Et si les réformateurs désirent, pour cette tâche nationale, des professeurs tirés des classes les plus cultivées de la société laïque, comment et surtout quand les trouveront-ils ? Il les faut, en effet, tout de suite, et en nombre. On aura beau instituer un concours d'agrégation en 1764, ce n'est qu'après de longues années qu'on disposera d'une poignée de maîtres savants. C'est donc aux anciens éducateurs que restent les collèges, et il faut dire, à leur éloge, que si la plupart ne peuvent se dégager des vieilles routines, beaucoup, à Louis-le-Grand, à Juilly, à Sorèze

(1) On trouve déjà ce mot employé vers 1770.

(2) Bernis, *Mémoires*, t. Ier, p. 104. — Belle-Isle : « Ignorance, frivolité, négligence, pusillanimité sont substituées aux vertus mâles et héroïques... » Cf. Ch. Aubertin, *La France au lendemain de Rosbach* (*Revue des Deux Mondes*, 15 sept. 1872).

et ailleurs, font un grand effort de rénovation. Depuis 1763, on ne fait plus à Louis-le-Grand la classe en latin, mais en français. De nouvelles disciplines sont introduites : les sciences, l'histoire et la géographie (1) reçoivent leur part.

Ce n'est pas, il est vrai, la réalisation de tous les désirs des réformateurs : la tradition scolastique et latine est encore très forte dans de nombreux petits collèges ; il n'en saurait être autrement. On ne peut tout d'un coup, avec un personnel ancien, rapprocher l'enseignement et l'éducation du progrès scientifique et social, et apporter aux jeunes gens les conceptions nouvelles de la vie nationale. Et cependant il faut bien que l'éducation des collèges après 1762 ait eu quelque valeur et quelque nouveauté, quand on songe que c'est de ces écoles que sont sortis tant de jeunes gens qui, nourris de Plutarque et de l'héroïsme grec et romain comme de l'esprit national, pleins de l'amour du bien public, formeront la grande génération, si riche de caractères et même de talents, qui paraîtra tout d'un coup sur la scène en 1789 : les Barnave, les Danton, les Camille Desmoulins, les Robespierre, et tous ces officiers et soldats « volontaires » de 1791 et 1792, ce fameux état-major de la Révolution et de l'Empire. Le maréchal de Belle-Isle avouait, après les désastres de la guerre de Sept ans : « Il faut refondre la cloche (2). » Il est certain que cette refonte s'est préparée alors. Ne faut-il pas en voir en partie les auteurs dans les nouveaux maîtres de l'éducation française ?

IV. — *Les aspirations nationales*

Au reste, partout se font jour des aspirations nationales. Les événements des années 1762 et 1763 vont transformer l'esprit public, déjà fort inquiet après les défaites de Rosbach et de Québec. L'expulsion des Jésuites amène une recrudescence des vieilles doctrines gallicanes dans le Clergé même, surtout dans le Clergé paroissial, où se révèlent, plus fortes, les tendances richéristes et les idées démocratiques qui l'opposent de point en point aux évêques et aux gros bénéficiers.

L'esprit national réfrène le cosmopolitisme des philosophes. Les défaites et l'humiliation de la France mettent dans toutes les têtes, nobles ou bourgeoises, une passion de relèvement national

(1) Il faut reconnaître que les Jésuites avaient déjà donné une belle place à la géographie, dans leur enseignement. C'étaient parfois de grands voyageurs, aux Amériques, en Chine. Voir sur cette question de la géographie l'ouvrage de François Oudot de Dainville (S. J.), pour le début du XVIIIe siècle, *La Géographie des humanistes* (thèse de Lettres, Paris, 1939).

(2) Voir Aubertin, article de la *Revue des Deux Mondes*, *cité*.

qui éclatera à la première grande occasion que déjà l'on guette. Villes et provinces offrent des vaisseaux au roi (1762) ; on se réjouit du « pacte de famille » signé par Choiseul avec l'Espagne, grande puissance maritime et coloniale : véritable préparation contre l'ennemi de la veille, qui sera l'ennemi de demain. La réunion de la Lorraine et la conquête de la Corse rendent l'espérance, et Voltaire lui-même, qui s'est un peu moqué du don des vaisseaux par les « pauvres Welches », se montre très satisfait de l'acquisition de la grande île méditerranéenne, voisine de nos côtes de Provence. Les ouvrages qui célèbrent les fastes de l'histoire nationale, comme *Le Siège de Calais*, du tragédien de Belloy, sont accueillis, si médiocres qu'ils soient, avec grande faveur. Et il semble que l'on oublie le cosmopolitisme, cher aux philosophes. En réalité, les deux sentiments contraires se mêlent encore, et dans les mêmes âmes. On ne déprécie pas systématiquement les œuvres, les découvertes et les arts de l'étranger ; on les honore plutôt, mais on ne les imite pas servilement. La société française ose rester elle-même.

Que certains seigneurs s'engouent déjà des modes d'Angleterre, donnent, comme le prince de Conti, des « thés à l'anglaise », où de grandes dames servent elles-mêmes, pendant que des musiciens et des chanteurs offrent un concert, cela est vrai (1), et c'est, il faut ajouter, une mode charmante, mais qui reste confinée dans une société aristocratique. Que d'illustres Anglais retrouvent, comme on l'a vu, après une guerre malheureuse pour nos armes et notre prestige, le même accueil délicat, cela est remarquable (2) ; Paris reste toujours Paris, avec sa délicieuse sociabilité, qui ne connaît pas les frontières. Mais tout cela n'empêche point les Français, qui n'ont pas renié le cosmopolitisme européen ni le plaisir et le profit du contact avec l'étranger, d'agiter des pensées plus graves, où est intéressé l'honneur même de la nation. Même Voltaire, ce flagorneur de têtes couronnées, et qui tire de son commerce assidu avec Catherine et Frédéric une part de sa considération en Europe et en France même, n'hésite pas dans ses accès de franchise à confier à des amis sa profonde aversion pour « Luc » (Frédéric II) et le souhait intime qu'il forme pour l'écrasement final de son héros (3).

(1) Voir le tableau du peintre français Ollivier (1766). On le trouvera reproduit dans l'*Histoire de France*, de Lavisse (*Louis XV*, par H. Carré).
(2) Voir plus haut, p. 98.
(3) Voltaire à Darget (1758) : « Nous verrons comment finira cette sanglante tragédie, si vive et si compliquée... » A Mme d'Argental (août 1759) après la journée de Minden : « Je suis Français à l'excès... Luc (vous savez qui est Luc) donne probablement bataille aux Autrichiens et aux Russes..., du moins il m'a mandé que c'était sa royale intention ; s'il est battu, comme cela peut arriver,

Telle est cette passion de grandeur nationale et de relèvement qui, vers 1770, s'empare de la société. Les prédicateurs ne parlent plus le même langage. Leur éloquence est toute profane. Dans un panégyrique de Saint-Louis (25 août 1767) l'abbé Bassinet passe sous silence la sainteté du roi pour ne célébrer que « ses vertus politiques, morales et guerrières ». L'attention publique, au moment où les Américains entrent déjà en conflit avec l'Angleterre, se tourne de plus en plus vers notre armée et notre marine. Comment les refaire, matériellement et surtout moralement ? On a vu des ministres et des maréchaux s'en inquiéter, et même, depuis longtemps, de simples bourgeois, comme l'avocat Barbier, ou des éducateurs tels que Rollin et le P. Porée (1).

V. — *Les aspirations politiques*

I. — Ce sont là les principales préoccupations de l'opinion depuis 1757. Car il n'y a pas d'aspirations politiques profondes : personne ne songe à un autre régime que la monarchie, si humiliée qu'elle soit par les défaites. Mais on la critique de plus en plus, cela est manifeste, et l'on peut même suivre, dans le *Journal* du marquis d'Argenson, le progrès de la critique. Dès 1753, d'Argenson voit « dans l'esprit public » et chez les Parlementaires « s'établir l'opinion que la nation est au-dessus du roi, comme « l'Église universelle est au-dessus du pape ». En 1759, il va plus loin ; on est au lendemain de Rosbach : « Il nous souffle, écrit-il, « un vent philosophique de gouvernement libre et anti-monar- « chique ; cela passe dans les esprits, et il peut se faire que ce « gouvernement soit déjà dans les têtes pour l'exécuter à la « première occasion. Peut-être la Révolution se ferait avec moins « de contestations qu'on ne pense ; cela se ferait par accla- « mation. » Évidemment, d'Argenson anticipe, et il se trompe sur la facilité d'une révolution. Mais il est hors de doute qu'il sent fort bien où peuvent mener les ambitions des Parlements. Peut-être est-il déjà mieux informé que nous ne le sommes aujourd'hui sur les sentiments de l'aristocratie. Et quand le roi se résout au coup d'État qui supprime les Parlements, se déchaîne une véritable croisade contre le pouvoir absolu. Des dames de la haute Noblesse sont au premier rang de l'armée qui prend l'offensive : la comtesse d'Egmont, qui en écrit au roi de Suède Gustave III,

quelle honte pour nous de l'avoir été par un prince de Brunswick ! Je voudrais que vous connussiez ce prince, vous seriez bien étonnée, et vous diriez : « Il faut que les gens qu'il bat soient de grands imbéciles... »

(1) Aubertin, *ouvr. cité*, et plus haut.

Mmes de La Marck, de Boufflers, de Luxembourg, de Croÿ (1771) : « Le pouvoir absolu est une maladie mortelle qui, en « corrompant insensiblement les qualités morales, finit par « détruire les États... Les actions des souverains sont soumises à « la censure de leurs propres sujets comme à celle de l'univers... « La France est détruite si l'administration présente sub- « siste (1). » A part Voltaire, qui célèbre Louis XIV, et qui sait si bien s'accommoder du pouvoir absolu, toute l'aristocratie critique fort le régime politique du grand roi, toujours subsistant, mais pire peut-être depuis un coup d'État encore inconnu dans notre histoire (2).

Sans doute la suppression des Parlements a été accueillie par l'opinion publique de diverses façons. Les philosophes, Voltaire en tête, sont ravis de voir abattus ces fanatiques qui condamnèrent Calas, Sirven et La Barre, tous ces « Busiris en robe », tous ces brûleurs de livres philosophiques, hostiles à la liberté de l'esprit. L'aristocratie est navrée de ce coup d'État du pouvoir absolu et arbitraire qui refuse tout contrôle et qui ne respecte même pas le droit de propriété dans ses victimes. La Bourgeoisie est partagée : si certaines villes, comme Lyon, voient un avantage à ne plus porter leurs procès en appel à Paris, trouvant une cour de justice « souveraine » dans leur nouveau « Conseil supérieur », l'ensemble de la Bourgeoisie redoute un absolutisme destructeur de la propriété individuelle et surtout du contrôle financier que les Parlements ont l'ambition d'exercer. Les bourgeois de Paris, en particulier l'avocat Barbier, le libraire Hardy, et même le tout petit bourgeois dans sa boutique, peu soucieux de politique, mais effrayé de toutes nouveautés et révolutions, sont pour les Parlements, pour le grand Parlement, leur voisin, en lequel ils voient toujours la plus certaine garantie de leurs intérêts, de leurs « rentes » et de leurs propriétés. Au fond, on sent bien — et les *Mémoires* de Beaumarchais en sont encore un signe non équivoque — que cette suppression soudaine des Parlements de France, de tous ces magistrats qui formaient un corps respecté par la nation et redoutable à la monarchie absolue, ne peut servir qu'à établir un « despotisme ministériel » intolérable et à enlever à la nation toute possibilité de manifester, dans des formes légales et traditionnelles, son mécontentement. Raison de plus pour réclamer, comme on le faisait depuis si longtemps, une « monarchie tempérée ».

(1) Geffroy, *Gustave III et la Cour de France.*
(2) Louis XIV a supprimé les « remontrances » des Parlements, mais il n'a jamais, même un moment, supprimé les Parlements.

II. — Mais à quelle sorte de monarchie aspire l'élite de la société ? Est-ce à la monarchie constitutionnelle de l'Angleterre, telle qu'elle a été décrite par Montesquieu ? Nullement. Montesquieu lui-même ne l'a pas recommandée pour son pays. Au reste, la constitution anglaise est fort mal connue en France, même de l'élite. Ce ne sont, en effet, que coutumes, usages et pratiques, très compliqués et, d'ailleurs, changeants ; point de texte écrit unique ; aucune logique ; tout cela déconcerte les juristes, les logiciens que sont les Français du siècle, qui veulent en tout des « idées claires et distinctes », des idées qui se suivent et s'enchaînent, des principes, avec les conséquences qui géométriquement s'en déduisent. Au lieu de cela, des coutumes, qui semblent encore varier une fois de plus, vers 1765-1770, au moment des conflits américains et des conflits intérieurs qu'ils engendrent ; une véritable transformation de fait qui, avant même que l'hostilité américaine aux Anglais tourne au conflit armé, se révèle par la violation des libertés individuelles, au profit de la Couronne, et même de l'aveu d'un Parlement qui semble avoir oublié ses vieilles traditions (1). Certains Français, comme l'académicien Suard, ami du député Wilkes (2), sont fort étonnés de ces nouveautés politiques ; mais combien peu sont informés, même parmi l'élite ?

L'ignorance des Français est sur ce point presque complète ; quand ils croient savoir, ils sont dans la plus profonde erreur. Sur l'Angleterre politique ils en sont restés à Voltaire et surtout à Montesquieu. L'*Esprit des lois* leur a fait connaître un pays où les pouvoirs sont séparés, et cette théorie de la séparation des pouvoirs fait son chemin dans l'esprit des magistrats, qui seraient jaloux d'exercer le pouvoir législatif, ne laissant au roi que l'exécutif. Mais où Montesquieu a-t-il vu la séparation des pouvoirs en Angleterre ? Sans doute, l'exécutif et le législatif ne sont pas réunis dans une seule main, et c'est ce que Locke a fort bien exposé : ainsi est évité le despotisme. Mais roi, Lords et Communes participent tous trois au pouvoir législatif ; ce n'est point séparation complète, mais association des pouvoirs. Le roi sanctionne les lois du Parlement. Il influe sur les votes en créant des fournées de pairs à la Chambre des Lords. Il a, surtout George III, une politique personnelle, qu'il fait défendre par son premier ministre. La « prérogative royale » n'est pas un vain mot :

(1) Voir, pour le détail, Ph. Sagnac, *La Fin de l'ancien régime et la Révolution américaine*, t. XII de *Peuples et Civilisations*, chap. II et III.

(2) *Lettres inédites de Suard à Wilkes*, publiées par Gabriel Bonno (thèse compl. de doctorat ès Lettres, Paris, 1932).

le roi dispose d'une foule de places dans la trésorerie, l'armée et la marine. N'a-t-il pas aussi une influence sur les élections des comtés et des bourgs ? Enfin c'est lui qui choisit une vingtaine d'officiers civils — grands personnages de la trésorerie, de la magistrature, de la marine — qui font partie de la Chambre des Communes, où ils sont chargés du contrôle parlementaire des dépenses : contrôle qui, établi pendant la grande guerre contre Louis XIV, contribua puissamment à la victoire finale de l'Angleterre (1).

Les Français ne sont pas davantage informés de la composition du Parlement ni du régime électoral ni de la vie des partis politiques. Comment pourraient-ils connaître la manière dont se font les élections, les conditions très diverses (2) de l'exercice du droit de suffrage dans les comtés et dans les bourgs ? Et que sont les bourgs ? Les uns sont bien peuplés ; les autres sont désertés ; dans quelques-uns, disparus, il n'y a plus que le lord propriétaire, qui n'a qu'à venir lui-même le jour de l'élection, pour s'élire. On ne sait évidemment rien de tout cela en France ; personne ne l'a expliqué aux Français. On a bien entendu parler de vénalité, surtout depuis le ministère de Walpole. Certains écrivains, comme Suard, en relation avec des Anglais, n'ignorent pas le rôle de la vénalité dans les élections et dans le Parlement. Mais qui connaît les rouages du Parlement, ces partis de parti, ces groupes et sous-groupes, ces « connexions », petites coalitions d'intérêts et d'ambitions autour d'un grand seigneur qui morcellent les grands partis traditionnels, *whig* et *tory* ?

Dans ces conditions, peut-il y avoir en France, vers 1770, une poignée de si fervents admirateurs de l'Angleterre qu'ils souhaitent pour leur pays la constitution d'une nation dont ils ignorent l'essentiel et le détail, le mécanisme et la vie, et dont il leur est impossible de montrer le texte écrit ? Les illusions sur la séparation des pouvoirs auraient-elles un tel prestige ?

III. — Aussi ce n'est pas vers l'Angleterre que se tournent les meilleurs esprits, mais vers la France et ses institutions de jadis. Et ici s'associent dans les mêmes vœux l'aristocratie d'épée et l'aristocratie de robe. Le marquis de Mirabeau « l'Ami des

(1) G. M. Trevelyan, *England under Queen Anne*, t. II. Cet historien célèbre a mis ce fait en pleine lumière : il attribue la victoire de l'Angleterre sur Louis XIV en grande partie au contrôle financier du Parlement, exercé par les « civil servants ». — Voir aussi Namier, *The structure of politics at the accession of George III* (Londres, 1929, 2 vol. in-8°) ; *England in the age of the American Revolution* (Londres, 1930, 2 vol. in-8°).

(2) Voir cette diversité de conditions ; ici suffrage de tous les propriétaires, là suffrage lié au paiement d'un impôt *(franchise)*, dans Elie Halévy, *Histoire d'Angleterre au XIXe siècle*, t. Ier.

hommes » remonte aux belles époques du Moyen âge ; il rappelle l'excellente constitution de la monarchie de ces temps reculés, si heureux, depuis Saint-Louis jusqu'aux guerres de religion (1). Les magistrats, hostiles, eux aussi, à l'absolutisme, réclament une monarchie tempérée par des pouvoirs intermédiaires ; c'est bien ce qu'a demandé Montesquieu pour la France, tout en faisant l'éloge de la liberté anglaise ; mais les remontrances des Parlements vont plus loin : ils prétendent contrôler le pouvoir législatif, au moyen de l'enregistrement des lois, en l'absence d'États généraux, au nom de la nation ; ils s'enhardissent de plus en plus, surtout après 1760 et vers la fin de la ruineuse guerre de Sept ans ; alors ils prétendent ne former qu'un seul corps dans le royaume, chaque Parlement n'en étant qu'une « classe », et déclarent leur solidarité complète, révèlant ainsi leur puissance nouvelle. Le Parlement de Paris se porte défenseur du « droit de la nation » (3 juillet 1759) et invoque encore ce droit le 26 décembre 1763 (2) : « En matière d'imposition, Sire, l'infrac-« tion du droit sacré de la vérification blesse tout à la fois et les « droits de la nation et les droits de la législation ; il s'ensuit que « l'exécution d'une imposition non vérifiée est une voie de fait « qui attente à la constitution du gouvernement français et qui « doit rencontrer autant d'obstacles insurmontables qu'il est de « tribunaux dépositaires par état des lois inviolables qui forment « le droit sacré de la Nation. » Et, dans l'exposé de leurs principes, les Parlements vont jusqu'à rappeler parfois les États généraux dont la disparition a causé de grands maux à l'État et à la société. Ainsi se lamente le Parlement de Rouen le 10 mai 1760 : « Tant qu'a duré en France la tenue des États, le peuple admis « par ses députés à l'estimation des besoins publics en a connu la « nature et l'étendue ; connaissant la nature et l'étendue de ses « forces, il a su mesurer et régler ses contributions... Le gou-« vernement florissait, ainsi que le citoyen... Depuis que la tenue « des États n'a plus existé que dans le vœu de la loi, l'intérêt « privé s'est emparé de tout ; on a, sous prétexte d'accélérer les « affaires, supposé le vœu de la nation, sans la consulter, sans « l'interroger, sans même la pressentir (3). » Il y a des lois fondamentales, déclare à son tour la Cour des Aides de Paris (18 février 1771). « Dispensez-nous, Sire, d'examiner si dans « aucun État un roi peut abroger de pareilles lois : il nous suffit

(1) *L'Ami des hommes*, t. Ier, chap. V, cité par E. Carcassonne, *Montesquieu et le problème de la Constitution...*, p. 239.
(2) *Remontrances du Parlement de Paris*, publiées par Flammermont, t. II, p. 417.
(3) Cité par E. Carcassonne, *ouvr. cité*, p. 292-293.

« de dire à un prince ami de la justice qu'il ne le doit pas. » Et encore : « Il existe en France, comme dans toutes les monarchies, « quelques droits inviolables qui appartiennent à la nation. Nous « n'aurons pas la témérité de discuter jusqu'où ils s'étendent, « mais en un mot il en existe. » Sages et fortes, sinon véhémentes, remontrances d'une Cour qui s'honore d'avoir à sa tête le vertueux Malesherbes. Pourtant tous ces hauts magistrats ne vont pas jusqu'à demander les États généraux : les Parlements peuvent en faire l'office. Et ce sera tout à l'avantage de l'aristocratie de robe et de ses ambitions. En attendant, tout en déclarant les droits de la nation et les leurs, qui, à leurs yeux, se confondent, ils réclament, dans les provinces qui n'en sont pas encore dotées, comme la Normandie, des États provinciaux. Ils favoriseraient, par eux-mêmes et par les États, la décentralisation politique, et affaibliraient d'autant le pouvoir absolu de la monarchie.

Quant à la Bourgeoisie, elle se tait en général : elle ne fait pas encore de manifestations, bien qu'elle voie le plus souvent dans les Parlements des défenseurs de ses intérêts. Les philosophes, les écrivains, semblent un peu divisés. Quelques-uns sont parfois aveuglés, comme Voltaire, par leur haine tenace des Parlements, inquisiteurs des consciences et de la pensée. Mais, on l'a vu, les Encyclopédistes sont, comme les aristocrates d'épée ou de robe, des défenseurs des « lois fondamentales de la monarchie », des partisans décidés de la monarchie tempérée et de ses anciennes traditions : en quoi ils semblent moins des révolutionnaires que des restaurateurs.

Il est donc hors de doute qu'en général ceux qui comptent dans la nation aspirent, vers 1770, au moment de la révolution judiciaire et politique tentée par Louis XV et le chancelier Maupeou, à une restauration des « lois fondamentales », sur lesquelles, d'ailleurs, ils ne s'expliquent point, et à un rappel des « droits de la nation » qui limiteraient le pouvoir absolu et arbitraire du monarque. Mais tempérer par des pouvoirs intermédiaires la monarchie absolue, réclamer déjà presque partout des États provinciaux, prononcer même le mot d'États Généraux, et, en leur absence, contrôler le pouvoir, enfin déclarer expressément les « droits de la nation » ce n'est pas une pure restauration du passé ; c'est, dans les idées, toute une révolution.

CHAPITRE III

L'ÉTAT ET LA SOCIÉTÉ (1750-1770)

On a vu l'action de l'État sur la société de 1715 à 1750, et combien elle était encore forte sur l'économie sociale, sur tous les intérêts des diverses classes de la nation. Au cours de la nouvelle période de vingt ans, qui s'étend de 1750 à 1770, la politique de l'État à l'égard de la société s'est modifiée, sous la pression des intérêts, des besoins et des idées, mais sans cette unité et cette logique que demandaient déjà certains réformateurs ; au contraire, avec des alternatives de timidité ou même de rigueur, suivant les circonstances ou l'arbitraire du gouvernement.

I. — *Le roi et son gouvernement*

Louis XV, qui, à la mort de son ancien précepteur et premier ministre, le cardinal Fleury, a pris en main le gouvernement de l'État, n'a point la fermeté et l'esprit de suite du grand roi, son aïeul. D'une faible santé — le régent avait spéculé sur sa mort — gâté par son éducation, il était resté paresseux d'esprit et souvent sans volonté. Il fait, certes, son « métier de roi », il y tient, il n'a pas oublié les maximes de Louis XIV. A la longue ce métier l'ennuie. Il oppose ses ministres les uns aux autres, défiant, comme son aïeul, mais mobile, changeant, il ne garde pas jusqu'à leur mort les mêmes ministres, et ne se les attache pas, eux et leurs familles, par des « survivances ». Cependant il s'en est laissé imposer par le cardinal Fleury, en qui il voyait toujours son précepteur. Mais il ne s'attache à personne. Il est jaloux de son autorité, et il le montre tantôt par à coups, avec les Parlements, qu'il laisse supprimer les Jésuites, sans aucun grief, et qu'il arrête brusquement quand ils se révoltent contre son pouvoir absolu ; tantôt en secret, quand il s'amuse à sa propre diplomatie, en dehors de la diplomatie officielle, avec le comte de Broglie et de nombreux auxiliaires, tels que le fameux chevalier d'Éon, déguisé en femme (1) : dis-

(1) Sur le chevalier d'Eon, on pourra lire d'agréables pages d'Emile Montégut, dans ses *Souvenirs de Bourgogne*, à propos de Tonnerre, où d'Eon était né.

traction royale qui vient compliquer la politique française à l'étranger, et la rend si inextricable à Varsovie que les Polonais n'y ont plus confiance et que les agents français, officiels ou secrets, eux-mêmes n'y comprennent plus rien. Ajoutez que ce monarque, si imbu de son autorité, laisse ses maîtresses, surtout Mme de Pompadour et la petite cour qui l'encense, nommer à leur fantaisie ambassadeurs et généraux, changer ceux-ci, donner la faveur à d'autres qui se font battre honteusement, et décourager tous les bons officiers. Le gouvernement de Louis XV ne ressemble à aucun autre ; plein de contrastes, de revirements, de changements perpétuels, sans ligne de conduite, sans esprit de suite : il lui manque un chef unique et vigilant.

Louis XV tient d'abord fortement aux principes de gouvernement de Louis XIV. Mais l'aristocratie, victorieuse un moment, sous la Régence, n'a pas abandonné ses ambitions et ses espérances. Il semble qu'elle revienne à la charge, au temps de Mme de Pompadour et des défaites. Sénac de Meilhan, un des plus intelligents administrateurs de ce temps, l'a remarqué : « L'attachement aux formes établies sous Louis XIV et aux « maximes des ministres célèbres se soutint jusqu'à MM. d'Ar« genson et Machault. Les choses changèrent à leur disgrâce ; « on commença à s'écarter des anciens usages et des formes. La « marche des affaires à cette époque fut moins assurée et les « innovations se multiplièrent ; ce changement eut pour prin« cipe l'élévation des militaires et des gens de la Cour au minis« tère (1). » C'est, en effet, le moment où Choiseul, duc de Stainville, s'empare, grâce à Mme de Pompadour et au profond découragement de Bernis, de trois départements ministériels, Affaires étrangères, Guerre et Marine, avec son cousin, le très médiocre Choiseul-Praslin. Les hommes de robe, Machault, d'Argenson, s'en vont : la maîtresse le veut, et le Clergé aussi, qui exècre Machault. Et le roi laisse partir Machault, disant tristement : « Ils m'ont fait renvoyer Machault ! », et gardant l'intention de le rappeler un jour ; mais, sous Louis XV, quel ministre disgracié revint jamais au pouvoir ? On verra l'honnête Louis XVI, qui, à son avènement, pensait à Machault, céder à une influence de famille, et, au lieu du ministre intègre et capable, rappeler le frivole et vieux courtisan Maurepas. De plus en plus, avec l'aristocratie, c'est le règne de la faveur ; « elle l'emporte trop souvent dans les choix », remarque Sénac de Meilhan. Désormais, « on ne voit plus que Paris et la Cour ; les ministres négligent les

(1) Sénac de Meilhan, *Des Principes et des causes de la Révolution en France*, 1790.

provinces », où les chefs militaires, surtout après 1760 et 1770, prennent une autorité grandissante. Sans doute les hommes de robe et d'administration entrent encore au ministère, après 1757, mais ils sont subordonnés, en fait, aux aristocrates ; ils n'auront leur revanche, d'ailleurs partielle, qu'à la chute de Choiseul, avec le chancelier Maupeou et l'abbé Terray, contrôleur général, qui apportera dans l'administration du royaume un esprit tout différent, un esprit de combat et de réalisme révolutionnaire.

Malgré tous les changements de ministère et de direction, l'œuvre de centralisation administrative s'est poursuivie au cours du siècle. Les intendances sont mieux organisées que sous Louis XIV, leurs bureaux plus nombreux, avec, à leur tête, un « subdélégué général », capable de suppléer l'intendant ; les subdélégations plus nombreuses aussi, et fortement constituées. S'il y a toujours des « élections », des « bailliages », ce ne sont là que divisions financières et judiciaires ; la « subdélégation » est devenue la division administrative par excellence, celle qui, sous l'autorité de l'intendant, a pour attribution toute l'administration intérieure de son ressort. Ces subdélégations jouent un rôle nouveau : le gouvernement et les intendants les chargent de plus en plus d'enquêtes statistiques sur la population, les récoltes, les prix des denrées et, d'une manière générale, sur toute l'économie sociale (1).

Pendant que, d'un côté, la monarchie centralise, de l'autre, la société fait effort pour décentraliser. C'est, on l'a vu, la politique de l'aristocratie et des Parlements, qui revendiquent des États dans les provinces qui n'en sont pas pourvues ; c'est aussi la politique des grands bourgeois des principales cités, qui réclament des élections municipales libres et une autonomie toujours plus grande, et pour eux, à côté des nobles, une place plus large dans l'échevinat. L'État résiste aux demandes d'États provinciaux nouveaux, dont la constitution aurait de grandes conséquences administratives et surtout financières, et entraînerait des exemptions ou des « abonnements » d'impôts, ruineux pour le Trésor ; mais il cède sur les élections municipales au vœu du plus grand nombre et rétablit la liberté électorale. Cela même atteste la puissance économique croissante de la Bourgeoisie (1764).

A côté de la décentralisation politique qui se poursuit activement dans les esprits après 1760, et timidement encore dans les faits, on peut constater une certaine décentralisation intellec-

(1) On voit dans Labrousse, *La Crise de l'économie sociale...*, t. Ier, l'initiative de Terray en matière de statistiques, à partir de 1769.

tuelle et morale, favorisée par l'aristocratie et la haute Bourgeoisie, dans les capitales provinciales, dotées d'Académies, de théâtres, voire de loges maçonniques, où se rapprochent les classes supérieures de la société, et que souvent des hommes considérables ou des écrivains illustres ont honorés de leur visite. Sans doute Paris garde la souveraine puissance d'attraction que lui a conférée Louis XIV, mais tous les talents n'y sont pas réunis ; il reste de bons maîtres dans les collèges lointains des provinces, comme Sorèze, au pied de la Montagne Noire ; beaucoup d'artistes de valeur dans les cités historiques où l'art est toujours entré dans les plaisirs et les besoins de la vie, comme Aix-en-Provence, Nancy, Lyon, et tant d'autres ; enfin nombre de lettrés et de savants, à Dijon, à Bordeaux, à Marseille, qui, par leurs savantes discussions, donnent de l'intérêt à leurs séances académiques. Bref, dans les provinces, la société, enrichie par la prospérité générale, accompagne son ascension sociale d'un réel progrès intellectuel.

II. — *L'État et l'Économie sociale*

L'État va-t-il continuer à diriger l'économie nationale comme il le fait tyranniquement depuis Colbert ? Au temps de Colbert, cette direction était fort utile, dans un pays où le commerce avait décliné et où l'industrie existait à peine. Mais, maintenant, tout marche à souhait pour les producteurs : propriétaires fonciers, « marchands-fabricants » et capitalistes de tout rang. L'État les a toujours favorisés, mais les a maintenus en lisière par ses règlements si nombreux et si gênants. Va-t-il renoncer à sa rigoureuse réglementation ? Elle n'a plus d'utilité. Et la société ne veut plus connaître que des lois conformes à l'intérêt général. Les théoriciens le proclament ; les administrateurs eux-mêmes en sont convaincus : Vincent de Gournay et Trudaine, auprès du pouvoir central, et nombre d'intendants des provinces, pénétrés de l'esprit moderne, comme Turgot. Peu à peu, sous leur impulsion, après 1753, l'État renonce à son rigide système réglementaire, et finit par céder aux demandes des producteurs de denrées, des fabricants, des armateurs, des négociants. C'est le commencement d'une ère nouvelle pour le travail. La liberté favorisera la production, comme l'enseignent les physiocrates, et la circulation de toutes choses, comme le déclarent négociants et administrateurs. Et donc, « laissez-faire, laissez-passer », cette maxime lapidaire de Gournay, semble déjà, à certains moments, se muer en maxime d'État.

I. — La libre circulation des grains à travers le royaume et même leur exportation sont au premier plan des doctrines des économistes, et des préoccupations des grands producteurs. Le gouvernement accueille en principe cette liberté. Toutefois, s'il facilite la circulation intérieure, il ne supprime pas toutes les entraves : les douanes intérieures qui, en dehors des « Cinq grosses fermes », séparent les provinces de l'intérieur, demeurent et demeureront jusqu'en 1789 ; on ne peut donc qu'en atténuer les charges. Mais, à la suite de très belles récoltes, les réserves de céréales étant abondantes dans les greniers des grands propriétaires fonciers, seigneurs, décimateurs, abbayes, voire « laboureurs » et gros fermiers, l'exportation à l'étranger est autorisée, pour la première fois, par le contrôleur général Laverdy (1764). L'exportation fait vendre l'excédent, et à hauts prix, car les prix des grains sont depuis longtemps très élevés, et elle encourage la production, l'emblavement d'étendues plus considérables et les défrichements. On constate maintenant, parmi les chefs de l'Administration, une parfaite compréhension des besoins des producteurs, comme de l'intérêt même des finances publiques. Les profits des producteurs, à la faveur de la hausse des prix, montent encore ; la rente foncière des propriétaires nobles ou ecclésiastiques, qui font valoir par fermiers ou métayers, ne cesse de s'élever, elle aussi, un peu en retard, mais sûrement, à chaque renouvellement de bail, comme si l'ère de la prospérité devait toujours durer (1). Et la hausse de ces profits et de ces rentes retentit immédiatement sur l'industrie et le commerce, qui, se développant à leur tour, font vivre tout un prolétariat rural et urbain, surtout dans les régions à forte densité de population, comme la Flandre, la région parisienne, le Lyonnais, qui renferment plus de 1.500 habitants par lieue carrée (2).

L'État est amené, par son intérêt et par les circonstances mêmes, à suivre une politique de production capitaliste, sous le signe de la liberté. Mais il ne cédera pas complètement aux exigences des producteurs et des économistes. Les ministres, les administrateurs, ne resteront pas entièrement étrangers au sort du plus grand nombre. Dans l'intérêt général, et aussi par humanité, ils tâcheront de concilier les exigences de la production et celles de la répartition. Et l'on assistera à un essai non pas

(1) Sur les profits des producteurs, la hausse de la rente foncière dans les années d'avant 1770, voir les ouvrages de Labrousse, déjà cités.

(2) Voir sur la densité de la population en Flandre le tableau de Necker, résumé partiellement dans l'*Appendice*, n. 1. Il y a, dans la « généralité de Lille » dit Necker, par lieue carrée 1.772 habitants; comparer avec la densité dans la « généralité de Paris » : 1.540 habitants, et dans la généralité de Lyon, 1.522.

d'économie dirigée, mais d'économie plus libre, avec cependant des repentirs, des reculs même, toutes les fois que les circonstances sembleront les imposer. C'est qu'en effet l'Administration ne peut, en ces matières vitales, obéir, en fin de compte, qu'à l'expérience et au bien de la grande majorité des sujets. Les contrôleurs généraux des finances en prennent conscience. L'accroissement général de la population leur en fait un devoir. L'opinion publique, de plus en plus puissante, surtout après 1770, et à l'encontre de laquelle il est impossible d'agir, les avertit. Sans doute ils ne saluent pas encore l'opinion comme la puissance souveraine dont on prendrait les avis, sinon les ordres ; mais ils n'ignorent pas que « les notions sur tout ce qui est utile et raisonnable ont suivi « le progrès des lumières et sont fort répandues », et que « l'opi« nion publique, en même temps qu'elle sert d'encouragement et « de récompense, peut encore devenir un conducteur fidèle » (1). Ils savent fort bien aussi que sans confiance il n'est pas de crédit public, et que les guerres, les longues guerres du siècle, les obligent sans cesse à recourir aux emprunts, sans parler d'autres expédients classiques.

Au début de leur campagne de réformes agraires, Bertin, Laverdy, Daniel Trudaine, semblent, avec confiance dans les théories des économistes, aller à l'assaut du vieux régime. Et, après la libre exportation des grains, viennent les édits sur les clôtures et commencent les partages en grand des communaux. Il y a là tout un plan de suppression des usages collectifs, des « droits » de vaine pâture, de glanage et de « parcours » que les pauvres habitants des villages ont conservés, étant nécessaires à leur existence même : droits attaqués par les économistes, par les gros propriétaires, qui ne rêvent que d'augmenter la production agricole, et qui se servent de l'appât d'un lopin dans le communal pour attirer l'adhésion du pauvre. La clôture des terres, moyen radical de supprimer la vaine pâture, est autorisée par de nombreux édits, dès 1767 et plus tard, dans les provinces de l'Est et du Nord (Lorraine, Barrois, Trois-Évêchés, Franche-Comté, Bourgogne, Champagne, Hainaut, Flandre, Boulonnais) et dans les pays pyrénéens (Roussillon, Bigorre, Béarn). Le « parcours » du bétail est aboli dans plusieurs des provinces de l'Est, Lorraine et dépendances, Franche-Comté, Champagne, Hainaut, et dans les pays pyrénéens où la liberté de la clôture est accordée. Dès 1769 le partage des communaux est autorisé dans une province, puis dans une autre (Lorraine, etc.), et en Bretagne on

(1) Necker, *De l'administration des finances* (1784), t. Ier, introduction, pl. XIX.

laisse les seigneurs afféager landes et bruyères à des tenanciers ou de riches capitalistes, qui les morcellent en petites portions.

Ainsi, sans supprimer en bloc la vaine pâture, l'État s'efforce d'en réduire l'usage traditionnel par les clôtures et les partages de landes et pâquis communaux, non par une ordonnance générale, mais par des édits successifs, pays par pays. C'est une offensive contre les servitudes collectives, mais ce n'est pas un assaut brutal. Ministres, intendants, capitalistes et grands propriétaires semblent travailler dans l'intérêt général, offrent de nouvelles terres à mettre en culture dans les communaux ou dans des marais et des landes abandonnés, et attirent les pauvres « brassiers » des villages en leur faisant espérer, à eux aussi, une propriété. Dans toutes ces réformes seigneurs, « laboureurs » ne voient que belles occasions de s'arrondir encore, aux dépens des pauvres habitants du « finage », et de s'emparer des communaux qui restent — déjà on a vu nombre de seigneurs usurper une partie de ces biens et les considérer comme leur propriété. Mais le gouvernement ne va pas tarder à intervenir.

Pour les partages, divers modes sont proposés : 1° par tête d'habitant ; 2° par « feu », entendant par là un ménage ; 3° en proportion de la taille de chaque habitant ; 4° en proportion des biens-fonds de chacun. Les deux premiers modes favoriseront les journaliers, les pauvres du village ; les deux autres, les principaux propriétaires et taillables, les aisés et les riches. D'où des discussions, des conflits incessants entre les habitants. Les riches ne veulent entendre parler que des modes de partage qui les favorisent. Déjà dans certains pays où les revenus des biens communaux étaient employés à l'acquit des charges ordinaires, l'excédent était partagé entre tous les habitants en proportion de la taille. Ne fera-t-on pas de même pour la division des communaux ? Ici le gouvernement et les intendants interviennent. Des arrêts du Conseil ne peuvent pas recevoir exécution, à cause des divergences d'intérêts des villageois. L'intendant de Caen, de Fontette, ayant fait rendre, en 1770, par le Conseil un arrêt qui autorise le partage de deux landes, près de Crollon, en parties égales entre les ménages, les propriétaires demandent que le partage se fasse en raison de l'étendue de leurs biens, et, finalement, l'opération est ajournée. Les propriétaires ont fait connaître leurs motifs. Mais le gouvernement soutient l'intendant, et la réponse du contrôleur général (1771) contient toute une théorie : « M. le Contrôleur général n'a point été touché des motifs « sur lesquels les propriétaires fondent leurs représentations et « ils ne lui ont pas paru capables de faire changer le plan que le « Conseil a adopté pour ces sortes de partages. Il serait trop long

« de vous détailler ici toutes les réflexions qui ont déterminé le « choix de ce plan. Elles sont toutes dictées par l'intérêt de « l'État et par celui des paroisses qui possèdent des communes. « Tout habitant a un droit égal sur ces terrains indivis. En « donnant une espèce de propriété à des gens qui n'en ont aucune, « on les attache à leur possession, on forme des chefs de famille « et des citoyens... (1) » Théorie et paroles remarquables : intérêt général de l'État et des paroisses possédantes, « égalité des droits des habitants » enfin souci de multiplier les petits propriétaires et de faire de nouveaux « citoyens » ; c'est reconnaître qu'il n'y a de vrais citoyens que ceux qui accèdent à la propriété.

A partir de ce moment, beaucoup de communaux seront partagés également par chefs de famille, le tiers, suivant le droit de « triage », réservé au seigneur ; sans que, d'ailleurs, ce mode soit régulièrement et partout suivi, à cause de la diversité des « coutumes » locales. Il n'en reste pas moins que l'État, après avoir pris parti, au début, semble-t-il, pour les gros propriétaires, lors de ses édits sus les clôtures, s'est ravisé ; que les intendants, qui, eux, voient les choses sur place, proposent souvent de préférence le partage par ménage (2) ; mais parfois aussi un mode plus compliqué, conforme à la coutume locale, un compromis qui tient compte à la fois des droits traditionnels de chaque habitant et de leurs impositions (3). Les intendants sont convaincus que la justice est dans l'égalité du partage. Et l'un d'entre eux donnera nettement son opinion en ce sens : « L'in- « tendant (du Dauphiné) estime qu'il faut partager par portions « égales entre tous les chefs de famille. Si l'on partageait rela- « tivement aux possessions, la majeure partie des communaux « passerait entre les mains des nobles et des ecclésiastiques qui « sont déjà les plus gros tenanciers, et les habitants roturiers, « qui sont les vrais cultivateurs, n'auraient que la plus petite « portion (4). » Ainsi ce seraient les privilégiés, les riches, qui s'enrichiraient encore, ceux qui ne labourent ni ne sèment, bref les oisifs. Le Conseil du roi suit les intendants, quand ces grands administrateurs, dévoués à la chose publique, interviennent de toute leur autorité en faveur des pauvres villageois.

Ainsi l'État semble favorable à la division du sol : il encourage

(1) Dossier de Crollon (généralité de Caen), Archives Nationales, H[1] 1488.

(2) En Artois, l'édit de 1773 sur le partage des communaux et le dessèchement des marais prescrit le partage égal par chefs de famille, le tiers réservé au seigneur, Arch. Nat., H[1] 1488.

(3) C'est ce qu'on voit en 1782 pour la commune de Pérignat, en Auvergne, Arch. Nat., *ibid.*

(4) Pajot de Marcheval, intendant du Dauphiné (21 déc. 1773), Arch. Nat., H[1] 1489[1].

les défrichements, en exemptant les terres conquises à la culture de toutes impositions pendant un long temps ; les partages de communaux entre les habitants, souvent en portions ménagères, ou suivant des modes mixtes qui ne sacrifient pas entièrement les pauvres. Il laisse, il est vrai, dans les pays à champs ouverts de l'Est et du Nord, la liberté de clore et de supprimer toute vaine pâture pour le bétail des habitants du village : autorisation générale, qui n'est pas une règle absolue, mais seulement une permission, et qui cependant favorise les gros producteurs, nobles, ecclésiastiques et grands bourgeois. C'est une politique agraire qui semble obéir à des principes opposés ; l'intérêt de la production, comme l'intérêt des petits et le souci de la justice. Politique différente de celle de l'Angleterre, qui procède, à cette époque, à de graves transformations agraires, où sombrent les derniers droits collectifs, où les « actes d'enclosure » du Parlement se multiplient, à la demande expresse des grands propriétaires des villages ; ainsi sont clos les champs ouverts *(openfield)*, les prés et les labours, porteurs de grains, sans que les petits propriétaires, trop peu nombreux et trop faibles devant le *landlord*, aient pu s'y opposer ; si bien que, vers 1770, et de plus en plus, les pauvres sont dépouillés de leurs usages collectifs sur l'*openfield* et même sur le *common*. Sans doute bien souvent la révolution gronde. Petits propriétaires et pauvres gens s'insurgent ; mais force reste à l'« act » du Parlement ; *common* et *openfield* disparaissent, et on a un « village déserté » de plus : c'est l'exode des pauvres vers la ville et l'atelier. En France, les intendants des généralités, et souvent sur leur initiative, le Conseil du roi surent résister aux intérêts égoïstes des grands propriétaires et mirent dans leur politique agraire plus de justice, plus d'humanité. Ce n'était pas un système imaginé à souhait, comme le système britannique, pour broyer les droits et les initiatives individuelles des petits possesseurs du sol et pour forcer ces pauvres gens à déguerpir et à fournir une main-d'œuvre croissante à la grande et dévorante industrie : système mixte, essentiellement français, pénétré du principe de l'utilité générale et du sentiment encore plus noble de la justice sociale.

Pourtant la monarchie française, qui dès Louis XIV, a accordé aux seigneurs le droit de « triage » dans les communaux — c'est souvent pure confirmation d'une usurpation — laisse nobles et ecclésiastiques accaparer des terres vagues et incultes, que ceux-ci afféagent à de gros fermiers ou à des bourgeois capitalistes, prêts eux-mêmes à les morceler en petites portions. Le droit de propriété des « communautés d'habitants » est même contesté, et l'État laisse dire et faire. Au reste, à cette époque, comme à d'autres — on l'a vu au temps de Colbert — l'État cherche à reconstituer son « domaine », à revendiquer ses droits sur des alluvions et des îles dont des paysans ou des seigneurs se sont emparés à leur aise ; et, tout comme le roi, nombre de seigneurs (nobles, ecclésiastiques, ou riches bourgeois) usurpent à leur tour landes, bruyères et friches, prétextant l'intérêt général de la culture. Le mouvement agricole entraîne tout. Il faut produire davantage pour suffire à la nourriture d'une population qui, dans une période de prospérité générale, ne cesse de croître. De là les tendances aux défrichements et à l'exploitation d'une partie des communaux comme à l'augmentation du rendement par la clôture, et même à des progrès techniques, tels que la suppression de la jachère et la pratique des prairies artificielles, du moins dans les régions les plus favorisées ; toute une propagande du pouvoir central, sous Bertin, et des intendants, ainsi que des nombreuses « Sociétés d'agriculture ». De là, à côté de ces efforts vers la multiplication des propriétés et des petits propriétaires, une tendance, non plus à la division, mais à la concentration du sol et à la formation de grandes exploitations, qui, pourvues de capitaux et d'un outillage plus moderne, donneront un rendement supérieur à celui des petites fermes. Déjà commence, dans le Nord et l'Ouest, la réunion de plusieurs fermes dans les mains d'un seul fermier, au détriment des petits exploitants. Et l'État n'intervient pas : de quel droit empêcherait-il le grand propriétaire de « démasurer » ses terres, de détruire des bâtiments, d'entretien très coûteux, et de concentrer son exploitation, pour réduire ses frais et élever sa rente foncière ? N'est-il pas de l'intérêt de l'État que la production des grains augmente ? Sans doute le groupe des petits fermiers ne trouvera plus de ferme à exploiter ; mais la masse du prolétariat rural aura du pain à manger (1).

En attendant, l'État maintient fortement le régime seigneurial, vient à l'aide des nobles, des Parlementaires et de nombre de gros bourgeois, acquéreurs de fiefs importants depuis deux siècles. Peut-être, d'ailleurs, le maintien de ce régime a-t-il contribué à conserver une foule de tenures perpétuelles et héréditaires et à sauvegarder l'existence d'une armée de petits propriétaires, contrairement à ce qui se passe alors en Angleterre, où l'on voit disparaître tant de *yeomen* et de petits *cottagers*. Mais ce vieux régime tend à prendre plus de consistance. Vers 1770, commence, çà et là, une réaction seigneuriale, qui deviendra bientôt méthodique ; c'est encore une forme de cette domination

(1) Dès 1760, réunion de fermes, dans le Valois.

aristocratique qui s'est poursuivie, dans tous les domaines, au cours du siècle. Et la monarchie la laissera grandir et même s'exaspérer. Car le roi, « seigneur fieffeux » du royaume, voudra la mettre à profit et en tirer, pour son domaine propre, des ressources nouvelles. Cependant, vers 1770, la prospérité régnant encore, on accepte sans trop de plaintes les réfections de terriers et toute la restauration des droits seigneuriaux longtemps négligés. Viennent les mauvaises récoltes ou la baisse des prix, la réaction seigneuriale se montrera de plus en plus vexatoire et odieuse au petit tenancier. Toutes ces conjonctures ne sont pas loin de survenir : déjà en 1771, c'est une mauvaise récolte ; d'où la suppression par Terray, de la liberté d'exporter des grains ; alors commence une crise de l'économie et aussi des finances de l'État (1).

Pourquoi la monarchie qui, au XVIIe siècle, avait si souvent soutenu les petites gens du tiers état contre leurs seigneurs, en Auvergne, en Bourgogne et ailleurs, a-t-elle perdu le souvenir de ses traditions, tantôt défendu, tantôt abandonné ses plus humbles sujets à l'avidité de l'aristocratie foncière, pour les sacrifier complètement, comme on peut déjà le redouter vers 1770-1771 ? C'est qu'elle n'a, dans aucun domaine, la fermeté des desseins, qu'elle flotte au caprice du roi et de ses ministres, qu'elle n'est plus une monarchie puissante, à l'arbitrage suprême, malgré les apparences et les sursauts du despotisme, mais une monarchie faible, au service de l'aristocratie.

II. — Dans le domaine industriel et commercial, la monarchie a continué, comme au temps de Colbert, à favoriser le progrès de la production et le capitalisme. C'était l'intérêt de l'État et de la société en général et même celui des nombreux ouvriers des campagnes, à une époque où la population devenait très dense dans plusieurs provinces (Flandre wallonne, Lyonnais, Haute-Normandie) et, n'étant pas propriétaire de terre, ne pouvait vivre que du travail industriel à domicile. Ici, comme auparavant, deux attitudes semblent s'opposer l'une à l'autre. L'État maintient un régime corporatif sévère, étroit, incapable de satisfaire à la demande du marché intérieur, à plus forte raison à celle de l'extérieur. C'est pour le vivifier que l'État cherche à faire la chasse aux métiers libres — ils sont encore fort nombreux dans la plupart des villes, à Lille (2), à Dijon, à Poitiers, à Nevers (3),

(1) Voir plus loin, p. 194.
(2) Il y a encore vingt-deux métiers libres à Lille en 1750, voir A. de Saint-Léger, *Histoire de Lille* (1944), p. 315.
(3) Sur Nevers, voir le livre de Guéneau ; sur Poitiers, Boissonnade, *Essai sur le régime du travail en Poitou*, t. II ; sur Dijon, H. Hauser (Compagnonnages) et Roupnel.

par exemple — et à les faire entrer de force dans les traditionnelles corporations jurées. Mais il a beau faire. Les corporations sont, d'ailleurs, sans force et périclitent sous les assauts du capitalisme. On l'a bien vu déjà à Lyon (1). Dans toutes les grandes villes, comme à Lyon, les « marchands-fabricants » se subordonnent les maîtres-ouvriers des corporations, qui travaillent pour eux, comme de simples ouvriers à leurs ordres. Et non seulement ils s'emparent du travail urbain, mais plus que jamais, selon une tradition assez ancienne, du travail rural. Sans doute les corporations des villes n'ont jamais vu que de mauvais œil cette industrie des campagnes. Il faut bien pourtant qu'elles finissent par accepter une concurrence qui les lèse gravement, et que soutiennent de toute leur puissance les grands « marchands-fabricants ». Quelle lutte entre le jeune capitalisme et la vieille corporation ! Quand, sous la pression des intérêts et des besoins nouveaux, le Conseil du roi accorde aux campagnes la liberté de fabriquer — qu'elles avaient prise déjà — une foule de petites villes, de bourgs et de villages répondent à cet appel par un travail plus ardent, et les métiers corporatifs des grandes villes voisines, dont l'industrie périclite, se dressent contre l'édit de liberté, faisant valoir la différence de situation, pour un fabricant, à la ville et à la campagne, les avantages des ouvriers ruraux, le peu de frais qu'exigent leur logement et leur nourriture : long procès que Lille engage, au Conseil du roi, avec les bourgs voisins du « plat pays » ; en vain, d'ailleurs. Comment le Conseil du roi résisterait-il à un mouvement social inévitable et qui seul peut permettre à l'industrie d'alimenter le marché intérieur au pouvoir d'achat croissant, et le marché extérieur qui va s'élargissant vers les Amériques et les vastes contrées de l'Océan pacifique (2) ?

L'État favorise encore les capitalistes par ses concessions de mines. On trouve parmi les concessionnaires bourgeois riches et grands seigneurs. A Anzin, la « Compagnie », définitivement constituée en 1757, fait de rapides progrès, si bien que, en 1771, le bénéfice est déjà de 360.000 livres : compagnie unique, qui a un véritable monopole de vente, malgré la tentative de Trudaine de fonder trois compagnies, dont la concurrence aurait fait baisser le prix du charbon (3). L'État ne prélève qu'une part infime des

(1) Voir plus haut, p. 63.

(2) A. de Saint-Léger, *Histoire de Lille*, 1944, p. 315. Edit. de 1762.

(3) *Les Mines d'Anzin et d'Aniche pendant la Révolution*, recueil de documents, avec introduction, publiés par A. de Saint-Léger, 3 vol. in-8°, 1935-1938 (Coll. de documents inédits sur l'histoire économique de la Révolution) ; voir le t. Ier, introduction. La première société d'Anzin date de 1717, avec Nicolas Désandrouin (de Condé) et Jacques Désandrouin, possesseur de

bénéfices sur le produit d'une énorme richesse nationale passée aux mains d'une poignée de capitalistes.

Pourtant, si l'État continue, comme par le passé, à concéder de tels monopoles à de grands seigneurs, voire à des bourgeois, il arrive, en 1769, tant sont puissants les principes de liberté, prônés par les physiocrates et tous les économistes, à abolir un des plus grands monopoles, celui de la Compagnie des Indes orientales, et à rendre entièrement libre le commerce colonial : préface au relèvement des ports, en particulier de Marseille.

Sans doute tous les règlements ne sont pas encore tombés ; les métiers corporatifs gardent les leurs. Puis restent les éternelles entraves au commerce : douanes provinciales, droits élevés à l'entrée du royaume ; séparation du « Pays conquis » (Flandres, Artois, Cambrésis, Hainaut) du reste de la France par une ligne douanière et des Pays-Bas par une autre ; séparation encore de l'Alsace, de la Lorraine et des Trois-Évêchés par des douanes du côté de la France. Tout le régime fiscal subsiste, plutôt aggravé : Terray a été obligé de proroger le second vingtième. Les incidences des impôts sur la vie économique deviennent de plus en plus onéreuses. Mais, dans les années de prospérité extraordinaire qui ont suivi la paix, de 1763 à 1770, fabricants et marchands, comme propriétaires, fonciers ou fermiers paient les multiples taxes et les lourds impôts assez aisément, le profit, pour tous considérable, permettant de les supporter. Toute cette dure fiscalité royale ne peut être soufferte que dans une période économique de grande expansion et sous un régime de très hauts prix et d'énormes profits. Vienne la régression, toujours à redouter — comme le malheur pour l'homme heureux — et tout sera changé de fond en comble.

III. — *L'État et la religion*

Bien que le gouvernement de Louis XV, surtout après 1750, ne fasse plus la guerre aux consciences, et qu'il renonce, en fait, aux persécutions qui marquèrent encore la minorité du roi, il ne peut se désintéresser des querelles religieuses qui troublent l'ordre ni des attaques des philosophes à la religion qui inquiètent beaucoup d'esprits. Le roi de France reste le défenseur de l'Église ; il est le dispensateur de ses biens temporels ; par les choix qu'il

mines près de Charleroi et son frère Pierre ; Pierre Taffin (de Valenciennes) ; Desmelles, maître verrier à Fresnes, etc. En 1757, on trouve le duc de Croÿ, le marquis de Cernay et Désandrouin.

fait de ses évêques, il a même la charge de ses intérêts spirituels. Il est vrai qu'ici, comme ailleurs, de plus en plus, le régime de la faveur prévaut : désormais plus de nominations de roturiers à l'épiscopat ; tous les sièges sont réservés à la Noblesse, et le plus souvent aux très grandes familles ; les cadets de maisons moins illustres attendent : le « ministre de la feuille des bénéfices » est pour eux plus exigeant. Il semble même qu'au cours du siècle les plus beaux évêchés échoient à quelques grandes familles, les La Rochefoucauld, les Rohan. La Noblesse écarte définitivement la Bourgeoisie, qui a pourtant donné à l'Église de France ses plus illustres évêques, Bossuet, Fléchier, Massillon, Mascaron, et la Noblesse de Cour ne laisse à la petite Noblesse que les « évêchés crottés », Luçon, l'ancien évêché de Richelieu, Fréjus, l'ancien évêché de Fleury, Senez, Riez, Vence et quelques autres très mal rentés. Le très haut Clergé devient une caste. Le roi a de plus en plus servi les intérêts et les ambitions de la grande Noblesse de Cour. Dans le domaine ecclésiastique, comme dans tous les autres, c'est la pente fatale de la monarchie déclinante.

Le gouvernement ne persécute plus systématiquement les protestants (1). Les guerres européennes auxquelles il prend part lui commandent le souci de la paix à l'intérieur du royaume. Les ordonnances, celles de 1724 notamment, subsistent, mais sur l'exécution de ces dures lois les intendants ferment souvent les yeux. Les Assemblées générales du Clergé de France tonnent, de temps à autre, contre l'hérésie ; mais, après la guerre de Sept ans, ministres et intendants, imbus des idées nouvelles, ne se donnent même plus la peine de protester ; d'autant que certains évêques se montrent opposés à une politique de persécution, suivant en cela la doctrine de leur ancien condisciple en Sorbonne, Turgot, qui dans ses *Lettres sur la Tolérance* et dans *Le Conciliateur* (1753) a réclamé pour les protestants les droits civils et conseillé au moins la tolérance civile (2).

Cependant l'État, qui ne voudrait pas avoir à se mêler des querelles religieuses, si vives et si tenaces encore, laisse agir l'Église, la Sorbonne et les Parlements. Il repousse, quant à lui, tout fanatisme. Un ministre comme Choiseul aura plutôt de la sympathie pour les philosophes qui prêchent la tolérance.

(1) Mais il maintient les lois de 1685 et de 1724 contre eux. L'exclusion des protestants des corporations jurées qui existait au XVIIe siècle, et même dès l'époque de Richelieu en Poitou, subsiste toujours (cf. Boissonnade, *Essai sur le régime du travail en Poitou*, t. II, p. 353).

(2) Voir L. Lévy-Schneider, *L'Autonomie administrative de l'Episcopat français à la fin de l'Ancien régime*, dans la *Revue historique*, t. CLI, 1926, et son ouvrage sur Champion de Cicé.

Cependant, au milieu de fanatiques, comme il advint de 1751 à 1753, quelle conduite tenir ? Le Jansénisme, ou plutôt un gallicanisme farouche — car, depuis longtemps, le jansénisme, qui s'est adouci sur le dogme de la grâce, s'est d'autant moins apaisé sur la discipline et les relations de l'Église avec l'État — et l'ultramontanisme, soutenu par les Jésuites et la plupart des évêques, se dressent de nouveau l'un contre l'autre, comme au temps du cardinal Fleury. Que de « jansénistes » encore, adversaires obstinés de la « Bulle », parmi les curés, les « prêtres habitués » et les moines ! Que de jansénistes et de gallicans surtout dans la magistrature et la Bourgeoisie, voire parmi le petit peuple de Paris, celui des vieilles paroisses où le souvenir de Port-Royal s'est conservé aussi vivant que jadis. Or les ultramontains deviennent de plus en plus exigeants à l'égard des fidèles suspects de jansénisme, et des prêtres « appelants » de la « Bulle ». La pratique des billets de confession, très irrégulière suivant les provinces, les villes ou les campagnes (1), n'avait jamais empêché un fidèle de communier, de recevoir l'extrême-onction. Cependant au diocèse de Paris, sous l'archevêque Christophe de Beaumont, des refus de sacrement à des jansénistes ou à des fidèles qui, à l'article de la mort, se sont confessés à des prêtres jansénistes, provoquent un énorme scandale, dans une société où la plupart des gens croient en Dieu et en Christ et, qui, à leur dernière heure, sont très inquiets pour leur salut. Alors le gouvernement est obligé d'intervenir, une fois de plus. Le Parlement gronde. Christophe de Beaumont est exilé. Le roi impose la loi du silence (1752). Le Parlement, enfiévré, résiste ; il est frappé à son tour, mais, suivant la politique d'un gouvernement qui finit toujours par céder, il est bientôt rappelé.

Dans toutes ces contestations religieuses l'État n'agit que par lassitude. On n'est plus au temps où Louis XIV luttait jusqu'à son dernier souffle pour imposer sa paix religieuse. Louis XV ne soutient, lui, aucun parti, ni n'impose plus la « Bulle », et sans doute est-ce sur son initiative que le pape finit par faire des concessions sur les billets de confession. L'esprit du siècle penche vers les transactions. Si c'est encore pour beaucoup de chrétiens une question vitale que la confession et la communion suprême,

(1) Voir Léon Cahen, *Les Querelles religieuses et parlementaires sous Louis XV* (Paris, Hachette, 1913, in-12), p. 52, n. 2, d'après Joly de Fleury (En Normandie, on exige les billets de confession dans les campagnes, mais point dans les villes ; de même en Franche-Comté. L'usage en a été autorisé dans les diocèses de Toulouse et de Rodez, dans les villages seulement.) — On n'a jamais refusé en province à la Sainte Table pour défaut de billet de confession.

en vue du salut, ce n'en est plus une pour personne, ni pour l'État, que l'acceptation de la Bulle Unigenitus. Pour la monarchie, le temps du fanatisme est passé.

Et voilà pourquoi elle laisse tomber les Jésuites (1762-1764). Ils paient, sous des prétextes d'opérations commerciales et de violation de leurs Constitutions, leur despotique domination d'un siècle et demi. Est-ce calcul du gouvernement ? Laisser le Parlement de Paris condamner la « Compagnie », sans intervenir dans le procès, afin de ne l'avoir pas trop contre lui dans ses réformes financières et ses nouvelles levées d'impôts, déjà si attaquées, n'est-ce pas sans doute les motifs de la conduite de Choiseul et Louis XV ? Au reste, ni Louis XV n'a le moindre soupçon de haine à l'égard des Jésuites, ni même peut-être Choiseul, malgré ses relations étroites avec les Parlementaires et avec les philosophes.

Pas davantage d'intervention du roi et des ministres dans les procès de Calas, de Sirven, du jeune chevalier de La Barre. Ils laissent les Parlements agir — n'est-ce pas la justice ordinaire ? — et se discréditer dans l'opinion. Mais, comme les Parlements sont, du fait de leur prétendu contrôle financier, en complète révolte contre l'autorité royale, Louis XV vient au Palais, dans un lit de justice, ordonner l'enregistrement de ses édits fiscaux, et déclarer, à l'encontre de toutes les théories parlementaires, que la puissance législative, comme l'exécutive, appartient au souverain seul, « sans dépendance et sans partage » (1766). Après quoi, les esprits des Parlementaires s'échauffant, il profitera de la campagne de Voltaire et des philosophes et de la révolte de l'opinion publique contre les erreurs judiciaires et les cruautés de la magistrature pour abolir, sous l'inspiration de son chancelier Maupeou, tous les Parlements du royaume (1770-1771). Politique de bascule, qui laisse détruire les Jésuites par les Jansénistes et Gallicans, puis les Parlements jansénistes et gallicans par les « dévots », et qui n'a plus rien à voir avec la religion. Voilà la monarchie délivrée des partis extrêmes, qui troublaient les esprits, et de ses plus obstinés adversaires, les Parlementaires. Mais cette « révolution judiciaire » sera-t-elle définitive ? Et l'aristocratie, l'opinion publique même laisseront-elles le despotisme royal s'établir sans contrepoids ?

IV. — *L'État et l'Éducation nationale*

L'État s'est encore moins chargé de l'éducation de ses sujets que de leur religion ; car, au fond, la religion, il l'a imposée, en soutenant l'Église, et celle-ci à son tour le soutenant, contre l'hérésie ; mais il s'en est tenu longtemps au maintien de la discipline et des pratiques, sans entrer dans le for intérieur ; et, quand il a voulu pénétrer dans ce secret asile de la conscience, il s'est fourvoyé, comme Louis XIV, et n'a plus été obéi de tous. Dans le domaine de l'éducation, point de politique monarchique précise et constante : l'État entend seulement que l'on forme des sujets chrétiens, obéissants à l'Église et au roi, représentant de Dieu sur la terre ; et c'est la prescription de ses Ordonnances. Mais de l'orientation de l'éducation il ne se mêle point ; il laisse ce soin à l'Église, à l'Université, à des congrégations religieuses, à des municipalités, voire à des maîtres privés, auxquels il accorde l'autorisation d'enseigner. Cette éducation ne lui coûte rien ou presque rien. Dans le budget de l'État, où la Maison du roi coûte si cher, où les gratifications et les pensions données aux puissants sont si fortes, l'éducation ne figure point. Toutefois, comme un État bien ordonné et glorieux ne saurait briller dans le monde sans des Académies et quelques grands établissements de science et d'art, la monarchie, depuis Louis XIV surtout, accorde des subventions et des pensions aux écrivains, aux savants, occupe les artistes, développe les écoles techniques, dans l'intérêt de l'instruction et de l'industrie française. Les Académies, comme on l'a vu (1), sont, pour partie, de hautes écoles techniques. Le « Collège royal », le « Jardin du roi », établissements scientifiques, qui de plus en plus accusent ce caractère, peuvent servir aux progrès des sciences appliquées (2). L'État a fondé l'École des Ponts et Chaussées, sous la direction de Trudaine (1747). Il crée des écoles vétérinaires à Lyon, à Alfort, sous la direction savante de Bourgelat, Enfin l'École militaire, fondée en 1751, achevée en 1756, est une haute école professionnelle pour les futurs officiers de l'armée, qui y apprendront, outre la discipline et les exercices nécessaires au métier (équitation, natation, etc.) les sciences exactes et expérimentales, la géographie, l'histoire et même quelque langue étrangère : enseignement tout moderne qui contraste avec celui de tant de collèges voués au latin. Le mouvement de fondation d'écoles professionnelles — dans la tradition heureuse de Colbert — ira se développant.

A part cet ensemble d'établissements placés au sommet de l'éducation nationale, l'État n'en subventionne aucun autre, ni ne trace de programmes. Il laisse toujours les Jésuites enseigner

(1) Voir t. Ier, p. 89, 122.
(2) Le « Collège royal » (Collège de France) voit certaines de ses chaires d'érudition transformées en chaires de sciences expérimentales.

toutes choses comme ils l'entendent, c'est-à-dire en latin, expliquer du latin, et encore du latin, et presque rien d'autre ; et, quand ils disparaissent, il abandonne ceux de leurs collèges qui ne sont pas confiés à des religieux à des « bureaux », qui, composés de magistrats et d'officiers municipaux présidés par l'évêque (1), sont pénétrés d'idées plus modernes et plus nationales. Les collèges vivent des revenus de leurs biens-fonds, de fondations, de rentes, ainsi que des faibles rétributions de leurs élèves. Ils pullulent, dans les provinces du Nord et de l'Est, où petits bourgeois et « coqs de paroisse » apprécient l'instruction et ont de l'ambition pour leurs enfants. Heureusement, plusieurs ordres religieux, rivaux des Jésuites — Oratoriens, Bénédictins, Pères de la Doctrine chrétienne — sont là, pour diriger la plupart des collèges vacants ou y enseigner. L'Université de Paris ne demande aussi qu'à assumer une partie de la tâche, avec ses « régents » et les maîtres laïques qu'elle espère du nouveau concours d'agrégation ; enfin maîtres privés, « chefs d'institution » — encore des laïques — s'offrent aux familles. L'État n'a qu'à donner des statuts aux établissements anciens rénovés ou aux nouveaux et à laisser fonctionner les « bureaux » où les laïques, réformateurs de l'« enseignement national », sont en majorité. C'est ce qu'il fait, toujours à peu de frais.

Parlementaires et officiers municipaux prennent ainsi une grande influence sur l'organisation nouvelle, qu'ils ont suscitée. On sait combien les municipalités des villes, même les plus petites, tiennent à leur collège. Cependant certains collèges sont en décadence. L'autorité les fait fermer, comme celui d'Hesdin, en Artois (1763). Aussitôt la ville proteste. Mais l'intendant riposte : « Je conviens que les petits collèges donnent à nombre « de particuliers dont la fortune est médiocre la faculté de faire « élever leurs enfants, ce qu'ils ne pourraient faire s'ils étaient « obligés de les envoyer dans une grande ville et d'y payer pour « eux une pension. Mais je suis bien éloigné de croire que ce soit « un bien pour l'État d'ouvrir des collèges aux enfants de la « campagne et aux fils d'artisans dans les villes : la plupart ne « deviennent que des sujets médiocres qui, après avoir épuisé « leurs familles pour achever leurs études, n'en profitent que « pour augmenter le nombre des religieux mendiants beaucoup « moins utiles à l'État sans doute que les bons ouvriers ou « laboureurs (2). » Question sociale, que l'intendant résout dans

(1) Le Bureau est composé de : deux magistrats, deux officiers municipaux, deux notables, le principal du collège ; l'Evêque, président.

(2) Lettre de l'intendant de Flandre et Artois (22 sept. 1768), citée dans

le même sens que jadis Richelieu, et que Voltaire et nombre de philosophes du siècle. Cela n'empêchera pas le royaume de compter, en 1789, cinq cent soixante-deux collèges, grands et petits, en dehors des institutions privées, où l'on apprend le latin à des fils de paysans et d'artisans, sans profit pour eux ni pour la société.

Quant à l'enseignement élémentaire, il continue à être donné, grâce au Clergé et aux fondations anciennes, par des ecclésiastiques, surtout par les « Frères des Écoles chrétiennes », avec un dévouement complet, mais il n'y a pas encore d'écoles dans toutes les paroisses, et dans certaines ce n'est que l'école du dimanche où l'on « enseigne simplement le catéchisme ». La monarchie s'est entièrement reposée sur le Clergé ou les libéralités de généreux fondateurs pour développer cet enseignement si nécessaire. Au reste, la tâche était énorme et bien au-dessus des ressources de la royauté et même de l'Église.

V. — *L'État et l'Assistance*

Il est un autre service social dont l'État monarchique a toujours abandonné le soin et les frais à d'autres : fondateurs, municipalités, Église surtout. Bien que des rois et des reines aient parfois fondé des hôpitaux, comme le Val-de-Grâce, d'Anne d'Autriche, c'est l'Église qui les a créés presque tous, qui les dirige, qui désigne les religieuses se vouant au service des malades par un vœu spécial ajouté aux trois autres, celui d'hospitalité. Il n'y a donc pas, ici encore, de budget d'État ; il y a, si l'on peut s'exprimer ainsi, un budget de l'assistance, dont le Clergé surtout fait les frais. Il est hors de doute que, depuis le XVIIe siècle, des évêques, des religieux, de riches et pieux bénéficiers ecclésiastiques ont eu pleine conscience du devoir que leur dictaient les canons de l'Église de réserver une part des revenus du Clergé aux pauvres et aux infirmes. L'archevêque de Paris Christophe de Beaumont donnera 500.000 livres pour construire l'hôpital Necker. Dans les grandes crises de la misère publique, ces fondations charitables ne suffisant pas, l'État, depuis Louis XIV, a l'habitude d'ouvrir des « ateliers de charité », pour les pauvres qui vont travailler dans des hospices, des hôpitaux ou sur les routes. Mais ce n'est qu'un expédient peu efficace eu égard aux besoins. Heureusement, de 1750 à 1770, dans cette féconde

Meunier, *Histoire d'Hesdin*, p. 220. Voir aussi l'opinion de Richelieu, t. Ier de cet ouvrage, p. 83.

période d'expansion économique, les intendants n'eurent pas besoin d'y recourir souvent.

Cependant des idées nouvelles commencent à faire leur chemin. La morale sociale, qui pénètre de plus en plus parmi l'élite de la nation, conduit tout droit à l'assistance par l'État, et non plus seulement par le Clergé ou des bienfaiteurs privés. L'*Encyclopédie*, qui proclame le devoir de travailler et souhaite même « des lois contre l'oisiveté » (1), déclare aussi le droit au travail : « Tout homme qui n'a rien au monde, et à qui on défend « de mendier, a droit de demander de vivre en travaillant (2). » En cas de refus de travail, c'est le « droit à mendier », le droit à l'aumône. Peu à peu cette idée de bienfaisance et même d'assistance par la société va s'implanter dans les esprits. Elle grandira après 1770. L'État reconnaîtra un jour tout son devoir à l'égard des pauvres et des malades et n'abandonnera plus entièrement l'assistance au Clergé. Et l'assistance pourra devenir un service public, comme l'éducation nationale.

VI. — *L'État et la Pensée française*

Ce sont là des aspirations nationales que les philosophes ont exprimées maintes fois depuis Montesquieu, tout en critiquant la puissance que les services de l'éducation et de l'assistance donnent, aux dépens mêmes de l'État, à l'Église de France (3). Aussi l'Église, la Sorbonne ne cessent de harceler les philosophes et de réclamer du pouvoir la suspension et même la condamnation de tous les ouvrages hostiles aux institutions existantes, voire à la religion. Et le Parlement de Paris, janséniste encore, se met, lui aussi, de la partie. Au milieu de ces sollicitations, décisions et « arrêts », quelle conduite va tenir l'État ? En réalité, il a édifié depuis longtemps (4) toute une législation de la presse, dont l'exécution appartient au seul chancelier de France. Il désigne ses « censeurs » de livres, qu'il multiplie, à cette époque d'intense activité littéraire, philosophique et scientifique (5). Il a

(1) Contre l'oisiveté, article signé D. J. (De Jaucourt) : « La pratique de l'oisiveté est une chose contraire aux devoirs de l'homme et du citoyen, dont l'obligation générale est d'être bon à quelque chose, et en particulier de se rendre utile à la société dont il est membre... »

(2) Article *Travail, Encyclopédie, Supplément*, t. III.

(3) Voir plus haut, p. 88.

(4) Voir le t. Ier, p. 84.

(5) Il y a quatre-vingt-deux censeurs en 1751 ; il y en a cent vingt et un en 1763. Voir F. Brunetière, *La Direction de la Librairie sous Monsieur de Malesherbes*, dans ses *Etudes critiques sur l'histoire de la littérature française*, 2e série, 1904, in-12, p. 144-223.

un « directeur de la Librairie », sorte de ministre de la Presse, à qui tous pouvoirs sont délégués par le Chancelier. De 1750 à 1763, c'est Malesherbes. Quelle tâche ! Il avait bien une politique indépendante ; mais il rencontre devant lui d'abord le chancelier, puis les ministres, qui veulent, eux aussi, dire leur mot. Aussi point de politique constante, pas plus, d'ailleurs, que dans les divers domaines de l'administration. De son côté, agit le Parlement, condamnant certains ouvrages dont il fait brûler en grande cérémonie un exemplaire sur les degrés du Palais, ou même décrétant auteurs et libraires de prise de corps. Aucune sécurité pour les écrivains et leurs auxiliaires. Sans doute il est des accommodements : des permissions tacites et des impressions clandestines, au titre étranger. Malesherbes veille : cet esprit supérieur est tout favorable à l'expression de la pensée française et de son rayonnement dans le monde, comme au progrès de la librairie et des bénéfices qu'elle rapporte à la société et à l'État. Mais que de courants d'influence opposés ! A certains moments, toute la bonne volonté, toute l'habileté de Malesherbes ne peut rien. C'est malgré lui qu'est prononcée la suspension de l'*Encyclopédie* par le Conseil du roi, après la publication des deux premiers volumes (1752).

Véritable affaire d'État. On a cru apercevoir des articles d'opinion matérialiste. La thèse où l'abbé de Prades, un des rédacteurs de l'*Encyclopédie*, prétendait que la matière peut penser, condamnée par la Sorbonne, fait scandale. Voilà l'*Encyclopédie*, qui a recueilli quatre mille souscriptions, interrompue : gros préjudice, matériel, car cet ouvrage coûte 1.200 livres, et préjudice spirituel. Alors, sur les instances des éditeurs, des directeurs Dalembert et Diderot, de Mme de Pompadour même, la suspension est levée. Mais, après cinq autres volumes, nouvelle suspension : on a remarqué des articles matérialistes d'Helvétius et de l'abbé de Prades (1758). Bientôt le Parlement condamne le livre d'Helvétius, *De l'Esprit* (1759) ; Tercier, censeur, responsable, donne sa démission, et Choiseul profite de l'arrêt du Parlement pour destituer Tercier, « premier commis » aux Affaires étrangères (1). Dans tout cela Malesherbes ne peut rien. Il peut, du moins, empêcher la saisie de bon nombre d'exemplaires, qu'il cache dans son cabinet et ses bureaux, en attendant que l'*Encyclopédie* reparaisse, sous la pression des philosophes, des souscripteurs (parmi lesquels des personnages influents) et même de

(1) Cette destitution a de tout autres motifs que l'affaire de l'*Encyclopédie*. Elle doit être cherchée dans l'influence de Tercier sur les Affaires étrangères, dans sa participation au « secret » du roi — il était en rapports personnels avec le roi.

ministres. Mais quel tourment pour le grand metteur en œuvre de cette énorme entreprise, déjà abandonné du prudent Dalembert et des grands chefs de la philosophie !

Diderot va lutter jusqu'au bout, avec ses écrivains fidèles, d'opinions assez diverses, mariant, dans ses derniers volumes, des articles de nuances différentes, tantôt hostiles, tantôt favorables aux traditions religieuses ou sociales, mais poursuivant toujours le grand but de cette étonnante synthèse des sciences théoriques et techniques qui va fonder en France la sociologie humaine (1). Il connaît des moments de désespoir (2) ; même il craint pour sa liberté ; c'est alors que Voltaire le presse de fuir, en cette fatale année 1766, où l'intolérance fanatique des Parlements menace toute liberté de pensée et de conscience. Mais le grand travailleur demeure à son poste, attaché par les liens de famille et d'amitié, attelé à sa tâche presque terminée (3). A l'illustre et prudent ermite de Ferney il répond (4) : « Monsieur et cher maître, je sais bien « que quand une bête féroce [le Parlement] a trempé sa langue « dans le sang humain, elle ne peut plus s'en passer ; je sais bien « que cette bête manque d'aliment, et que, n'ayant plus de « Jésuites à manger, elle va se jeter sur les philosophes. Je sais « bien qu'elle a les yeux tournés sur moi, et que je serai peut-être « le premier qu'elle dévorera... Je ne me dissimule rien, comme « vous voyez ; mon âme est pleine d'alarmes ; j'entends au fond « de mon cœur une voix qui se joint à la vôtre et me dis : « Fuis, « fuis ! » Cependant je suis retenu par l'inertie la plus stupide et « la moins concevable, et je reste. C'est qu'il y a à côté de moi « une femme déjà avancée en âge, et qu'il est difficile de l'arracher « à ses parents, à ses amis et à son petit foyer. C'est que je suis « père d'une jeune fille à qui je dois l'éducation ; c'est que j'ai « aussi des amis... Illustre et tendre ami de l'humanité, je vous « salue et vous embrasse... Si nous ne concourons pas avec vous « à écraser la bête, c'est que nous sommes sous sa griffe ; et si, « connaissant toute sa férocité, nous balançons à nous en éloigner, « c'est par des considérations dont le prestige est d'autant plus

(1) René Hubert, *Les Sciences sociales dans l'Encyclopédie* (thèse Lettres, Paris, 1923).

(2) Trahison de l'éditeur Le Breton, exagérée sans doute par Diderot : Lettre à Le Breton (12 nov. 1764).

(3) Les derniers volumes du texte de l'*Encyclopédie* ont paru (1765). Mais restent les volumes de planches, dont les derniers ne paraîtront qu'en 1772. Or ces planches sont essentielles à l'intelligence des articles sur les arts et les métiers, qui sont une des principales originalités de toute l'œuvre.

(4) On n'a point la lettre de Voltaire. On la connaît en gros par Naigeon. Voir J. Texte, *Extraits de Diderot*, p. 319, qui donne la lettre de Diderot, (juillet ou août 1766.)

« fort qu'on a l'âme plus honnête et plus sensible. Nos entours « sont si doux, et c'est une perte si difficile à réparer ! » C'est dans ces transes que Diderot achève enfin sa grande entreprise philosophique et sociale, celle qui a marqué le siècle.

Que de discussions les censeurs, le directeur même de la librairie n'ont-ils pas avec les écrivains ! C'est un mot, une phrase, tout un développement dont le censeur demande à l'auteur le remplacement ou la suppression. S'agit-il d'œuvres importantes, c'est Malesherbes lui-même qui les lit. Il a la spécialité des relations avec les auteurs récalcitrants, comme Diderot. Au deuxième acte du *Père de famille*, Malesherbes trouve une prière à Dieu, que dit le père pour émouvoir son fils : « Mon fils, il y « aura bientôt vingt ans que je vous arrosai des premières larmes « que vous m'ayez fait répandre. Mon cœur s'épanouit en voyant « en vous un ami que la nature me donnait. Je vous reçus entre « mes bras du sein de votre mère, et vous levant vers le ciel, et « mêlant ma voix à vos cris, je dis à Dieu : « O Dieu ! qui m'avez « accordé cet enfant, si je manque aux soins que vous m'imposez « en ce jour, ou s'il ne doit pas y répondre, ne regardez point à « la joie de sa mère, reprenez-le. » Malesherbes demande la suppression de cette prière. Cris d'aigle, de Diderot. On lui propose un nouveau censeur, des corrections. « Mais, monsieur, écrit-il à Malesherbes, votre dessein n'est pas de me ruiner. » Les censeurs Moncrif et Bonamy refusent d'approuver la prière. Et Diderot la laisse dans son drame. Ce qui n'empêchera pas Malesherbes de coopérer clandestinement à l'impression des dix derniers volumes de l'*Encyclopédie* (1).

Que de peine se donne encore Malesherbes pour éviter à Rousseau toute imprudence ou toute dangereuse interprétation d'une phrase, d'un simple mot ! Mais aussi que deviendraient les ouvrages du grand écrivain, que resterait-il de sa pensée originelle s'il cédait aux instances de son trop bienveillant directeur ? On sait que Malesherbes, sous l'influence de la maréchale de Luxembourg, protectrice de Rousseau, voulut faire faire en France une édition de la *Julie (La Nouvelle Héloïse)*, en dehors de l'édition du libraire Rey, d'Amsterdam, à qui Rousseau avait déjà vendu son manuscrit. Alors que d'observations du directeur ! Que de « notes » de Rousseau, en réponse ! Malesherbes engage Rousseau à supprimer cette phrase : « La femme d'un charbonnier est plus « digne de respect que la maîtresse d'un roi. » Rousseau refuse : il n'a fait, en l'écrivant, d'application à personne. Pourtant il

(1) Brunetière, *art. cité*.

consent à remplacer le mot *roi* par le mot *prince*. Malesherbes fit mettre dans un exemplaire un carton où toute la phrase était supprimée : c'était l'exemplaire de Mme de Pompadour (1). Et Malesherbes continua à faire, dans cette édition de Paris, les retranchements qu'il jugea bon.

Que de questions délicates, en effet ! Ici Rousseau attaque, à l'occasion d'un cas particulier, l'exhérédation d'un fils qui s'est marié avec une actrice, contre le vœu de son père, gentilhomme breton, une autorité paternelle cruelle. Là il fait dire par un protestant [Saint-Preux], à propos du catéchisme, que Julie n'apprend pas encore à ses jeunes enfants, « afin qu'ils le croient « un jour ; j'en veux faire un jour des chrétiens » : « Ah ! j'y suis, « m'écriai-je ; vous ne voulez pas que leur foi ne soit qu'en « paroles, ni qu'ils sachent seulement leur religion, mais qu'ils la « croient ; et vous pensez avec raison qu'il est impossible à « l'homme de croire ce qu'il n'entend point. Vous êtes bien « difficile, me dit en souriant M. de Wolmar : seriez-vous chrétien, « par hasard ? Je m'efforce de l'être, lui dis-je avec fermeté. Je « crois de la religion tout ce que j'en puis comprendre, et respecte « le reste sans le rejeter. » Cette réponse d'un protestant à un athée, Rousseau, dans sa « note » à Malesherbes, qui la critique fort, la trouve « modérée ». Mais sa « note » l'est beaucoup moins. Malesherbes veut qu'on supprime texte et note (2). Nouvelles discussions au sujet de la lettre où Saint-Preux raconte comment de Wolmar est devenu athée (3) et surtout au sujet de la lettre de Saint-Preux à Julie sur la liberté (4). Rousseau, malgré la bienveillance du directeur, montre de l'humeur, polémique, aggrave le texte. Que de retranchements dans cette édition de Paris ! « Avec « de pareils scrupules, finit par dire Rousseau, je ne vois plus ce « qu'on peut laisser. Empêcher les gens de dire ce qu'ils doivent « dire selon leur façon de penser même en choses indifférentes, « c'est ajouter, en pure perte, des défauts au livre ; c'est lui ôter « l'air de la vérité. » Y aura-t-il donc deux éditions de la *Julie* : l'une, la vraie, chez Rey, d'Amsterdam ; l'autre défigurée, tronquée, chez Duchesne, à Paris ? Voilà à quoi aboutit la censure. L'État ne peut empêcher l'édition de Hollande, et il n'admet en France qu'une contrefaçon. Dira-t-on, malgré toute la sym-

(1) *Œuvres inédites de J.-J. Rousseau*, publiées par Musset-Pathay (Paris, 1825, 2 vol. in-8°), t. Ier, p. 50.
(2) *Julie ou la Nouvelle Héloïse*, Ve partie, lettre III, Saint-Preux à mylord Edouard, vers la fin de cette très longue lettre. (Ed. Garnier, in-12, p. 497). Voir *Œuvres inédites de J.-J. Rousseau*, p. p. Musset-Pathay, t. Ier, p. 52 à 61.
(3) Lettre V de la Ve partie, et Mussay-Pathay, p. 55-57.
(4) Lettre VII de la VIe partie, et Mussay-Pathay, p. 61.

pathie de Malesherbes pour l'auteur, que l'État se met ici au service de la pensée française ? Certainement, non. Mais pourra-t-on dire qu'il en est l'ennemi juré ? Pas davantage. C'est encore une politique louvoyante, arbitraire, en vue, semble-t-il, de prévenir la Sorbonne, l'Église et le Parlement.

Mêmes compromis, dans les arbitrages du directeur de la librairie entre les écrivains. Car ce n'est pas la paix qui règne parmi ce monde aux opinions opposées, si disputeur et si susceptible. Les philosophes ne supportent pas la critique des journaux. Voltaire accable Fréron, mais ne permet pas à Fréron de le juger. Diderot, Dalembert, Marmontel de même. Malesherbes, fort embarrassé, écrit à Morellet à propos des plaintes de Dalembert, et à Turgot, au sujet de celles de Marmontel (1758). « Je vous « envoie, monsieur, une lettre de M. de Marmontel avec la feuille « de Fréron qui y a donné lieu. Je conviens que la critique est « amère et peut-être injuste ; mais comment un homme qui a de « l'esprit et des lumières, et qui depuis bien des années ne cesse « de parler avec le public de principes de gouvernement et de « législation, veut-il que je me charge de réparer cette injustice ? « Ne voit-il pas à quel despotisme, puisque c'est le mot à la mode, « une pareille administration donnerait lieu ? Comment, d'ail-« leurs, ne sent-il pas le ridicule énorme qu'il partagerait avec « moi, s'il venait à transpirer qu'il a invoqué l'autorité au sujet « d'un libelle qu'il affecte de mépriser, et que j'eusse la complai-« sance ou la faiblesse de me mêler de cette affaire ? » Il les rappelle à la pudeur, tous ces philosophes qui s'acharnent contre leurs contradicteurs. Les encyclopédistes se plaignent de ce que l'auteur de l'*Année littéraire* parle fort mal d'eux. Mais l'arrêt du Conseil, de 1752, qui qualifiait l'*Encyclopédie* d'entreprise « tendant à élever les fondements de l'erreur, de la corruption des mœurs et de l'incrédulité » n'est-il pas au moins aussi insultant que le jugement de Fréron sur ce « scandaleux ouvrage » ? La feuille de Fréron, sur les instances de Dalembert, est suspendue. Mais Fréron est goûté du public. « Rendez-nous les feuilles de Fréron, écrit de Tressan à Malesherbes (septembre 1752), et tout le public vous en remerciera. » Et c'était vrai.

L'*Année littéraire* reparaît. Fureur des intraitables adversaires : Fréron n'a pas assez admiré le discours de réception de Dalembert à l'Académie. Nouvelle suspension, à la fin de 1754. Comment vivre, pour un homme de lettres, avec femme et enfants ? La comtesse de La Marck, émue, intervient généreusement en faveur de Fréron, et le journal reparaît. Mais quelle obstination de la secte ! C'est Voltaire, c'est Dalembert, c'est Marmontel, et Grimm, et d'autres encore, jusqu'à une femme de lettres, à qui Fréron a conseillé « de se faire retoucher par quelque « écrivain », et qui, voulant voir là une maligne allusion, en appelle à Malesherbes : « Je suis forcée de vous porter les plaintes « les plus amères sur le trait le plus outrageant peut-être qui « ait pu sortir de la plume de Fréron. Il attaque mon honneur et « celui de mon sexe... (1) » Fréron se débat, garde son libre jugement, critique avec goût, sait distinguer l'originalité et la nouveauté des œuvres de Rousseau, parle de Shakespeare avec une impartialité dont est incapable Voltaire, vieux et ancré dans ses idées ; c'est ainsi qu'il soutiendra trente ans avec honneur les droits de la critique littéraire (2). Au milieu de toutes ces rivalités, voire de ces haines, Malesherbes louvoie, penchant, il est vrai, trop souvent du côté de Voltaire et de Dalembert, du côté de la puissance.

Dans ces conditions, où est la liberté de penser et d'écrire ? On supprime votre feuille et votre gagne-pain ; on suspend à plusieurs reprises un grand ouvrage, fruit de la pensée française du siècle. On laisse le Parlement agir contre Helvétius, la Sorbonne contre l'abbé de Prades. Le Conseil du roi, qui n'a rien décidé contre le roman de Rousseau, édulcoré par Malesherbes, se réveille et condamne l'*Émile* (1761), que Malesherbes a laissé passer, et voilà Rousseau, « citoyen de Genève », sur les routes de l'exil. Le Conseil condamne encore le *Bélisaire*, de Marmontel, pour ses attaques contre le fanatisme, et Marmontel va à la Bastille ! Faudra-t-il donc que les écrivains déguisent leur pensée, s'inquiètent de l'interprétation qu'un des puissants du jour donnera à un mot, à une phrase ? Et où sera la liberté d'écrire ? Les grands et hardis écrivains, comme Rousseau, l'ont pourtant prise, mais à quels risques ! La fin de la vie du philosophe en est toute troublée.

Au fond, dans sa politique arbitraire, l'État a toujours peur de la pensée. Il veut la tenir en lisière. Liée à l'Église catholique, qui la soutient et réclame pour elle la soumission totale, la monarchie ne peut accorder aux écrivains la pleine liberté qu'ils réclament. Sous Louis XV, les mœurs, l'opinion publique, l'émancipation de la société l'ont obligée à quelques ménagements ; mais, dans les cas les plus graves, à l'occasion de l'*Encyclopédie*,

(1) Sur tout ceci, Brunetière, *art. cité*. Il s'agit de Mme Retau du Fresne, qui compose deux vers à ce propos :

> « *Moi, retouchée ! Ah ciel ! quel affront est cela !*
> *Et je pourrais souffrir que l'on me retouchât !* »

(2) Brunetière fait de Fréron un des princes de la critique littéraire au XVIIIe siècle, en compagnie de Desfontaines.

de l'*Émile*, elle n'a pas hésité à agir et à frapper. Condamnations qui, en fin de compte, n'ont pas réussi à empêcher les œuvres de paraître et d'obtenir tout leur succès. Mais cela encore est un signe des temps : on peut mettre les écrivains en prison ; on ne peut plus asservir la pensée française : pour elle point de Bastille.

VII. — *L'État et les Mœurs*

Quant aux mœurs, il y a longtemps que l'État n'a plus la prétention de les redresser. Le gouvernement de Louis XV ne saurait prendre, avec un tel monarque, le rôle de Mentor, que Louis XIV, par son prestige souverain et dans son ambition immense, s'était attribué. Certes, sous le cardinal Fleury, devant l'immoralité grandissante des hautes classes de la société, il a voulu quelque peu réagir et donner des avertissements discrets à des personnages qui, par leurs écrits ou leur manière de vivre, portaient la société au libertinage de l'esprit et des mœurs. Mais, après 1750, reste toujours, en dehors de l'action ordinaire des Parlements, la justice du roi, cette justice que les « Cours souveraines » détestent, parce qu'elle empiète sur leurs attributions. Comme jadis, le roi et ses ministres interviennent dans le gouvernement des familles, à la prière instante de celles-ci. Pour éviter des procès scandaleux en public, ils font emprisonner les délinquants dans les prisons royales (Bastille, Vincennes, Bicêtre, etc.) ou des couvents, par « lettres de cachet ». C'est par « lettres de cachet » aussi qu'ils se délivrent encore, comme au temps de Fleury, des prêtres jansénistes les plus récalcitrants. Ces « lettres », qui furent souvent très nombreuses, aux moments de crise religieuse, sont-elles « en blanc » (1), et l'évêque, qui en reçoit des paquets, n'a-t-il plus qu'à écrire les noms ? C'est pos-

(1) H. Carré, *Histoire de France*, de Lavisse, t. IX, p. 172, cite des cas d'emprisonnement de curés par « lettres de cachet » de l'évêque. Lavisse va plus loin, p. 435 : « Les curés se sont souvenus des rigueurs de Monseigneur, qui les emprisonnait s'il lui plaisait, en vertu de lettres de cachet, dont il avait provision en blanc. » Sur cette question, voir le témoignage d'Arthur Young, *Travels in France*, éd. Betham-Edwards, p. 313-314 : « Les lettres de cachet sont parvenues à un point difficile à croire, à être vendues, avec des blancs à remplir par des noms à la fantaisie de l'acheteur, qui était ainsi capable, pour assouvir une vengeance privée, d'arracher un homme du sein de sa famille et de l'enterrer dans un donjon où il serait oublié et mourrait inconnu. » Ceci sous Louis XV. Et Young raconte l'histoire d'un certain Gordon, Anglais, qui resta trente ans à la Bastille, qui n'avait même pas soupçon de la cause de son emprisonnement, et qui fut sauvé par hasard, l'ambassadeur d'Angleterre ayant vu ce nom de Gordon sur une liste des prisonniers de la Bastille laissée sur la table du ministre des Affaires étrangères, et ayant demandé, au cas où Gordon serait Anglais, les raisons de l'emprisonnement. Le ministre, n'ayant pu donner la moindre information, fit relâcher Gordon.

sible. Le gouvernement de Louis XV était si arbitraire et accueillait si souvent les demandes des puissants du jour ! Une grande dame avait-elle à se plaindre de quelque imprudent, elle réclamait une « lettre de cachet » : c'est l'aventure dont fut victime l'abbé Morellet, coupable d'avoir manqué de respect à la princesse de Robecq (1). Un père a-t-il à se plaindre d'un fils débauché et prodigue ? Vite, une « lettre de cachet » va le délivrer de ce fils.

La monarchie absolue prétend maintenir le pouvoir des pères. Cette « puissance paternelle », reconnue par le droit romain, et, en fait, par les Coutumes et par les Ordonnances (2), est protégée par tous moyens de coercition. Même les exhérédations (3), contraires à la loi, ne sont pas contestées. L'État laisse faire, et même les Parlements. Un père exhérède son fils pour s'être marié avec une actrice. Le préjugé nobiliaire lui fait commettre cette action injuste. Mais le Parlement de Rennes ne la désapprouve point. L'État non plus ne l'empêche pas. Sa justice à lui, la justice particulière du roi, sommeille. Pourquoi pas d'« évocation » d'une telle cause, célèbre entre toutes, et à laquelle Rousseau va faire allusion dans sa *Julie* (4) ? Car cet exemple lui est bon pour condamner le « sacrifice des convenances de la nature aux convenances de l'opinion » (5), et pour déclarer : « Oui, toutes les lois qui gênent le lien conjugal sont injustes, tous « les pères qui l'osent former ou rompre sont des tyrans ». A défaut d'« évocation » royale, l'« évocation » de l'opinion publique : celle-ci commence à condamner la rigueur cruelle des pères de famille qui s'acharnent sur leurs fils, au nom de leur « puissance paternelle » et de vieilles coutumes qui ne sont plus en harmonie avec les idées et les mœurs du temps.

(1) Voir Musset-Pathay, *ouvr. cité*, t. Ier, p. 486.
(2) Voir le t. Ier, p. 79.
(3) En Provence, les exhérédations sont rares. Voir Ch. de Ribbe, *Les Familles et la société en France avant la Révolution*, t. II, p. 230 et suiv.
(4) Voir plus haut, p. 143. Rousseau ne nomme pas, bien entendu, ce gentilhomme. C'est Huchet de La Bédoyère. Voir Musset-Pathay, *ouvr. cité*, p. 52, et les *notes* de Rousseau à Malesherbes qui a vivement critiqué le passage.
(5) *Julie*, seconde partie, lettre II, éd. Garnier, in-12, p. 147.

CHAPITRE IV

LES TRANSFORMATIONS DE LA SOCIÉTÉ (1750-1770)

On a vu l'action de l'État et l'influence des idées nouvelles sur la société, et on a pu déjà estimer la part de liberté qui reste à celle-ci pour son développement. Il convient maintenant de montrer les transformations qui se sont produites de 1750 à 1770, soit dans les diverses conditions, soit dans l'ensemble de la société française.

I. — *Le progrès de la vie sociale*

Ce qui frappe avant tout, c'est le progrès considérable de la vie sociale, à Paris, dans toutes les grandes villes ou celles qui tirent leur importance d'une Cour souveraine, Parlement ou Chambre des Comptes. Même des villes de population moyenne (20.000 habitants) commencent à s'éveiller à la vie intellectuelle. On sent qu'il y a autre chose que l'argent ou les préjugés de naissance et de condition ; que la vie intellectuelle, artistique et même morale, prend, aux yeux de l'élite, une valeur particulière. Aussi un rapprochement commence-t-il entre des hommes de diverses conditions. Il se fait surtout par la conversation et la lecture, le théâtre, la musique et tous les arts, grâce aussi à un nombre croissant de sociétés, d'Académies, de « salons », voire de « loges » où le grand seigneur et le haut ecclésiastique rencontrent le magistrat du Parlement, le fermier général, le grand négociant, le musicien, l'artiste, l'écrivain, auteur de tragédies et de comédies ou d'ouvrages philosophiques. Les femmes participent à ces rapprochements ou même les favorisent : leurs salons, comme on a vu, sont souvent des foyers d'idées très actifs, à Paris surtout ; d'aucunes, depuis Mme de Lambert, ont l'ambition de faire des académiciens. Et si, dans ces réunions on touche, tout naturellement, au prochain, avec parfois une spirituelle médisance, comme l'insinue Rousseau, souvent aussi on traite, sans trop en avoir l'air, une question morale ou sociale de première importance.

Au milieu de cette frivolité mondaine, « qu'un homme de « poids avance un propos grave ou agite une question sérieuse, « aussitôt l'attention commune se fixe à ce nouvel objet ; « hommes, femmes, vieillards, jeunes gens, tout se prête à le « considérer par toutes ses faces, et l'on est étonné du sens et de « la raison qui sortent comme à l'envi de toutes ces têtes folâtres. « Un point de morale ne serait pas mieux discuté dans une « société de philosophes que dans celle d'une jolie femme de « Paris... » (1). Que de réunions semblables à Paris ! Que de sociétés diverses où les bourgeois cultivés et riches, ou seulement aisés, rencontrent les nobles de Cour, les hauts magistrats, les philosophes, les économistes, les grands artistes ! Le préjugé de la naissance s'affaiblit parfois chez les hommes titrés, au contact de ces hommes dont la gloire s'étend déjà à l'Europe entière. Chez certains grands seigneurs la protection devient affectueuse amitié : ainsi se comporte le maréchal de Luxembourg à l'égard de Rousseau, resté pauvre, et, quant à la maréchale, elle est femme à remuer ciel et terre pour son grand écrivain, jalousé, harcelé par les confrères de la république des lettres. D'autres commencent à voir dans ces philosophes dont on parle tant, et qui sortent de la vile roture, des rivaux gênants. Que de concerts aussi où l'on se réunit en assez grand nombre, comme ceux du fermier général La Poupelinière, qui oublie ses malheurs conjugaux dans ses splendides séances de musique de chambre ! (2). Événement capital dans l'histoire de la musique en France ; car le financier donne à ses invités le plaisir tout nouveau d'entendre les symphonies et les sonates d'Allemagne et d'Italie, exécutées par un orchestre de premier ordre, rival des meilleurs orchestres des princes allemands (3). A la musique succèdent des danses, parfois des comédies du maître lui-même ; et la fête se termine par un souper délicat, où se mêlent parfois au beau monde artistes et actrices de l'Opéra. « Jamais, a écrit Marmontel, « bourgeois ne vécut mieux en prince (4). »

(1) *Julie*, seconde partie, lettre XVII, Saint-Preux à Julie, éd. Garnier, p. 197. Voir plus haut, chap. II, Lectures et conversation.

(2) Marmontel, *Mémoires*, éd. Jouaust, t. Ier, p. 227-229, 233-244. « Les joueurs d'instruments logent chez lui (dans sa maison de Passy) ; ils préparent le matin les symphonies qu'ils joueront le soir. » A ses soupers, chanteuses, danseuses de l'Opéra. Des musiciens d'Italie sont reçus chez lui.

(3) Georges Cucuel, *La Poupelinière et la musique de chambre au XVIIIe siècle* (Thèse de Lettres, Paris, 1913). Gossec fait partie de cet orchestre. Il y a des Alsaciens, des Allemands, etc.

(4) Marmontel, *Mémoires*, éd. Jouaust, in-12, t. Ier, p. 244.

Sans pouvoir rivaliser avec Paris, foyer de la culture et de l'art européen, les grandes villes sont encore bien partagées dans ce progrès de la vie sociale. Au premier rang, Lyon (1). C'est une cité mondaine, où la société riche et cultivée aime le théâtre, les lettres, les arts, la musique. L'« Académie des sciences et des lettres » joue un rôle de premier plan. Intendants de la généralité, prévôts des marchands favorisent de leur intelligente initiative le mouvement des esprits. L'intendant Pallu, un Parisien, a été directeur de l'Académie en 1745 ; c'est un lettré qui, à Paris, a pris part aux séances du fameux « Club de l'Entresol », et qui a traduit des drames de Métastase. Lyon a des poètes, des artistes réputés : le poète Charles Bordes, membre de l'Académie, et le compositeur Horace Coignet. Il possède aussi des écrivains et des érudits. Dans la famille du Lyonnais Mably on compte deux illustrations qui, sans résider à Lyon, y viennent souvent : Bonnot de Mably, le moraliste, et son frère, le philosophe Condillac. L'abbé Perneti publie ses *Recherches pour servir à l'histoire de Lyon* (1757) et se lance ensuite dans la théosophie. Car, à côté des sciences expérimentales, qui ne leur livrent pas assez vite les secrets de la nature, nombre de Lyonnais commencent, vers 1768-1770, à s'abandonner à des rêves magiques, à suivre Martinez de Pasqually, faisant bientôt de Lyon une des capitales de la franc-maçonnerie mystique. Métropole du travail, Lyon attire par son esprit grave et l'intensité de sa vie sociale. Aussi reçoit-il la visite des grands hommes du siècle. Voltaire a entendu les Lyonnais applaudir ses grandes tragédies, Rousseau a beaucoup aimé Lyon et, dans son existence si mouvementée, y est venu à plusieurs reprises. Précepteur chez M. de Mably, grand prévôt (1740-1742), il s'est mêlé, après ce préceptorat manqué, à la haute société et y a gardé de belles relations. Il s'arrête à Lyon, en allant en Savoie (1754), est reçu par M. Boy de La Tour, un Suisse fixé depuis longtemps dans la ville, où il dirige une banque. Après son voyage en Angleterre se rendant en Dauphiné, où l'attend la protection du maréchal de Clermont-Tonnerre (1768), il s'arrête encore à Lyon (1768), fait une excursion à la Grande-Chartreuse, avec de La Tourette, et l'abbé Rozier, savants botanistes. La Tourette, fils d'un prévôt des

(1) Sur Lyon, voir Pierre Grosclaude, *La Vie intellectuelle à Lyon dans la seconde moitié du XVIIIe siècle* (Thèse de Lettres, Paris, 1933). — Du même, *Jean-Jacques Rousseau à Lyon* (Thèse complém., 1933). — Léon Vallas, *La Musique à Lyon au XVIIIe siècle*, t. Ier, *La Musique à l'Académie* (Lyon, 1908, in-12), ouvrage refondu dans *Un siècle de musique et de théâtre à Lyon* (Lyon, 1932, in-4o). — Musset-Pathay, *Œuvres inédites de J.-J. Rousseau, ouvr. cité*, t. Ier, p. 461.

marchands, lui-même conseiller à la Cour des Monnaies, a résigné sa charge pour se livrer à sa passion de l'histoire naturelle, former une splendide collection de pierres, de plantes, d'insectes, et établir, sur la colline de Fourvière, un jardin riche de trois mille espèces de plantes rares, dont beaucoup rapportées par lui de ses voyages d'Italie et de Sicile. Membre de l'Académie, il en deviendra le secrétaire perpétuel pour les sciences. Il est en correspondance, comme son père, avec Voltaire. Il restera un ami et un fidèle correspondant de Rousseau. Enfin, en 1770, Rousseau retourne à Lyon, cette cité où il a tant d'amis, écrivains, savants, artistes. Il entend dans une tribune, à côté de M. de La Tourette, un concert où est exécuté le *Stabat* de Pergolèse. Il collabore avec Horace Coignet à la composition de son *Pygmalion*. Et, à l'occasion du passage de Trudaine, accompagné de Mme Trudaine, le prévôt des marchands de la Verpilière et Mme de la Verpilière organisant pour eux un concert à l'Hôtel de Ville, c'est *Pygmalion* qu'ils leur offrent, ainsi que *Le Devin du village :* vraie apothéose pour Rousseau. Il reste trois mois dans cette ville où s'offrent à lui tant d'amitiés et de sympathies, où il assiste à de splendides concerts chez des amateurs avertis, où il rencontre des artistes réputés, de grands savants qui, comme lui, aiment les plantes et adorent la nature, et dont la campagne aux environs, chez Mme Boy de La Tour, le ravit (1).

Il n'est guère de capitale provinciale qui ne possède des artistes, des écrivains, des savants, ainsi que de hauts protecteurs du mouvement intellectuel et artistique : les chefs des municipalités favorisent par tout le théâtre et la musique (2). Lille, qui a vu déjà la première représentation du *Mahomet*, de Voltaire, en présence de Voltaire lui-même et de Mme du Châtelet (1741), se plaît à la tragédie, à la comédie, à l'opéra. C'est une ville où, comme dans les Pays-Bas voisins, l'on aime l'art, et surtout la musique. Il y a longtemps qu'une « Académie de musique » y a été fondée par « des jeunes gens de considération », protégée par le jeune duc de Boufflers, et qu'elle donne des concerts, où l'on chante des fragments des tragédies lyriques de Lulli et de Rameau, des motets et psaumes de Mondonville et où l'on joue des symphonies et des sonates : concerts qui peu à peu se sont changés en représentations théâtrales, avec décors et machines ; on y donne, en effet, vers 1770, *Psyché et l'Amour*, opéra de Mondonville, célèbre compositeur de musique religieuse, qui a jadis débuté à Lille comme premier violon solo de l'orchestre. A Lille, l'activité

(1) Voir Musset-Pathay, *ouvr. cité*, t. Ier, p. 461.
(2) A. de Saint-Léger, *Histoire de Lille*, p. 363, 366-367.

artistique dépassa toujours l'activité littéraire et scientifique (1). Mais c'est précisément par la musique et le théâtre que s'opèrent peut-être les plus intimes rapprochements entre les hommes de diverses conditions, ceux qui naissent dans une atmosphère de nobles idées et de profonds sentiments, de ces sentiments vagues à la fois et puissants qu'exprime l'art musical.

La vie sociale prend, dans chaque grande cité, un caractère original, reflet de l'esprit et des mœurs de la province. A Strasbourg, elle garde une certaine gravité, tempérée par l'esprit français et même par le ton de la Cour de Versailles qu'y apportent les officiers de l'armée venus de Paris, mêlés aux officiers alsaciens ou allemands. Visites princières, comme celle de la dauphine Marie-Antoinette (1770) (2), concerts de musique et de chant, dans un pays où il y eut de tout temps des compositeurs habiles et d'excellents artistes, représentations dramatiques mêlent sans cesse les unes aux autres les diverses classes de la société cultivée. La culture est très répandue, jusque dans la moyenne bourgeoisie, qui fréquente d'excellents collèges et la meilleure des Universités, peut-être la seule vraiment digne de ce nom dans tout le royaume, où se rencontrent — et c'est un instrument de fusion des classes sociales comme des peuples — nobles et bourgeois, Français et Allemands, autour des professeurs d'histoire générale et de droit des gens, comme le célèbre Schoepflin (3). Metz et Nancy, vers 1770, ont une vie sociale moins originale, mais qui respire l'élégance française et parfois, comme à l'Académie de Metz, la hardiesse des idées philosophiques : villes monumentales, elles aussi, où le sentiment raffiné des arts semble inné. Dans toutes ces cités le monde militaire, qui se mêle à la haute bourgeoisie, donne encore à la vie de société une physionomie plus variée et plus vivante.

Les grandes places de commerce, Nantes, Bordeaux, Marseille sont très animées. Sans être des cités intellectuelles et artistiques de tout premier ordre — l'art y est souvent, comme à Bordeaux (4), un apport de Paris — elles ont le goût des connaissances nouvelles et possèdent des « sociétés de lecture », où négociants et gens cultivés lisent les ouvrages des philosophes et des économistes,

(1) A. de Saint-Léger, *Histoire de Lille*, p. 371 : La société littéraire « le Brunin », dans une salle obscure de l'Hôtel de Ville n'eut qu'une activité médiocre et une courte existence. Vers 1761 elle était morte.

(2) Baronne d'Oberkirch, *Mémoires* (Paris, 1853, in-12), t. Ier, p. 30-33.

(3) Frédéric Masson, *Le Département des Affaires étrangères pendant la Révolution*, p. 21, Gérard de Rayneval va terminer ses études à Strasbourg et suivre les cours de Schoepflin vers 1756.

(4) Voir Paul Courteault sur Bordeaux au XVIIIe siècle ; et Camille Jullian.

et discutent les questions sociales. A Nantes, la *Société de la Fosse*, dont le règlement a été approuvé par le roi en 1759, réunit l'élite de la Bourgeoisie ; elle forme une belle bibliothèque, où figurent, à côté d'éditions artistiques, les œuvres de Voltaire, de Rousseau et l'*Encyclopédie* (1). Bordeaux, grande cité commerçante, enrichie, comme Nantes, par ses relations avec les « Iles », mais, en outre, ville de Parlement, est moins exclusivement bourgeoise ; toutefois c'est la bourgeoisie négociante, riche et cultivée qui, frayant avec la Noblesse de robe, lui donne sa physionomie morale. Grands bourgeois et parlementaires se rencontrent à l'Académie, dont les belles traditions du temps de Montesquieu se maintiennent, et leurs fils se coudoient sur les bancs du « Collège de Guyenne », célèbre depuis Montaigne. Mais Bordeaux n'a pas, comme Lyon, ces lignées de musiciens, d'écrivains et de savants, et ne reçoit point les visites d'un Voltaire ou d'un Rousseau qui donnent une auréole de gloire. Comme Bordeaux, Rouen, ville commerciale et parlementaire, a une vie active où les classes de la haute société, de la robe et du négoce commencent à se connaître, à l'Académie des Sciences ou au théâtre. Marseille est une cité toute bourgeoise, d'esprit très moderne, indépendant, étrangère aux préjugés de la naissance, comme il convient à une grande république maritime qui reconnaît surtout le mérite personnel et l'initiative qui fonde des fortunes, curieuse de toutes les nouveautés et de toutes les sciences, dotée d'une Académie réputée. De cette Académie font partie de grands négociants, savants et lettrés : parmi eux, Dominique Audibert, qui est, dès 1763, en correspondance avec Voltaire, et qui le sera plus tard avec Mme Necker et Mme de Staël (2).

Les villes qui n'ont que leur Parlement, modestes, d'ailleurs — Aix-en-Provence, Dijon, Besançon, Rennes (3) — sont plus aristocratiques, plus fermées ; la vie de société ne s'y déroule guère qu'entre privilégiés, nobles d'épée ou de robe et ecclésiastiques. Toulouse et Montpellier, plus grandes, sont plus vivantes, artistes et lettrés y sont nombreux ; les « Jeux floraux » de Toulouse ont repris, depuis la fin du XVIIe siècle, leurs glo-

(1) Gaston-Martin, *La Préparation de la Révolution : les chambres littéraires de Nantes*, dans *La Révolution française*, 2e trimestre 1939 (Paris, Recueil Sirey), p. 105-107.

(2) A. Chabaud, *La Bourgeoisie à Marseille avant 1789*, dans l'*Assemblée générale de la Commission centrale et des Comités départementaux*, 1939, publ. par le ministère de l'Education nationale, Paris, 1942.

(3) H. Sée, *La Population et la vie économique de Rennes vers le milieu du XVIIIe siècle*, dans les *Mémoires de la Société d'histoire de Bretagne*, t. IV, Rennes a 30.000 âmes.

rieuses traditions. Et cependant, dans toutes ces cités, grandes ou petites, des Académies, des « Sociétés de lecture », qui possèdent des bibliothèques, répandent le goût du savoir et de la discussion, par des lectures ou des conférences. L'esprit encyclopédique s'est propagé à Dijon, ville d'art et de science érudite : des lettrés et des savants, le président Bouhier, le président de Brosses et leurs confrères de la robe ont amené depuis longtemps la société polie de leur cité à renoncer au pur humanisme du siècle de Louis XIV et à adhérer à la méthode de l'*Encyclopédie* (1). A Rennes, on voit le procureur général La Chalotais se faire le champion d'idées toutes modernes dans le domaine, rajeuni, de « l'éducation nationale ». Aix-en-Provence, avec sa société aristocratique, conserve jalousement ses traditions de science juridique et d'érudition historique et son goût délicat de l'art, favorisés par des Mécènes, le duc de Villars, gouverneur de Provence, le marquis de Méjanes et des « consuls » qui aiment leur antique cité. Grâce au duc de Villars est fondée, en 1771, une « École gratuite de dessin », à laquelle les États vont ajouter une École de sculpture (1774) (2). La ville s'embellit : un disciple du grand Puget, Jean Chastel élève, sur la place des Prêcheurs, devant l'église de la Madeleine, un obélisque surmonté d'un aigle, en souvenir de l'origine romaine de la cité (1755) et sculpte, aux « Greniers publics », le beau fronton classique qui représente le Rhône et Cybèle ou la Provence (3). Et le « Cours », le fameux cours, aux fontaines jaillissantes, planté d'ormes en berceau, bordé d'hôtels somptueux, où se révèle, aux puissantes cariatides qui soutiennent le porche de l'un d'entre eux, le génie de Puget va s'embellir encore, grâce aux fonds qu'a légués à sa ville natale le dernier des comtes de Valbelle (4). Dans cette petite cité de 20.000 âmes, quel fécond esprit municipal ! Il rapproche tous les citoyens, jaloux de la beauté de leur vieille ville, prêts à lui faire des dons princiers, comme ce marquis de Méjanes qui bientôt lui léguera une des plus riches bibliothèques de l'Europe (1786) (5). Que de belles

(1) M. Bouchard, *De l'humanisme à l'Encyclopédie. Essai sur l'évolution des esprits dans la Bourgeoisie bourguignonne sous les règnes de Louis XIV et de Louis XV* (Thèse Lettres, Paris, 1929).

(2) Voir E. Rouard, *Notice sur la Bibliothèque d'Aix, dite de Méjanes, précédée d'un Essai sur l'histoire littéraire de cette ville* (Paris et Aix, 1831, in-8°), p. 120-289. — Sur les dons du duc de Villars au collège, p. 119.

(3) *Ibid.*, p. 112.

(4) Comte de Valbelle d'Oraison, né à Aix (1729), mort à Paris (1778), dont Dalembert prononça l'éloge à l'Académie (25 août 1779). Voir Rouard, *ouvr. cité*, p. 112-113.

(5) Rouard, p. 223. Legs fait à la « province de Provence » par J. B. Marie Piquet, marquis de Méjanes, de sa bibliothèque, « pour être rendue publique dans la ville d'Aix, sa capitale », 26 mai 1786.

traditions de savoir, d'art et de goût ! On sent qu'on est là sur un sol latin, tout près de l'Italie, mère des arts.

Au reste, l'instruction et l'art, qui atténuent les barrières traditionnelles entre les classes ne sont point le privilège exclusif des cités commerçantes ou parlementaires. La vie de société n'est pas absente même de cités peu peuplées ; elle se développe déjà à Montauban, ce foyer protestant de théologie érudite ; à La Rochelle, ce glorieux foyer de résistance huguenote, cette vieille petite république maritime dont l'horizon s'étend encore jusqu'au Canada ; à Agen, à Châlons-sur-Marne, à Bayeux, à Douai, etc. Il y a, là aussi, des Académies ou des Sociétés ; on y lit le *Mercure de France*, même le *Journal encyclopédique*. Et jusque dans des bourgades de l'Agenais, du Périgord, etc., on trouve des prêtres ou des bourgeois modestes qui ont souscrit, malgré son prix élevé, à l'*Encyclopédie* (1). Les nouvelles de Paris et de l'étranger commencent à se répandre, cheminant lentement, par la poste (2).

Ainsi, vers 1770, se fait déjà peu à peu, par la culture comme par l'argent et les alliances de famille, ce rapprochement de plusieurs classes de la société polie, qui, dans les grandes cités d'esprit moderne, Marseille, Bordeaux, Nantes, Rouen, Lille, Lyon, se poursuivra, plus intime, au cours de la période suivante (3), et qui aurait pu être plus efficace, si les grands privilégiés avaient fait plus tôt, sincèrement, les concessions nécessaires.

L'esprit public n'est plus, en 1770, le même qu'en 1750 : quarante ans d'une prospérité économique sans précédent ; une période, unique aussi, de grandes synthèses scientifiques, économiques et sociales ; l'éclosion d'œuvres où le sentiment s'unit à la raison, quand il ne la domine pas ; la diffusion, déjà rapide, des idées nouvelles ; la disparition graduelle du fanatisme et de l'intolérance et de leurs suppôts, Jésuites et Parlementaires ; tout a contribué à modifier l'état des esprits et à donner aux classes moyennes, en particulier à la haute bourgeoisie, une conscience plus claire de leur valeur, de leur puissance réelle et de leur avenir.

(1) Voir plus haut., p 101.

(2) Il ne faut pas prendre à la lettre tout ce que dira plus tard Arthur Young, quand il ne trouve pas de journaux dans une auberge de ville. Les journaux et les nouvelles arrivaient, mais la poste était lente.

(3) Voir l'enquête sur les Sociétés et les Académies faite par Daniel Mornet, *Les Origines intellectuelles de la Révolution, ouvr. cité.*

II. — *Les classes privilégiées : le haut Clergé*

C'est maintenant que se révèle, à l'intérieur du Clergé ou de la Noblesse, le divorce que cachent encore de vieilles Assemblées (États provinciaux, Assemblées du Clergé), représentations apparentes de la collectivité des « ordres ». Genre de vie, fortune, naissance, idées et sentiments, tout sépare, de plus en plus, haut Clergé et bas Clergé, Noblesse de Cour et petite Noblesse de province.

Le haut Clergé est de moins en moins zélé : fort peu de visites pastorales ; la confirmation est donnée rarement, et par fournées de communiants de tous âges ; d'un seul coup l'évêque du Mans, Grimaldi, confirme, dans la cour de son château, quatre mille sept cent cinquante personnes, et il est loin d'être le seul à procéder de la sorte. Les grands vicaires remplacent souvent les évêques dans leurs fonctions, quand ceux-ci ne résident pas et qu'ils passent leur temps à Paris et à Versailles ou dans leurs châteaux. C'est à peine si la plupart des prélats connaissent leur diocèse par eux-mêmes. On cite comme des exceptions l'évêque de Boulogne, Gaston de Partz, qui, en quarante-sept ans, fit huit tournées pastorales, et Lefranc de Pompignan, évêque du Puy, qui, en trente et un ans, de 1743 à 1774, en fit trois dans les montagnes du Velay (1). Ceux qui ne résident pas envoient à leurs collègues qui résident les jeunes séminaristes à ordonner prêtres. C'est qu'à côté des prélats qu'on ne voit que rarement dans leur évêché, qui vivent en grands seigneurs, et comme Rohan, plus à Paris ou à Saverne qu'à Strasbourg, qui chassent, donnent des fêtes splendides, voire des bals, il reste encore des évêques scrupuleux qui siègent à demeure dans leur cité épiscopale. A côté des évêques mondains, qui croient peu ou peut-être point, et qui sont les premiers à tonner contre la tolérance et la liberté des écrits (2), il est encore nombre d'évêques croyants. Et si l'on voit beaucoup de dissipateurs des revenus de leurs bénéfices en dépenses de maison et de luxe, il en est qui vivent

(1) H. Carré, *Le Règne de Louis XVI*, dans l'*Histoire de France*, de Lavisse, t. IX, p. 159.

(2) Voir le mandement de Christophe de Beaumont après l'attentat de Damiens (1757). Il attribue cet acte aux erreurs du temps, aux scandales dans tous les états et dans tous les genres, et à l'introduction dans les écrits et dans les esprits d'une multitude de principes qui portaient les sujets à la désobéissance et à la rébellion contre le souverain » ; crime, ajoutait-il, commis par trahison et de dessein prémédité dans le palais. Cité par Goncourt, *Madame de Pompadour, ouvr. cité.* Mais nous devons dire que l'archevêque de Paris est un prélat pieux et zélé : ce qui n'est pas le cas de beaucoup d'autres qui attaquent les philosophes.

modestement, font de larges aumônes aux pauvres, contribuent au soutien des hôpitaux, comme l'archevêque de Paris, Christophe de Beaumont, s'intéressent directement, dans leurs diocèses, à des œuvres d'utilité publique. Mais le trop grand nombre de prélats non résidents et fastueux fait tort à ceux qui remplissent leur devoir pastoral, et qui ne se contentent pas d'administrer leur fortune et de gérer les affaires temporelles du Clergé, toujours si compliquées qu'elles donnent naissance à une foule de procès devant les tribunaux du roi, ou de paraître, en chefs reconnus, dans des États provinciaux.

Entre ces princes de l'Église, dont beaucoup se comportent en princes temporels, et le bas clergé des curés et desservants de paroisse, le fossé s'élargit toujours davantage. L'évêque n'a que mépris pour eux, qui vont à pied, tandis qu'il roule en carrosse ; pour eux, qui n'ont que des soutanes défraîchies, pendant qu'il parade en brillant costume violet. Il les tient à sa merci. Ultramontain — les exceptions comme le janséniste Montazet, archevêque de Lyon, sont maintenant très rares — il les traque, s'ils sont jansénistes ou trop gallicans, les fait emprisonner par « lettres de cachet », dont peut-être il a une provision en blanc (1), et qu'en tout cas il lui est facile d'obtenir des ministres. Son pouvoir n'est guère moindre à l'égard des réguliers. A tout cela ni le roi ni le pape ne trouvent rien à redire : il est vraiment le maître (2). Aussi l'hostilité des curés et vicaires et « prêtres habitués » des paroisses grandit contre ces évêques qui dirigent les destinées du Clergé et paraissent, seuls, avec quelques grands bénéficiers, dans les Assemblées générales quinquennales de l'« ordre ». Gallicans, voire jansénistes, ils se considèrent comme ayant les mêmes pouvoirs spirituels que les prélats (3), et invoquent l'Évangile et l'Église primitive, où régnait l'égalité. C'est une démocratie cléricale, issue du peuple, prête, après 1770, à faire valoir ses droits et à attaquer la constitution même de l'Église de France, fondée sur la plus criante inégalité spirituelle et temporelle. Leur force, à ces hommes du peuple, vient de leur nombre, de la justice de leur cause, de leur zèle pastoral, de leur foi chrétienne ; car eux, dans l'ensemble, ils croient. L'incrédulité n'a fait de ravages que parmi les prélats et les gros bénéficiers, et

(1) Voir plus haut, p. 146.
(2) L. Lévy-Schneider, *L'Autonomie administrative de l'Episcopat français* (*Revue historique*, 1926).
(3) Dans les catéchismes, la définition de l'Eglise ne parle souvent que du pape ; parfois aussi du pape et des évêques ; parfois enfin de « pasteurs légitimes », comme à Arras, Blois, Dijon, Metz, Verdun, Grenoble, Carcassonne, Tréguier. Voir Préclin, *ouvr. cité*, p. 149 et dans *Bulletin de la Société des Antiquaires de la Morinie*, t. XVI, 1944, p. 497.

souvent aussi parmi les moines ou les professeurs de séminaires et de collèges, grands liseurs, habitués à vivre par leurs lectures dans la séduisante société des philosophes et des savants.

Ainsi, dans cette grande armée du Clergé, le divorce est déjà manifeste entre les chefs et les « membres ». C'est l'État, et non l'initiative des évêques, qui fait élever la « portion congrue » des curés de 350 à 500 livres pour compenser la hausse des prix (1768). C'est l'État, secondé par le haut Clergé hostile aux religieux, qui établit une « Commission des réguliers », composée d'évêques, chargée de réunir des maisons qui n'ont plus qu'un tout petit nombre de moines et de faire tomber les revenus des couvents supprimés dans une caisse de l'État, la « Caisse des Économats » : prélude à la nationalisation des biens ecclésiastiques, à laquelle le haut Clergé apporte imprudemment son concours (1766) (1). Tant les idées nouvelles font déjà du chemin !

III. — *La Noblesse*

Dans la Noblesse, même divorce, de plus en plus manifeste, entre les grands privilégiés, pourvus des brillantes et lucratives fonctions de Cour, des hauts grades de l'armée, des plus beaux « bénéfices » ecclésiastiques, et les gentilshommes de province, chargés de famille, qui ont tant de peine à élever leurs enfants et à vivre de leurs terres, ou qui n'obtiennent à l'armée que des grades subalternes ; après quoi, décorés de la croix de Saint-Louis, ils retournent dans leur pays.

La faveur, sous Louis XV et ses maîtresses, surtout sous Mme de Pompadour, peuple les régiments, distribue les grands commandements, les ambassades, même les portefeuilles de ministre. On n'a plus, à ce compte, que des généraux de boudoir. C'est la maîtresse elle-même, et avec elle, son conseiller, le financier, Pâris-Duverney, munitionnaire général de l'armée, qui critiquent, de science certaine, les opérations militaires du maréchal d'Estrées, que celui-ci n'a pas voulu concerter avec le financier (2). Et ce sont eux qui en arrivent à tenir une conférence devant le roi, chez Mme de Pompadour, où Pâris-Duverney, blâmant les lenteurs de d'Estrées, expose son plan de campagne, à lui, préparé en collaboration avec le maréchal de Richelieu, cet habile courtisan ; à la suite de quoi, le commandement est

(1) Commission de réforme (cinq prélats et cinq conseillers d'Etat). — Voir Gérin, *Etude sur la Commission des Réguliers*, dans la *Revue des questions historiques*, 1875-1877. — Léon Lecestre, *Abbayes, prieurés et couvents d'hommes en France : liste générale d'après les papiers de la Commission des réguliers*, 1902.

(2) Goncourt, *Madame de Pompadour, ouvr. cité*, p. 218.

enlevé à d'Estrées et donné à Soubise, protégé de la maîtresse, à Soubise, qui va se faire battre incontinent à Rosbach (1757) : une des plus graves et des plus humiliantes défaites du siècle. Alors, que de plaintes ! C'est le vieux maréchal de Belle-Isle, ministre de la Guerre, qui écrit à Choiseul : « Je ne me consolerai jamais que « des troupes du roi que j'ai vues penser si longtemps noblement « et agir avec autant de vigueur et de courage, aient perdu si « promptement leur réputation et soient devenues le mépris de « l'Europe. » C'est Bernis, ministre des Affaires étrangères, qui semble complètement découragé : « Jugez dans quel état nous « sommes, écrit-il à Choiseul. Jugez de la situation de notre « armée et du déchaînement de Paris... Il faudrait un gouver- « nement, et il n'y en a pas plus que par le passé. » Et encore : « Le public ne s'accoutume point à la honte de cette bataille... « Le grand malheur, c'est que ce sont les hommes qui mènent « les affaires, et nous n'avons ni généraux ni ministres... Il me « semble être le ministre des affaires étrangères des Limbes. « Voyez si vous pouvez plus que moi exciter le principe de vie « qui s'éteint chez nous... Dieu veuille nous envoyer une volonté « quelconque ou quelqu'un qui en ait pour nous... » Quels tristes chefs d'armée que ces Soubise, ces Clermont, que le public chansonne, après leurs retentissantes défaites ! Cependant il faut voir les choses de plus haut : Bernis, Belle-Isle, Saint-Germain se livrent à une critique en règle de l'officier : « Il ne sait rien, il ne « s'applique à rien. Dans cent régiments, on ne trouverait pas « six bons lieutenants-colonels. Nous ne savons plus faire la « guerre, nulle nation n'est moins militaire que la nôtre, il n'y en « a pas une qui ait moins travaillé sur la tactique. Nous n'avons « pas même une bonne carte des Vosges. On dirait que chez nous « tout est en démence... Nos officiers ne valent rien, ils sont « indignes de servir. Tous soupirent après le repos, l'oisiveté et « l'argent. Il faut refondre le militaire pour en tirer parti. » Critique violente qui s'adresse aux officiers de la meilleure Noblesse, à ceux que l'on voit d'habitude plus souvent à la Cour et chez les ministres qu'au régiment, et qui n'ont d'autres titres que leur naissance et la faveur du prince ; tandis que « nos meil- « leurs officiers, n'ayant point de protection à la Cour et voyant « qu'il n'y a aucun avancement pour eux à espérer, ne peuvent « supporter d'être commandés par des blancs-becs ». Voilà les résultats du régime, toujours fondé sur les privilèges de la naissance, la faveur des salons et des boudoirs et la protection des financiers, qui se fourrent partout ; et voilà aussi le fossé plus profondément creusé entre les « blancs-becs » nobles, ignorants et indisciplinés, qui se croient tous les droits, et les braves gentilshommes (ou les roturiers), mis de côté, mais conscients de leur valeur et dégoûtés du service (1).

Il faut lire dans les lettres de Bernis à Choiseul, alors ambassadeur à Vienne, ses jugements sur la politique, après toutes les défaites d'une armée si mal commandée par la Noblesse du royaume : « Renonçons aux grandes aventures (il fait allusion à « l'alliance avec l'Autriche) ; notre gouvernement n'est pas fait « pour cela. Ce sera bien assez de conserver son existence, et « cela doit nous suffire... » Des dépêches se succèdent, pleines d'angoisse : « Nos places frontières ne sont pas pourvues, nous « n'avons plus d'armées, l'autorité languit et le nerf intérieur est « entièrement relâché. Les fondements du royaume sont ébranlés « de toutes parts. » Et cette amère et hardie réflexion : « Au bout « du compte, le roi n'est que l'usufruitier de son royaume, il a « des enfants, et les peuples doivent être comptés dans ce « nombre (2). »

La Noblesse n'est propre qu'aux armes : ses privilèges dérivent de cette fonction militaire assumée dès l'origine de la monarchie. Au Clergé, la religion, qui est prière et charité ; à la Noblesse, la défense du sol. Ainsi se sont justifiés, au cours des âges, leurs droits et immunités. Mais, maintenant, comment en rendre raison ? D'autant que les nobles ne sont pas seuls aux armées, que, depuis longtemps, nombre de roturiers, instruits et disciplinés, tout aussi braves qu'eux, ont fait leurs preuves, mais comme officiers subalternes, sur les champs de bataille, et dans les armes savantes. La Bourgeoisie, elle aussi, commence à être avide de gloire militaire et entend ne plus en laisser tout le lustre à la Noblesse. Peut-être pense-t-elle déjà pouvoir apporter aux armées un esprit mieux trempé, des connaissances plus profondes, un plus grand zèle, une discipline plus exacte. Devant les désastres nationaux, l'avocat Barbier écrit dans son *Journal*, après Crefeld (juin 1758) : « On soupçonne que nous avons été « trahis par quelques officiers généraux, parmi lesquels il y a de la « fermentation et bien des mécontents du gouvernement. L'armée « est divisée en partis, ce qui est la suite de l'indépendance qui a « gagné depuis quelque temps tous les esprits dans ce pays-ci. » Indépendance, anarchie : écho de ce que disent les ministres, dans leurs lamentations. Et, qui pis est, écrit Bernis, « le roi n'est « nullement inquiet de nos inquiétudes ni embarrassé de nos « embarras. Il n'y a pas d'exemple qu'on joue si gros jeu avec la

(1) Aubertin, *L'Esprit public au XVIIIe siècle*, p. 337, 339, 340, 345.
(2) *Ibid.*, p. 357. — Frédéric Masson, *Mémoires et Lettres du cardinal de Bernis*, t. II, et *Le Cardinal de Bernis depuis son ministère*.

« même indifférence qu'on jouerait une partie de quadrille (1) ».

Les nobles font donc la guerre, et fort mal. Et quand la paix revient, en 1763, pour durer près de trente ans (sauf l'expédition de six mille hommes aux États-Unis) (2), ils demeurent dans l'oisiveté, suivant leur coutume, du moins tous les grands nobles, attachés à la Cour. D'autres, avec leur pension, prennent leur retraite dans les provinces, parfois occupés à leurs terres ou à leurs affaires, souvent oisifs eux aussi, la monarchie entendant ne confier à la Noblesse, en dehors des armes et parfois de la diplomatie, aucun service, aucun emploi. Pourquoi la Noblesse ne se rendrait-elle pas utile à la société et à l'État, ne contribuerait-elle pas, elle aussi, à la prospérité publique ? La monarchie, dès l'époque de Richelieu, a bien essayé, comme on a vu, de la pousser vers le grand négoce maritime et colonial ; un édit de Louis XIV, en 1701, lui a encore permis le commerce de terre en gros, sans déroger. Mais les gentilshommes ne voient qu'avec mépris le métier de négociant, où l'on ne songe qu'à l'argent et au gain. Le marquis de Lassay écrivait déjà en 1736 : « On entend dire sans cesse qu'on devrait permettre à la Noblesse de tra-« fiquer comme en Angleterre. Pour moi, je pense fort diffé-« remment (3). » Cependant, en pleine guerre, mais à une époque de prospérité générale, l'abbé Coyer, écrivant peut-être à la demande de quelque ministre, publie son livre *La Noblesse commerçante* (1756). C'est l'ouvrage d'un économiste, gagné aux idées des Quesnay et des Gournay, et qui développe toutes les conséquences heureuses qu'entraînerait le travail de la Noblesse pour la Marine, l'exportation, l'extension de la culture du sol, l'accroissement de la population. Belles raisons de physiocrate et de savant, mais qui ne plaisent guère à la Noblesse et à ses défenseurs. La *Correspondance littéraire* répond vertement à l'abbé, renvoie avec mépris son livre aux « bourgeois de la rue Saint-Denis », et invoque l'autorité de Montesquieu, l'hostilité du philosophe à une réforme toute contraire au principe de la monarchie française, c'est-à-dire à l'honneur, aux traditions qui font que « la Noblesse, par son état, doit servir le roi », bref à « une consti-« tution fondamentale du royaume » (4). Le débat s'anime : toute une controverse se poursuit. Le Parlement de Grenoble présente des « observations » sur un projet d'édit, renouvelant celui de 1701, et où il se fonde sur la distinction des ordres et des

(1) Aubertin, *ouvr. cité*, p. 347, 351 et le livre posthume de P. Muret.
(2) Il y a aussi l'expédition et la conquête de la Corse ; mais ce n'est pas une grande guerre.
(3) E. Carcassonne, *Montesquieu...*, *ouvr. cité*, p. 223.
(4) E. Carcassonne, *ouvr. cité*, p. 225.

fonctions, car « en les confondant, on fait entrer dans le gou« vernement monarchique la constitution de la démocratie ; « par l'union violente des principes contrariants on bouleverait le royaume ». Bref, c'est encore et toujours, comme chez Montesquieu, l'antique tradition, qui fait de la Noblesse une caste guerrière. Mais le marquis d'Argenson approuve Coyer ; le président Hénault, lui aussi, verrait avec faveur les Nobles s'adonner au commerce maritime ; enfin le président de Brosses oppose à Montesquieu, outre l'autorité de l'abbé de Saint-Pierre, les grands exemples de l'Angleterre, de Gênes et de Venise (1).

Et cependant, que de nobles n'ont attendu ni un projet d'édit, ni l'abbé Coyer et le débat ouvert par lui, pour s'intéresser directement à l'industrie et au commerce (2) ! En Flandre et en Hainaut, des nobles participent à l'exploitation des mines de charbon : le prince de Croÿ, le marquis de Cernay, lieutenant-général, apportent à Anzin des capitaux, de concert avec de riches bourgeois du pays (1757) (3). Sur les 24 sols entre lesquels sont répartis charges et bénéfices, Croÿ en recevra 4, soit le sixième, Cernay, le tiers, et les autres intéressés, la moitié. L'apport de Cernay est de 210.000 livres. L'apport total se monte à 630.000 livres. L'entreprise marche à souhait ; en 1766, sont répartis 408.000 florins, dont 51.000 vont au prince de Croÿ (4). D'autres nobles se joindront plus tard aux premiers concessionnaires, dont Villedeuil ; un des concessionnaires du début, Desandrouin, sera anobli (5). A Carmaux, on verra encore le chevalier de Solages fortement intéressé dans l'exploitation des mines de houille. N'est-ce pas une des traditions de la Noblesse de rechercher concessions et monopoles de mines et de transports, surtout depuis Louis XIV ?

Toutefois c'est principalement de l'exploitation de leurs terres qu'un certain nombre de gentilshommes de moyenne ou petite noblesse s'occupent avec activité, parfois avec une belle initiative. La grande Noblesse reste, en général, indifférente à l'exploitation rurale ; mais elle s'intéresse de plus en plus aux revenus.

(1) E. Carcassonne, *ouvr. cité*, p. 231.
(2) H. Carré, *La Noblesse de France et l'Opinion publique*, chap. II.
(3) Voir plus haut, p. 131.
(4) Elle marche moins bien en 1767 : 144.000 florins ; en 1769, 239.000 florins. Mais en 1781 elle donnera 535.200 florins (le florin vaut environ 2 livres). Voir A. de Saint-Léger, *Les Mines d'Anzin et d'Aniche, ouvr. cité*, t. Ier, p. 12.
(5) A. de Saint-Léger, *Ibid.*, p. 21. Il faut même remarquer qu'après la constitution définitive de la Société en 1757, à la fin du règne de Louis XVI, il y aura plus de nobles ou d'anoblis que de bourgeois : Croÿ, Cernay, Villedeuil Desandrouin, à côté de bourgeois, comme Taffin, descendant de Pierre Taffin, promoteur de la Société de 1716.

Les prix des choses, surtout des produits de luxe, n'ayant cessé de monter, il faut à la grande aristocratie de l'argent, toujours plus d'argent, pour tenir son rang à la Cour et à Paris. Sans doute elle profite de la hausse constante de ses rentes foncières ; ses intendants et procureurs fiscaux, qui résident sur place, tiennent la main à ses intérêts, passent les baux, les élèvent à chaque renouvellement, pour les mettre au niveau des prix des productions ; mais le maître vient rarement, ne surveille point, dépense le revenu du sol, sans s'inquiéter de l'exploitation, et sans prendre l'initiative d'améliorations et de progrès. Tout le produit net est dévoré, et le sol épuisé.

Cependant, la moyenne Noblesse provinciale, qui n'a pas les gros capitaux dont pourrait disposer la grande, prend un intérêt croissant à la culture, qui, bien conduite, suivant les nouvelles méthodes, procure un produit net de plus en plus fort. Parmi ces nouveaux agronomes le marquis de Mirabeau, de vieille noblesse provençale, qui, après avoir fait la guerre en Italie, comme capitaine (1737), rentre dans ses terres, part ensuite pour la campagne de Bavière (1743), revient enfin chez lui, avec la croix de Saint-Louis, et qui, en vrai féodal, ne demande rien à la Cour, ni ne veut pour ses filles de riches mariages financiers, se tourne vers l'agriculture avec passion, achète terre sur terre et constitue un grand domaine : condition excellente, selon son maître et ami Quesnay, pour obtenir de très forts rendements. Le marquis de Franclieu, dans sa Gascogne, le comte de Montlosier, dans son Auvergne, près de Clermont, soignent aussi leur exploitation rurale qui leur donne largement de quoi vivre à eux et leur famille et à tout leur personnel de ferme et de maison. La Noblesse poitevine, en général peu riche, réside aussi dans ses châteaux, plus de la moitié de l'année, quand elle a une maison à la ville, où elle vient passer l'hiver et jouir de la vie de société (1).

La Noblesse pauvre, souvent chargée d'une douzaine d'enfants, et même davantage, reste confinée dans ses domaines. Ces hommes, qui ont souvent fait campagne, retirés du service, comme capitaines, avec la croix de Saint-Louis, rentrés chez eux, n'en sortent plus. Comme il ne leur est permis de cultiver par eux-mêmes que des terres de « quatre charrues », suivant une coutume ancienne, ils sont obligés de céder à métairie ou à ferme le reste du domaine. Mais, sur place, ils s'entendent à « faire valoir ». Ils cultivent leur « réserve », vêtus en paysans. La plupart n'habitent plus des châteaux, mais des chaumières ou des

(1) Voir H. Carré, *La Noblesse...*, *ouvr. cité*, et son livre *Le Règne de Louis XVI*, dans Lavisse, p. 180-181.

manoirs jamais réparés et tombant de vétusté. Comment élever des familles très nombreuses, payer les pensions des garçons et des filles aux collèges ou aux couvents ? Les plus pauvres ne peuvent qu'envoyer leurs enfants à l'école du village, leur enlevant d'avance toute chance d'ascension sociale. Et même, quand certains, à force de sacrifices, ont pu faire faire des études à un ou deux enfants, il leur est impossible de leur acheter un grade dans l'armée. Force est pour ces jeunes gentilshommes de s'engager dans un régiment de cavalerie ou d'infanterie (1), ou encore dans la Marine. Chateaubriand raconte, dans ses *Mémoires*, comment « sa grand-mère s'étant épuisée pour faire quelque « chose de son fils aîné et de son fils cadet, et ne pouvant plus « rien faire pour les deux autres », il ne restait plus « d'autre « ressource que la Marine royale : on essaya, écrit-il, d'en profiter « pour mon père ; mais il fallait d'abord se rendre à Brest, y « vivre, payer les maîtres, acheter l'uniforme, les armes, les « livres, les instruments de mathématiques : comment subvenir « à tous ces frais ? Le brevet demandé au ministre de la Marine « n'arriva point, faute de protecteur pour en solliciter l'expé- « dition... » Alors la mère dit à son fils : « Que veux-tu faire ? « Laboure ton champ. — Il ne peut nous nourrir ; laissez-moi « partir. — Eh bien, dit-elle, va donc où Dieu veut que tu ailles. » « Elle embrassa l'enfant en sanglotant. Le soir même, poursuit « Chateaubriand, mon père quitta sa ferme maternelle, arriva à « Dinan, où une de nos parentes lui donna une lettre de recom- « mandation pour un habitant de Saint-Malo. L'aventurier « orphelin fut embarqué comme volontaire sur une goélette « armée, qui mit à la voile quelques jours après » et qui « rejoignit « la flotte que le cardinal Fleury envoyait au secours de Sta- « nislas, assiégé dans Dantzick par les Russes..... » Plus tard, le jeune homme arma des corsaires, fit de belles prises, puis, après la paix de 1763, se fit armateur, envoya des navires à Terre-Neuve et à Saint-Domingue ou à l'Ile-de-France, s'enrichit, releva la fortune de sa famille et acheta du duc de Durfort le château de Combourg, que son fils devait immortaliser dans ses *Mémoires* (2).

Ainsi la Noblesse, qui peut-être avait eu jadis quelque homogénéité, apparaît de moins en moins comme un « ordre » unique ; la diversité des conditions y éclate de plus en plus. Par suite de la

(1) H. Carré, *Le Règne de Louis XVI*, dans l'*Histoire de France*, de Lavisse, p. 183-184.

(2) Chateaubriand, *Mémoires d'Outre-Tombe*, éd. Biré, t. Ier, p. 16-19, et, dans l'*Appendice*, la note IV sur le père de Chateaubriand.

hausse de la rente foncière, qui profite surtout aux grands propriétaires (1), le contraste s'accuse toujours davantage entre les riches seigneurs et les gentilshommes pauvres. Ce serait peu que de diviser la Noblesse en trois classes : la grande Noblesse, la moyenne, la petite. Il faudrait pouvoir marquer, de l'une à l'autre de ces classes, les transitions, les nuances : tant tout, dans le développement social d'un organisme aussi complexe et aussi divers, suivant les provinces et les « pays » et les terroirs, multiplie les différences de condition et de genre de vie. Entre le noble de Cour qui voit le roi, vit dans un décor de rêve, au milieu des fêtes, et le gentilhomme qui, résidant sur ses terres, avec les paysans, presque paysan lui-même. conduit la charrue, il n'est rien de commun. A la Cour et à Paris, le grand seigneur mène une existence de salon, où les convenances mondaines couvrent les désordres des familles, où souvent l'adultère s'établit par consentement mutuel des époux, sans que personne s'en formalise, parce que tout le monde en fait autant (2). Dans les provinces, chez la petite ou la moyenne noblesse, les vieilles mœurs familiales se conservent encore : ces gentilshommes ont beaucoup d'enfants — le père du grand Mirabeau onze, le père de Chateaubriand six — et tous ne sont occupés qu'à établir fils et filles, en travaillant très dur. Montesquieu écrivait : « Je n'ai pas laissé, « je crois, d'augmenter mon bien. J'ai fait de grandes améliora- « tions à mes terres... Je n'ai pas aimé faire ma fortune par le « moyen de la Cour : j'ai songé à la faire en faisant valoir mes

(1) Labrousse, *ouvr. cité*, t. Ier. A chaque courbe ou diagramme, on voit que le vendeur de grains ou de vin, muni d'un gros stock de manœuvre, se trouve considérablement avantagé.

(2) On peut lire (en faisant des réserves) ce que dit Saint-Preux de Paris dans *La Nouvelle Héloïse*. Seconde partie, lettre XXI : « Il vaudrait mieux qu'une mère eût vingt amants que sa fille un seul. L'adultère n'y révolte point ; on n'y trouve rien de contraire à la bienséance : les romans les plus décents, ceux que tout le monde lit pour s'instruire en sont pleins, et le désordre n'est plus blâmable sitôt qu'il est joint à l'infidélité. » Éd. Garnier, p. 217. — On trouvera des traits de mœurs dans des *Mémoires*, dans des romans, soit pour cette période, soit pour le règne de Louis XVI (on y reviendra plus loin), et pour l'époque de Louis XV. — On peut jeter aussi un coup d'œil sur le *Journal des Inspecteurs de Monsieur de Sartines* (Bruxelles et Paris, 1863, in-12) : c'est, à la longue, un peu monotone, mais intéressant : Louis XV lisait ces nouvelles de la Police. Voici, au 4 février 1763, t. Ier, p. 243, ce que dit l'inspecteur : « M. de Valence, logé au Palais-Royal, qui entretient la demoiselle Leblanc, est dans la plus grande inquiétude sur sa santé, à cause d'une lettre qui lui a été écrite par M. de Molivos, capitaine aux Gardes françaises, par laquelle il lui marque que, le sachant lié avec cette demoiselle, il est obligé, comme son ami, de l'avertir qu'ayant couché avec elle, elle lui a fait présent d'une galanterie des plus cuisantes... M. de Valence a rompu tout net avec cette fille. » Voir encore p. 246, 248, 249, etc. — Ce sont là les plaisirs de Paris, et il n'y a pas que les actrices qui soient mêlées à cette existence amoureuse : on en verra des exemples dans ce *Journal* indiscret.

« terres (1). » Ces nobles de province, retirés du service, font comme Montesquieu : loin de la Cour, à laquelle ils ne pensent point, ils ne comptent que sur eux-mêmes, et travaillent, celui-ci sur ses terres, celui-là, comme Chateaubriand, sur les mers et au port. Mais souvent, férus de leur « puissance paternelle », ils s'érigent en juges domestiques. En Provence, où les vieilles traditions du droit romain se maintiennent, le père, pour éviter toute contestation entre ses enfants après sa mort, règle tout d'avance, du consentement de ceux-ci (2).

IV. — *La Noblesse de robe*

A la Noblesse d'épée il faut joindre la Noblesse de robe, car elles sont de plus en plus alliées par les mariages. La Noblesse de robe, issue de la Bourgeoisie, a redoré de sa fortune la Noblesse d'épée, souvent appauvrie par son luxueux train de vie et la négligence de ses domaines ruraux. Car c'est un esprit encore bourgeois qui, dans la conduite de la vie et des affaires, anime, en général, la Noblesse de robe, propriétaire de ses « offices » de judicature et de finances, détentrice de fiefs et de châteaux, d'immeubles de rapport dans les villes ainsi que de rentes foncières pour les biens donnés à fermage et à métayage, sans parler de « rentes constituées » et de rentes sur l'État. Mais c'est moins de ses rentes sur l'État qu'elle vit que de ses revenus fonciers, ainsi que de ses « épices » qui, par suite des énormes abus dans l'exercice de la justice, grandissent terriblement, aux dépens des plaideurs. Ce n'est pas cette Noblesse qui ira négliger ses intérêts fonciers. Sans doute ses fonctions l'obligent à résider à Paris, à Bordeaux, à Toulouse, à Rennes, à Dijon, etc. ; mais elle a ses domaines dans le voisinage ou dans la province, et elle va les visiter, y passer la belle saison, en surveiller l'exploitation — tout comme faisait le président de Montesquieu, quand il remplissait les devoirs de sa charge, et qu'il trouvait le temps d'aller à son

(1) *Montesquieu. Pensées diverses,* cité par Ch. de Ribbe ; *ouvr. cité,* t. II, p. 138 et suiv.

(2) Voir Ch. de Ribbe, *ouvr. cité,* t. II, p. 230 et suiv. Le père dispose librement, en général (car il a au moins cinq enfants) suivant la Novelle 118, de la moitié de ses biens. Il peut donc avantager des enfants, faire des legs, etc. — Cette tradition était ancienne. S'est-elle conservée, du moins en partie, depuis le Code civil ? Dans les pays du Midi, les exemples ne manquent pas. Ainsi dans la famille de mon grand-père maternel, notaire dans un bourg du Quercy, qui avait cinq enfants, il y eut un « partage » fait par lui peu de temps avant sa mort, vers 1883, et il laissait un préciput, soit le cinquième en plus, à son fils aîné, qui avait ainsi double part. Cet usage s'est-il conservé au xxe siècle ? Il y aurait bien des travaux à faire, comme celui de Ch. de Ribbe, sur ces questions sociales et sur ces vieilles coutumes familiales.

château de la Brède, près de Bordeaux, pour y constater l'état de ses vignes et procéder aux améliorations nécessaires. Les Parlementaires de Dijon ne sont pas moins occupés de leurs vignobles que de leur charge judiciaire ; c'est eux surtout qui savent « faire valoir » les produits de leurs crûs sur les côtes de Beaune et de Nuits, qui introduisent dans le public la distinction des vins, tous confondus au siècle précédent, qui leur fixent des rangs, établissent sans conteste la royauté des Gevrey-Chambertin, des Vougeot, des Beaune (de l'Hospice) et de tant d'autres de ces « clos », parure et richesse de la Bourgogne (1). Et peut-être est-ce surtout cette aristocratie nouvelle qui, habituée, comme ses pères, à compter, met fin à la négligence des redevances seigneuriales, et prend l'initiative de la réaction féodale qui, vers 1770, semble déjà sévir (2).

On connaît leur ambition politique, leur puissance, leur appropriation exclusive des « offices ». On sait aussi leur cupidité. Le public ignore peut-être leur peu de capacité. Quelques noms célèbres, viennent, il est vrai, à la mémoire : de Brosses, Bouhier, à Dijon ; La Chalotais, à Rennes ; Servan, à Grenoble ; et à Paris, un Malesherbes. Mais que de médiocrités, dans les plus hautes fonctions ! On a acquis, moyennant finance, un siège de conseiller ; ou bien on n'a eu que la peine de le trouver dans la succession d'un père ou d'un parent proche ; et après avoir pris un diplôme dans quelque Faculté complaisante, on a été jugé capable de rendre la justice, au Parlement, à vingt-deux ou vingt-cinq ans ! Peu à peu, par la force de l'habitude, on s'est familiarisé avec l'aride procédure des « procureurs » et les habiletés des avocats, comme avec les sollicitations des plaideurs, appuyées de solides « épices », et l'on a fait son chemin : bien sot qui, avec un grand nom, ne se trouve pas bientôt président de Chambre ou, comme Joly de Fleury, procureur général du Parlement de Paris, à vingt-huit ans ! Décidément, les Facultés de Droit, malgré quelques célébrités, comme Pothier, d'Orléans, ou Lanjuinais, de Rennes, n'ont pas tenu les promesses espérées du chancelier Le Tellier (3), et ne se sont guère amendées, toujours aussi complaisantes dans la délivrance des diplômes à des jeunes gens qui n'ont même pas suivi les cours. Le déclin que Bernis et

(1) Voir Roupnel, *ouvr. cité*, chapitre sur le vignoble. Les Parlementaires ont acheté beaucoup de clos dès le XVIIe siècle. Les religieux en ont gardé cependant.

(2) Voir ci-après, p. 221. Dans nombre de documents de 1789 on dit que des droits ont été augmentés depuis vingt ans, trente ans. Se reporter à l'*Appendice*, n. V, C. Terriers.

(3) Voir le t. Ier, p. 90.

les ministres constatent avec effroi partout n'est pas moins manifeste dans la magistrature que dans l'armée ou l'administration. Aussi que d'esprits éminents, Turgot, Voltaire et tant d'autres, applaudissent à la ruine des Parlements et à la révolution judiciaire !

Certes les mœurs du monde parlementaire, même à Paris, ne sont pas encore complètement gâtées par le milieu frivole et corrompu qui l'entoure. Les hauts magistrats des provinces conservent les pratiques religieuses, même quand ils s'égaient aux romans de Voltaire ou se passionnent pour l'*Encyclopédie*. Ils ont le respect de l'ordre, l'attachement aux saines traditions, et d'abord à celles de la famille. Mais la cupidité et une sage économie mettent entre cette Noblesse de robe et la grande Noblesse de race, qui s'entend à prendre et à recevoir, mais qui dépense sans compter, une différence qui ne nous inspire pas l'admiration sans réserve qu'ont pour elle les bons bourgeois de Paris, soucieux avant tout du bon ordre domestique et des intérêts étroits de propriétaires avisés.

C'est de cette Noblesse de robe que sortent souvent ministres et secrétaires d'État, conseillers d'État, intendants des généralités. Ils portent fréquemment des titres de noblesse ; l'habitude s'en est prise déjà sous Louis XIV, après Le Tellier et Colbert, qui n'en avaient pas, mais à qui l'on donnait du « Monseigneur », et dont les fils et petits-fils, Louvois, Barbezieux, Seignelay, Torcy, se muèrent en marquis. On a vu, dès le XVIIe siècle, les familles Phélypeaux et d'Argenson, toutes deux de robe, se revêtir de titres nobiliaires. Les Phélypeaux ont pris des noms de terres avec des titres de marquis ou de comte. Balthazar Phélypeaux, d'abord conseiller d'église au Parlement, est marquis de Châteauneuf, comte de Saint-Florentin, seigneur de La Vrillière, et reçoit la charge de son père de La Vrillière au Conseil comme secrétaire d'État (1677) (1). Ces titres, et d'autres encore, vont, dans la suite, à divers personnages de différentes branches de la famille. Jérôme Phélypeaux, fils du contrôleur général (2) est, comme son père, comte de Pontchartrain, et, ministre, lui aussi, de Louis XIV (3), il a pour fils Jean-Frédéric Phélypeaux,

(1) Spanheim, *Relation de la Cour de France*, éd. Bourgeois, p. 404, n. 2.

(2) Louis Phélypeaux, comte de Pontchartrain (1643-1727), premier président au Parlement de Rennes, puis intendant des finances, ensuite contrôleur général des finances (1689) et secrétaire d'Etat de la Maison du roi (et de la Marine), 1690 ; chancelier de France (1699-1714). — On voit que c'est un homme de robe, par ses fonctions judiciaires du début, comme par ses hautes fonctions judiciaires, à la fin de sa carrière.

(3) Jérôme Pontchartrain (1674-1747), conseiller au Parlement de Paris (1692), a la survivance, puis reçoit les fonctions de son père (1699) et est forcé de

comte de Maurepas, du nom d'une seigneurie du Mantois, qui devient secrétaire d'État, avec le département de la Marine, de 1723 à 1749, et qui, disgracié, comme on a vu, pour un couplet contre Mme de Pompadour, reviendra au pouvoir, après vingt-cinq ans de loisir, à l'avènement de Louis XVI. Les d'Argenson tirent leurs titres de marquis ou de comte d'une seigneurie de Touraine : on a vu, sous Louis XIV, d'Argenson maître des requêtes, puis lieutenant général de police, ensuite, sous la Régence, garde des sceaux, ministre d'État ; ses fils sont le marquis d'Argenson, d'abord conseiller d'État et intendant du Hainaut, puis secrétaire d'État des Affaires étrangères (1744-1747) ; et le comte d'Argenson, conseiller au Parlement, lieutenant général de police, intendant, conseiller d'État, secrétaire d'État de la Guerre (1742-1757) ; lui aussi victime de Mme de Pompadour. En exerçant les hautes fonctions du ministère, ces comtes et ces marquis, vivant à Versailles, sollicités par toute la Noblesse de cour, se mêlent intimement au monde des grands seigneurs. Grands seigneurs eux-mêmes, ils en ont le costume et les manières, souvent l'esprit ironique et frivole, toutefois avec une culture plus étendue : plusieurs d'Argenson sont des lettrés : le marquis est un écrivain politique, membre de l'Académie des Inscriptions ; son fils, le marquis de Paulmy, maître des requêtes, puis ambassadeur en Suisse (1748), de l'Académie française, forme une magnifique bibliothèque, qu'il vendra plus tard au comte d'Artois (1).

V. — *L'aristocratie financière*

En dehors de cette aristocratie de robe, qui détient la justice, et accède au pouvoir, d'où sortent, malgré la rivalité de la Noblesse d'épée, secrétaires et ministres d'État, Maurepas, les d'Argenson, Machault d'Arnouville, Maupeou, s'est formée déjà une nouvelle aristocratie, celle de la finance, qui entend se faire la classe dirigeante de la politique. Les financiers, depuis le « Système », sont devenus les maîtres de la finance publique : de là à prétendre être les maîtres, sinon manifestes, du moins réels, de l'État, il n'y a qu'un pas. Ce pas semble déjà franchi, on l'a dit, par les frères Pâris, et par Pâris-Duverney, ami et confident de Mme de Pompadour. On l'a vu déjà prendre l'initiative de la

se démettre de sa charge, après la mort du roi (nov. 1715). Et celle-ci va à son fils le comte de Maurepas.

(1) Cette vente aura lieu en 1785. C'est aujourd'hui la fameuse Bibliothèque de l'Arsenal.

fondation de l'École militaire (1), il préside aux fournitures de l'armée, comme munitionnaire général, et à ce titre il doit veiller à la subsistance de l'armée de Soubise, à lui particulièrement recommandée par Mme de Pompadour ; il s'ingère dans toutes les affaires militaires, par dessus la tête du ministre de la Guerre, jusque dans les opérations et les nominations aux grands commandements ; il en a conféré chez Mme de Pompadour, en présence du roi. Jamais financier placé en dehors du gouvernement n'eut une telle puissance politique, sous la monarchie absolue. Au reste, Duverney ne semble avoir pris aucun titre nobiliaire. Son frère Jean, dit Pâris de Montmartel, banquier de la Cour, devient le marquis de Brunoy. Quant à Poisson, père de la marquise, ce vil traitant obtient des lettres de noblesse et des armoiries ; condamné, en 1722, à être pendu, il est porté au pinacle en 1752, reçoit la terre de Marigny, achetée par le roi 200.000 livres, comme « remboursement de ses avances » — les avances d'un voleur ! (2). Avec Mme de Pompadour (Mme d'Étiolles) (3), la finance a consolidé et même accru le pouvoir qu'elle avait déjà pris depuis longtemps.

Voilà bien des classes privilégiées. Elles le sont toutes, même quand elles sont pauvres, comme la petite noblesse, en ce sens qu'elles sont exemptes de la taille, pour la partie du domaine qui forme leur « retenue » aux quatre charrues. Mais entre elles que de différences ! Quelle confusion dans les hautes classes, entretenue par la cupidité et l'ambition, et favorisée par des maîtresses avides, sorties de la Bourgeoisie, comme la Pompadour et la Dubarry, et d'une bourgeoisie très suspecte ! Comment, dans ces conditions, maintenir une hiérarchie capable de soutenir la société, sous une monarchie absolue ? Parmi les vieux « ordres » de la nation, Clergé et Noblesse, commence une lutte sourde de classes, qui les affaiblit au point qu'au premier choc de l'adversaire ils se désagrègeront très vite.

VI. — *La Bourgeoisie : la haute bourgeoisie*

C'est la Bourgeoisie qui monte toujours, malgré la désertion de sa partie supérieure vers les classes nobles et privilégiées. La

(1) Voir plus haut, p. 59.
(2) Goncourt, *Madame de Pompadour*, p. 73-74.
(3) Fille d'Antoine Poisson, premier commis dans les bureaux des frères Pâris, protégée par Le Normand de Tournehem, un des syndics de la Ferme générale, et amant de sa mère, qui la maria à son neveu Le Normand d'Etiolles (1741).

prospérité générale, qui est, d'ailleurs, due en grande partie à son initiative et à son effort, la porte toujours plus haut. C'est le grand fait social de cette époque. On sent de plus en plus que c'est la Bourgeoisie qui produit, enrichit le pays, et le pare, pour la majeure partie, de cette gloire littéraire, artistique et scientifique et de cette suprématie spirituelle reconnues à la France par tous les peuples. Que de philosophes et d'écrivains entretiennent une correspondance suivie avec les souverains étrangers ! Voltaire avec Frédéric et Catherine ; Diderot avec Catherine. Même ils les visitent. Quelle chose extraordinaire que ce voyage de Diderot en Russie, ce tête à tête, chaque jour, avec l'impératrice, où il expose ses idées politiques, sociales, éducatives, avec son éloquence de feu et son génie improvisateur ! (1). Que d'artistes appelés à l'étranger, qui même s'y installent à demeure on y résident longtemps ! Falconet s'est rendu à Saint-Pétersbourg, cette nouvelle capitale, fondée près de la mer par le grand tsar Pierre, pour y faire revivre le héros dans un monument unique, une statue équestre fièrement dressée sur un énorme roc de granit, où le créateur de la Russie moderne s'élance, plein de fougue et d'audace, comme pour prendre possession de l'infini de l'espace. Le grand sculpteur a quitté son pays, la maison qu'il fit bâtir, ses amis, « sacrifié » son repos, comme le lui écrit Diderot, pour y gagner « l'immortalité », qu'il semble dédaigner ; dédain qui provoque l'éloquente et persuasive protestation de Diderot : « Si le sentiment de l'immortalité est une chimère, si le « respect de la postérité est une folie, j'aime mieux une belle « chimère qui fait tenter de grandes choses qu'une réalité stérile, « une prétendue sagesse qui jette et retient l'homme rare dans « une stupide inertie (2). » Combien d'autres ont continué cette belle tradition qui manifeste au monde entier la suprématie de l'art et de la pensée française ! Les sculpteurs Clodion et Houdon, à Rome ; les peintres Joseph Vernet, Hubert Robert et Fragonard, qui y résident de longues années ; plusieurs à Madrid, où Robert Michel, l'auteur de la belle fontaine de Cybèle, au Prado, demeure quarante-six ans, et les peintres Louis-Michel Vanloo et Michel Ollivier ; d'autres, comme le sculpteur Roubillac, à Londres, où il élit domicile ; beaucoup enfin en Allemagne, en Russie et jusqu'en Suède (3).

(1) Maurice Tourneux, *Diderot et Catherine II*. Voir notamment le projet d'Université, donné *in extenso*.

(2) Diderot à Falconet (sept. 1766), dans les *Extraits de Diderot*, par Joseph Texte, p. 342.

(3) Voir Louis Réau, *L'Europe française au siècle des lumières*, 1938. Liste des artistes français à l'étranger, p. 395-403. A Rome, Clodion, 1762-71 ;

Tout n'est pourtant pas gloire et immortalité dans cette Bourgeoisie qui s'est élevée peu à peu. Que de classes parmi elle ! Le mot « tiers état » n'est qu'un mot, inventé pour les États généraux, qui d'ailleurs ne sont plus convoqués, ou pour les États provinciaux, qui ne se tiennent plus que dans quelques provinces. Il ne suffirait plus de distinguer haute, moyenne, petite bourgeoisie ; il y a beaucoup plus de classes et de sous-classes bourgeoises ; la réalité sociale est devenue de plus en plus complexe.

D'abord les financiers, les armateurs des ports, les grands négociants ou les « marchands-fabricants ». Les banquiers de Paris, de Lyon, qui ne sont pas anoblis — la plupart sont encore bourgeois — les fermiers généraux, trésoriers et receveurs généraux, riches capitalistes, mènent parfois une vie de grands seigneurs : ceux-ci, comme Saint-Julien et Bouret, avec peu de goût, comme en témoigne un de leurs hôtels, où s'étale un luxe de parvenus (1) ; ceux-là, avec un raffinement d'art qui les met en rivalité avec la haute Noblesse et leur fait jouer même un rôle social plus éminent et plus fécond : tel ce La Poupelinière, que l'on a déjà vu créer en France le premier orchestre de musique symphonique (2).

Les armateurs et les gros négociants — souvent l'armateur est aussi négociant — donnent le spectacle d'une ascension sociale rapide, à Marseille, à Bordeaux, à Nantes, à la faveur de la prospérité générale. Leur horizon s'étend. Marseille, qui a longtemps laissé le commerce des « Iles » aux ports du Ponant, le pratique de plus en plus. Dès 1750 elle a armé quatre-vingts navires pour les Indes occidentales, au lieu des quatre ou cinq de 1719 (3).

Antoine Houdon, 1764-68 ; Joseph Vernet, 1734-52 ; Hubert Robert, 1754-63 ; Honoré Fragonard, 1756-61 et 1773. — A Madrid, Robert Michel, 1740-86 ; Louis-Michel Vanloo, 1737-52 ; Michel Ollivier, 1737-63. — En Angleterre, Roubillac, 1730-62. — En Russie, Falconet, 1766-78 ; Louis Tocqué, 1756-58 ; J.-B. Le Prince, 1758-62. Ce n'est encore là qu'un choix, entre cent.

(1) Tel l'ancien hôtel Saint-Julien, bâti par un fermier général, acquis par Bouret (acheté plus tard par Louis Bonaparte). C'est ici, « écrit Frédéric Masson (*Napoléon et sa famille,* t. II, p. 434) le type de l'hôtel qu'aiment les gens d'argent — péristyle orné de colonnes — et ce qui donne le dernier coup, c'est le jardin : entre les deux allées de tilleuls longeant les murs, on a accumulé toutes les laideurs prétentieuses du genre pittoresque : deux lacs, un temple des Quatre Saisons avec jeu d'eau à l'intérieur, une volière, un pavillon, un pont rustique, dix-huit vases et statues, une chaumière, une cascade, deux ou trois obélisques et une longue tonnelle que coupent des termes historiés de Pans moqueurs. Dans les appartements, jamais un rayon de soleil,... sottise de financiers. »

(2) Voir plus haut, p. 149.

(3) A. Chabaud, voir son étude excellente sur la bourgeoisie de Marseille (*Assemblée générale de la Commission centrale d'histoire économique,* 1939, t. Ier, 1942.)

Nantes et Bordeaux, en pleine prospérité, se livrent à la traite des nègres et au fructueux négoce aux « Iles ». Quels profits ! A Marseille, Joseph Hugues, en 1769, à soixante ans, a déjà fait une énorme fortune : on l'estimera, en 1789, à 18 millions de livres. Les Seimandy, les Audibert, les Clary sont aussi fort riches, alliés entre eux ou aux familles nobles, aux Rémuzat, aux Borély. Plusieurs, d'origine italienne, sont nobles, et d'autres ont été anoblis (1). A Nantes, à Bordeaux, à Rouen on trouve de puissants armateurs, mêlés à des commissionnaires hollandais et hanséates, dont plusieurs résident à poste fixe et qui apportent à ces vieilles cités un nouvel afflux de sang septentrional, vite francisé dans un milieu accueillant (2). On y rencontre de grosses fortunes, beaucoup de confort et même de luxe. Les négociants nantais s'offrent la fantaisie de faire blanchir leur linge à Saint-Domingue (3). Les armateurs de Saint-Malo, en particulier les Magon, se sont fait bâtir, en dehors de leurs belles maisons de ville, des châteaux aux environs, sur les bords de la Rance, en Saint-Servan ou en Pleurtuit, « ornés d'orangeries, d'eaux jail- « lissantes et de statues » (4).

A côté d'eux se placent les grands « fabricants », dans l'industrie textile, qui se développe, grâce aux machines anglaises, introduites clandestinement par des Anglais eux-mêmes, comme le jacobite Holker, maître, à Rouen, d'une manufacture de velours de coton à deux cents métiers (5), ou aux nouvelles machines de Vaucanson pour le moulinage de la soie, installées chez les Deydier, d'Aubenas, en Vivarais (6) ; dans l'industrie minière, qui fait de rapides progrès, au Midi (Carmaux), au Centre et au Nord (Anzin) ; dans la métallurgie, dont les petits établissements se multiplient un peu partout, et qui va se rénover avec l'Anglais Wilkinson, le chevalier de Jars. Ces « marchands-fabricants » édifient, eux aussi, de grandes fortunes. Après ces magnats, on peut placer les fonctionnaires des finances, trésoriers et receveurs, directeurs des Fermes, en général riches, surtout ceux qui se livrent à la spéculation et aux affaires.

On remarque maintenant une sorte d'aristocratie intellec-

(1) Ch. de Ribbe, *ouvr. cité*, t. Ier, p. 144. Des familles aristocratiques de Provence se livrent, comme celles d'Italie, à des entreprises maritimes.

(2) A Bordeaux, accueil facile. Voir J. Mathorez, *Les Etrangers en France* (dans l'Ancien régime), 1921. — E. Leroux, *La Colonie germanique de Bordeaux;* Malvezin, *Histoire du commerce de Bordeaux;* Camille Jullian, *Histoire de Bordeaux.*

(3) Gaston-Martin, *ouvr. cités.*

(4) Chateaubriand, *Mémoires d'Outre-tombe*, éd. Biré, t. Ier, p. 255-256.

(5) H. Sée, *Histoire économique de la France*, t. Ier, p. 356 et n. 4.

(6) *Ibid.*, p. 357.

tuelle bien plus nombreuse, qui n'a pas uniquement en vue le gain, et qui se sépare, par ses goûts et son genre de vie, du gros de la Bourgeoisie, tout en en retenant parfois certaines habitudes : tel Voltaire qui, par ses origines, reste Arouet, fils de notaire, qui vit certes en grand seigneur généreux, mais n'oublie pas ses « intérêts », pressant sans cesse ses hommes d'affaires de faire rentrer l'argent prêté à d'illustres personnages (1) ou à des fermiers généraux. Avec ses 200.000 livres de rentes, il donne à la condition de l'écrivain français l'indépendance, ce premier des biens pour l'homme de pensée, et un lustre splendide. Que les Dalembert, les Diderot et tant d'autres peinent pour vivre, travaillent parfois comme des bourreaux, peu importe : ils sont voués à la science, à la philosophie, à une œuvre ; l'idéal les porte à des hauteurs telles que les plus grands souverains de l'Europe ne leur ménagent pas leur admiration et voudraient même les avoir auprès d'eux : Diderot, on le sait, accepta cet hommage et se rendit auprès de Catherine II ; mais Dalembert refusa, dans son farouche amour de la liberté, de faire l'éducation du grand duc Paul, le futur tsar. Les écrivains de second plan vivent largement, surtout quand ils dirigent, un journal. *L'Année littéraire* procure l'aisance à Fréron ; mais quelle calamité pour lui, on l'a vu, quand son journal est suspendu pour plaire à Voltaire ou à M. Dalembert ! Le *Mercure de France* est pour Marmontel une excellente ressource, d'ailleurs partagée avec d'autres écrivains, mais qu'il perd, quand il est envoyé à la Bastille (2). Quelle hiérarchie établir entre les artistes, entre les médecins ? Les uns font partie, à Paris, de la haute bourgeoisie, frayent chez le roi, les princes, la maîtresse royale ; les autres, à Paris et dans les provinces, sont de la moyenne et bonne bourgeoisie ; souvent obscurs, ils gagnent très largement leur vie, comme on peut le voir par la capitation qu'ils paient, le nombre de domestiques qui les servent, le train de vie qu'ils mènent.

A côté d'eux, on peut, dans l'ensemble, placer les magistrats des présidiaux et des bailliages, les avocats, notaires, procureurs et tous hommes de loi. Les avocats ont grandi, comme les écrivains et les philosophes. Le barreau de Paris compte des hommes illustres, tels que Target, Tronchet (3), un des plus grands jurisconsultes que la France ait eus. Près des Parlements des pro-

(1) Voir *Les vraies lettres de Voltaire à l'abbé Moussinot*, publiées par Courtat, 1875. Ces lettres ne vont que de 1736 à 1741 ; mais dans la suite Voltaire n'a pas changé de conduite avec ses créanciers.

(2) Marmontel, *Mémoires*, éd. Jouaust, t. Ier, p. 127. Voir l'*Appendice*, n. XI, Journaux.

(3) Tronchet (1726-1806).

vinces les avocats trouvent à plaider des « causes » nouvelles ou rajeunies par les progrès de l'industrie et du commerce, et d'un volume plus important. Leur culture professionnelle s'enrichit par l'expérience, à une époque de renouvellement de la technique et de la finance privée ; leur culture intellectuelle s'étend, dans le commerce des philosophes et des économistes : grands lecteurs de Voltaire, de Diderot, de Montesquieu, de Rousseau, les questions sociales et morales, politiques aussi, les passionnent. Déjà ils se préparent, vers 1770, au grand rôle que leurs connaissances spéciales et leur culture générale, jointes au talent de la parole, leur préparent dans la France de l'avenir. Beaucoup font partie des Académies, des « Sociétés de lecture », des « loges » maçonniques, dispersées par tout le royaume. Certains d'entre eux jouent un rôle de premier plan. Quelques-uns à Paris ont des hôtels, comme les financiers. Mais cela est rare. Dans les petites villes de 8 à 10.000 habitants, ils sont fort nombreux, tiennent le haut du pavé, et on ne voit qu'eux (1).

Notaires, procureurs, hommes de loi fourmillent, avec une tendance à se multiplier, pour suffire à l'administration des biens des grandes familles qui ne résident pas sur leurs terres ou des biens ecclésiastiques, surveiller la rentrée des droits seigneuriaux, s'occuper de mille et une choses, comme on a vu Delahante s'y employer pour le compte du duc d'Orléans et d'autres seigneurs (2).

Toute cette bourgeoisie, aux professions et classes si diverses, mais toujours riche ou aisée, économe et jalouse d'amasser, achète encore des terres et des maisons, qui lui paraissent les placements les plus solides. Ces roturiers, par l'acquisition de fiefs, se muent en seigneurs : d'où considération sociale, avantages, droits seigneuriaux sur les fonds du domaine déjà concédés à cens ou à champart, et rentes foncières pour les terres données à bail, surtout à fermage ; car c'est le fermage qu'ils préfèrent dans les pays au nord de la Loire, même en Bretagne, où le vieux régime du « domaine congéable » leur semble moins favorable à leurs intérêts (3) ; ainsi, ne résidant pas, demeurant à la ville, ils seront sûrs de toucher une redevance fixe en grains de diverses sortes.

(1) A Evreux (8.000 hab. en 1789) on trouve seize procureurs, notaires, greffiers, sans parler des huissiers, sergents, arpenteurs, etc. ; il y a seize avocats et médecins ; — beaucoup d'officiers de justice, voir Jean Vidalenc. — A Albi (9.000 hab.) on trouve vingt-quatre avocats, six procureurs, cinq notaires, six huissiers, deux fendistes, voir P. Bayaud, dans *Assemblée générale* de 1939, *ouvr. cité*.

(2) Voir plus haut, p. 65.

(3) Thomas-Lacroix, *Métayage et fermage en Bretagne*, dans le recueil de l'*Assemblée générale de la Commission centrale...*, 1939, t. Ier, 1942, p. 357-360.

Il semble que dans certains pays, comme le Limousin, la Bourgeoisie ait acheté beaucoup de terres aux nobles, mais qu'elle les ait revendues en partie à des paysans aisés (1). En Provence, à Auriol, de 1730 à 1779, des bourgeois rentiers ou exerçant des professions libérales ont vendu des terres à de petits bourgeois, à des artisans et commerçants au détail ; ceux-ci ont, en cinquante ans, doublé, et au delà, leur fortune foncière, et le nombre des propriétaires, parmi eux, a monté de cent deux à cent soixante-trois (2). Ainsi on peut sans doute percevoir, dans cette période de prospérité générale, un mouvement vers la multiplication des petits propriétaires parmi les plus modestes bourgeois (3).

Peut-être, en sens inverse, commence-t-on à voir, vers 1770, une tendance à la concentration des exploitations rurales. Les seigneurs, nobles ou bourgeois, réunissent déjà les fermes, détruisent des bâtiments, pour diminuer les frais d'entretien, à une époque où les matériaux, bois ou pierre, deviennent de plus en plus chers. Ce fait nouveau, qui se produit surtout dans les pays du nord de la France, aux dépens des petits fermiers, apparaîtra en pleine lumière quelques années plus tard (4).

Ce qui est certain, c'est l'enrichissement général de tous les propriétaires et exploitants du sol, bourgeois et autres. Les grands propriétaires ou fermiers, disposant de grosses quantités de grains, ont fait de beaux profits (5). Les bourgeois ont pu non seulement mieux vivre, mais réaliser des économies et acheter encore terres et maisons. Il s'est produit une circulation plus active des richesses, en particulier des biens-fonds. Sans doute on pourrait le constater par la montée du rendement des « lods et ventes », droits de mutation payés au seigneur, très variables, il est vrai, suivant les années, mais, au total, plus élevés qu'auparavant.

(1) J. Loutchisky, *La Propriété paysanne en France à la veille de la Révolution, principalement en Limousin*, 1912. Voir aussi Ph. Sagnac, *La Propriété foncière au XVIIIe siècle*, d'après les travaux de M. Loutchisky, dans la *Revue d'histoire moderne et contemporaine*, 1901.

(2) Busquet, voir son étude sur les cadastres à Auriol, dans le recueil de l'*Assemblée générale...*, *ouvr. cité*, t. Ier, avec bibliographie sur les cadastres et les questions agraires en Provence, la valeur des terres irriguées, etc.

(3) Il faudrait bien d'autres exemples pour confirmer le phénomène limousin ou celui d'Auriol. Il est bien probable que ce qui s'est passé à Auriol s'est passé dans toute la Provence ; mais des travaux nombreux seraient nécessaires.

(4) Voir plus haut, p. 129.

(5) Se reporter ici aux ouvrages de Labrousse, *cités*, qui tiennent toujours grand compte des stocks de manœuvre des gros propriétaires de grains ou de vins.

VII. — *Les Villes : les Municipalités*

Cet enrichissement, certes point nouveau, mais beaucoup plus rapide, dans cette période d'expansion économique, a donné à la Bourgeoisie l'ambition d'administrer librement les villes, d'élire les municipalités, de ne plus avoir des « officiers », maires et échevins, qui, ayant acheté leurs offices, s'imposaient à leurs concitoyens par la seule puissance de l'argent. Les notables étaient las de cette politique monarchique qui tantôt érigeait les charges municipales en offices à acheter, tantôt, supprimant les offices, rétablissait les élections. Quelle fiscalité ! En 1747, des offices municipaux, créés en novembre 1733, ne sont pas encore « levés », c'est-à-dire vendus, dans plusieurs villes de la généralité de Paris, quoique le roi en ait réduit le prix aux deux cinquièmes ; alors « comme le seul moyen de procurer à Sa Majesté « les secours qu'elle attend de la vente de ces offices est de les « réunir aux corps des villes et communautés de ladite généralité, « mais que ces villes n'étant pas en état de payer la somme de « 734.250 livres à laquelle se trouvent monter la finance et les « 2 sols pour livre d'icelle des dits offices restant à vendre, il « serait nécessaire de leur accorder la jouissance des droits qui se « lèvent actuellement sur leurs habitants en exécution de l'arrêt « du 18 septembre 1731 », ces droits sont augmentés : à Beauvais, on paiera 20 sols par muid de vin, et 10 sols par muid de cidre ou poiré entrant dans la ville ; plusieurs villes de la généralité seront soumises à des augmentations analogues. C'était rejeter la charge sur les consommateurs.

En 1764 et 1765, tout change ou semble changer : la liberté des élections est rétablie. Chaque corps, compagnie ou classe d'habitants désignera un député, et les députés éliront la municipalité. Cependant, comme les corps et communautés d'artisans, s'assemblant séparément et choisissant chacun un député, ont « donné une si grande quantité de députés dans toutes les villes « que leur nombre se trouve dans plusieurs endroits excéder « celui des députés des compagnies et autres classes des habitants « et leur assure conséquemment la prépondérance dans les « élections », d'où il peut résulter de mauvais choix, une Déclaration du roi (15 juin 1766) « interprète » l'édit de mai 1765 de manière à obvier à ce danger : elle ordonne que les corps ou communautés d'artisans, en jurande ou non, ne pourront nommer un député que si leurs membres sont dix-huit au moins dans les villes de 4.500 habitants, et douze dans les villes moins peuplées. S'ils ne sont pas en nombre, ils devront se réunir « à un corps de

« la profession la plus analogue à la leur ». Ces députés, ainsi choisis, éliront des « assemblées de notables » (1).

Le mécanisme de ces élections est réglé, pour certaines villes, par des lettres-patentes spéciales : pour Lyon (1764), Reims (1766), les villes du Languedoc (1766). A Lyon, les députés s'assemblent (2) : un du chapitre de Lyon, un de « l'ordre ecclé- « siastique, un de la Noblesse, un de la Cour des Monnaies et « Sénéchaussée, un de chacune des autres juridictions, un de « chacun des autres Corps et Communautés spécifiquement « mentionnés ». Ces députés, qui représentent la cité éliront une « assemblée de notables » qui comprendra le prévôt des marchands, quatre échevins, douze conseillers de Ville, deux officiers de la Cour des Monnaies et Sénéchaussée, et dix-sept des principaux habitants de la cité. Et ces dix-sept derniers doivent être pris dans des corps déterminés : Chapitre, Clergé, Noblesse, avocats, notaires, procureurs, commerçants et maîtres de métiers, dont huit parmi les ecclésiastiques, fonctionnaires et hommes de loi et neuf parmi les marchands et les maîtres de métiers. Les échevins, élus pour deux ans, sont choisis parmi les conseillers de Ville ou les anciens échevins. Et dans les douze conseillers doivent se trouver toujours quatre anciens échevins, élus pour six ans. Enfin l'assemblée de notables présente trois personnages nés à Lyon et jouissant des privilèges de la Noblesse pour la place de prévôt ; entre ces trois noms le roi choisit. On voit qu'à Lyon toutes précautions sont prises pour éviter les brigues. Mais quelles complications ! Combien peu de droits reste aux habitants ! Les choix sont limités, en partie d'avance déterminés ; enfin, le prévôt est nommé par le roi. C'est une oligarchie.

A Reims (1766), l'« assemblée des notables » comprend également, outre les officiers municipaux en exercice, dix-sept membres, pris dans le Chapitre, le Clergé, la Noblesse, le Présidial, le Bailliage ducal, l'Élection, « les avocats, médecins et bourgeois vivant noblement » ; les communautés de notaires ou procureurs ; les « négociants ou gros marchands, chirurgiens et autres exerçant les arts libéraux ; les laboureurs ou artisans (3) ».

(1) Voir la liste des villes dans l'Arrêt du 14 août 1747. (Archives Nationales, AD I, 14.) On relève les noms : Beauvais, Creil, Senlis, Beaumont-sur-Oise, Compiègne, Pontoise, Saint-Denis ; Houdan, Dreux, Mantes, Meulan, Poissy, Meaux, Melun, Moret, Montereau, Nemours, Provins, Nogent-sur-Seine, Sens, Joigny, Tonnerre, etc.

(2) *Lettres-patentes portant règlement de l'administration de la ville de Lyon (31 août 1764)*. Arch. Nat., AD I, 14.

(3) Un notable pour chaque catégorie, sauf pour les commensaux de notre maison, avocats, médecins et bourgeois (2) ; pour les négociants, etc. (6) ; pour les laboureurs et artisans (2).

Cette assemblée de notables, très restreinte, élit échevins, conseillers de ville. Mais l'Archevêque duc de Reims, le chapitre métropolitain et les abbés de Saint-Rémy, Saint-Nicaise et Saint-Denis sont « maintenus dans le droit qui leur appartient, et dont ils « sont en possession, d'assister par leurs députés aux Assemblées « du Corps de ville ». Aussi les Notables n'éliront-ils que six conseillers de ville, et les trois autres seront les députés ci-dessus, nommés, le premier par l'Archevêque de Reims, le second par le Chapitre, le troisième, alternativement par les abbés, et « ces « députés occuperont le premier rang parmi les conseillers ». On voit l'importance du Clergé dans cette cité métropolitaine, la cité du sacre (1). Bien plus, aucun préjudice ne doit être porté « aux droits seigneuriaux qui peuvent se concilier avec l'observation des nouvelles règles ». En conséquence, dit le roi, « voulons « qu'indépendamment des honneurs que le Corps de Ville a « coutume de rendre à notre cousin l'Archevêque de Reims, les « échevins, qui seront élus en exécution de notre dit édit et des « présentes, soient tenus de se présenter à notre dit cousin, et « qu'outre le serment qu'ils doivent prêter..., ils soient tenus d'en « prêter un second entre les mains du bailli de notre dit cousin, « conformément à la Charte de 1182, et en conséquence de la tran« saction de 1670, enregistrée en notre Cour de Parlement (2) ».

Pour le Comté et Gouvernement du Boulonnais (1766) en dehors et au-dessus de l'organisation municipale, formation est ordonnée d'un corps d'administration pour la régie de l'octroi et des affaires communes du Comté et Gouvernement (3). Les syndics des paroisses, dans chacun des cantons d'arrondissement désignés, éliront un député par canton ; ces députés et les députés des villes de Boulogne, Étaples, Wissant, etc., au nombre de onze, représenteront, le Tiers état. Le Clergé enverra quatre députés et la Noblesse, quatre. Cette assemblée, convoquée par le procureur du roi, élira le président et huit administrateurs. Ici on ne trouve plus la distinction par corps de métier, mais la division en « ordres », et le Tiers reçoit, dans l'Assemblée générale, qui élit les administrateurs, la double représentation. Quant aux assemblées de notables des villes de ce Gouvernement, elles sont régies par l'édit général de 1765 : leurs douze conseillers sont pris par tiers dans chacun des trois ordres.

En Artois, les villes doivent avoir, les unes (Arras, Saint-

(1) *Lettres-patentes portant règlement pour la ville de Reims (14 mars 1766)*, art. 6 Arch. Nat., AD I, 14.
(2) Art. 4 des *Lettres-patentes*, pour Reims.
(3) *Lettres-patentes*, pour le Boulonnais (6 mai 1766), Arch. Nat., AD I, 14.

Omer) un « mayeur », dix échevins, élus par les « notables », à raison de deux nobles, quatre gradués en droit et quatre bourgeois, négociants ou vivant noblement ; les autres (Béthune, Aire, Lens, Bapaume, Hesdin), un « mayeur » et six échevins : un noble, deux gradués et trois « bourgeois vivant de leurs biens, « notaires, procureurs, négociants ou marchands ayant boutique « ouverte ». L'arrêt du Conseil, qui en décide ainsi, reconnaît une hiérarchie : après les Nobles, les « gradués en droit », ensuite les bourgeois vivant noblement, puis les notaires, procureurs, négociants ou marchands (1), c'est-à-dire la naissance, les titres universitaires, l'oisiveté bourgeoise à l'instar de la Noblesse, enfin le travail des hommes de loi, puis des commerçants.

Dans la vaste intendance du Languedoc, le règlement pour l'administration des villes supprime les « offices », et déclare devoir les rembourser au denier vingt (5 %). Mais si les opérations de remboursement ont été commencées à Montpellier par le maire, Cambacérès, l'édit (2) consent à ce qu'on ne les trouble point ; mais, en principe, seront maintenus, « les offices acquis « par les États généraux de notre province et compris dans « l'abonnement par eux fait en 1754 », ainsi que « ceux acquis par « les villes et communautés, qui sont « confirmées dans la pro- « priété desdits offices ». Ainsi le roi, après avoir déclaré supprimer les offices, ne les abolit point, sauf à Montpellier, où l'initiative du maire l'a devancé dans les opérations de suppression (et de remboursement ?) et « confirme » les propriétaires. Quant à la liberté des élections dans « certaines villes ou bourgs » (ce sont ceux où il n'y a pas eu d'offices achetés), elle est loin d'être entière, le roi « n'entendant point préjudicier aux « droits que peuvent avoir les seigneurs particuliers, par titre ou « possession, de nommer ou confirmer des officiers municipaux, « lesquels seigneurs ne pourront néanmoins jouir desdits droits « de nomination qu'en choisissant les sujets parmi ceux qui leur « seront présentés par la ville ou communauté dans laquelle ils « auront ledit droit en possession. Voulons, à cet effet, que dans « lesdites villes ou bourgs il soit élu trois sujets pour chaque « place à laquelle le seigneur aurait droit de nommer, lesquels « seront présentés aux dits seigneurs » (3). Ce n'est plus pour les habitants une élection, mais une présentation au seigneur. En outre, bien que le roi parle, dans une Déclaration (4), de la sup-

(1) *Arrêt du Conseil d'Etat* (15 juillet 1768), Arch. Nat., AD I, 14.
(2) *Edit du roi* (mai 1766). Arch. Nat., *ibid.*
(3) *Edit* (mai 1766), *ibid.*, art. 4 et 8.
(4) *Déclaration du roi* (28 août 1766).

pression des charges municipales acquises par des particuliers, on voit qu'il a confirmé dans leurs droits nombre de propriétaires. Cependant une innovation est accordée au Languedoc ; à la place des « Assemblées de notables » sont institués des « Conseils politiques » : un « Conseil politique ordinaire », composé des officiers municipaux et de vingt-quatre, douze ou six conseillers pris parmi les plus fort imposés, et de députés des Compagnies de justice ; et un « Conseil politique, renforcé d'un « nombre de notables égal à celui des membres du Conseil, « choisis parmi les contribuables, pour deux ans, par le Conseil « politique ». Dans les affaires requérant célérité, le Corps de Ville décide ; mais les membres du Conseil politique peuvent assister à la délibération. Pour l'ordinaire, l'administration sera réglée dans une « Assemblée du Corps de Ville » et dans une « Assemblée du Conseil politique renforcé » : ainsi les notables, grands propriétaires des villes et des bourgs, auront une influence directe sur la gestion municipale (1). Il y a là une réglementation particulière au Languedoc, et une plus grande liberté « politique » accordée aux habitants les plus intéressés à la gestion municipale.

Il y aurait certainement d'autres règlements municipaux à considérer, si l'on recherchait comment, en théorie, la gestion des villes et bourgs a été organisée de 1764 à 1766 ou 1768, et surtout comment elle a été pratiquée. L'uniformité que l'on prétendait établir en 1764, s'accommodait d'une foule de différences suivant les provinces et les villes : c'était la marque de l'Ancien régime, obligé de respecter des droits seigneuriaux, d'antiques traditions, comme à Reims, et même les droits acquis des propriétaires d'offices, comme à Montpellier. Cependant il est hors de doute que la Bourgeoisie obtient une plus libre participation à l'administration des villes, sans que rien soit retiré de son autorité à l'intendant de la « généralité », qui exerce, depuis Louis XIV, sa tutelle administrative sur les communes. Mais, comme c'est la haute bourgeoisie, celle des négociants et des fabricants qui, dans les grandes villes, prend la gestion municipale, il est hors de doute aussi qu'elle pourra, par la puissance que lui donnent sa fortune, son instruction générale et ses connaissances techniques, faire prévaloir, en définitive, ses désirs, d'accord, d'ailleurs, avec l'intendant (2).

(1) *Edit* de 1766, art. 23 : « Les villes, bourgs ne pourront faire aucune aliénation et députation qu'elles n'aient été délibérées dans les Assemblées du Conseil politique renforcé. » Ainsi les affaires les plus importantes ne peuvent être décidées que dans ces Assemblées, beaucoup plus nombreuses que le Corps de Ville.

(2) Elle l'avait fait déjà, en particulier à Nantes. Voir Gaston-Martin,

Dans les villes importantes, en effet, ce sont les négociants, les armateurs qui assument les fonctions municipales. A Marseille, les négociants, les Seimandy, les Hugues, occupent l'échevinat. Ils choisissent même le maire parmi eux, du moins jusqu'en 1767, où la mairie doit être réservée à un noble (1), mais, on le sait, la noblesse de Marseille est souvent une noblesse sortie du commerce. Ils sont obligés de faire une place aux bourgeois, rentiers ou marchands retirés des affaires, « vivant noblement ». Sur les trente-six membres du Corps de Ville, doivent figurer neuf nobles (négociants ou non), trois avocats, neuf négociants non-nobles, neuf bourgeois, six « marchands tenant boutique ouverte ». Mais les négociants continuent à accaparer les quatre charges d'échevins, suivant une vieille tradition (2). A Lyon, ce sont encore les négociants qui, avec les marchands-fabricants, ont la prépondérance. A Nantes, à Bordeaux, à Rouen, de même. Dans toutes ces grandes cités, la petite bourgeoisie n'a aucune part aux affaires. Même dans les petites villes et les bourgs, elle ne compte pas : échevins, conseillers, « notables » sont toujours pris parmi les habitants les plus fort imposés et les plus riches.

Au reste, prenant la responsabilité des intérêts municipaux, les grands bourgeois qui, pour eux-mêmes, ont le goût du confort, voire du luxe, continuent à favoriser l'embellissement de leurs villes, et, d'accord avec les Chambres de commerce, ont soin d'agrandir et d'outiller leurs ports. Ils s'intéressent aussi, on l'a vu, de concert avec les nobles et les ecclésiastiques cultivés, à la vie intellectuelle et artistique. Ils sont animés d'un esprit de tolérance et de philanthropie, qui, répudiant tout fanatisme religieux, admet et pratique, comme à Marseille et à Bordeaux, les alliances de familles catholiques et protestantes, et donne place dans la cité à des Juifs du Midi, tels que l'armateur Gradis, de Bordeaux.

Par cette ascension nouvelle de la Bourgeoisie au cours de cette féconde période de vingt ans, l'esprit public est, vers 1770, tout autre que dans la première moitié du siècle. Le progrès économique et le progrès intellectuel, la large diffusion des « lumières » ont créé en France une opinion, déjà puissante, qui, sans être révolutionnaire, réprouve les vieilles routines et les éternels abus, condamne le fanatisme et réclame vivement des

L'Administration de Gérard Mellier, ouvr. cité, où il étudie l'évolution de Nantes de 1715 à 1730.

(1) Ce sont des gens de petite noblesse aussi, dit A. Chabaud. Voir sur cette Noblesse provençale, mercantile, Ch. de Ribbe, *ouvr. cité.*

(2) Depuis 1650 au moins, dit A. Chabaud, *La Bourgeoisie à Marseille, ouvr. cité*, p. 86.

réformes. Bientôt, après tant de désillusions et d'humiliations nationales, elle saluera avec joie le nouveau règne, débordante d'espérance et de foi.

VIII. — *La petite bourgeoisie*

Quant à la petite bourgeoisie, elle est souvent dans une très modeste aisance ; petits fonctionnaires, maîtres-ouvriers, commerçants détaillants, marchands de vin, traiteurs, bouchers, boulangers. Mais elle n'a pas de gens de service, en dehors des « compagnons » ou « apprentis » ou valets nécessaires au commerce : les rôles de capitation ne lui en attribuent pas. C'est la ménagère qui entretient la maison, aidée, au besoin, par ses filles. Il n'y a que les bourgeois riches ou aisés qui paient la capitation pour des servantes, encore bien souvent pour une seule : un notaire de petite ville, n'en a qu'une (1). En somme, cette classe végète, sans autre ambition que de joindre les deux bouts, ou d'amasser de l'argent ; parfois elle achète, comme on a vu, des terres aux environs des villes.

La situation sociale a baissé. Toute la partie industrielle de cette classe laborieuse est inquiète. Les maîtres des corporations ne respirent plus la tranquillité, la sécurité des temps anciens ; leurs maîtrises, qui se sont fermées aux nouveaux-venus, et transformées en petites castes jalouses, sont attaquées par l'opinion éclairée. Leur condition a changé depuis que les gros négociants et marchands les ont subordonnés à leur puissante direction et ont fait d'eux, comme on a vu, des maîtres-ouvriers, à leurs ordres. Ils voient avec dépit les campagnes fabriquer librement, se soustraire à leurs corporations, et le gouvernement favoriser cette redoutable concurrence, malgré leurs incessantes protestations. Le progrès économique, qui concentre l'industrie grâce aux capitaux et au crédit, semble déjà les condamner. Et, sans qu'ils aient une claire intelligence de cette inéluctable évolution du travail, ils se sentent déjà amoindris, dans un monde presque nouveau.

Dans un royaume où l'on a soif de considération presque autant que d'argent, cette petite bourgeoisie, qui a de l'ambition, décline, et n'a plus que jalousie pour la grande ou la moyenne bourgeoisie de la ville. Cependant elle envoie ses enfants au col-

(1) A Evreux, des médecins, des avocats n'ont qu'un domestique. Des officiers de justice de cette ville en ont plusieurs : un d'entre eux en a quatre, et deux en ont trois. Ce sont des bourgeois de la moyenne ou presque de la haute bourgeoisie.

lège, à l'un de ces trop nombreux collèges où l'on n'apprend guère que du latin : l'honnête aubergiste de Bort, en Limousin, a mis son fils au collège de Mauriac ; le coutelier de Langres laisse faire aussi des études au sien ; celui-là sera Marmontel, et celui-ci Denis Diderot. Tous les petits commerçants et fabricants poursuivent la chance de sortir de leur obscurité, dans leurs fils et par leurs fils. Ainsi se fait le passage de la boutique aux professions libérales, parfois une ascension remarquable. Mais, en général, le petit bourgeois reste attaché à sa classe sociale ; c'est dans sa classe qu'il se marie. Les marchands s'allient aux marchands, même les hommes de loi aux marchands, car il y a des dots dans le monde du commerce, et avocats, notaires et procureurs en savent même d'avance le montant ; de l'argent et des trousseaux, ceux-ci abondants, faits pour toute une longue vie de ménage. Le bourgeois, surtout peut-être le petit et le moyen, ne se marie guère sans dot (1).

IX. — *Les ouvriers*

Au milieu de la prospérité générale, la condition des ouvriers ne s'est pas améliorée. Les maîtres des corporations, les grands patrons de l'industrie ne se sont nullement souciés de leur existence, pas plus que les écrivains, les économistes et le gouvernement. On a laissé les lois économiques de l'offre et de la demande produire toutes leurs conséquences, sans penser seulement à en protéger les victimes contre l'avidité patronale. Dans les provinces, repeuplées, de l'Est et du Nord, en particulier, où la main-d'œuvre est abondante, les grands capitaines d'industrie ne lui ont octroyé que des salaires à peine suffisants pour ne pas mourir de faim. Car les salaires ne se sont pas mis au niveau des prix des denrées et des produits de l'industrie, tous en pleine hausse, surtout depuis 1760 ; suivant la coutume, ils n'y arrivent qu'avec un retard plus ou moins grand, et souvent non sans réclamation des ouvriers, de plus en plus victimes de leur nombre. Heureux encore ou à peu près ceux des campagnes, quand ils y

(1) Le fermier général, qui gagne l'argent facilement, épousera sans dot. C'est ce qu'a fait Helvétius, demandant la main de Mlle de Ligniville. La Poupelinière, lui, épousa une actrice pour ne pas perdre sa place de fermier général, que le cardinal Fleury menaçait de lui retirer, au renouvellement du bail ; c'était un coup monté par l'intrigante Mme de Tencin et son frère le cardinal, sous prétexte de moralité. Mme de Tencin ! Où la moralité va-t-elle se fourrer ? On ne sait que trop l'histoire des amours de Mme de La Poupelinière avec son voisin le maréchal de Richelieu. (Voir *Mémoires* de Marmontel, qui raconte fort bien la découverte de la fausse cheminée, qui servait de passage galant d'un hôtel à l'autre.)

ont un logement peu coûteux, exploitent un petit lopin de terre, et ont une femme et des enfants sains, actifs et travailleurs !

Dans les villes, la condition de l'ouvrier est souvent pire qu'avant, le logement, la nourriture, le vêtement étant plus chers vers 1770 qu'en 1750. Le compagnon reste de plus en plus rivé à cette condition inférieure, quelque talent qu'il montre. La corporation est devenue caste fermée, ouverte seulement aux fils de maîtres et à ceux qui ont de quoi acheter des « lettres de maîtrise ». Le fameux « chef-d'œuvre » du compagnon n'est plus qu'un souvenir historique. A quoi servirait-il ? A endetter le candidat à la maîtrise ? Aussi, dégoûtés, les meilleurs compagnons se rattachent plus que jamais à leurs associations secrètes. Celles-ci sont extrêmement vivantes, à une époque où chacun commence à prendre des libertés avec les lois et les gens en place. En 1760, le « Magistrat » de Lille, suivant une de ses traditions, refuse aux boutonniers l'autorisation de fonder même une confrérie pour venir au secours des leurs (1). Les patrons ont peur d'une entente entre ouvriers de ce corps de métier. C'est la politique de tous les « Magistrats », de toutes les municipalités, dirigées dans les grandes villes surtout par des négociants et des marchands : précautions que les ouvriers s'obstinent à déjouer par des ententes secrètes et même des « coalitions ».

La cherté de la vie les dresse parfois contre le patronat et contre l'autorité même. L'époque de prospérité connaît les « émotions populaires », quand le pain est trop cher. En mai 1768, à Lille, l'augmentation du prix du pain en provoque une (2). Mais il faut reconnaître que ce ne sont plus ces « émotions » terribles dont le règne finissant du grand roi donna tant de fois le spectacle. Il y a, pour le moment, un peu plus de bien-être, plus de sécurité du lendemain, même dans la classe ouvrière. Cependant, comme tout cela est précaire ! Peut-être ces hommes n'en ont-ils pas le moindre sentiment. On vit au jour le jour ; on ne peut penser qu'à la nourriture du moment ; on n'a point le loisir de songer à l'avenir, parmi ces masses d'hommes et de femmes qui travaillent dur, douze et quatorze heures par jour, et s'épuisent à la tâche.

X. — *Les Paysans*

Malgré les progrès de l'industrie et du commerce, la France reste essentiellement une nation agricole, une nation de paysans.

(1) A. de Saint-Léger, *Histoire de Lille*, p. 392.
(2) *Ibid.*, p. 392.

En dehors de Paris, qui a plus de 500.000 habitants et de quelques villes importantes, Lyon, Marseille et Bordeaux, qui n'atteignent même pas 100.000 âmes, il n'y a guère que des villes au-dessous de 50.000 habitants ; la plupart sont toutes petites ; même des villes de Parlement n'ont que 30.000 âmes, comme Rennes, et 20.000, comme Aix-en-Provence. La plupart de ces cités sont des marchés agricoles. La paysannerie domine toute la structure sociale.

Dans les bourgs et les villages, où la population est souvent très dispersée, comme dans l'Ouest et le Centre, et habite des hameaux ou des fermes isolées, la paysannerie se compose de cultivateurs ou de vignerons, d'artisans (maréchaux-ferrants, menuisiers, selliers, vanniers, boisseliers) et de commerçants (merciers, épiciers, cabaretiers, etc.) ; on ne peut guère ajouter les boulangers, car chaque famille fait son pain, le porte au « four banal » du seigneur. Les cultivateurs sont, en outre, ouvriers, comme on a vu — filateurs, tisserands — travaillant pour les grands « marchands-fabricants » de la ville. Autant de professions et de classes rurales.

Les paysans sont propriétaires d'une part considérable des terres de France. Si les privilégiés ont les quatre cinquièmes des forêts, des prés et des étangs et seulement le sixième des terres labourables, le reste se partage entre paysans et bourgeois (1). Mais la répartition varie beaucoup, de province à province, même de « pays » à « pays ». Il semble bien qu'au cours du siècle les paysans riches, en particulier les « laboureurs », qui ont profité du haut prix des grains, ont accru leurs propriétés ; et peut-être ont fait de même des fermiers enrichis.

Si l'on précise la répartition générale des propriétés dans diverses provinces entre les différentes classes de la société, on verra plus clairement la part respective des paysans.

La Noblesse possède au plus le tiers du sol en Bourgogne, en Picardie, en Artois, en Roussillon ; le cinquième dans les Landes et le Béarn ; le septième en Limousin et en Quercy ; le huitième en Dauphiné et le dixième dans la Haute-Auvergne (2). Le Clergé possède beaucoup moins, au total, dans la plupart des provinces,

(1) D'après Dupont de Nemours. Voir *Cahier du tiers de Nemours*, rédigé par lui, publié dans les *Archives Parlementaires*, de Maridal et Laurent, t. IV, p. 114.

(2) Tous ces chiffres sont tirés, en grande partie, des travaux de J. Loutchisky, et aussi de travaux français (Laude, pour l'Artois ; Calonne, pour la Picardie ; Ch. Porée, pour la Bourgogne, etc.). — En Bourgogne 35 % ; en Picardie, 33 % ; en Artois, 29 % ; en Limousin, 15 % ; dans le Quercy, 15 % ; dans la Haute-Auvergne, 11 % ; en Dauphiné, 12 % ; en Roussillon, 32 % ; en Béarn, 20 % ; dans les Landes, 22 %.

tout au plus le sixième et parfois seulement le dixième en Bourgogne, le sixième en Berry, le dixième en Touraine, et fort peu dans les pays du Centre, du Midi, même dans le pays de Rennes (1). Mais dans l'Artois, il a le cinquième du sol, et dans le Cambrésis les deux cinquièmes (2) : là il fait figure de grand propriétaire. Ce sont les « pays conquis », jadis espagnols (3). Comme le dit Dupont de Nemours, ce sont surtout les fonds qui demandent le moins de main-d'œuvre qui leur appartiennent : forêts, landes, prairies.

La Bourgeoisie a acquis une part de la terre française, surtout près des villes ; quand ce sont des fiefs, ils sont confondus dans les statistiques avec ceux de la Noblesse.

Les paysans possèdent une part importante du sol : dans les provinces de l'Ouest (Normandie, Bretagne, Poitou) le cinquième ; en Bourgogne, dans l'Orléanais, les pays du Nord, le tiers ; dans le Centre (Limousin, Quercy, Auvergne), et dans le Midi (Guyenne, Béarn, Languedoc, Roussillon, Provence) la moitié ; dans le Dauphiné, les deux cinquièmes ; sans qu'il y ait, d'ailleurs, aucune uniformité dans la répartition du sol d'une grande province : tout diffère, parfois sensiblement, de « pays à pays », voire de village à village. Ces propriétés paysannes ne sont pas de simples possessions. Ce sont des tenures jadis concédées à cens, à champart, à rente seigneuriale ; mais, devenues, en fait, héréditaires, elles sont depuis longtemps considérées comme de véritables propriétés, grevées de redevances en argent ou en nature, ou bien mixtes, au profit du seigneur.

Outre ces fonds occupés et possédés en pleine propriété et héréditaires, les paysans louent les terres des seigneurs laïques et ecclésiastiques et des bourgeois qui ne peuvent « faire valoir » par eux-mêmes leurs immenses propriétés ; ils les prennent soit à métayage, soit à fermage. On a déjà constaté, dans certaines provinces (Bourgogne, même Bretagne), au cours du siècle, une évolution du métayage vers le fermage. Mais, dans le Centre et le Midi, le métayage reste le mode dominant de location des

(1) Auvergne, 3,5 % ; pays de Rennes, 3,41 % ; Pays toulousain, 3,9 % ; Roussillon, 2,5 % ; Bas-Limousin et Quercy, 2 % ; Béarn, 1,5 % ; Landes, 1 %. D'après les travaux de Loutchisky et Rébillon, pour Rennes ; Porée, pour Sens et la Bourgogne ; Brutails, pour le Roussillon ; Théron de Montaugé, pour le Pays toulousain, etc. Voir H. Sée, *Histoire économique, ouvr. cité*, t. Ier, p. 174.

(2) Pour l'Artois, voir Laude, *Les Classes rurales en Artois à la fin de l'Ancien régime* (Lille, 1914, in-8°). — Pour le Cambrésis, Georges Lefebvre, *Les Paysans du Nord pendant la Révolution*, 1924, ouvrage capital ; voir, sur cet ouvrage, notre étude dans la *Revue du Nord*, 1924.

(3) Il y a une diversité sensible dans les divers pays, Flandre, Hainaut, Cambrésis, etc., étudiés par G. Lefebvre, et même dans les divers petits pays de Flandre (Pévèle, Férain, etc.).

terres ; il va presque avec la culture à bœufs, qui commence au sud de la Sologne. C'est, pour l'agronome Arthur Young, qui traversera la France de 1787 à 1789, un fait capital, car, suivant lui (sans doute il exagère) les sept huitièmes des terres labourables du royaume seraient exploitées en métayage.

Considérons la structure sociale du village — du « chef-lieu », avec ses dépendances, hameaux, fermes isolées, si nombreux en Bretagne, en Poitou et dans les provinces du Centre et du Sud-Ouest. A côté du ou des seigneurs, noble, bourgeois ou ecclésiastique, qui souvent fait valoir sa « retenue », son « domaine proche », limité suivant la Coutume, vivent d'abord les plus riches propriétaires cultivateurs : les « laboureurs », qui ont souvent des fonds étendus, avec plusieurs charrues à chevaux, dans le Nord, l'Est et l'Ouest, ou à bœufs, dans le Centre et le Midi. A côté d'eux, les plus gros exploitants, les fermiers, qui prennent à bail, souvent pour neuf ans, les propriétaires se réservant d'augmenter la rente foncière à chaque renouvellement du bail : ce dont ils ne se sont pas faute, d'ailleurs à bon droit, de 1760 à 1770, le profit du fermier n'ayant cessé de monter. Ce sont là les « coqs de paroisse ». Bien au-dessous d'eux, les métayers, qui font valoir à mi-fruits et même souvent à tiers de fruits. Mais, entre le propriétaire et le fermier ou métayer, se glissent parfois des intermédiaires, les « fermiers généraux », qui, dans le Berry, la Marche, l'Angoumois et le Poitou, et même déjà dans d'autres provinces, louent de grandes étendues qu'ils sous-louent ensuite à des fermiers ou métayers, à des prix excessifs (1). A côté des métayers, les vignerons, en général tout petits propriétaires — le sol est extrêmement divisé dans les pays de vignobles, comme le pays nantais —; enfin les manouvriers ou journaliers, sans propriété ou possesseurs d'un lopin qui ne leur permet pas de vivre : ils ne peuvent pas travailler aux champs en hiver, ne gagnent que 10 à 15 sols par jour, avec lesquels il leur faut payer leur loyer, la capitation, le « sel de devoir », les corvées et le pain de blé noir ou de seigle, toujours de plus en plus cher. C'est la misère.

A côté d'eux, parfois au-dessus, sont les paysans qui ajoutent à un faible revenu foncier le profit d'une petite industrie ou d'un petit commerce. Mais il est, en Bretagne et partout, beaucoup de villageois qui ne possèdent pas de terre et ne gagnent pas plus

(1) *Voyages d'Arthur Young*, chap. XI. Trad. Lesage, 2e édition, 1882, t. II, 200. Voir l'excellente édition de Henri Sée, 1930, très riche de notes. — C'est ce que l'on appelle aujourd'hui dans le Bourbonnais des fermiers généraux ; il y a eu en 1909 et 1910 une grande agitation dans ce pays contre les abus de ces capitalistes.

que les journaliers : 20 à 30 livres par an, avec quoi il leur est bien difficile de vivre.

Il se forme ainsi dans le village, à côté de la bourgeoisie rurale des gros « laboureurs » et des riches fermiers, un immense prolétariat, privé de propriété, qui s'accroît au cours du siècle. Il n'aurait certainement pas pu vivre sans les progrès de l'industrie et du commerce, sans le luxe et l'embellissement des villes. De là l'exode d'une partie de cette foule famélique vers les cités opulentes et les demeures des grands seigneurs et des hauts bourgeois ; beaucoup de ces pauvres gens se font domestiques, petits marchands, ouvriers, employés. La prospérité générale donne du travail à tous, et de 1750 à 1770, sauve la situation (1).

Ce n'est cependant qu'un équilibre momentané et précaire. L'agriculture, malgré les gros rendements du sol, n'a guère fait de progrès : peu de prairies artificielles, par suite peu de bétail, donc peu d'engrais. Partout, sauf dans les Flandres, la jachère ; ici, le sol se reposant une année sur trois ; là, une année sur deux ; sans parler de pays où l'on ne sème et ne récolte que tous les six ou sept ans (2). Beaucoup de terrains incultes, de landes, de « communaux » improductifs, que l'on commence, il est vrai, à partager ou à donner à petites « fieffes » sur les domaines immenses des grands seigneurs (3), mais qui, encore en 1787, resteront souvent tels quels ou à peu près, comme le constatera avec indignation Arthur Young, à sa traversée du pays entre Charente, Dordogne et Garonne (4).

Aussi, de mauvaises récoltes survenant, la situation ne pourra-t-elle se maintenir. Après avoir autorisé l'exportation des grains, qui en fait hausser le prix et encourage le producteur à produire davantage, il faudra l'interdire, à l'indignation des physiocrates, qui l'ont posée en dogme et ne veulent s'en dédire. Avec la baisse des prix, l'incidence des impôts pèsera de plus en

(1) Boncerf, *La Plus importante affaire...*, p. 58.
(2) Dans les montagnes du Haut-Albigeois ; voir le cahier de la paroisse de Paulin, dans les *Cahiers de Castres*, publ. par de La Jonquière (Paris, 1867, in-8°). Bibl. Nat., Le 24 221.
(3) Voir à l'*Appendice* des documents sur ces affièvements après 1770, n° VI.
(4) « Dans les trente-sept mille compris entre les grandes rivières Garonne, Dordogne et Charente, au milieu des marchés les plus importants de France, la quantité de terres incultes est incroyable : c'est le trait dominant tout le long de la route. Beaucoup de ces terrains appartenaient au prince de Soubise qui n'en voulait rien céder. Il en est de même chaque fois que vous tombez sur un grand seigneur ; eût-il des millions de revenus, vous êtes sûr de trouver sa propriété déserte. Le duc de Bouillon et ce prince ont les plus grandes propriétés de France, et tous les signes que j'ai encore vus de leur grandeur sont des landes, des déserts... » *Arthur Young's Travels in France*, éd. Miss Betham-Edwards (The York Library), 1905, in-12, p. 70-71. Voir aussi les traductions Lesage, H. Sée. Mais il y a intérêt à lire ce texte savoureux en anglais.

plus sur le profit. Et le petit paysan propriétaire ne pourra plus vivre. Mais n'anticipons point. Pendant cette période heureuse, qui bientôt va prendre fin, il a pu parfois faire un profit réel, même acheter du terrain ; à plus forte raison, les « coqs de paroisse », riches ou aisés. On place toujours ses économies en terres comme au bon vieux temps ; on ne les emploie guère à l'amélioration de la culture des étables ou de la ferme. Celle-ci reste mal soignée, surtout dans les provinces du Midi, du Centre et de l'Ouest (1). On trouve un peu plus de propreté dans l'Ile-de-France, en Normandie, surtout dans les provinces du Nord et de l'Est ; mais ce n'est pas cette propreté méticuleuse, harmonieuse, que Mirabeau admirera tant dans la campagne anglaise (2).

L'époque de prospérité générale dont les classes rurales, dans leur ensemble, viennent de jouir leur a permis de payer sans trop de dommages et de plaintes impôts royaux, dîmes ecclésiastiques, droits seigneuriaux. « Laboureurs » et surtout gros fermiers ont pu les acquitter assez aisément, sur leur profit considérable, pendant que les tout petits propriétaires et les vignerons ont eu bien de la peine à les payer. C'est que les impôts royaux sont fort lourds après la paix de 1763, comme on a vu (3), et que les droits seigneuriaux, s'ils n'ont pas été aggravés, sont recouvrés avec plus de soin et même d'âpreté, pour les arriérés qui ont été longtemps négligés. Les usurpations des « communaux » des paroisses sont fréquentes. Les interdictions des droits d'usage immémoriaux dans les forêts seigneuriales, les clôtures de terres jadis ouvertes, les banalités de moulin et de four rendues plus onéreuses par les meuniers, tout cela modifie l'existence des villageois, surtout des petits qui vivent en partie de ces droits collectifs.

Les distinctions entre les classes rurales se font sentir plus que jadis. La classe supérieure des laboureurs et des fermiers est une sorte de bourgeoisie, qui envoie, on l'a vu, ses enfants au collège. Et les pauvres métayers, petits artisans et « brassiers » n'ont souvent, pour les leurs, qu'une école où l'on apprend tout juste à lire et à écrire, quand elle ne se réduit pas au catéchisme du dimanche.

(1) Cette négligence des étables et de la ferme sera signalée encore par les préfets sous le Consulat ; on achète de nouvelles terres, on néglige la maison ; la propreté compte peu. Que dire encore aujourd'hui, dans certaines provinces ?

(2) *Lettres de Mirabeau à Chamfort* (Paris, an V, in-8°) lettre du 30 août 1784, p. 50 : « dès Lewis, nous avons parcouru le plus beau pays de l'Europe, par la variété des sites et de la verdure, la beauté et l'opulence de la campagne, la propreté et l'élégance rurale de chaque propriété ».

(3) Voir plus haut, p. 194. Il y a deux vingtièmes à payer, malgré le Parlement qui s'est opposé au second vingtième.

XI. — *Conclusion*

Si l'on embrasse d'ensemble cette heureuse période de 1750 à 1770, on constate dans la société des mouvements en sens contraire : D'une part, un morcellement plus accentué des diverses classes : parmi les paysans, où les « laboureurs » et les gros fermiers se distinguent de plus en plus des métayers, vignerons et journaliers ; parmi les artisans et les maîtres de métier, déjà divisés entre eux, et parfois séparés complètement de leurs ouvriers, « compagnons » et autres ; dans la Bourgeoisie, qui se scinde davantage en classes et en sous-classes ; dans la Noblesse, où la Noblesse de Cour se sépare de plus en plus de la Noblesse provinciale, et celle-ci de la toute petite Noblesse campagnarde ; dans le Clergé, aux multiples classes, où éclate le divorce entre les hauts prélats et bénéficiers et les simples curés et desservants de village, véritable prolétariat clérical. D'autre part, se poursuit ce perpétuel mouvement d'ascension des classes rurales les plus aisées vers la Bourgeoisie, et de l'élite de la haute bourgeoisie vers la Noblesse de robe, pendant que celle-ci continue à s'allier à la grande Noblesse de Cour. Enfin il est un rapprochement qu'opère, dans un pays de haute civilisation, la gloire, celle qui n'est plus seulement attachée aux armes, et que confère maintenant l'esprit (1) : les Nobles rencontrent philosophes, écrivains et savants dans les salons de Paris, les écoutent, les admirent. Les conversations, les discussions qui s'y déroulent, celles qui s'agitent dans les villes de province, la diffusion des connaissances de toute sorte qui se fait plus large et plus profonde jusque dans les classes moyennes et y entretient un esprit critique et réaliste, tout cela forme une opinion publique, crée un pouvoir neuf, et qui va grandir.

Or, dans un royaume où le gouvernement n'est plus, depuis la mort de Louis XIV, qu'un mélange de monarchie et d'aristocratie parlementaire, où la monarchie, qui ne peut plus se présenter avec la gloire des armes, ne croit se soutenir que par un coup d'État violent qui la ramène au pur absolutisme, l'opinion — celle des philosophes, sauf Voltaire, de toute l'aristocratie d'épée comme de robe et de la Bourgeoisie éclairée — regimbe devant ce tardif assaut du « despotisme ». Déjà puissante, elle respire la liberté politique. Elle aspire à la liberté économique, une liberté plus complète que celle qu'elle a déjà arrachée à l'État. Elle a soif d'une plus grande liberté de pensée. Elle

(1) Voir plus haut, p. 20 ce qu'ont dit de la gloire des lettres Mirabeau et son ami Vauvenargues.

répudie tout fanatisme, toute intolérance, en gardant pour la religion un respect au moins extérieur. Et elle s'attache de plus en plus à une morale sociale qui mettrait les intérêts individuels en harmonie avec l'intérêt général. Pour le moment, la nation — on parle maintenant de nation et de patriotisme (1) — ne désespère point de la monarchie, à laquelle depuis tant de siècles ses destinées sont étroitement unies, bien qu'après le coup d'État contre les Parlements et l'exil de Choiseul, elle attende fort peu du monarque et de son gouvernement. Elle se résigne, dans l'espoir d'un nouveau règne.

(1) Les mots *nation, citoyen* commencent à être employés fréquemment. Fénelon et Chevreuse ne les avaient-ils pas prononcés dans leur correspondance et leurs plans de Chaulnes ? Le mot *patriotisme* apparaît aussi vers 1760 : voir un *Discours sur le patriotisme français, lu à l'Académie... de Lyon,* le 21 janvier 1762 (Lyon, Périsse, 1762).

LIVRE III

VERS LA RÉVOLUTION (1771-1788)

CHAPITRE PREMIER

LE MILIEU SOCIAL ET LA VIE DE LA SOCIÉTÉ

Vers 1771 commence une nouvelle période. Ce n'est pas seulement la révolution judiciaire qui marque une date ; ce sont aussi et surtout des changements qui s'annoncent dans la vie économique et dans la vie morale de la société.

I. — *Le milieu économique*

I. — On se passionne plus que jamais pour les problèmes économiques, notamment pour la question des grains. La physiocratie semble régner en souveraine, avec ses doctrines systématiques, son dogme de la liberté d'exportation, ses préférences pour les grandes fermes qui, plus que les petites, accroissent la production et l'encouragent sans cesse. Mais elle ne va pas rester maîtresse incontestée ; d'autres que les physiocrates, en présence d'une médiocre récolte et d'une grande disette, se déclareront bientôt contre la liberté d'exportation, en réclameront l'interdiction absolue, ou parfois préconiseront des mesures modérées. Le débat va s'envenimer, à l'occasion des faits. Et l'on discutera avec véhémence dans le public. Ce sera, d'un côté, vers 1775, le parti de Turgot, et de l'autre, celui de Necker (1) : atmosphère

(1) Sans parler d'un parti, qui, au fond, n'en est pas un, celui des gens qui répandent plus d'esprit que de clarté sur la question, comme l'abbé Galiani, auteur des *Dialogues sur le commerce des blés* (Londres, 1770). A ce sujet, voir la lettre de Turgot à Mlle de Lespinasse (1770), citée par Eugène Asse, *Lettres de Mademoiselle de Lespinasse*, p. 316 : « Vous croiriez que je trouve son ouvrage bon, et je ne le trouve que plein d'esprit, de génie même, de finesse, de pro-

orageuse qui annoncera des changements de grande conséquence dans l'économie et surtout dans la politique. Et, après 1776, on n'aura pas fini de disputer sur les faits et les théories économiques : des faits imprévus vont, en effet, s'imposer à l'attention de tous ; des interprétations diverses seront présentées ; des mesures, diverses aussi et parfois contradictoires, réclamées, même ordonnées par l'État, au milieu de l'instabilité générale de cette époque.

Les faits commandent. Après la période d'expansion, qui se prolonge tant bien que mal quelques années encore, survient une période de régression qui va durer une douzaine d'années. Elle s'annonce dès 1775. Les prix des grains baissent beaucoup en 1775-76 ; l'effondrement est complet en 1777. Après une accalmie, la crise reprend, aussi forte, en 1780 ; puis vient une légère remontée de 1781 à 1783, à laquelle succède, en 1786, un effondrement total des prix des grains et aussi des vins. Le profit est extrêmement mince, une fois payés les frais de culture, dîmes, droits seigneuriaux et impôts royaux, qui se sont alourdis. Et sur un profit si faible l'incidence des taxes et des impôts devient écrasante. C'est la catastrophe. Sans doute le grand propriétaire et le gros fermier peuvent attendre des années meilleures en resserrant leurs grains, ou leurs vins ; mais le petit propriétaire, le métayer, le vigneron qui, lui, n'a que son vin à vendre pour pouvoir acheter du pain, n'arrivent plus à payer leurs impôts et tombent dans la misère (1). Aussi voit-on les ministres favoriser la hausse des prix, la souhaiter ardemment. N'est-ce pas, dès 1771, le vœu du contrôleur général Terray, des intendants des généralités et de leurs subdélégués ? Car ce sont les hauts prix des grains qui donnent l'aisance aux « laboureurs » et leur permettent d'acquitter leurs impôts (2). Le gouvernement, sous Terray, juge cependant qu'ils n'y satisfont pas assez vite et envoie à certains intendants, comme celui de Montauban, l'ordre de les presser, même d'augmenter leurs cotes, en diminuant celles des journaliers, qui, eux, n'ont pas profité de cette énorme hausse des prix du blé, du seigle et du pain (3) : instruc-

fondeur, de bonne plaisanterie, etc. ; mais je suis loin de le trouver bon, et je pense que tout cela est de l'esprit infiniment mal employé... Il a l'art de tous ceux qui veulent embrouiller les choses claires... »

(1) Labrousse, *La Crise de l'économie...*, t. Ier, *ouvr. cité*, voir, outre l'introduction les p. 622 à 626, et la courbe des prix des grains, de 1770 à 1789, p. 626.

(2) Voir Eugène Sol, *La Culture et le prix du blé en Quercy avant 1789*, dans *La Révolution française*, 1938, p. 323.

(3) *Ibid.*, Le contrôleur général Terray souhaite la hausse des prix. Mais il s'inquiète de voir les agriculteurs songer trop peu à porter leurs grains au marché et devenir les maîtres de leurs grains. Et pour les forcer à porter au marché, il

tions qui répondent bien à la politique suivie parfois par le gouvernement, soucieux enfin du sort des humbles.

Les charges deviennent toujours plus fortes. Au second vingtième viennent s'ajouter, après la guerre d'Amérique, les quatre sous pour livre du vingtième. Les dîmes « novales », sur les pois et les lentilles, aggravent encore la dîme, cet impôt en nature, déjà élevé — le plus souvent au douzième — qui a le grave inconvénient d'enlever la paille, avec le blé. Les droits seigneuriaux sont « recherchés » par les agents des seigneurs, même les arriérés de vingt-neuf ans. Et, comme l'incidence de toutes ces impositions se fait sentir dès que le revenu du sol baisse, produisant déjà une réaction seigneuriale spontanée, la condition du petit propriétaire est encore aggravée par la réaction aristocratique organisée.

Toutes ces péripéties, dont la période finale de l'Ancien régime subit la répercussion, suspendent les progrès que la prospérité avait amenés timidement, d'ailleurs, dans l'agriculture. Il faut être un grand propriétaire, pourvu de capitaux, pour se soucier des innovations flamandes ou anglaises, et bannir la jachère par des prairies artificielles (en luzerne, sainfoin ou turneps) qui permettront d'accroître le bétail, l'engrais, et par là-même la récolte. Il n'y a guère que quelques grands seigneurs, comme le duc de La Rochefoucauld, féru d'agronomie, pour introduire ces pratiques fécondes dans son beau domaine de Liancourt, près de Creil. Et, pour faire venir d'Espagne des moutons mérinos et améliorer les races françaises, et par suite, les laines du royaume, il faut être le roi, en son domaine de Rambouillet. Partout, dans cette crise agricole, peu de capitaux, pas de crédit. La plupart des nobles et des ecclésiastiques, même après avoir recueilli les fortes rentes du sol au temps de la prospérité, ne rendent toujours rien à la terre. Les bourgeois agissent avec trop d'économie, placent de l'argent en fonds d'État ou dans le commerce. Le fermier achètera plutôt de la terre qu'il ne pensera à améliorer la culture et la ferme. Et ainsi tout progrès agricole est arrêté, comme le constatera, en se lamentant, Arthur Young, lors de son voyage à travers la France, en 1787.

veut « faire agir les recouvrements d'impôts et les presser d'y satisfaire ». Pour les rôles de 1771, il demande (8 sept.) à l'intendant de la généralité de Montauban d'augmenter les cotes des laboureurs qui n'ont que trop bénéficié sur la vente de leurs grains et de diminuer celle des journaliers. — Le subdélégué de Montauban souhaite le maintien des hauts prix, « comme les impositions étaient très fortes » (1769). De même le subdélégué de Lauzerte (1773) souhaite a hausse des prix « pour payer les impôts avec plus de facilité et pour boucher es lacunes de la disette et de la misère qu'on venait d'éprouver ».

Or comment une agriculture, encore fort routinière, où la pratique de la jachère règne à peu près partout, pourra-t-elle suffire à une population sans cesse croissante, qui monte maintenant à 26 millions d'habitants, avec, dans certaines provinces, une densité bien supérieure à celle de l'Angleterre et de tous les grands États de l'Europe ? Encore si chaque famille avait une propriété ! Mais on rencontre presque partout beaucoup de gens sans propriété, et d'autres qui n'en ont qu'une trop petite (1). L'agriculture manque de capitaux, et d'abord des capitaux des plus grands propriétaires qui consomment et gaspillent la rente du sol. On en verra bientôt toutes les conséquences.

II. — Heureusement, les progrès des inventions techniques et de l'industrie ont déjà permis, comme on a vu, à une bonne partie de la population de s'employer, soit à la ville, dans les ateliers, soit à la campagne, à domicile. Cette main-d'œuvre abondante reçoit souvent la direction d'une main-d'œuvre qualifiée, venue de l'étranger, que nos écoles techniques, les anciennes comme les nouvelles, viennent, heureusement, augmenter. Mais l'industrie française manque, elle aussi, de capitaux ; le crédit en France n'est pas organisé, comme en Angleterre ou en Hollande, et les bourgeois n'ont guère le goût du risque.

Malgré le maintien des vieilles corporations de métier — et, au sujet de leur régime, se livre un grand débat, qui influe, lui aussi, directement sur la politique, au même titre que l'exportation des grains — l'industrie des « marchands-fabricants » tend à se développer encore ; même commence une certaine concentration industrielle : quelques grandes usines ou ateliers, réunissant capitaux et ouvriers nombreux, apparaissent çà et là : c'est Le Creusot, fondé par une société d'actionnaires, qui marche au charbon de terre, et où le roi est directement, comme on a vu, intéressé ; ce sont les manufactures royales privilégiées de Réveillon, qui fabriquent des papiers peints, ou de Hanriot, qui fabriquent du salpêtre, au faubourg Saint-Antoine, à Paris ; c'est l'usine d'Indret, près de Nantes, qui fore des canons ; ce sont de grandes filatures à Rouen, à Louviers, à Amiens (1785), à Brive ; ce sont les grandes entreprises d'exploitation des mines de charbon, à Anzin, à Aniche, à Carmaux, à Alais. Mais ce ne sont que des exceptions. Les établissements industriels sont, en général, disséminés, petits, comme ceux de la sidérurgie (2) ;

(1) Arthur Young voit dans la division du sol, dans le morcellement de la propriété foncière — amené par les lois successorales — la cause de cette insuffisance de nourriture pour les familles et de la sous-consommation.

(2) H. et G. Bourgin, *La Sidérurgie en France en 1789*, dans la Coll. *de documents inédits sur l'histoire économique de la Révolution.*

certains, comme les tanneries (1), sont même en décadence.

A part quelques manufactures nouvelles, notamment la filature et le tissage du coton (2), qui viennent satisfaire aux goûts du public, comme les toiles imprimées d'Oberkampf, beaucoup déclinent peu à peu, la demande diminuant avec la régression du profit agricole, et le marché intérieur se resserrant de plus en plus, après la crise de 1777 (3). Il ne reste plus, pour les soutenir, que les marchés extérieurs. Encore la concurrence anglaise vient-elle, sur les marchés lointains, écarter les produits français, en attendant qu'elle se fasse sentir directement sur le marché intérieur dès 1787. Alors le déclin se précipitera.

III. — Le commerce semble se maintenir. Cependant le marché intérieur, si important dans un pays déjà très peuplé, faiblit, par suite de la crise agricole, qui, en 1778, atteint gravement les manufactures de laine, de lin et de soie, qui sont toujours les principales. Les marchés extérieurs restent fidèles. Il en est même qui s'ouvrent plus largement. Les ports sont très actifs ; le capitalisme commercial s'est développé encore à Marseille, à Bordeaux. Sans doute il est moins puissant qu'en Angleterre, et il n'a pas, pour favoriser ses opérations dans l'Océan Indien et l'Extrême-Orient (4), la situation industrielle, vraiment privilégiée, et l'immense crédit de l'Angleterre. Mais il permet au commerce français de se maintenir, après la diminution des exportations durant la guerre d'Amérique. Si, en effet, de 1764 à 1776, la balance annuelle du commerce accuse un progrès des exportations qui montent à 309 millions de francs, pendant que les importations ne s'élèvent qu'à 165, elle marque, de 1777 à 1783, une baisse sensible : 259 millions pour les exportations et 207 pour les importations. Mais après la guerre de 1784 à 1788, les chiffres remontent à 354 millions pour les exportations et à 301 pour les importations. En réalité, des dernières années de Louis XV aux dernières années de l'Ancien régime, on ne peut guère constater que le maintien du commerce, sans grand progrès (5). Si les ports gardent une intense

(1) N. Depors, *Recherches sur l'état de l'industrie des cuirs en France pendant le XVIIIe siècle et le début du XIXe siècle*, dans la même collection.

(2) Voir Ch. Ballot, *L'Introduction du machinisme dans l'industrie française*, 1923.

(3) Labrousse insiste fortement sur cette répercussion de la crise agricole sur l'industrie : on achète moins de vêtements, moins d'instruments agricoles, etc.

(4) L'avantage est grand d'avoir des relations avec les pays les plus lointains, de faire de longues navigations par le cap de Bonne Espérance vers l'Océan Indien et le Grand Océan. Et les Anglais l'ont fait souvent remarquer au XVIIIe siècle. Voir le t. XII de *Peuples et Civilisations*, 1763-1789, chap. II.

(5) Ce sont les chiffres donnés par A.-M. Arnould, *De la balance du commerce*

activité, du moins ceux de Bordeaux, du Havre et de Marseille — car Nantes est en régression, la traite négrière ne donnant plus, après 1774, les gros bénéfices de naguère — c'est grâce au commerce des Antilles que la paix de 1763 nous a laissées : Saint-Domingue, La Martinique, La Guadeloupe, îles à sucre et à rhum. Presque tout le négoce de Bordeaux se fait aux « Iles » ; et une bonne part de celui de Marseille se fait également — en dehors du Levant et de la Méditerranée — avec l'Amérique : si, sur quatre cent trente-cinq de ses navires, deux cent huit exportent au Levant, en 1791, cent cinquante-deux exportent vers le Nouveau-Monde. La rivalité avec l'Angleterre stimule toujours le négoce français au Levant, où il reste le maître, en Espagne et dans l'Amérique espagnole, même, malgré la forte concurrence anglaise ou hanséatique, dans les pays de la Baltique, où vont, suivant la coutume, nos sels, nos sucres, tous nos produits coloniaux. La victoire définitive de l'alliance franco-américaine semble offrir une occasion inespérée de supplanter les Anglais aux États-Unis : vain espoir, d'ailleurs, en dépit des efforts de nos diplomates, de nos publicistes, de nos armateurs et négociants de Bordeaux et de Marseille.

Il ne faudrait pas cependant croire que, lorsque l'économie rurale est en pleine régression, en 1777, en 1786, et, en somme, dans toute la période finale de 1777 à 1789, l'industrie soit prospère et que le commerce ait fait un bond extraordinaire. Toutes les parties de l'économie nationale sont solidaires : la crise agricole a affaibli le marché intérieur, diminué sa « demande » amené, presque dès le début du règne de Louis XVI, le déclin graduel de l'industrie, qui a eu sa répercussion sur le commerce. Sans doute la balance du commerce reste favorable ; mais, comme le remarque le directeur du bureau qui l'établit, elle n'est, traduite en argent, « qu'un fantôme de prospérité publique ».

Et, véritable paradoxe, la situation est plus favorable, au moment de la crise agricole et industrielle, les exportations et importations se montant, de 1784 à 1788, à 655 millions, au lieu des 466 de la période 1777-1783. Il est vrai qu'elle paraît même extraordinaire, si l'on prend les chiffres d'ensemble du Bureau de la balance commerciale : 1.061 millions (1). Mais c'est que le commerce colonial y est compris.

et des relations commerciales de la France dans toutes les parties du monde (1791, 2 vol. in-8°; 2e éd., 1795). — Voir aussi Arthur Young, *Travels in France*, traduction française, éd. Henri Sée, t. II, p. 942, 944 : en ce qui concerne l'Angleterre et ses relations commerciales avec la France de 1774 à 1789. Voir à l'*Appendice*, la note IV sur le commerce extérieur.

(1) On s'extasie toujours sur les chiffres de Bordeaux : 250 millions de

Elle n'est due, en effet, qu'aux relations avec les colonies, au va-et-vient des navires de Bordeaux, du Havre, de Marseille qui se rendent aux « Iles » pour y charger les produits coloniaux, surtout les sucres, et qui les apportent aux raffineries des cités du Ponant et de la Méditerranée, pour les réexpédier, raffinés, aux pays du Nord, jusqu'en Russie. Cela fait trois voyages (1), occasionne, pour les mêmes produits, des importations et des exportations : d'où l'illusion de la prospérité. Celle-ci ne se montre que dans les ports.

IV. — Autre illusion : la masse de la monnaie en or et surtout en argent est plus forte qu'elle n'a jamais été, à Paris, à Marseille, à Bordeaux. Le luxe est énorme. Si la France n'a toujours pas de Banque d'État — malgré les exemples que lui offrent l'Angleterre, la Hollande et la Suède — elle possède maintenant une *Caisse d'Escompte* (1776), dotée du privilège d'émettre des billets, payables à vue ; ce qui facilite les paiements et la circulation de l'argent, et donne la sensation de la richesse. On manie du papier, des espèces métalliques, et on se croit riche. Des affaires nouvelles se montent, dans un Paris qui semble appartenir aux banquiers suisses et hollandais plus qu'aux Français eux-mêmes — assurances sur l'incendie ou sur la vie, entreprises d'adduction d'eau, etc. — la spéculation s'abat sur la Caisse d'Escompte et ses actions, sur la Banque de Saint-Charles, montée par le financier espagnol Cabarrus, sur la Compagnie des Indes, dont Calonne fait revivre le monopole, après seize ans de suppression, à l'indignation des économistes qui mènent le bon combat pour la liberté du commerce (1785). Le marché à terme, en Bourse de Paris, est bien accueilli de ceux qui y gagnent, fort mal de ceux qui y perdent, et qui, un peu tard, crient à l'immoralité de ce jeu, refusant d'exécuter leurs engagements : d'où intervention de l'État, qui se hâte d'y mettre fin (2). Et, pendant que des fortunes se font et se défont, que règne cette fièvre de spéculation, l'industrie

francs par an (exportations et importations). De même pour Marseille. Il ne faut pas oublier que, pendant que ces ports prospèrent en 1788 et 1789, la France meurt de faim, est déjà en pleine guerre sociale, en pleine Révolution. Voir notre note IV sur le commerce extérieur et la Balance du commerce, à l'*Appendice*.

(1) Peut-être transporte-t-on moins de produits que jadis de France aux Iles. Car la traite négrière n'est déjà plus à son apogée à Nantes, en 1774 (voir Gaston Martin, *Nantes au XVIIIe siècle. L'Ere des négriers*, 1714-1774, Paris, 1931).

(2) Sur toutes ces questions, voir les importants travaux de Jean Bouchary, *Les Manieurs d'argent à Paris à la fin du XVIIIe siècle*. Nous ne pouvons guère donner à ces faits, de si grande conséquence, plus de place, pour le moment. Nous y reviendrons, au point de vue social. Nous en avons déjà montré la nouveauté et l'intérêt dans notre *Fin de l'Ancien régime...*, t. XI de *Peuples et Civilisations*.

périclite. L'État se voit obligé de soutenir de ses subventions nombre de manufactures (1), mais ne fait rien pour l'agriculture, privée de crédits, écrasée d'impôts, épuisée, au milieu d'une crise effroyable (1786). Le prolétariat rural et urbain ne peut pas manger à sa faim. La vie est trop chère, et les salaires trop bas, constate Arthur Young, qui établit une désavantageuse comparaison avec l'Angleterre (2). La moyenne de la vie humaine — ceci, d'ailleurs, n'est pas nouveau — n'est guère que de vingt ans, dans les campagnes pauvres, sujettes à de terribles restrictions, aux maladies, voire aux épidémies, et souvent privées de médecins (3). Si la richesse d'un pays réside moins dans la monnaie que dans ses produits, et davantage encore dans les hommes, comme le disait si justement David Hume, la France apparaît comme un royaume trop peuplé pour ses ressources, et dont la prospérité, si vantée, n'est qu'apparence. Quelle distance entre les riches — hauts ecclésiastiques, grands nobles ou gros bourgeois — et l'énorme masse des prolétaires, répandue dans les trois ordres, voués à la gêne, souvent à la misère, voire à la mort !

II. — *L'atmosphère intellectuelle et artistique*

Pendant que la société se débat dans cette instabilité économique qui, après 1786, menace de se tourner en catastrophe, l'intelligence française poursuit la recherche scientifique et continue de s'adonner à la philosophie. Mais la philosophie n'érige plus de système et ignore encore celui de Kant, qui, en Allemagne, va dominer les esprits. Les grandes synthèses sont, pour le moment, absentes. On vit de Condillac, de l'*Encyclopédie*, de Diderot ; on vit surtout de Voltaire, et plus encore peut-être de Rousseau ; et toutes ces doctrines se mêlent plus ou moins dans les écrits nouveaux, plus brefs et plus « portatifs », que lit un public avide. Au lieu de grands ouvrages philosophiques, paraissent des œuvres d'érudition et d'histoire. On revient à l'analyse ; on scrute les religions orientales, l'évolution des sociétés et des États, on présente les progrès des connaissances humaines depuis les origines : tâche immense, à laquelle se consacrent, comme leurs prédécesseurs les Boulanger et les de

(1) Voir plus loin, p. 259.

(2) Arthur Young signale la forte hausse de tous les prix, éd. H. Sée, t. II, p. 816, à Liancourt, hausse du double, de 1780 à 1790 ; à Bordeaux, à Bayonne les loyers des maisons, etc. — Sur les prix du pain, de la viande et la comparaison avec l'Angleterre, *ibid.*, p. 799 et suiv.

(3) Andrews, *Les Paysans des Mauges de l'Anjou au XVIIIe siècle* (thèse de doctorat de l'Université de Paris, 1935. Voir les tables établies par Buffon, dont il a été déjà parlé.

Jaucourt, Bailly, Condorcet, l'abbé Barthélemy et bien d'autres, et de laquelle ils tirent une notion plus ferme de la perfectibilité de l'humanité.

Ce progrès, les sciences le révèlent plus que jamais. La période qui commence inaugure la grande époque où la science française acquiert définitivement la suprématie. Découvertes, inventions, hypothèses ou théories nouvelles révolutionnent les sciences expérimentales. Et déjà de grandes synthèses paraissent : les *Époques de la Nature* (1778), chef-d'œuvre de Buffon, et le *Traité de Chimie* (1789), de Lavoisier. Cependant se préparent celles que donneront bientôt Laplace, dans son *Exposition du système du monde*, les physiologistes Pinel et Bichat, et surtout Lamarck, dans ses fameux *Mémoires* sur l'évolution des êtres organisés et le transformisme (1). Ainsi s'étend et se précise la conception de l'univers et de la vie. Maintenant, les idées de progrès, de changements lents et continus dans la Nature, de transformations graduelles des espèces vivantes ont acquis droit de cité dans la république intellectuelle : non sans peine, car elles rencontrent devant elles les croyances traditionnelles et l'autorité des Livres saints.

La science des sociétés humaines et, en particulier, de l'économie politique poursuit, elle aussi, ses investigations, à la suite des physiocrates français de la période précédente et du grand économiste écossais Adam Smith, dont *La Richesse des Nations* (1775) a une influence incontestée dans toute l'Europe. Cependant l'*Histoire philosophique des deux Indes* (1776), de l'abbé Raynal, ouvrage d'histoire économique, comme d'histoire politique et morale, se présente au premier plan, par la propagande enflammée qu'il suscite en faveur de l'abolition du commerce des esclaves et par l'esprit révolutionnaire qui l'anime.

Toutes ces œuvres, scientifiques, sociales et économiques excitent l'intérêt d'un public de plus en plus nombreux et déjà averti. Les nouvelles connaissances se répandent dans les classes cultivées de la société ; les journaux, plus nombreux, les diffusent. On recherche les savants, on va aux cours qu'ils professent, à Paris, à la Monnaie, au Collège royal, au Jardin du roi, où, à côté d'hommes de conditions diverses, on rencontre maintenant des dames, aussi férues de chimie ou de physique qu'elles l'étaient jadis de littérature. L'enseignement même des grands collèges Louis-le-Grand, Juilly, Sorèze, s'est, on l'a vu, modernisé. Et,

(1) On pourrait y joindre d'autres, moins retentissantes peut-être, mais de grande importance, comme l'*Essai de Cristallographie* (1772), de Romé de Lisle.

s'il reste, en nombre d'entre eux, trop encombré de syllogismes — on ne rompt pas si aisément avec des méthodes séculaires — il devient plus réaliste, donne plus de place à la science, à la géographie, à la langue nationale. En philosophie, certains maîtres n'ignorent ni Locke, ni Condillac. L'esprit critique se développe. Dans les Académies et les Sociétés, maintenant fort nombreuses, on ne met plus au concours des questions générales qui, telle celle de l'Académie de Dijon, en 1749, sur les sciences et les arts, pouvaient suggérer une solution paradoxale et sans utilité ; on veut étudier les questions réelles : l'éducation dans les collèges, les bienfaits ou les méfaits de leur multiplicité pour des fils d'artisans ou de « laboureurs », dans un royaume qui a moins besoin de beaux esprits que de cultivateurs et de marchands ; la culture des terres et les moyens de l'améliorer, les prairies artificielles et l'élevage du bétail ; les bienfaits et les conséquences éventuelles de la Révolution américaine, etc. (1) ; bref les nombreux problèmes qu'à tout moment pose l'expérience, ou que suscitent les abus et les désirs de réformes.

On s'attache de plus en plus au réel. Les lettres, naguère si brillantes, pâlissent, à côté des sciences, surtout après la mort de Voltaire et de Rousseau. Mais Bernardin de Saint-Pierre semble continuer Rousseau, dans ses *Harmonies de la Nature*, et Beaumarchais, retrouver la force comique de Molière. Enfin, étonnante surprise en ce siècle de prose, André Chénier rénove la poésie par une inspiration puisée dans l'« invention » et les progrès de la science, tout en restant classique de forme. Et que de talents encore dans la poésie descriptive avec Roucher et Delille ; dans l'élégie avec Parny ; dans la critique, avec Champfort, Rivarol et La Harpe ! Quelle élégance, quel esprit, quelle précision de style chez Rivarol ou chez Champfort ! Tragédies et comédies, souvent de valeur médiocre, délassent les esprits. Le plaisir du théâtre reste très vif à la Cour, à Paris, dans les provinces. La reine Marie-Antoinette joue, en compagnie de ses dames ou de grands courtisans, sur son théâtre de Trianon. A Paris, c'est la mode, comme c'était une chère habitude, une fureur, à Ferney, sur la scène où Voltaire jusqu'à sa mort déclamait ses tragédies ou ses comédies avec des invités de marque, venus de tous les points de France et d'Europe (2). Dans les grandes maisons parisiennes, le maître et la maîtresse jouent des comédies de Marmontel, de Sedaine, ou celles de leurs

(1) Pour le détail, voir Mornet, *Les Origines intellectuelles de la Révolution*, *ouvr. cité.*
(2) *Lettres de Madame de Graffigny, ouvr. cité.*

amis, en se faisant parfois seconder par des acteurs et des actrices célèbres. Partout où pénètre la vie mondaine, on suit avec passion cette mode parisienne, qui n'occupe plus seulement les mains comme le parfilage, mais intéresse l'esprit et fait valoir toute la personne : en province, pendant l'hiver, les maîtresses de grande maison réunissent l'élite de leurs relations et font jouer des pièces sur un petit théâtre d'amateurs, comme à Strasbourg, Mme de Wanger, dans sa maison sur le Broglie (1).

Les salons — les fameux salons parisiens — celui de Mme Geoffrin, rue Saint-Honoré, celui de Mme du Deffand, le salon rival de Mlle de Lespinasse, au faubourg Saint-Germain, avec Dalembert et le plus heureux des deux amis, le comte de Guibert, restent ouverts jusqu'à la mort de leurs maîtresses ; car celles-ci ne rendent les armes qu'à la dernière heure : heure traversée, pour Mlle de Lespinasse, par l'amour et le remords (2). Quelle passion chez cette femme spirituelle, mais où peut-être l'esprit fut plus intéressé que le cœur ! N'est-ce pas, d'ailleurs, la marque du siècle ? Si, dans les provinces, il n'y a pas de salons au sens élevé du mot, les réunions mondaines, très littéraires, ne manquent point : les intendants, souvent très cultivés, comme Dupré de Saint-Maur, à Bordeaux, réunissent dans leur hôtel le grand monde de la ville, hauts ecclésiastiques, nobles et notables. La société française apparaît très vivante ; l'intelligence y est honorée, même de la Noblesse ; la délicatesse du goût fort appréciée ; la curiosité pour les nouveautés scientifiques et les belles œuvres littéraires et artistiques toujours excitée. Même après que Voltaire a soudain disparu, en pleine apothéose, à Paris, et que Rousseau s'est éteint en « homme de la nature », au milieu des grands peupliers du parc d'Ermenonville, on n'a garde d'oublier ces grands maîtres de la raison acérée ou du sentiment, étant pénétré de leur esprit et du souvenir de leur longue et glorieuse existence.

Après leur mort, le développement littéraire est moins remarquable que le mouvement artistique. Tandis que la littérature, toujours classique, mais d'un classicisme en déclin, vit surtout d'imitation, l'art cherche une voie nouvelle. Deux écoles rivalisent ; entre elles éclate une lutte passionnée, dans la peinture et peut-être plus encore dans la musique. A défaut de partis poli-

(1) Mme d'Oberkirch, *Mémoires*, t. II, p. 339-340.

(2) Voir la *Correspondance entre Mademoiselle de Lespinasse et le comte de Guibert*, publiée par le comte de Villeneuve-Guibert, 1906 (la seule édition exacte et complète). Voir cependant, pour la notice et pour des lettres complémentaires de Dalembert, de Bernardin de Saint-Pierre, l'édition, déjà citée, d'Eugène Asse. — La mort de Mlle de Lespinasse survint en 1776.

tiques et de disputes sociales ou même religieuses, c'est le débat musical qui s'élève, en France comme dans toute l'Europe : Piccinistes contre Gluckistes. La reine tient pour Gluck. Peut-être bien des opposants à la reine passent-ils dans le camp des Piccinistes. Cette querelle se mêle à tout ; acharnée, elle envahit les journaux, les salons, les réunions mondaines, si bien que certains, pour avoir la tranquillité, n'osent plus avouer leur préférence (1).

En peinture, deux écoles s'affrontent. L'école toute française, qui a commencé avec Antoine Watteau et François Boucher, et qui s'est continuée, brillante et variée, jalouse de s'adapter aux goûts nouveaux de la société et de perfectionner sa technique, poursuit ses succès, au temps de Fragonard, et bientôt Prudhon va la rénover, tout en restant attaché à son esprit. Mais elle rencontre déjà devant elle l'école néo-classique de Louis David, qui s'inspire de Rome, et qui, d'une autre manière, au moment où la propagande en faveur de l'art antique bat son plein, saura conserver à l'art français la suprématie que les théories nouvelles de Winckelmann et de Mengs menaçaient de lui ravir. Entre les deux écoles de deux âges différents le débat devient très vif, dss 1780. L'art du XVIIIe siècle résiste. Et comment céderait-il, alors que toute une société brillante et frivole n'a pas cessé de goûter le style Louis XV, et même le Louis XVI, plus classique, mais toujours dans la tradition française ? Comment les grands seigneurs de la Cour de Marie-Antoinette se passionneraient-ils pour le « Serment des Horaces », cette sorte de bas-relief froid comme le marbre et sans grâce ? Ce n'est pas l'heure de l'art héroïque, pas plus que de l'héroïsme. Cependant la nouvelle école romaine monte déjà à l'assaut.

On le voit, en toutes choses, découvertes et théories de la science, éducation nationale, peinture, musique, se poursuit une critique à la fois méthodique et passionnée, comme celle qui s'agite dans la pratique économique et la question des blés. On dispute sur le goût, sur l'idéal esthétique, comme sur l'inoculation, le magnétisme ou l'électricité ; bientôt ce sera sur les réformes financières et politiques. Et on rapporte tout à la bienfaisance sociale et morale qu'on en peut tirer. Du point de vue de ce principe, dont on a vu les origines et le progrès (2), on est prêt à remettre tout en question, dans des discussions vivantes, auxquelles tous les esprits cultivés sont intéressés. Mais comment passera-t-on à l'action ? On ne le voit pas clairement jusque

(1) Marmontel, *Mémoires*, éd. Jouaust, t. II, p. 371.
(2) Voir le t. Ier, liv. II et conclusion, p. 223-224.

vers 1788. Toutefois les philosophes et les économistes espèrent en la puissance des idées pour lesquelles ils ont tant lutté. Comparant l'étude et l'action, Turgot déclare encore en 1772 — avant son ascension au pouvoir, il est vrai — la bienfaisance supérieure de l'étude, et met plus de confiance dans « les idées que répandent les écrivains » que dans l'action, en une place « subalterne », « où l'on se tourmente, et souvent sans réussir, pour faire quelques petits biens » (1).

III. — *L'atmosphère morale*

Au XVIIe siècle, l'armature chrétienne maintenait encore la moralité dans la société, même au milieu du monde et de ses divertissements. On a vu cette armature si puissante se desserrer peu à peu, sous les assauts successifs de Bayle, de Voltaire et des Encyclopédistes. La Cour, elle aussi, avec ses fêtes, ses intrigues, sa prodigalité, a fait son œuvre.

La haute société, à Paris comme à Versailles, vit dans un tourbillon de plaisirs et d'ambitions qui la détourneraient de toute piété, si elle n'y était déjà devenue étrangère. Sans doute, après Voltaire, est venu Rousseau, dont beaucoup adoptent la religion, celle du « Vicaire savoyard », avec la morale naturelle. Mais Rousseau, qui s'adresse au sentiment, n'a une grande influence que sur ceux dont le cœur n'est pas perverti, et qui sont las de la vie artificielle qu'ils mènent. Ce n'est point le cas des gens du monde, de ceux qui y sont plongés et y ont perdu le sens moral. Cependant, comme l'abandon de toute pratique religieuse serait contraire à la décence et à l'élégance mondaine, ils vont encore à la messe, mais seulement « le dimanche, pour ne pas scandaliser les laquais, et les laquais savent qu'on n'y va que pour eux » (2). Dans ce scepticisme, lent destructeur de la règle chrétienne, le haut Clergé, tout entier issu de la Noblesse, fait trop souvent cause commune avec sa caste. Plus de contrainte

(1) Turgot à Condorcet (Ussel, 21 juin 1772) dans la Correspondance inédite de Condorcet et de Turgot *1770-1779*, publiée par Charles Henry, 1882. — Condorcet lui avait écrit le 14 : « Vous êtes bien heureux d'avoir la passion du bien public et de pouvoir le satisfaire : c'est une grande consolation et d'un ordre supérieur à celle de l'étude. » Turgot répond : « Quoi que vous en disiez, je crois la satisfaction résultante de l'étude supérieure à toute autre satisfaction. Je suis très convaincu qu'on peut être, par elle, mille fois plus utile aux hommes que dans toutes nos places subalternes où l'on se tourmente, et souvent sans réussir, pour faire quelques petits biens, tandis qu'on est l'instrument forcé de très grands maux. Tous ces petits biens sont passagers, et la lumière qu'un homme de lettres peut répandre doit tôt ou tard détruire tous les maux artificiels de l'espèce humaine et la faire jouir de tous les biens que la nature lui offre. »

(2) Mercier, *Tableau de Paris*, t. III, p. 44.

dans la jeunesse. Au milieu de la dissipation perpétuelle d'un Lauzun, d'un Tilly et de tant de gentilshommes qui passent leur temps en intrigues amoureuses avec de grandes dames de France ou d'Angleterre, ou avec des actrices (1), plus rien que l'amour de soi, la vanité, la fantaisie, l'oubli de tout devoir social. Il est peu de femmes qui ne succombent, au dire de Lauzun, qui se vante cyniquement de toutes ses bonnes fortunes (2). C'est comme une manière de vivre. Le mariage n'est plus, dans le grand monde de la Cour et même de la Ville, considéré comme un lien sacré. La vie de famille en est absente. Tout pour le divertissement, la jouissance, la parade, l'intrigue, le succès d'amour-propre.

La Bourgeoisie se comporte autrement. Même la partie supérieure de cette classe qui occupe les sièges élevés de la magistrature garde encore, dans les provinces, quelques-unes des saines traditions du siècle passé, bien qu'à Paris, mêlée au beau monde de la Cour et de la Ville, elle se soit parfois laissé gagner par le libertinage des idées et des mœurs. La Bourgeoisie parisienne, riche, parfois anoblie — celle des financiers, des banquiers, des fermiers généraux — est atteinte, elle aussi, par la contagion. Mais dans la province, isolée de la Cour, en rapport avec Paris seulement par les livres, les journaux et le théâtre, la Bourgeoisie est restée, en son ensemble, malgré la diffusion de la science et de la philosophie, chrétienne de tradition, dans sa morale et dans ses pratiques. Autant que Voltaire, les bourgeois cultivés ont lu Rousseau ; c'est même Rousseau que les jeunes gens lisent le plus et avec plus de passion, la *Julie*, l'*Émile*, les *Confessions* ; et la religion de Rousseau — Dieu, l'immortalité de l'âme et la vie future avec les sanctions divines — a parlé souvent à leur cœur, ne les a pas détournés du christianisme, ou peut-être les y a plutôt ramenés.

Quant aux « braves gens » qui ne lisent pas, et pour cause, les philosophes, ils restent sincèrement attachés à la religion de leurs pères. Le corps social n'est pas profondément atteint par l'impiété. Le peuple de Paris aime encore, comme jadis, les grandes cérémonies religieuses, suit les processions, à la Fête-Dieu, vénère sa patronne sainte Geneviève, dont la châsse est portée chaque année en grande pompe, au milieu des autorités de la Ville en costume (3). Et, dans les petites villes, quel concours de fidèles

(1) Mme d'Oberkirch, *Mémoires*, remarque que beaucoup de jeunes nobles fréquentent des actrices et elle s'en indigne. C'est qu'elle est une provinciale, une Alsacienne, pas pervertie par les mœurs parisiennes. Et par elle, on saisit bien la différence des mœurs entre Paris-Versailles et les provinces.

(2) *Mémoires de Lauzun*, 2e édiion, complète, 1858.

(3) Voir, sur la procession solennelle de sainte Geneviève, en 1789, *Paris*

au passage du Saint-Sacrement, par les rues semées de fleurs, le long des maisons tendues de tapisseries, le jour de la Fête-Dieu ; tandis que dans les campagnes les paysans se pressent autour de leur curé bénissant, au printemps, les champs et les futures moissons espérées de la Providence ! Chez tous les gens de moyenne et de petite bourgeoisie, chez les artisans, les paysans, les journaliers, à la vie de labeur régulière, souvent sans horizon, la moralité suit la religion ; elle s'accroît même, avec la foi chrétienne, dans les principes de laquelle ils ne demandent qu'à être mieux instruits (1). Certains observateurs perspicaces de la société de ce temps, comme le célèbre abbé de Véri, le grand ami de Turgot, font souvent remarquer le progrès de la moralité (2).

Au reste, on parle beaucoup de morale, de morale naturelle et indépendante et de justice sociale. Turgot critique vivement Helvétius, combat ses théories matérialistes, invoque l'idée de justice. La pitié sociale fait éclore, sinon des saints, comme au XVIIe siècle, du moins des œuvres charitables. Et cette éclosion nouvelle, de grands prélats, comme l'archevêque de Paris, la favorisent, d'accord en cela avec les loges maçonniques, qui, se multipliant, se diversifiant, s'opposant même, sont toutes portées à la bienfaisance, et avec nombre de grands bourgeois de la finance dont les noms sont restés à des fondations célèbres : Necker, Beaujon, Montyon. C'est l'âge de la philanthropie ; on trouve des « Sociétés philanthropiques », à Strasbourg, à Paris. La bienfaisance vient à son heure, en pleine crise économique et sociale, comme en Angleterre. Mais, ainsi qu'en Angleterre, on a substitué peut-être la « bienfaisance » au christianisme. C'est, disait la célèbre mystique anglaise Hanna Moore, « c'est, il me « semble, une des erreurs régnantes parmi les plus grandes de « réduire toute la religion à la bienfaisance *(benevolence)* et toute « la bienfaisance à l'aumônerie ». Dans le malheur des temps, la charité ne reste plus le privilège de l'Église ; elle commence à devenir en France — d'ailleurs beaucoup moins qu'en Angleterre — une fonction, non de l'État, mais de la société ; déjà elle se laïcise.

en 1789, recueil de documents publié par H. Monin, 1889, dans la Collection de la Ville de Paris.

(1) Voir au t. Ier, p. 137, le progrès de l'instruction chrétienne dans les campagnes du Dauphiné, au temps de l'évêque Le Camus ; dans ces pays abandonnés où pour la première fois on entend parler de Jésus-Christ.

(2) *Journal de l'abbé de Véri*, éd. Jean de Witte, 2 vol. (les seuls publiés) ; document de toute première importance et valeur, à cause de son caractère de journal et de la haute autorité du témoin. Il revient assez souvent sur cette question de la moralité générale, quand il se rend dans son Berry, à l'Assemblée provinciale, créée en 1778.

IV. — *L'atmosphère mystique : la Franc-maçonnerie nouvelle*

Cette atmosphère morale, ou immorale, dans laquelle vit la société de ce temps se modifie encore sous l'action de la franc-maçonnerie, non pas seulement la maçonnerie rationaliste, fille des « lumières » du siècle, mais encore une maçonnerie mystique, que la science moderne et expérimentale, trop lente à livrer les secrets de l'univers, ne contente pas, et qui aspire au surnaturel. Ce n'est pas, d'ailleurs, un phénomène propre à la France, pas plus, d'ailleurs, que la propagation de la maçonnerie rationaliste (1). Pendant que celle-ci se centralise avec le « Grand-Orient » (1773), dont Montmorency-Luxembourg est le créateur, et qu'elle développe ses « loges » et ses « ateliers » — en 1789, on en comptera six cent vingt-neuf, réunissant des princes du sang, de grands nobles d'épée ou de robe, des ecclésiastiques et des bourgeois — une nouvelle maçonnerie, toute mystique, s'organise, en France comme en Europe. Ses ancêtres sont les grands mystiques modernes, Allemands, Français, Suédois : Jacob Boehme, Mme Guyon et Fénelon, Martinez de Pasqually (de Grenoble) et Swedenborg. Elle compte de nombreux adeptes en Suède, en Allemagne, en Angleterre, en France même. Comme la maçonnerie rationaliste du Grand-Orient et des « Illuminés » de Bavière, la maçonnerie mystique se dresse en une puissance internationale. Elle est cependant beaucoup moins répandue en France qu'en Allemagne. C'est précisément au voisinage de l'Allemagne et de la Suisse qu'elle a le plus de racines, surtout à Lyon, non loin des grands foyers de mysticisme maçonnique que sont Zurich, où domine Lavater, et les cités princières de l'Allemagne, où règne l'« Ordre de la Stricte Observance », en lutte avec la secte rationaliste et révolutionnaire des « Illuminés » bavarois du Dr Weishaupt. Cette « province » (2) maçonnique et mystique de Lyon, avec, au Midi, Grenoble et Chambéry, et au Nord-Est, Strasbourg comme filiales, n'est qu'une petite province du vaste royaume de la maçonnerie mystique européenne ; elle est en relation avec les autres « provinces » de l'étranger, en particulier avec la Suisse de Lavater et avec l'Allemagne et ses princes. Ceux-ci ne dédaignent point le modeste bourgeois qui s'est mis à la tête de la maçonnerie lyonnaise, un grand commissionnaire en soieries, qui, pour

(1) On trouvera une bibliographie très sélective de la franc-maçonnerie dans *Peuples et Civilisations*, t. XII, *La Fin de l'Ancien régime et la Révolution Américaine*, p. 444-445 ; où les ouvrages indiqués de Le Forestier, Lantoine, Dermenghem, Viatte, Monglond, Alice Joly, Gaston Martin, B. Faÿ, etc., permettront de dresser une bien plus abondante bibliographie.

(2) On l'appelle « province d'Auvergne ».

mieux servir sa mission, a renoncé aux affaires, et qui a fondé une secte influente, Jean-Baptiste Willermoz. La secte qui a une élite d'initiés, « les Grands Profès » est en communication directe avec la « Stricte Observance » d'Allemagne et les Rose-Croix (1). Il est vrai qu'elle ne réunit pas tous les mystiques : il en est d'indépendants ; l'individualisme fleurit, même dans la maçonnerie. Claude de Saint-Martin, qui signe « Le philosophe inconnu », est un chef sans soldats et entend rester un chef. Il se sépare de Martinez de Pasqually (de Grenoble), de son « ordre » : l'« Ordre des Élus Coëns de l'Univers », de sa doctrine de la « réintégration », de sa croyance à l'astrologie, à l'alchimie, à la magie ; il reste, au fond, très chrétien de cœur ; un sage qui, par la méditation et la prière, veut hâter l'avènement du règne visible du Christ, et qui, sans fonder d'« ordre » ni de « loge », exerce une influence profonde en France et même en Allemagne. Il est un isolé, comme Lavater, le sage de Zurich.

Combien les sectes mystiques de France comprennent-elles d'adeptes à Lyon, à Strasbourg, à Chambéry, à Grenoble, à Montpellier ou encore à Bordeaux, sans compter Paris, où une élite de mystiques, somnambules, magnétiseurs, la duchesse de Bourbon, sœur du duc Philippe d'Orléans, le comte de Puységur, Bergasse et beaucoup d'autres suivent les séances de magnétisme du Docteur viennois Mesmer, et celles de Cagliostro (de son vrai nom Joseph Balsamo) qui, dès 1780, a fait fureur à Strasbourg, auprès du cardinal de Rohan, et à Lyon, où les adeptes de sa loge la « Sagesse triomphante » tombent en extase devant Moïse et Élie qui leur apparaissent ? Les statistiques font défaut. Mais, ce qui est hors de doute, c'est la ruée de la haute société des grandes villes vers Mesmer et Cagliostro, ces brillants météores qui étonnent et attirent puissamment nobles, ecclésiastiques même, écrivains, avocats célèbres. La Fayette passe un « contrat » avec Mesmer (1784) (2) ; Claude de Saint-Martin, André Chénier, Charles de Villers, Restif de la Bretonne, suivent assiduement les cours du docteur, et l'avocat Bergasse, enthousiaste, propage sa doctrine. Celle-ci influera sur Lavater, et plus tard sur les

(1) Mme Alice Joly, *Un Mystique lyonnais et les secrets de la franc-maçonnerie, Willermoz.*

(2) Etienne Charavay, *Le Général La Fayette.* Reproduction du contrat (5 avril 1784), après la p. 102. Par ce contrat Mesmer s'engage à « instruire La Fayette dans tous les principes qui constituent cette doctrine », et La Fayette « à ne former aucun élève, ni transmettre, directement ou indirectement, à qui que ce puisse être, ni tout, ni la moindre partie des connaissances relatives, sous quelque point de vue que ce soit, à la découverte du Magnétisme Animal, sans un consentement par écrit signé de moi (Mesmer) ».

Polonais et les Russes, si portés au mysticisme (1). Les adeptes rêvent d'une régénération religieuse et d'une régénération sociale. Certains pensent qu'une révolution qui ouvre le secret de l'au-delà, qui nous fait converser avec les morts, devance, surnaturellement, la lente science expérimentale des savants et des Académies, qui s'en tient à la Terre, et qu'elle va être suivie fatalement d'une régénération de l'humanité. Déjà Bergasse l'annonce imperturbablement : « Un monde physique nouveau doit nécessairement être accompagné d'un monde moral nouveau. » Ainsi parle le prophète moderne.

Au reste, ce ne sont pas seulement les mystiques des nouvelles sectes, mais les maçons rationalistes du Grand-Orient qui répandent la même consigne et semblent animés de la même foi. « Le but que nous poursuivons, déclare une circulaire du Grand-« Orient, en 1776, consiste à établir entre tous nos prosélytes une « communication active de sentiments de fraternité et de secours « en tout genre, à faire revivre les vertus sociales, à en rappeler « la pratique, enfin à rendre notre association utile à chacun des « individus qui la composent, utile à l'Humanité même. » Elle s'inspire du principe d'utilité sociale, cher à la philosophie, et du principe de fraternité et de charité, celui-là même du Divin Maître dont la parole a retenti à travers les siècles : « Aimez-vous les uns les autres » ; elle est à la fois individualiste et sociale. Sans doute cette franc-maçonnerie du Grand-Orient est beaucoup plus pénétrée d'esprit rationaliste que de sentiment, et cela la différencie de la franc-maçonnerie mystique d'un Saint-Martin ou d'un Willermoz. Mais, en somme, toutes ces sectes, « loges » et « ordres », qui s'affilient à une foule d'autres, en France et à l'étranger, ne sont que les manifestations exubérantes d'une foi profonde dans la régénération de l'individu et de la société. Ils ne s'arrêtent point à une doctrine politique, et même ils n'y songent point. Ils visent beaucoup plus haut : d'un coup d'aile ils vont à la fraternité et à l'égalité sociale, sans laquelle il n'est pas de fraternité. Rien, d'ailleurs, n'est encore par eux précisé ; même en 1790, le « Philosophe inconnu », dans *L'Homme de Désir*, demeurera sur le plan très élevé, étranger au monde profane,

(1) Mme de Krudener, l'Egérie d'Alexandre Ier, et Wronski. Mais déjà, avant Alexandre ; voir, sur Paul Ier, encore jeune grand-duc, les *Mémoires* de Mme d'Oberkirch, qui, elle aussi, est portée au mysticisme, à la croyance au surnaturel, t. II, p. 87, elle dit au sujet du siècle, immoral et crédule : « Ne serait-ce pas que, comme les vieux pécheurs, il a peur de l'enfer, et croit se repentir par ce qu'il craint ? En regardant autour de nous, nous ne voyons que des sorciers, des adeptes, des nécromanciens et des prophètes... Chacun a ses visions, ses pressentiments et tous lugubres, tous sanglants. »

où il s'est d'abord placé. C'est le cœur qui parle, dans sa pureté, son langage de rêve. Et ces aspirations profondes, se communiquant à un peuple entier, visant à la « régénération », l'animeront d'une foi puissante qui commandera l'avenir.

En somme, de 1770 à 1787, même avant la crise, on vit dans une époque d'instabilité, de contradiction et de confusion dans tous les domaines de la pensée et de l'action. A la fois raison et sentiment, Voltaire et Rousseau ; science expérimentale et croyance au surnaturel ; esprit critique et crédulité ; romantisme et néo-classicisme ; liberté économique et intervention de l'État ; capitalisme et corporation ; espérances politiques et sociales, brutales déceptions, enfin attente raisonnée ou mystique ; gestation collective d'aspirations nouvelles, mélange d'influences françaises et étrangères, et formation d'idées qui n'apparaîtront à la pleine clarté de la conscience qu'au moment de la crise suprême du régime, et qui se constitueront en une sorte de religion : la foi en l'homme, la « résurrection des Français en hommes », la « régénération » de la société française, et, par delà même, celle de l'humanité : tel est le spectacle infiniment varié, mouvant, contradictoire, que présente le milieu social.

Cependant, dans la haute société, à Versailles, à Paris, en nombre de villes, partout, persiste l'illusion. Que de témoignages de cette « douceur de vivre », de cette illusion de grandeur et de prospérité ! Talleyrand, Ségur, Beugnot et tant d'autres ont dit le charme de la vie sociale et le bonheur public. Quelle gloire, après la victoire en Amérique ! Quelle honte effacée ! « L'avenir, écrira Beugnot, ne s'offrait que sous de riantes couleurs. L'abon-« dance régnait dans nos ports et sur nos marchés. Les capitaux « de l'Europe affluaient à Paris, et, comme si les dons du Ciel « avaient dû couronner ceux de la politique, les récoltes en tout « genre des années 1784 et 1785 avaient été admirables. La « liberté était venue s'établir au milieu de la France sans que « personne l'eût appelée... On écrivait, on parlait, on discutait de « toutes manières. Le Clergé était constamment en aide au gou-« vernement, jamais en contradiction, il allait lui-même au devant « de la tolérance pratique... Un air de contentement animait d'un « charme nouveau nos lieux de réunion, nos spectacles, nos « sociétés de famille ; il semblait qu'on respirât dans ce beau « pays de France le parfum de la félicité publique (1). »

(1) Beugnot, *Mémoires*, p. 41. Ici bien des réserves à faire sur « les récoltes admirables » (voir Labrousse, *ouvr. cité*), sur le Clergé, qui précisément ne vient pas en aide au gouvernement, dans ces années critiques. C'est un tissu d'erreurs

V. — *La Société : le Clergé*

Dans quelle mesure les diverses classes de la société participent-elles à la vie fiévreuse des grandes villes ? Comment contribuent-elles aux dépenses publiques, se comportent-elles avec l'État et les unes à l'égard des autres ? Autant de questions auxquelles il convient de répondre, en notant les transformations nouvelles qui apparaissent.

Le Clergé reste le corps privilégié par excellence et entend le rester. Pas plus au temps de Turgot, de Necker et de Calonne qu'au début du siècle, on ne connaît sa fortune et ses revenus. Toutefois les contrôleurs généraux des finances en ont obtenu de leurs bureaux, mieux organisés, des estimations sans doute très approximatives mais plus vraisemblables qu'autrefois. D'après les évaluations de l'Ancien régime et celles des débuts de la Révolution, même les plus modérées, il semble que tout le Clergé — « Clergé de France » et Clergé des « pays conquis » — possède un revenu annuel de 90 millions en biens-fonds et d'au moins 80 millions en dîmes — soit 170 millions de livres (1). Le Clergé des « pays conquis » paie, tantôt, comme la Noblesse, les impôts établis dans ces pays, tantôt les vingtièmes et la capitation d'après des abonnements séparés (2). Le « Clergé de France » ne paie ni vingtièmes ni capitation ; il offre des subventions, sous forme de « dons gratuits ». Il faut donc bien écarter le « Clergé de France », pour examiner comment il contribue, et dans quelle proportion, aux charges de la nation. Il est hors de doute qu'il ne contribue pas dans la proportion de ses revenus, qu'il a toujours

graves. Comme il faut se défier de la littérature des *Mémoires !* Mais comme elle est précieuse pour la psychologie ! — Ségur, *Mémoires*, t. Ier.

(1) Il ne convient pas de retenir les évaluations du « Comité des Dîmes » de l'Assemblée constituante : 170 millions + 100 millions, soit 270 millions. Amelot, excellent administrateur, estimera en 1790 la valeur des biens-fonds 3 milliards. Si l'on prend 3 % pour le revenu de ces fonds, on obtient 90 millions en capital. — Les « pays conquis » possèdent environ le sixième de la population du royaume, d'après Necker ; mais ils sont beaucoup plus riches en biens d'église que les autres, surtout le Cambrésis, puis l'Artois, etc. Dans ces conditions, il paraît légitime de compter leur fortune ecclésiastique, quoique très approximativement, pour le quart de celle du Clergé de tout le royaume. Il faudrait donc compter pour le « Clergé conquis » environ 42 millions de revenus, et il resterait pour le « Clergé de France » un revenu de 130 millions environ (d'autant que le total de 170 millions est peut-être un peu trop bas, et que, les dîmes égalant sans doute les revenus des fonds, il y aurait lieu, suivant nous, de porter ce total à 180 millions). Or Necker (*Administration des Finances*, 1784, t. II) n'évalue le revenu du « Clergé de France » qu'à 110 millions, au lieu de 130 millions, suivant nous. Nul doute qu'il n'ait favorisé le Clergé de France.

(2) Necker, *Administration des Finances*, t. II, p. 309. On paie les impôts du pays, en Flandre, Artois, Hainaut, Cambrésis. Pour les autres pays (Lorraine, Alsace, Franche-Comté, Roussillon), on paie par abonnements séparés.

eu soin de diminuer dans ses déclarations. Les « dons gratuits » ne sont pas une suffisante compensation à l'exemption des vingtièmes. L'opinion, même le contrôleur Calonne et le roi en sont persuadés. Aussi, de temps en temps surviennent des rappels du gouvernement : en 1785, arrêt du Conseil qui oblige les « communautés et gens de mainmorte » à faire connaître leurs recettes et leurs dépenses. L'Assemblée du Clergé de 1788 protestera contre cet arrêt qui astreint les ecclésiastiques « à des formalités « qui sont la source d'une espèce d'inquisition de la part des « agents du fisc » (1). « Devons-nous dévoiler aux laïques la portée « de nos revenus, tant qu'ils ne feront pas connaître les leurs ? » Ils craignent d'avoir à payer davantage, « tandis que les laïques resteraient à l'abri du progrès des contributions » (2). Aussi, même en 1788, le Clergé, inconscient de la situation générale, n'offrira-t-il au ministre principal, l'archevêque Loménie de Brienne, pourtant l'un des siens, que le quart, et même moins, du « don » demandé (3). Ainsi, même au plus fort de la crise, le Clergé prétend rester le grand privilégié qu'il a toujours été. Son petit effort supplémentaire de 1788 est misérable ; il explique le découragement de Brienne et sa menace d'un changement d'orientation dans la politique monarchique.

Peut-être le Clergé aurait-il pu faire un effort considérable, s'il s'était libéré de sa dette de 134 millions, et si les gros bénéficiers avaient consenti à se laisser imposer plus fortement et à renoncer, au moins partiellement, à leurs énormes dépenses de luxe. Mais il entend rester indépendant et maître des décisions, en cette matière comme en toute autre. Il maintient jalousement l'autonomie financière qui lui a été reconnue par la monarchie, lors du Contrat de Poissy de 1562. Et il garde, en effet, avec ses « agents généraux », qui n'ont jamais été plus habiles en finances, comme Talleyrand, ce spéculateur, déjà ami des grands manieurs d'argent, une organisation administrative et financière de premier ordre.

Entre deux puissances qui vont s'affaiblissant, le roi et le pape, car la papauté n'a jamais été plus effacée que sous Clé-

(1) Paul Mautouchet, *De ultimo generali Conventu Cleri gallicani anno MDCCLXXXVIII habito* (thèse complémentaire de doctorat ès Lettres, Paris, 1900), p. 50, n. 1.

(2) Ce sont les termes du rapport fait à l'Assemblée du Clergé, *ibid.*, n. 2.

(3) On sait la verte réponse de Brienne à l'agent du Clergé, et sa menace, que le Clergé aurait dû comprendre, s'il avait eu, dans son ensemble, la hauteur de vues politiques et sociales que l'on prête d'habitude à quelques-uns. Voir H. Carré, *Le Règne de Louis XVI*, dans l'*Histoire de France*, de Lavisse. Il aurait pu vendre une partie de ses biens et se libérer de sa dette, pour aider l'Etat : refus absolu.

ment XIV, le Clergé français se sent indépendant. Rome laisse de grands prélats, si riches, se comporter dans leurs diocèses à leur guise. Peu de rapports avec Rome : l'institution canonique n'est plus qu'une formalité qui ne souffre point de difficulté sous les nouveaux papes ; il y a bien les « annates », mais c'est l'affaire du roi, qui dispose du temporel. Les grands évêques sont avant tout des administrateurs, des « politiques », au sens qu'avait pris ce terme au XVIe siècle, prudents, tenant une conduite conforme aux mœurs et à l'intérêt de la société. Membres de la « Commission des Réguliers », ils ont supprimé, on l'a vu, des couvents peu habités, sans s'embarrasser de scrupules. Vrais potentats dans leur diocèse, ils tendent à constituer une Église nationale : Fénelon l'avait pressenti. Et si ce n'est pas, comme il le redoutait, sous la présidence et l'influence prépondérante du siège de Paris, c'est sous l'inspiration d'une sorte de consortium moral des grands évêques : Boisgelin (Aix), Champion de Cicé (Bordeaux), etc. Ils veulent établir la tolérance civile à l'égard des protestants, cette tolérance qui s'est imposée peu à peu dans les grandes cités, Marseille, Bordeaux, où les mariages mixtes ne sont pas rares, où les idées et les mœurs attachent peu d'importance aux différences de confessions. Mais ils ne veulent pas aller au delà : la religion catholique reste la religion dominante, la religion de l'État. C'est, en somme, la doctrine de tout le Clergé, en 1789, même du Clergé pénétré des idées révolutionnaires (1). Déjà, avant même l'édit de 1787, le très haut Clergé veut bien accorder l'état civil aux protestants, dans l'intérêt supérieur de la concorde sociale, autant et plus que dans celui des familles ; mais il leur refuse le culte public : cela est complètement conforme aux idées du temps (2). Tant, dans cette question de la tolérance, tout est fait de sentiments complexes, de décisions qui laissent subsister plus que des traces de l'ancien état d'esprit : l'attachement à l'unité de foi ; le maintien du privilège de l'Église catholique, étroitement unie à la monarchie dès les origines de la nation !

Il est cependant, parmi les évêques, des tendances politiques différentes, qui se marqueront surtout au début de la Révolution Les uns, ceux qui ont déjà le plus d'influence, vont vers la Nation, jugeant la monarchie absolue trop faible et sans doute déjà condamnée : ce sont les grands administrateurs, Cicé, Boisgelin,

(1) L'abbé Fauchet le proclame très nettement en 1789, dans son écrit : *De la religion nationale.*

(2) En 1789, le 24 décembre, l'Assemblée constituante déclarera les protestants citoyens français, leur reconnaîtra les droits civils et politiques, mais ne parlera point de la liberté du culte public. Les protestants prendront cette liberté, sans qu'on y contredise, d'ailleurs, à l'Assemblée.

Barral, Mercy. Les autres se rattachent à la monarchie absolue : Juigné, Dillon, Conzié, La Marche. Mais, pour la charité, les aumônes, les fondations utiles, on ne voit qu'une heureuse émulation : ce sont les généreuses aumônes de Juigné, à Paris ; la création du canal de Brienne, à Toulouse, et du canal de Boisgelin, en Provence ; l'ouverture du beau cours Cicé, à Bordeaux ; puis les bourses de collège, comme celles que confère l'évêque d'Arras à Louis-le-Grand aux deux Robespierre. D'autres gros bénéficiers ont fait trop peu. Point d'organisation d'ensemble pour la charité et l'assistance. Tout reste individuel, comme au XVIIe siècle, et, partant, sans grande efficacité.

Si les évêques sont de plus en plus imbus d'un esprit de domination dans leur diocèse et d'une volonté d'autonomie nationale dans l'Église universelle, les curés apparaissent, à leur tour, de plus en plus pénétrés d'idées et de sentiments démocratiques, en harmonie avec les tendances de la société où ils vivent. Turgot a déjà fait d'eux, dans le Limousin, des « subdélégués naturels » de l'intendant. L'Administration s'adresse plus souvent à eux. Aussi leur situation morale grandit. Beaucoup, d'ailleurs, surtout dans les villes, sont d'une condition relevée. Ils sont, en général, partisans de la tolérance. L'abbé Audra, à Toulouse, a été le correspondant de Voltaire dans l'affaire Sirven ; il est, d'ailleurs, protégé par son archevêque Loménie de Brienne. Ces curés sont certes dans l'aisance, et beaucoup peuvent faire des aumônes. Mais les « desservants » de petites paroisses rurales restent misérables. Les Assemblées du Clergé de France ne se préoccupant point de leur assurer la suffisante vie, il faut que le gouvernement oblige le Clergé à leur accorder une « portion congrue » un peu mieux proportionnée au prix de l'existence ; en 1786 elle est portée de 500 livres à 700 pour les curés et à 350 pour les vicaires. Cependant curés et vicaires sont plus mécontents que jamais. Ils se concertent, forment des sortes de syndicats, malgré la défense du pouvoir. Tout un mouvement de protestation s'organise en secret ; bientôt il se révélera très puissant (1). Ce sont les curés des villes, parfois de toutes petites villes, qui se montreront à la tête de ce Clergé si longtemps méprisé et opprimé: Grégoire, curé d'Emberménil, en Lorraine ; Gouttes, curé de Souppes, près Nemours ; Le Cesve, curé de Sainte-Triaize, de Poitiers (2), futurs députés aux États généraux.

(1) Voir les *Cahiers des curés*, publiés par Chassin ; cahiers individuels, d'un grand intérêt.

(2) A côté de Le Cesve, deux curés poitevins, Jallet, curé de Chérigné, et Ballard, curé du Poiré, députés aux Etats généraux.

Sans doute le haut Clergé, fort peu nombreux, garde une grande autorité sous la monarchie, à laquelle il est étroitement lié par les institutions, sans y être toujours attaché de cœur ; mais de plus en plus l'influence va passer, à la faveur de la crise, au Clergé du second ordre, à ces curés démocrates qui, par leur union avec le peuple des villes et des campagnes, sont déjà les porte-parole de la population au même titre moral que les hommes du Tiers état. Au reste, dans le Clergé, ils sont le nombre, peut-être soixante mille (1). Quant aux religieux et religieuses, ils forment une armée égale à peu près ; peut-être sont-ils moins nombreux, depuis que l'âge des vœux perpétuels a été différé, en 1766, à vingt et un ans pour les hommes et à dix-huit pour les femmes, et que, dans la révolution générale des idées et des mœurs, les vocations sont devenues plus rares. Beaucoup de ces moines sont peu considérés des évêques : l'archevêque de Tours, Conzié, se plaint de la « conduite crapuleuse et désordonnée » des Cordeliers. Beaucoup d'entre eux sont fort hostiles au haut Clergé et pénétrés des idées nouvelles. Bref, c'est une offensive du Clergé inférieur qui se prépare contre ses maîtres détestés.

VI. — *La Noblesse*

La Noblesse est moins nombreuse que le Clergé. Elle se compose, en 1789, de quatre-vingt-trois mille personnes environ (2), soit le trois centième de la population de la France. Dans ce nombre sont compris les anoblis. On compte dix-huit mille trois cent vingt-trois nobles ou anoblis en état de porter les armes (3). Eu égard à l'ensemble de la population, la Noblesse n'est qu'une poignée d'hommes. Et elle n'a cessé de diminuer par rapport à cette population, qui a augmenté considérablement depuis soixante ans, et à l'ensemble des hommes de vingt et un

(1) Lavoisier ne donne aucune statistique pour le Clergé. Plusieurs historiens estiment à cent trente mille le nombre des prêtres et des religieux. Voir H. Carré, *Le Règne de Louis XVI*, p. 146.

(2) Suivant Moheau, et Lavoisier, qui suit Moheau. Voir Lavoisier, *De la richesse territoriale du royaume de France*, 1791, dans les *Œuvres de Lavoisier*, t. VI, chap. Ier : *Résultats sur la population d'après l'ouvrage de Monsieur Moheau.* — D'autres évaluations donnent cent dix mille, toujours en comprenant hommes, femmes et enfants.

(3) D'après Moheau et Lavoisier, il y aurait cinq millions cinq cent dix-neuf mille hommes en état de porter les armes. — Cela reste, évidemment théorique ; car combien de ces hommes sont, dans la misère générale en 1788, en sous-consommation, malades, ou sans force ! Mais cette estimation reste intéressante au plus haut point. La France est à cette époque, un réservoir d'hommes : qu'on en fasse des soldats et qu'on les nourrisse, ou qu'ils vivent sur le pays conquis, quels défenseurs ils seront de la Révolution contre toutes les coalitions des Etats de l'Europe entière !

à cinquante ans qui pourraient être levés pour la guerre (1). Et pourtant elle prétend jouer encore un rôle prépondérant dans la société. Illusion, créée par le spectacle de la Cour et par celui de l'Armée, où les hauts grades sont accaparés par les grands nobles.

Dans son ensemble, et, malgré les anoblissements qui continuent, suivant la tradition, la Noblesse forme maintenant une caste parfaite ; caste d'une double origine, dont les deux branches sont étroitement alliées, Noblesse d'épée et Noblesse de robe. Toutes deux, en effet, se ferment à de nouveaux venus : les fonctions de la haute magistrature sont réservées, par le système de la vénalité des charges, aux anciennes familles de robe ; les grades de l'armée le sont aux jeunes nobles qui peuvent faire la preuve de quatre quartiers, suivant l'édit proposé par le maréchal de Ségur et approuvé par le roi, en 1781. Sans doute quelques roturiers ont pu encore prendre des grades, en particulier dans les armes savantes, le génie et surtout l'artillerie, à cause de leur valeur personnelle et de leur capacité scientifique ; mais ce sont des exceptions. En général, dans l'armée, on tient moins compte du talent que de la naissance ; et l'opinion éclairée a observé que, depuis longtemps déjà, il n'y a plus en France de grands capitaines. Les grands chefs, formés, en partie, à l'École militaire et au « Corps royal », n'apparaîtront que lorsque les barrières entre les « ordres » et classes de la société auront été abattues et que l'émulation entre tous les Français suscitera les grandes vocations.

Caste fermée, la Noblesse continue à décliner, plus rapidement encore, à côté d'une Bourgeoisie laborieuse, cultivée, déjà riche et ambitieuse. Elle joue toutefois un rôle important, non seulement par les fonctions qui lui sont réservées, mais par sa fortune et ses propriétés. Elle est encore, en effet, malgré toutes les cessions et ventes de biens-fonds qu'elle a faites depuis deux siècles, la plus grande propriétaire de la terre de France. Du sol français elle détient, on l'a vu, tantôt le cinquième, tantôt le quart, parfois même le tiers, suivant les provinces (2). De leurs

(1) Suivant Lavoisier, il y a :

de 21 à 30 ans ..	1.984.000	hommes ;
de 31 à 40 ans ..	1.755.000	—
de 41 à 50 ans ..	1.588.000	—
TOTAL.....	5.327.000	hommes.

Mais évidemment, les hommes de quarante et un à cinquante ans ne doivent pas être mis sur le même plan que les autres, ni même tous ceux de trente et un à quarante ans.

(2) Voir plus haut, p. 186.

vastes domaines, qui parfois s'étendent sur 2.000 ou 3.000 hectares, comme dans le Limousin (1), les nobles, possesseurs de fiefs, ont jadis concédé des parcelles à des tenanciers héréditaires, qui, on l'a vu, sont vraiment propriétaires et reconnus tels, à charge de redevances annuelles et casuelles (cens, champart, lods et ventes, etc.) ; quant au reste, ils l'afferment, à titre de fermage ou de métayage, pour une durée qui n'excède jamais neuf ans, afin d'élever la rente foncière à chaque renouvellement du bail ou de modifier les conditions du métayage. Ils ont profité largement des hauts prix des grains, des vins, des bois et de tous les produits du sol jusque vers 1775, parfois en retard ; mais, depuis 1777, avec les récoltes médiocres et la baisse des prix, ils sont plus avantagés que leurs fermiers qui, les nouvelles habitudes prévalant, ont passé des baux à rente élevée, comme en pleine période de prospérité. Au reste, disposant de gros stocks de manœuvre, ils ne laissent écouler les blés de leurs greniers qu'au moment propice, obtenant ainsi des prix beaucoup plus hauts que les petits propriétaires et fermiers (2). Ils jouent donc, à divers titres, un rôle foncier considérable, et de plus en plus à leur profit. Sans doute, pour toutes ces terres affermées, c'est eux qui, directement ou indirectement (3), paient les impôts, les vingtièmes, même la taille ; car ils ne sont vraiment privilégiés que pour leur « réserve », limitée, comme on sait, à une exploitation de quatre charrues, et exemptée de la taille (4). Encore faut-il qu'ils la fassent valoir par eux-mêmes ; ce qui n'est le cas que des gentilshommes de province pas riches et chargés de famille. De cette manière, les Nobles, comme propriétaires, sont beaucoup moins privilégiés que les hauts ecclésiastiques, leurs cadets de famille.

Ce rôle foncier, qui reste le principal dans l'économie générale, la Noblesse ne le joue pas comme il faudrait dans l'intérêt général. L'absentéisme des grands propriétaires, la consommation de leurs revenus à Paris, à Versailles et dans les villes ou en de splendides résidences, la baisse de la rente foncière dans les années difficiles,

(1) Nous prenons ici les mesures nouvelles, les anciennes étant de valeur très variable suivant les provinces et les « pays ».

(2) Voir Labrousse, tout son t. Ier, *ouvr. cité,* et se reporter à la p. 194.

(3) Ils tiennent compte, en effet, de la taille, que paiera le fermier, dans le prix du bail, qui est diminué d'autant. La réserve est de quatre, et non de trois charrues.

(4) Sénac de Meilhan le fait remarquer, avec beaucoup de justesse : « Dans les derniers temps il ne leur était resté de leur antique splendeur et de leur indépendance que le privilège d'une exemption de taille pour l'exploitation de trois charrues ; mais il fallait que le Noble qui voulait en jouir fît valoir par lui-même la terre ; le privilège cessait dès qu'elle était affermée. Si l'on considère combien peu de gentilshommes étaient à portée de profiter de cette exemption, elle paraîtra bien peu considérable. » Sénac, *ouvr. cité,* éd. de 1795, p. 56.

l'épuisement du sol qui ne reçoit pas les engrais nécessaires, l'abandon de vastes étendues à la friche, n'ont cessé d'être signalés par les physiocrates, comme Mirabeau « l'Ami des hommes » et par Lavoisier, et aussi par Arthur Young, dont on sait l'indignation devant les landes désertiques du prince de Soubise et de ses pareils. Dans ces conditions, sauf les exceptions des domaines des grands seigneurs agronomes, comme le duc de Liancourt, le rendement des terres possédées par des nobles tend à baisser, alors que la population augmente. Viennent de mauvaises récoltes, et la terre de France ne pourra plus nourrir son peuple. La Noblesse ne remplit donc plus le rôle foncier qui fut le sien dès l'origine de la monarchie. Le Clergé, pas davantage, du moins le haut Clergé, sauf exceptions de quelques Ordres religieux, comme les possesseurs de grands vignobles de la Côte-d'Or, qui ont su, de concert avec les Parlementaires, en améliorer, en distinguer et en faire valoir les crûs.

Quant à la défense du pays, la Noblesse ne rend plus les immenses services des siècles précédents. La gloire ne couronne ni Stainville, ni Contades ; Lauzun est occupé à d'autres conquêtes (1). Sans doute les chefs de l'expédition d'Amérique sont célèbres ; mais, secondés éminemment par la Marine, ils n'ont guère eu de peine à vaincre de petites armées anglaises, séparées de leur flotte, combattant en pays ennemi. La Marine est plus glorieuse : l'effort de rénovation de Choiseul et de Sartine a fait surgir de grands chefs d'escadre, au premier rang Suffren, le plus illustre peut-être de tous les marins de notre histoire, le hardi Provençal, « bailli de l'ordre de Malte », toujours heureux vainqueur des Anglais dans les eaux de l'Océan indien ; puis les chefs qui surent, à un moment, bref sans doute, mais décisif, conquérir la liberté des mers et permettre la victoire définitive de Yorktown.

Alliée à la Noblesse de robe par une foule de mariages, les

(1) Il y avait eu d'illustres hommes de guerre issus de familles récemment anoblies ou de familles bourgeoises. Le maréchal de Maillebois était petit-fils d'un laboureur du Soisonnais, et il devint grand d'Espagne ; « son fils était au moment d'être maréchal et duc lorsqu'il se perdit par une imprudence... D'Asfeld, d'une famille bourgeoise a été fait maréchal de France et chevalier de la Toison d'or et le comte de Morville, d'une très obscure famille, a été également honoré de cet ordre distingué... Le grand maréchal de Villars était d'une famille anoblie un siècle avant sa naissance... Le maréchal de Belle-Isle, le maréchal de XXX, dont les descendants subsistent dans un rang éminent étaient de familles récemment anoblies. Le duc d'Estrées et le duc de La Vrillière avaient une pareille origine ». Voir Sénac de Meilhan, *ouvr. cité*, éd. de 1795, p. 66. — On peut ajouter à ces indications de Sénac que Morville était originaire d'une famille Fleuriau, de Tours ; que Maillebois était fils du contrôleur général Desmarets et petit-neveu de Colbert ; que le duc d'Estrées (Le Tellier, comte de Courtanvaux, puis duc) maréchal de France (1757), duc (1763), descendait, comme on voit, de Le Tellier.

deux Noblesses, d'origine si différente, n'en forment plus qu'une, sinon tout à fait pour le genre de vie. Car la Magistrature ne paraît toujours pas à la Cour, n'y recevant pas, d'ailleurs, les mêmes honneurs, et les dames de magistrats n'étant point « saluées, c'est-à-dire que le roi n'approchait pas sa joue comme pour les embrasser, lorsqu'elles lui étaient présentées, et leur faisait un simple salut » (1). Dans toutes les occasions, elles se soutiennent, font cause commune contre tous les projets de réformes qui menaceraient leurs privilèges. Mais c'est l'aristocratie de robe qui reste, comme toujours, le corps principal de l'armée de la résistance ; car elle représente ou prétend représenter la nation, en l'absence d'États généraux : vieille théorie que le duc et pair Saint-Simon repoussait, comme n'ayant aucun fondement historique (2), mais que l'aristocratie d'épée semble admettre maintenant, pour défendre ses propres privilèges par des « remontrances » parlementaires et des refus réitérés d'enregistrement.

C'est encore une alliance étroite que la vieille Noblesse fait avec la Noblesse parlementaire dans la défense de ses intérêts et de ses droits fonciers et seigneuriaux. Tous les propriétaires nobles sont possesseurs de fiefs. Et le roi, qui, dans son domaine, a des intérêts analogues à ceux de sa Noblesse, qui même réclame des droits sur des parties du domaine public, comme les alluvions et les îles des rivières navigables, usurpées par des particuliers, voire par des seigneurs de fief (3), soutient, par contre, toutes les innovations de ces seigneurs dans leurs domaines propres. Tout ce que font les princes apanagés, le comte de Provence et le

(1) Sénac de Meilhan, *ouvr. cité*, p. 74 : « Les dames de robe étaient exclues de la Cour ; mais cette séparation n'est point ancienne et n'a commencé qu'au règne de Louis XIV. Elles avaient été jusqu'alors présentées à la Cour, admises à la table du roi ; la preuve en est consignée dans les descriptions des fêtes que Louis XIV donna au commencement de son règne. On y lit que la femme du Lieutenant-Civil et d'autres femmes de magistrats assistèrent à ces fêtes au rang des Dames de la Cour et furent admises à la table de Louis XIV. » Mais il y avait des différences... La différence que nous indiquons dans le texte « parut humiliante aux familles distinguées de la Magistrature, surtout aux Présidents à mortier, qui s'efforcèrent, dans quelques occasions, d'obtenir le rang de Pair à la Cour. Les magistrats aimèrent mieux que leurs femmes ne parussent plus à la Cour que de les y voir traitées avec moins de considération que les autres. Dès lors celles de l'ancienne chevalerie restèrent seules en possession d'être admises dans la société du roi et de la reine ; et, comme tout s'oublie aisément, les gens de la Cour regardèrent les magistrats comme des bourgeois, exclus par leur état, depuis Pharamond, de tout accès à la Cour. Les premiers magistrats, dans l'exercice des plus augustes fonctions, ne parurent à la plupart que des marguilliers, enorgueillis dans leur banc à la paroisse ».

(2) Voir le t. Ier, p. 191.

(5) Lettres-patentes du 28 juillet 1786, dans Isambert, t. XXVIII, p. 215-218. Remontrances du Clergé, 15 juin 1788, dans les *Archives Parlementaires*, de Mavidal et Laurent, t. Ier, p. 374.

comte d'Artois, dans leurs vastes possessions, il l'approuve dans son Conseil, sans tenir compte des protestations des populations contre les afféagements nouveaux (1). Les Parlements prennent fait et cause, dans ces circonstances, pour les intérêts de l'aristocratie foncière — qui comprend une minorité bourgeoise, propriétaire de fiefs — en condamnant toutes les propagandes contraires et la véhémente brochure de Boncerf (1776) (2), et en s'élevant, tel le Parlement de Bordeaux, contre le prélèvement par le fisc d'une taxe sur les îles et créments des fleuves de Guyenne (1786). Ainsi protégée par les Parlements (3), soutenue par une multitude d'agents des seigneurs, « procureurs fiscaux », « commissaires à terrier », intendants et receveurs, juges des « hautes » et « basses justices », la réaction seigneuriale bat son plein. Ceux des droits qui jusqu'alors avaient été négligés sont réclamés immédiatement, avec les arrérages de vingt-neuf ans — c'est-à-dire jusqu'à l'extrême limite de la « prescription trentenaire » — les anciens « livres terriers », sur lesquels sont inscrits les diverses redevances, pour concession de fonds (cens, champart, rente seigneuriale, etc.) sont refaits par des « commissaires » spécialisés dans ce genre de travail, et les frais de ces terriers sont triplés ou même plus, aux dépens des tenanciers. Il n'est plus question, dans toute la France, que de la réfection des terriers. Les tenanciers prétendent souvent qu'à cette occasion les seigneurs ont accru les droits anciens. Il est difficile de prouver une augmentation directe et écrite. Mais il est hors de doute qu'outre

(1) Voir le mode des afféagements et les protestations et troubles qui s'ensuivent, dans l'*Appendice*, n. V.

(2) Boncerf, *Les Inconvénients des droits féodaux* (1776). — Extrait des registres du Parlement de Paris, 30 mars 1776. Arch. Nat., AD XIV, 5. « La Cour, considérant qu'il importe à la tranquillité publique de maintenir de plus en plus les principes anciens et immuables... a ordonné et ordonne à tous les sujets du roi, censitaires, vassaux et justiciables des seigneurs particuliers, de continuer comme par le passé à s'acquitter soit envers ledit Seigneur roi, soit envers leurs seigneurs particuliers, des droits et devoirs dont ils sont tenus à leur égard..., et fait très expresses inhibitions et défenses d'exciter soit par des propos, soit par des écrits indiscrets, à aucune innovation contraire aux dits droits et usages légitimes et approuvés, sous peine contre les contrevenants d'être poursuivis extraordinairement comme réfractaires aux lois... »

(3) Arthur Young juge avec la plus grande sévérité la partialité des Parlements en matière de propriété, dans *On the Revolution of France*, éd. Miss Betham Edwards, *citée*, p. 320-321 : « The conduct of the parliaments was profligate and atrocious. Upon almost every cause that came before them, interest was openly made with the judges... It has been said, by many writers, that property was as secure under the old government of France as it is in England ; and the assertion might possibly be true, as far as any violence from the King, his ministers or the great was concerned ; but for all that mass of property which comes in every country to be litigated in courts of justice, there was not even the shadow of security, unless the parties were totally and equally unknown and totally and equally honest ; in every other case, he who had the best interest with the judges was sure to be the winner. »

les gros droits de réfection des terriers et les arrérages exorbitants, nombre d'abus des agents des seigneurs (receveurs, meuniers usant de mesures à double fond, etc.) ont réellement augmenté, souvent dans des proportions considérables, les taxes seigneuriales. Ces agents reçoivent sans doute une part de l'accroissement du revenu du fief et des amendes de la justice seigneuriale ; excellent moyen de stimuler leur zèle. Peut-être beaucoup de grands seigneurs, indifférents à l'exploitation de leur domaine et seulement soucieux du revenu, ignorent-ils tous ces procédés vexatoires ; mais bientôt quelques-uns d'entre eux les reconnaîtront, les avoueront loyalement, comme le fera, le 4 août 1789, le duc d'Aiguillon, l'un des plus riches seigneurs de France (1).

Toute cette aristocratie foncière se maintient suivant les anciennes traditions qui font passer le fief au chef de famille, pour en éviter le morcellement. Le droit d'aînesse n'existe point, il est vrai, dans le Midi, pas même pour la conservation des fiefs. Là l'aristocratie foncière ne jouit pas d'un autre régime que les bourgeois ou les paysans. Mais, par suite de l'antique habitude et de la large liberté de tester — le père de famille peut, dans la plupart des cas, disposer de la moitié de ses biens — c'est l'aîné qui devient, en général, l'héritier du fief ; cependant c'est parfois le cadet que le père institue héritier, s'il est plus capable que l'aîné de représenter la famille (2).

Il faut reconnaître, d'ailleurs, que, dans les pays du Midi, notamment en Provence, les cadets, même de la plus haute valeur, gardent un très grand respect pour l'aîné, en qui ils voient le chef de famille, responsable devant Dieu et sa conscience : tel le frère du marquis de Mirabeau, le terrible « Ami des hommes », le « bailli », comme on l'appelle (« bailli de l'ordre de Malte ») (3), qui consulte son aîné sur toutes les questions importantes, en particulier sur un mariage éventuel. « Je te laisse, « écrit-il au marquis, la direction de ces affaires ; si tu juges que

(1) Duc d'Aiguillon, dans le *Procès-verbal de l'Assemblée Nationale*, t. II, n° 40 *bis*, p. 7 : « Il faut l'avouer, Messieurs, cette insurrection, quoique coupable (car toute agression violente l'est) peut trouver son excuse dans les vexations dont il est la victime. Les propriétaires des fiefs, des terres seigneuriales, ne sont, il faut l'avouer, que bien rarement coupables des excès dont se plaignent leurs vassaux ; mais leurs gens d'affaires sont souvent sans pitié. »

(2) Ch. de Ribbe, *ouvr. cité*, t. II, p. 217.

(3) Louis de Loménie, *Les Mirabeau*. L'auteur étudie à fond le « bailli », « incontestablement le plus beau produit moral qui soit sorti de cette race souvent effrénée ». Mirabeau, le grand Mirabeau, vénérait son oncle : « J'aime et je vénère mon oncle. Mon oncle a l'âme et les vertus d'un héros », a-t-il écrit dans ses *Lettres du donjon de Vincennes*, où il invective contre son père, sa famille et même contre sa mère.

« le bien de la race soit que j'aie progéniture, tu verras ce qu'il y « a à faire du côté de cette demoiselle. » Et encore : « A propos, « on m'a encore ici parlé mariage ; à présent que tu as deux fils, « vois si celui dont tu m'as toi-même parlé est utile pour la « famille (1). » Et il suffit de quelque ironie de son frère pour le faire renoncer au mariage et retourner à l'Ordre de Malte, suprême ressource d'une famille déjà écrasée de dettes et de procès par les entreprises hardies et parfois inconsidérées de son chef. Quel désintéressement dans les affaires d'argent ! Les deux frères font semble-t-il, bourse commune, le marquis administrant cetté bourse, rarement prospère. Le bailli laisse entre les mains de son aîné sa « légitime » dont celui-ci lui tient, d'ailleurs, un compte exact. Il ne demande que le strict nécessaire, à près de quarante ans : « Je me suis fait d'enfance, écrit-il, à la douce « idée que tu devais avoir tout ce qu'il ne me faut pas absolument « pour vivre, parce que tu es le chef de la race, parce que tu es « chargé de tout, et qu'il est de mon devoir de contribuer et non « de m'approprier. » De son côté, le marquis se dépense, à Paris et à la Cour, en démarches et il est peut-être sur le point d'obtenir pour son frère le ministère de la Marine ; mais le bailli est un homme d'action tout d'une pièce, qui ne sait pas briguer ; le ministère lui échappe, et il se retourne vers l'Ordre de Malte. A ce moment, le marquis est ruiné par ses malheureuses spéculations et par sa rupture avec sa femme ; mais les sacrifices qu'il a faits pour élever son frère à la charge dispendieuse de général des galères de Malte trouvent leur récompense ; le bailli obtient deux riches « commanderies de la langue de Provence » ; c'est lui qui va devenir le soutien de la famille, non sans garder, dans sa haute charge, le respect de la race des Mirabeau, si fortement incarnée dans son aîné. Puissante race, qui ne se contente pas de vivre pour sa perpétuation, sa prospérité et son honneur, et qui — la correspondance des deux frères en porte témoignage — agite, dans le sens de l'intérêt général, les plus hautes questions touchant la politique, l'administration, la société, la religion et même l'humanité. De tels exemplaires de la Noblesse provinciale se comportent tout autrement que les Lauzun et tant d'autres nobles de cour ; ce sont vraiment des fils du terroir. « Quel dommage que tous ces Mirabeau soient si mauvaises têtes ! », disait, après avoir causé avec le bailli, Mme de Pompadour. Ils ont la turbulence des hommes d'action du XVIe siècle, comme la hardiesse des idées et des desseins ; moins

(1) *Louis de Loménie, ouvr. cité,* t. II, p. 178.

faits pour une société et une monarchie stables que pour une société qui cherche sa voie.

Même esprit de conservation dans les grandes familles de robe ; même respect de la famille, chez tous les membres qui la composent, et qui, comme tous gens de noblesse, vivent souvent ensemble, dans le même grand hôtel à porte cochère, à Paris et ès villes de Parlement (1). C'est une oligarchie qui se tient ferme, comme si elle sentait la menace prochaine. Au fond, sans qu'elle s'en doute, elle est en complet déclin. Elle a l'illusion de sa popularité ; dans sa médiocrité grandissante, fruit d'un long régime de vénalité, de routine et de complaisance, elle ne sent pas son désaccord profond avec l'esprit de la société qu'elle prétend représenter. Seules quelques belles figures de magistrats modernes, Le Peletier, Dionis du Séjour, Hérault de Séchelles, Adrien du Port, Dupaty, Servan (de Grenoble), etc., font oublier aujourd'hui les magistrats de la vieille tradition et les médiocres, les Séguier et les Joly de Fleury, qui, pour monter à leurs postes éminents, se sont « donné la peine de naître, et rien de plus ».

Toute cette Noblesse, de robe ou de Cour, est de plus en plus alliée à la Finance. La famille d'Escars, de haute noblesse, s'est alliée à Laborde, le banquier de la Cour (2), et l'on a vu le très riche fermier général Helvétius obtenir la main de Mlle de Ligniville, d'une grande famille lorraine : éclatante mésalliance dont s'indigne la spirituelle et naïve baronne d'Oberkirch, peu admiratrice de la vie et des mœurs parisiennes. De plus en plus éclate la puissance de l'argent. Les alliances avec la Finance mettent davantage l'ancienne Noblesse au fait des affaires lucratives. Elle n'a pas, au reste, attendu jusqu'à ce jour. Depuis longtemps elle a cherché à s'emparer des mines, à en obtenir du roi la concession (3). Maintenant que le sous-sol est formellement distinct du sol, de grands capitalistes se présentent pour l'exploiter. Dans le Hainaut, on l'a vu, se place au devant de la scène la Noblesse, surtout une noblesse franco-belge, si l'on peut ainsi dire, propriétaire de terres à la fois en France et aux Pays-Bas — à ces frontières qui ont été longtemps un peu indécises, où des rectifications de frontières viennent encore d'être faites, où des territoires restent enchevêtrés, où des morceaux de France sont du diocèse de Tournai, tandis que d'autres, à l'extrémité de la Flandre maritime, sont du diocèse d'Ypres. Au premier rang de cette Noblesse, à la fois française et autrichienne, on rencontre

(1) Arthur Young le fait remarquer et approuve. Ed. anglaise, p. 308.
(2) *Mémoires du duc d'Escars*, t. Ier, au début. On écrit aussi « des Cars ».
(3) Voir t. Ier, p. 155.

le comte de La Marck, de la grande famille d'Arenberg, qui sera un jour le confident de la reine Marie-Antoinette et l'intermédiaire secret entre elle et Mirabeau ; puis l'illustre famille de Croÿ ; toutes deux intéressées dans l'exploitation des mines des pays du Nord ; à côté d'autres familles nobles ou anoblies, grandes propriétaires foncières, elles aussi (1).

A cette Noblesse à la fois foncière et propriétaire exploitante de mines profondes, il faut, maintenant, ajouter la Noblesse foncière des « Iles », qui possède dans ces riches pays à sucre et à café, de grandes exploitations travaillées par une abondante main-d'œuvre nègre : les Lameth, les marquis de Gouy d'Arsy, de Massiac, de Paroy, de Perrigny, de Rouvray, le duc de Choiseul-Praslin, le comte de Vaudreuil, etc. A vrai dire, c'est une Noblesse à la fois foncière et commerçante. De telles exploitations exigent, en effet, des connaissances agricoles et commerciales. Sans doute ces seigneurs qui exercent des fonctions en France, dans l'armée ou à la Cour, ont à Saint-Domingue des intendants ou des « procureurs » (2). Mais ils se voient amenés à s'occuper eux-mêmes du rendement de leurs exploitations, et à suivre les matières premières qui en sortent ou les marchandises qui y entrent, et qui, à la sortie ou à l'entrée, intéressent les grands ports du Ponant, les raffineries des villes de la Loire, sans parler des réexpéditions des produits finis dans toute l'Europe. Que de fortunes foncières se sont édifiées aux « Iles », au profit de cette Noblesse, hardie dans ses opérations, et qui n'a pas attendu les critiques de l'abbé Coyer pour s'y livrer avec tous ses capitaux ! Plusieurs d'entre eux ont des sucreries et des caféteries d'une énorme valeur. Le marquis de Gouy d'Arsy a des établissements d'une valeur d'au moins 3 millions (3) ; le comte de Vaudreuil possède, avec sa sœur, comtesse de Durfort et de Duras, des sucreries valant 2 millions et demi ; le marquis de Paroy, d'origine bretonne, lieutenant-général des armées navales et « lieutenant-

(1) Voir plus haut, p. 162. — Sur la famille d'Arenberg et le comte de La Marck, voir la notice en tête du t. Ier de la *Correspondance de Mirabeau avec le comte de La Marck*, éditée par de Bacourt, 1851. La Marck, prince d'Arenberg, 1753-1833, né à Bruxelles, élu député de la Noblesse du bailliage du Quesnoy aux Etats Généraux, se rallie assez tôt à la Cour. Les princes d'Arenberg sont une branche de la maison de Ligne (Hainaut). Les ducs de Croÿ, de même, Emmanuel, prince de Meurs et de Solre, duc de Croÿ, né à Condé, en France, maréchal de France (1783). Le prince de Ligne, on le sait, est Autrichien (né à Bruxelles).

(2) Mlle Blanche Maurel, *Cahiers de doléances de la colonie de Saint-Domingue pour les Etats Généraux de 1789*, 1933, in-8° (dans la Collection des documents relatifs à la vie économique de la Révolution). Voir le « Répertoire des noms de personnes », p. 359-392. — Gérard-Cadet, propriétaire planteur, né à Bayonne en 1737, est procureur des habitations Lameth, Picot et Mercy-Argenteau.

(3) Mlle Maurel, *Ibid.*, p. 373.

général « pour le roi des provinces de Champagne et de Brie », à cause de sa terre de Paroy, en Brie, est devenu, par son mariage avec Louise-Elisabeth de Vaudreuil, propriétaire d'établissements estimés plus de 3 millions ; le marquis de Perrigny a plus de 3 millions en sucreries, caféteries, indigoteries et cotonneries ; les établissements du marquis de Massiac forment une fortune de 1 million et demi. C'est dans les rangs de la grande Noblesse d'épée que se trouvent les plus riches propriétaires des « Iles ».

Dans toute la Noblesse, dont les intérêts se sont de plus en plus diversifiés avec les progrès de l'économie, les idées et les sentiments se différencient aussi davantage. Les coloniaux — on s'en apercevra bientôt — ont des intérêts à part, avec leurs nègres, leurs sucres et l'alimentation des raffineries de la métropole en vue de l'exportation. Les exploitants de mines de charbon forment, eux aussi, une classe particulière, soucieuse déjà d'obtenir soit de nouvelles concessions, soit une loi plus avantageuse que celle qui les régit. Les propriétaires fonciers de la métropole sont inquiets pour leurs rentes foncières et leurs droits seigneuriaux, menacés par une tenace propagande. Tous les riches seigneurs continuent à mener à Paris la vie fastueuse ; il semble que le luxe n'ait fait que croître encore sous Louis XVI.

Mais, à côté des divergences d'intérêts et d'idées parmi les classes nobiliaires, notamment entre gentilshommes provinciaux pauvres et nobles de Cour, intrigants et quémandeurs — d'autres contrastes éclatent : vieillards et jeunes gens ne s'entendent sur aucun point. Les jeunes nobles ont reçu une instruction plus moderne dans les collèges rénovés de Sorèze, de Juilly, etc. Et quand ils ont vécu à Versailles et à Paris, dans l'atmosphère de cette fin de siècle, ils portent en eux-mêmes les contradictions intellectuelles et morales qui sont, on l'a vu, un des traits essentiels de la société d'alors. Jouant avec les idées de la philosophie, de Montesquieu à Voltaire, et de Diderot à Raynal, excités par les discours enflammés et les véhémentes remontrances des Parlements, « nous voulions, confesse le vicomte de Ségur, à la « fois jouir des faveurs de la Cour, des plaisirs de la Ville, de « l'approbation du Clergé, de l'affection populaire, des applau- « dissements des philosophes, de la renommée que donnent les « succès littéraires, de la faveur des dames et de l'estime des « hommes vertueux (1) ». Pour l'élite, les Ségur, les La Fayette, les Lameth et tant d'autres, le sentiment personnel de la gloire, le désir de l'estime générale, voilà ce qui donne à la vie tout son sens. Ils sont animés de l'amour du bien public, pénétrés des prin-

(1) *Mémoires de Ségur*, éd. in-32, p. 69-70.

cipes de cette morale sociale dont on a vu les progrès dans les classes supérieures de la nation. Les idées de tolérance, de liberté leur sont communes. C'est, en germe, un parti de nobles libéraux qui, sentant la monarchie absolue impuissante, vont vers la nation, épousent ses enthousiasmes patriotiques dans la guerre d'Amérique, sont prêts à s'associer à elle dans l'œuvre des réformes.

Mais que d'illusions, que d'inquiétude aussi ! Tous les nobles de Cour, les jeunes surtout peut-être, applaudissent, dans une folle imprudence, aux tirades hardies de Diderot et de Raynal, au *Mariage de Figaro*, de Beaumarchais, où la Noblesse même, ses privilèges, son incapacité et son incompétence sont passés au crible d'une impitoyable critique, où tout le régime est miné, de la base au sommet. « Vous vous êtes donné la peine de naître, et rien de plus ; d'ailleurs, homme assez ordinaire. » — « Courtisan, on dit que c'est un métier si difficile. Recevoir, prendre et demander, voilà le secret en trois mots. » — « Il fallait un calculateur, ce fut un danseur qui l'obtint. » — « Il n'y a que les petits hommes qui redoutent les petits écrits » ; tous ces traits acérés lancés par Figaro enchantent les prochaines victimes. Et il semble que ce *Mariage de Figaro*, cette *Folle Journée*, que tous, la reine elle-même, ont voulu voir jouer, ait déchaîné dans leurs esprits obnubilés un plaisir intense à se voir bafoués, inconscients de la menace, oubliant que « Jupiter frappe d'abord de folie ceux qu'il veut perdre. »

VII. — *La Bourgeoisie*

C'est maintenant que l'on peut mesurer la très grande place qu'a conquise la Bourgeoisie dans la vie sociale de la France.

N'ayant jamais cessé d'acquérir des terres, surtout aux environs des villes, elle a joué, depuis le XVIe siècle, et de plus en plus, un rôle foncier considérable. C'est elle, on l'a vu (1), qui a réparé les désastres matériels laissés par les guerres, qui a restauré le sol, relevé des fiefs, exploité ceux-ci avec les qualités d'ordre, de travail et d'économie qui furent toujours les siennes. A ce rôle elle a gagné, pour elle-même, plus de bien-être, de considération sociale, de stabilité dans sa fortune, toutes choses auxquelles elle tient autant qu'à l'argent. Elle a cependant aussi, au XVIIIe siècle, profité largement des longues années de prospérité agricole et obtenu des rentes foncières très élevées. Maintenant,

(1) Voir le t. Ier, p. 6, 39, 125. En Bourgogne, en Poitou, en Provence, partout.

depuis 1777, le profit a baissé ; les prix des grains, surtout des vins, se sont, à plusieurs reprises, effondrés. Mais les grands propriétaires bourgeois, comme les nobles ou les hauts ecclésiastiques, ont pu, plus facilement que les moyens et les petits, supporter les lourdes charges des impôts, et vendre leurs grains et même leurs vins à meilleur prix. Et puis, après les bas prix de 1777, de 1786, viennent les très hauts prix de 1788, de 1789, pour les grains surtout. La culture va se refaire rémunératrice, au moment où l'industrie périclite : compensation bienvenue pour les bourgeois à la fois propriétaires de terres et « marchands-fabricants ».

Le rôle commercial et industriel de la Bourgeoisie n'a cessé de grandir. Quelle ascension, depuis Colbert ! Ascension réalisée, il est vrai, dans un autre esprit que celui du grand ministre ; car c'est, de plus en plus, dans et par la liberté que la Bourgeoisie entend promouvoir le progrès économique. Sans doute les grands établissements, où capitaux, force motrice, main-d'œuvre se trouvent concentrés, sont encore rares ; mais déjà, en dehors des manufactures de l'État, comme les Gobelins, Sèvres, il s'en est formé, on l'a vu, plusieurs de considérables, grâce à des sociétés anonymes (1) ou en commandite, dirigées par de grands chefs. Ceux-ci sont des personnages qui doivent prendre place dans notre histoire ; Français et étrangers : Decretot, le plus important fabricant de draps en France, voire en Europe ; les directeurs de l'établissement d'Indret, en aval de Nantes, fondé, en 1777, par l'Anglais Wilkinson, où l'on fore des canons, quatre et même davantage à la fois, avec des machines mues par l'eau ; Van Robais, avec ses vastes ateliers d'Abbeville, ses centaines d'ouvriers et même les « maîtres-ouvriers » de la ville travaillant pour lui ; Oberkampf, qui, à Jouy, fabrique des toiles imprimées avec le plus grand succès ; Goudard, grand marchand de soieries de Lyon ; Réveillon, dont l'atelier de papiers peints, dans la grande rue du faubourg Saint-Antoine, à Paris, occupe quatre cents ouvriers ; et son voisin Hanriot, qui emploie, lui aussi, des centaines d'ouvriers à la fabrique du salpêtre (2). Personnages aussi

(1) La société du Creusot (1787) est fondée avec quatre mille actions de 2.500 livres.

(2) Sur Decretot, à Louviers, voir Arthur Young, qui raconte sa visite, *Travels...*, p. 144. « Sans conteste la première fabrique de laine dans le monde. » Et il a aussi des « cotton-mills », sous la direction de deux Anglais. Eloge de ses « Vigonia cloths » à 110 livres l'aune. Sur l'établissement de Wilkinson, voir Arthur Young, *Travels...*, éd. Miss Betham Edwards, p. 134, Young le visite en septembre 1788 et donne des détails. C'est M. de La Motte qui est directeur général ; il lui montre une machine de 6 pieds de long, de 5 de haut, de 4 à 5 de large, qu'il fait fonctionner devant lui « one of the best machines for a travelling philosopher that I have seen ».

les nouveaux directeurs de la nouvelle aciérie du Creusot qui marche au charbon de terre. Comment ne pas rappeler encore ces bourgeois capitalistes mêlés à de grands seigneurs, dans l'entreprise minière d'Anzin, comme Désandrouin ; ou ce Normand si actif, Tubenf, qui dirige une vaste exploitation minière à Alais, dès 1770 ? (1). En Lorraine, en Alsace l'activité des bourgeois capitalistes se déploie. A Paris même, surtout dans les faubourgs de l'est, où l'industrie du meuble, comme celle des toiles peintes ou des papiers peints, occupe des établissements plus nombreux et plus importants qu'autrefois ; où un brasseur du Nord, qui n'ignore pas la chimie, Santerre, a acheté une brasserie considérable (2).

Il est vrai que plusieurs de ces établissements sont touchés par la crise agricole qui, depuis 1777, a fort diminué le pouvoir d'achat des cultivateurs, et que le traité de commerce avec l'Angleterre, survenant en pleine crise rurale (1786), va encore retentir sur l'activité industrielle, aggraver le chômage et causer des ruines. On a vu et on verra encore bien des faillites de fabricants, dans les provinces de l'Est, la gêne des manufacturiers de Lyon, d'Amiens, d'Abbeville (3), de Lille, etc. Au reste, certains fabricants déclinent, pendant que d'autres prospèrent. Tout dépend du genre d'industrie : le coton fait une terrible concurrence à la soie et à la laine : ce n'est pas un fait tout à fait nouveau ; le coton du Levant ou des Iles révolutionne la mode et les prix, à Amiens, chez Martin & Flesselles ; à Rouen, à Paris. Les « cotonniers » sont rois. Bonnetiers, cotonniers se multiplient partout : le faubourg Saint-Antoine, à Paris, en accueille plusieurs : en 1786, le sieur de Barneville ; Lucas, rue de Reuilly, qui occupe plus de cent ouvriers. Avec eux, grandissent fabricants de toiles peintes et de papiers peints, servis eux aussi, par la mode : on en trouve beaucoup au faubourg, qui emploient parfois cent ouvriers et même davantage (4). Ce sont des bourgeois qui, sans être au

(1) Tubeuf n'a pas réussi à garder son exploitation. Il a été supplanté par l'abbé de Bréard et par le maréchal de Castries. On voit que la Noblesse a l'œil sur les mines.

(2) Voir sur le faubourg Saint-Antoine Mlle Andrée Gobert, dans *La Révolution française*, 1937, p. 134, et 1938, p. 261-281. Elle donne une foule de renseignements très précis, pris aux Archives Nationales (série F^{12}). Santerre a acheté la brasserie à Aclocque, le 25 août 1772, pour 65.000 francs.

(3) Sur Abbeville, voir Arthur Young (mai 1787), éd. Betham Edwards, p. 8 : « In conversation with the manufacturers, I found them great politicians, condemning with violence the new commercial treaty with England. » — Sur Lyon, *id.*, p. 283, conversation avec M. Goudard, grand marchand de soieries. — Voir encore, p. 329, sur la misère à Lyon, Amiens, Abbeville, Rouen : « By intelligence, I understand that it was still worse at Rouen : the fact could hardly be otherwise. »

(4) Andrée Gobert, *art. cité*, 1938, p. 272. Lucas a, en 1791, cent trente

sommet de la Bourgeoisie, dépassent déjà la classe moyenne.

Les négociants des grandes places, les armateurs de Marseille, de Bordeaux, de Nantes, du Havre, de Rouen, que soutient le commerce si prospère des « Iles », continuent à édifier d'énormes fortunes. A Marseille, Hugues, Audibert, Seimandy, Clary (1), Saint-Anthoine, bientôt fait baron, pour avoir prolongé le trafic marseillais jusqu'au port de Kherson, sur la Mer Noire (2) ; à Bordeaux, Bernard Journu, qui a le titre de gentilhomme, et qui, dans sa belle demeure du Cours du Chapeau rouge, réunit une riche collection d'histoire naturelle, où brillent de leurs couleurs vives et variées des oiseaux empaillés des Antilles (3), et le Juif Gradis, très honoré dans cette accueillante cité, où il occupe une situation considérable (4). Partout, à Nantes, à Rouen, à Marseille ou à Bordeaux, les négociants, riches, cultivés, déploient une grande activité, s'intéressent à la gestion de leur cité et de leur Chambre de commerce, à la vie intellectuelle, au théâtre, à l'Académie ou à la « Société de lecture » de la ville. A Marseille, plusieurs, comme Audibert, font partie de l'Académie des Sciences, parure de la grande cité provençale. Leurs idées sont celles des philosophes et des savants. Les Marseillais notamment sont depuis longtemps partisans de la tolérance, et dans leurs relations de famille ils ne connaissent plus les distinctions de confessions religieuses ; leurs rapports avec le vaste monde oriental et américain ont élargi leur esprit ; par bien des côtés, ils sont, tout en restant très Français, des « citoyens du monde ».

Le rôle financier de la grande Bourgeoisie, et même de la moyenne, apparaît de plus en plus considérable, dans un pays qui,

ouvriers. — Etablissements rue Lenoir : cordes et filés (pièces de 30 aunes) ; Daquet (toiles peintes et papiers peints), cent ouvriers. — Rue de Beauvau, Rimbault emploiera deux cents ouvriers en mars 1790. Le nombre des ouvriers varie avec les années et même les saisons.

(1) A ces noms on peut ajouter ceux des quatre négociants qui vont être élus, pour Marseille, aux Etats Généraux, car Marseille aura une députation spéciale : Michel Roussier, Louis Lejeans aîné, J. Arnaud-Delabat, fabricant de savon, et le suppléant du comte de Mirabeau, Mirabeau ayant opté pour Aix, où il a été élu par le Tiers, comme marchand de draps. Ce suppléant est encore un négociant, André Liquier, mais il ne siégera pas.

(2) Le baron de Saint-Anthoine a écrit un *Essai historique sur le commerce et la navigation de la Mer Noire*, Paris, an XIII (1806). Il y a une grande Carte de la navigation intérieure de la Russie, par Barbié du Bocage, et un « plan des treize Cataractes du Dniéper ».

(3) Les Journu, originaires de Toulouse, se sont établis à Bordeaux sous la Régence. C'est une dynastie. Bernard Journu, époux de Mlle Auber, riche créole du Port-de-Paix (Saint-Domingue) assiste, comme gentilhomme, à l'assemblée de la Noblesse de Bordeaux (1789). Membre de l'Assemblée législative (1791), sénateur sous le Consulat. Les Journu ont des établissements coloniaux valant 475.000 livres (voir Blanche Maurel, *ouvr. cité*, p. 374).

(4) Gradis sera un « électeur » du Tiers de Bordeaux en 1789 ; et il n'aurait tenu qu'à lui d'être député aux Etats Généraux.

par lui-même, et au contact d'une Angleterre en pleine « révolution industrielle », cherche à créer des « affaires » nouvelles et à se lancer dans la spéculation, dont John Law l'Écossais lui a jadis donné le goût. Sans doute, pendant longtemps, surtout jusqu'au « Système », les bourgeois ont bien voulu fournir de l'argent au roi, et ont placé leurs économies en fonds d'État aussi bien qu'en « offices », en terres, en navires ou en « métiers ». Maintenant, ils se livrent, en outre, à la spéculation : c'est une fièvre qui, sous Louis XVI, gagne Paris ; l'argent est abondant ; Paris devient de plus en plus une ville cosmopolite, pleine de banquiers étrangers. Ils établissent, à la manière des Anglais, des Compagnies des Eaux, des Compagnies d'Assurances sur l'incendie ou sur la vie, qui parfois se doublent et se font concurrence ; ils spéculent à la hausse ou à la baisse sur ces valeurs toutes neuves, comme sur les fonds de l'État français ou espagnol, les billets de la Caisse d'Escompte et les actions de la Compagnie des Indes rétablie par Calonne. Ce sont, surtout depuis le temps de Necker, ancien associé de la banque Thélusson, banque suisse, des personnages considérables que Panchaud, Clavière, encore des Suisses, que Vandenyver, hollandais, et que Laborde, le banquier de la Cour ; leur influence est grande sur les finances privées et publiques (1). En rapport plus ou moins étroit avec eux se tiennent fermiers généraux, trésoriers et receveurs généraux, à Paris surtout (2). Tous donnent le spectacle d'une immense richesse publique et privée, à une époque de déclin : encore un mirage, que les événements se chargeront de dissiper. Au reste, la plupart ne sont sans doute pas égarés par cette illusion de la richesse mobilière, presque toute en titres et en billets, et il est probable que, dégagés de tout préjugé, comme Clavière, ils se détournent déjà d'un régime social et politique qui leur paraît très instable, pour en envisager et même en préparer un nouveau, plus libéral, où ils joueront un rôle de premier plan; grande spéculation encore où la politique va se mêler aux « affaires ».

C'est la Bourgeoisie qui demeure la grande créancière de la monarchie et du roi, dans un pays où le plus riche propriétaire, déjà fort endetté, le Clergé, qui préfère contracter des emprunts, sans les éteindre, pour ne pas trop donner au fisc le dangereux soupçon de sa richesse, n'a jamais consenti que des « dons gratuits », peu proportionnés, on l'a vu, à son immense fortune. Le

(1) Jean Bouchary, *Les Manieurs d'argent au XVIIIe siècle*, t. Ier, 1939. Voir plus loin, p. 263.

(2) Outre Delahante, *ouvr. cité*, voir, sur Paulze, Lavoisier et la Ferme générale, E. Grimaux, *Lavoisier*.

roi ne peut, au fond, compter que sur les classes moyennes de la société, celles qui ont édifié lentement de grandes fortunes — les principaux négociants, fabricants et armateurs — ou celles, si nombreuses, qui vivent dans l'aisance, du travail accumulé de plusieurs générations d'hommes de loi, de médecins ou de maîtres de métiers. Ces bourgeois, créanciers de la dette publique, qui, vers 1789, touchent, bon an mal an, plus de 200 millions de rentes, sont ceux des grandes villes, surtout de Paris. Mais le rentier est timide ; il redoute tant les conversions de rente, qui réduisent les intérêts, voire la valeur du capital prêté, et c'est pour lui un cauchemar que la menace d'une banqueroute nouvelle.

Comment oublier que c'est la Bourgeoisie qui, depuis des siècles, en particulier depuis Henri IV et Louis XIV, a dirigé toute l'administration du royaume ? la justice, en se faisant Noblesse de robe, dans les Parlements et les Chambres des Comptes, ou, y restant roturière, dans les présidiaux et les bailliages ; l'économie sociale et les fiannces, par tout un personnel qui recouvre les impôts, inspecte les métiers et les grandes manufactures, préside à la vente du sel dans les « greniers » du roi, à l'exploitation du Domaine royal et des forêts royales ; la « police » des villes et des bourgs, par toute une armée de maires, d'échevins et de conseillers, pris parmi les notables ? Que de familles qui, dans toutes ces administrations, vivent d'emplois modestes, souvent très humbles, sous la direction de chefs bourgeois, magistrats, receveurs généraux, fermiers généraux, inspecteurs, maîtres des Eaux et Forêts, etc. ! Peut-être trente mille familles (1) : tout un monde de « commis », grands et petits, pourvus de notions techniques en finance, en économie, en « police » et administration. Beaucoup d'entre eux ont acheté leur « office » de leurs deniers patrimoniaux ou de leurs économies. Ils sont étroitement liés au régime, et en redouteraient la totale destruction.

Enfin comment ne pas rappeler que c'est la Bourgeoisie qui s'est distinguée la première dans l'œuvre civilisatrice de la France ? Presque tous les grands savants sont des bourgeois, au XVIIIe siècle, comme au XVIIe ; les grands artistes, de même ; à peine trouverait-on quelques exceptions parmi les écrivains. La Noblesse s'occupe d'autres soins ou même reste oisive. Le Clergé seul, surtout les ordres religieux, s'honorent de leurs infatigables érudits, successeurs des Mabillon et des Montfaucon, et de quelques savants illustres, l'abbé La Caille, le Génovéfain

(1) C'est le chiffre que donne Arthur Young, éd. Betham Edwards, *ouvr. cité*, p. 331 (dans le morceau *On the Revolution of France*).

Pingré, l'abbé Haüy, l'abbé Bossut, sans parler des grands éducateurs de la jeunesse, comme Dom Ferlus, le directeur de Sorèze, l'abbé Batteux, de l'Académie française, auteur du *Cours d'études* pour les Écoles militaires créées par le comte de Saint-Germain. Et ce rôle intellectuel, que la Bourgeoisie a assumé surtout depuis Descartes, Corneille et Molière, est devenu aussi un rôle moral. C'est ainsi que l'ont entendu, en ce siècle, philosophes, économistes et savants.

En somme, la Bourgeoisie a assumé la direction du travail national, et pris, en fait, depuis longtemps déjà, le rôle le plus actif et le plus utile pour la société. C'est la conviction qu'elle a elle-même. Pourquoi donc laisser ce rôle, en droit, à la Noblesse et au Clergé, dont les privilèges ne se justifient plus par les services rendus, à des hommes qui ne savent plus diriger l'État, ou qui se font les valets des privilégiés et de la Cour ? La Bourgeoisie, la grande bourgeoisie, se juge maintenant capable de prendre la direction du pays et la responsabilité du pouvoir. Elle sent derrière elle toutes les adhésions, toute la force qui lui vient d'un peuple immense. Turgot surtout, puis Necker vont lui montrer ce rôle, annoncer et justifier cette ambition.

C'est que, même dans cette période matériellement beaucoup plus instable que la précédente, et, en somme, peu prospère pour la plupart des Français, l'éducation de la Bourgeoisie s'est fortifiée, soit dans les collèges, dont l'esprit et les programmes se sont un peu rénovés au contact de la science du siècle, soit dans les écoles techniques, nationales et municipales, qui vont se multipliant, parfois sur le modèle d'illustres écoles étrangères, comme l'École des Mines de Paris, qui a devant elle les belles traditions de la savante École de Freiberg, en Saxe (1). La haute Bourgeoisie, voire la moyenne, affluait déjà dans les grands collèges secondaires, où elle coudoyait la Noblesse. Elle les fréquente maintenant plus que celle-ci. Alors que, sur deux cent vingt élèves au fameux collège de Sorèze, il n'y avait, en 1770, que trente-deux bourgeois, on en compte, deux ans après, soixante-dix-sept ; en 1789, ils forment les deux tiers de l'effectif qui s'élève à quatre cents élèves. Le tiers état va, naturellement, au

(1) Cette Ecole de Freiberg n'était pas seulement une école technique. Elle était aussi une école scientifique. Les savants français, tels que Buffon, la connaissaient fort bien, suivaient les travaux de ses professeurs et de ses savants. — Il ne paraîtra pas surprenant que ce soient les Saxons qui aient eu les premiers la plus célèbre Ecole des Mines, si l'on observe que la Saxe était un grand pays minier, et que c'est de Saxe qu'étaient sortis tous ces ouvriers mineurs, qui, au Moyen âge, étaient allés exploiter les mines dans les Carpathes, laissant, en pays roumain, des îlots de dense population germanique (Kronstadt, Hermannstadt).

collège le plus moderne, celui qui, aux dépens du latin, donne enfin une place aux sciences expérimentales, à la géographie, à l'histoire générale et à l'histoire de France, à la langue française, à la diction, même à la philosophie sous l'aspect d'un cours de religion, voire aux langues étrangères, l'anglais et l'allemand, sans préjudice de la gymnastique, de l'escrime et des exercices militaires (1). Sorèze est, en effet, devenu, en 1776, une des douze Écoles militaires reconnues par le comte de Saint-Germain : on comprend que l'éducation de futurs officiers y ait inspiré cette modernité de l'enseignement et réservé une belle place aux exercices du corps.

Toutes ces écoles ont du succès auprès de la Bourgeoisie. « La grande ambition du roturier, c'est de voir son fils figurer en uniforme à côté du fils noble », constate un contemporain (2). Et, de fait, voilà qu'avec l'enthousiasme déchaîné par la révolte des « Insurgents » et la Déclaration de l'indépendance américaine, des idées de gloire militaire s'emparent de jeunes bourgeois, comme s'ils étaient de petits La Fayette. Déjà la Bourgeoisie, qui a toujours donné de nombreux officiers à l'armée (3), et d'où sont sortis même de grands chefs, comme jadis Catinat et comme Chevert, en ce siècle, entend participer plus généreusement à la défense du pays et y jouer un rôle plus glorieux. N'est-elle pas souvent plus studieuse, plus zélée, mieux pourvue de connaissances techniques pour entrer dans le « Corps royal » de l'Artillerie, ou aller à l'École du génie à Mézières ? Pourquoi maintenant vouloir l'écarter (1781) ? Ne sera-t-elle pas un jour toute prête à supplanter cette Noblesse si orgueilleuse qui prétend lui fermer l'armée ? Car elle conçoit l'armée comme une institution nationale, à laquelle tous les citoyens capables peuvent apporter leur zèle et leur talent.

Malgré les rapprochements des classes sociales qui se font dans les collèges, les Académies, les diverses sociétés, voire les loges maçonniques, restent les distances et les privilèges. Qu'un riche bourgeois acquière un fief, il lui faut encore payer le « franc-fief », dont le noble est exempt. Que le fils d'un grand veuille

(1) Sur l'école de Sorèze, tenue par les Bénédictins, voir les très intéressants détails donnés par l'abbé Augustin Sicard, *Les Etudes classiques avant la Révolution*, p. 447-493. Dom Ferlus créa même un enseignement tout moderne, sans latin, pour un petit nombre de jeunes gens ; il le fit avec regret, mais le fit. Il s'agirait de savoir s'il ne le fit pas à bon escient ? Mieux vaut avoir des élèves qui peuvent réussir dans un enseignement moderne que des élèves condamnés au latin, qui se rebutent et qui n'apprennent absolument rien.

(2) Sicard, *ibid.*, p. 437.

(3) Le quart des officiers est bourgeois (la plupart entrés avant l'édit de 1781), mais ils n'occupent que des grades subalternes.

acheter un grade militaire, ou, déjà officier, monter à un grade supérieur, il voit s'opposer à son ambition, après 1781, le généalogiste du roi, Chérin, qui exige la preuve de quatre quartiers de noblesse, ou les officiers nobles s'opposer à sa promotion. Dans la vie de société se dressent, à tout moment, devant les bourgeois, des barrières infranchissables. La jeune bourgeoisie en fait la triste expérience. C'est une loge au théâtre que l'on refuse à une dame distinguée, mère d'un jeune avocat de Grenoble : voilà un affront que Barnave se rappellera toute sa vie (1). C'est une place à l'office, et non à la salle à manger du château de Fontenay, que l'on désigne à deux bourgeoises d'excellente famille, et voilà Mlle Phlipon, plus tard Mme Roland, qui, pour en finir avec ces humiliations, rêve déjà d'une révolution (2). Mésaventures fréquentes qui révoltent la fierté bourgeoise et lui font même haïr la société présente et jusqu'aux gens qui lui infligent ces mépris (3).

Cependant, si, parmi la haute et la moyenne bourgeoisie, les idées sociales sont à peu près les mêmes, les intérêts et les sentiments sont très différents. La fortune, la profession, le genre de vie établissent des classes diverses, et dans ces classes, des hiérarchies parallèles parmi lesquelles l'argent joue son rôle.

Financiers, armateurs, grands négociants et « marchands-fabricants » sont, en général, partisans d'une économie libérale, inspirée par les économistes et Turgot. Marchands et artisans des anciennes corporations tiennent au contraire, à leurs statuts traditionnels. On les a suivis depuis Colbert, toujours en lutte contre les grands capitalistes fabricants qui disposent de l'énorme main-d'œuvre des campagnes ; on voit Lille combattre Roubaix, au nom de ses privilèges, au nom de la tradition, comme, à la même époque, Londres combat Nottingham (4) : même duel entre le passé et l'avenir. Nous sommes déjà en plein capitalisme, au début de la « révolution industrielle » et en pleine époque de lutte sociale. Cette classe de la finance, du grand négoce, de

(1) Au théâtre de Grenoble le gouverneur du Dauphiné Clermont-Tonnerre fait chasser par quatre fusiliers Mme Barnave d'une loge qu'elle occupait et qu'il destinait à un de ses complaisants. Barnave se jura plus tard de « relever la caste à laquelle il appartenait de l'humiliation à laquelle elle semblait condamnée » ; cité par Taine, *L'Ancien régime*, in-8°, p. 417.

(2) Taine, *L'Ancien régime*, p. 418.

(3) Mme Roland, après huit jours passés avec sa mère chez une femme de la Dauphine, dit à sa mère : « Encore quelques jours et je détesterai si fort ces gens-là que je ne saurai plus que faire de ma haine. — Quel mal te font-ils donc ? — Sentir l'injustice et contempler à tous moments l'absurdité. »

(4) Voir, pour une synthèse de la « révolution industrielle » en marche, notre volume *La Fin de l'Ancien régime et la Révolution Américaine*, t. XII de *Peuples et Civilisations*, où l'on trouvera indiqués ouvrages généraux et ouvrages spéciaux.

l'armement est, au fond, solidaire, aux divers degrés de l'échelle, dans sa forte pression sociale et politique sur le gouvernement.

Une autre hiérarchie qui augmente en puissance est celle des écrivains, surtout des publicistes, rédacteurs de journaux, auteurs de « brochures », de pamphlets, dont plusieurs, et non des moins célèbres, se mettent au service des intérêts de ceux qui ont recours à leur plume. Que de fois banquiers et financiers, Panchaud, Clavière et bien d'autres, embrigadent ces écrivains pour une propagande en faveur d'une Société anonyme à créer, ou pour une campagne contre telle ou telle valeur de bourse ! (1). Brissot, d'autres encore se mettent à leurs gages ; même Mirabeau, car son père, le terrible marquis, lui a coupé les vivres, si bien qu'il en est presque réduit à toute sorte d'expédients.

Enfin, parmi la grande hiérarchie des « carrières libérales » autres que celle des écrivains, directeurs et rédacteurs de journaux ou de « brochures », et qui comprend artistes, médecins, « hommes de loi », etc., se signalent de plus en plus les avocats. Ils ont, comme les écrivains, grandi en dignité, en fortune aussi, dans les principales cités, surtout les cités parlementaires : à Rouen, à Grenoble, à Toulouse, à Bordeaux, à Paris. A Rouen, Thouret occupe une situation considérable, et sa maison est une des plus belles de cette splendide cité. A Grenoble, Mounier apparaît un personnage, et un jeune avocat de trente ans, Barnave, se prépare à en devenir un. A Paris, Target est de l'Académie française ; Tronchet, un de nos savants jurisconsultes ; derrière eux, se pressent une foule de talents. Comment tous ces citoyens, dans la crise suprême qui s'annonce, ne se prépareraient-ils pas à remplir un rôle à la mesure même des intérêts nationaux qui s'agitent ? Ce sera bientôt, en effet, le grand jeu de l'éloquence. Et qui pourra le mieux y faire sa partie que ces maîtres de la parole et de la riposte ? Leur culture générale, leurs connaissances techniques vont faire d'eux les premiers conseillers du Tiers état. Ils sont pénétrés de l'esprit national qui éclatera bientôt dans toute sa puissance. A côté d'eux, au-dessous d'eux, dans les petites villes et les bourgs, une foule d'« hommes de loi », notaires, procureurs, etc., propageront le même esprit, se tiendront prêts à recueillir et formuler les « doléances » des petits bourgeois et des paysans. Ce n'est plus l'« officier », robin, haut magistrat des Parlements, en grande robe rouge, qui aura la grande influence — son règne va finir — mais l'« homme de loi »,

(1) Voir les travaux de Jean Bouchary, indiqués p. 266, en attendant la synthèse qu'il prépare.

modestement habillé de noir, dont le costume n'attire pas les regards. Après la monarchie des Parlements, la monarchie des avocats.

VIII. — *Les Ouvriers*

La condition des ouvriers ne s'est pas améliorée. La crise industrielle est même venue l'empirer, dès 1777, par suite de la crise agricole, et surtout après 1785.

Le chômage règne dans les provinces du Nord et de l'Est. Beaucoup d'ouvriers de tous métiers partent pour Paris, où les salaires sont plus élevés — un manœuvre parisien gagne de 30 à 40 sous, au lieu de 15 à 20 sous et moins, en province — et où l'on peut trouver du travail soit dans les industries de luxe, comme le meuble, au faubourg Saint-Antoine, soit dans la maçonnerie et le terrassement. A Paris, en effet, règne une fièvre de construction. Que de chantiers ! C'est l'église de la Madeleine, dont on pose les fondations ; c'est l'énorme église Sainte-Geneviève, de Soufflot, qui s'élève peu à peu ; ce sont des hôtels de grands seigneurs, de financiers qui se bâtissent, au delà de la Madeleine, dans le quartier de La Ville-l'Évêque, ou au faubourg Saint-Honoré, qui va rivaliser avec le vieux faubourg Saint-Germain ; c'est le pont Louis XVI, reliant la grande place Louis XV, bâtie par Gabriel, au Palais-Bourbon, sur la rive gauche de la Seine. Et que d'embellissements, de réparations aussi dans les églises, les palais ou les anciens hôtels, les couvents, les hôpitaux ! Mais les ouvriers chômeurs ne sont pas tous propres à ces travaux ; beaucoup errent dans les faubourgs point soumis aux règlements des corporations, où ils « bricolent » pour subsister, quand ils ne vont pas à l'atelier de charité. Il y a là tout un prolétariat ouvrier, instable, qui se lèvera au moment des émeutes.

Les ouvriers qui souffrent le plus sont ceux des vieux métiers textiles, dans les villes et les campagnes. Et par ouvriers il convient d'entendre non seulement les compagnons, célibataires, mais les maîtres-ouvriers, cette petite bourgeoisie artisanale, depuis longtemps, à Abbeville, à Amiens, à Lille, à Lyon, subordonnée aux « maîtres-fabricants », pour les prix des façons, qui leur permettent à peine de vivre, surtout quand ils ont des enfants à leur charge (1). Voici un ménage de maître-ouvrier tisserand. Les dépenses y sont supérieures aux recettes que pro-

(1) Voir le budget d'un maître-ouvrier en 1786, année de crise, établi — recettes et dépenses — par les maîtres-ouvriers. Donné *in extenso* par Henri Carré, *Le Règne de Louis XVI*, t. IX de *L'Histoire de France*, de Lavisse, p. 244.

curent les trois métiers. Car il faut payer le compagnon, la viande, le pain, le loyer. Ce sont là les grosses dépenses : 2 livres et demie de viande par jour pour le ménage et le domestique, et 10 livres de pain pour quatre ou cinq personnes. Ils ne peuvent, disent-ils, subsister, qu'en dévorant leurs économies, en se passant du nécessaire, en faisant des dettes, recourant aux aumônes, allant à l'hôpital, en cas de maladie (1).

La plupart des ouvriers, même travaillant régulièrement, sont misérables. Les salaires ne sont pas en proportion du prix de la vie, constate Roland de La Platière, inspecteur des manufactures. Même dans les manufactures privilégiées le salaire reste fort en retard sur les prix, qui ne cessent de monter. En mai 1789, les « Associés » de la Compagnie des Glaces le reconnaîtront eux-mêmes. Pourtant ces ouvriers travaillent douze heures par jour, à Saint-Gobain ou à Tourlaville. Et ils sont encore mieux accommodés que ceux des manufactures ordinaires. Mais, en revanche, ils sont tenus à une forte discipline. Celle-ci se renforce même. Pour éviter les scènes d'ivrognerie du dimanche, la manufacture reste ouverte même ce jour-là, et la fabrication s'y poursuit. Sans doute l'évêque de Laon n'a pu permettre le travail le dimanche ; mais, bien informé, il ne l'a pas non plus interdit. A Paris, le lieutenant civil ne le défend pas non plus, sauf exception aux grandes fêtes annuelles et à la fête de la Vierge. Il est vrai que la Compagnie des glaces prend quelques heureuses initiatives en faveur des vieux ouvriers : à Saint-Gobain elle a créé, en 1760, dix pensions de 3 livres par semaine, qui seront portées, en 1790, à 9 livres. C'est peu, certes, dans le malheur des temps, et pour de vieux serviteurs ; mais il ne faut pas attendre de généreuses libéralités dans le monde industriel de cette époque.

Si la discipline et l'ordre règnent dans les grandes manufactures royales, il n'en est pas de même dans la plupart des ateliers. L'éternelle question des salaires, toujours en retard sur la montée des prix, occasionne bien des désordres et des grèves. Les ouvriers papetiers semblent être à la tête de ce mouvement, qui dégénère en excommunications contre les ouvriers qui continuent à travailler à Thiers (1784) et à Castres (1786).

En somme, il n'y a guère que les ouvriers d'élite qui gagnent bien leur vie. On est à une époque de grand luxe et de grand art, et le luxe et l'art se paient. Ces artisans, véritables artistes, sont

(1) H. Carré, *Le Règne de Louis XVI*, p. 243 .« Il en est peu qui puissent se passer de secours en cas de maladie, disent les « Associés ». Il s'en trouve même un grand nombre qui, en bonne santé, ne peut se donner le nécessaire par un travail ininterrompu, et en usant de la plus grande économie. »

toujours légion, en nombre de villes, où le goût n'a cessé de s'affiner. Que de délicats artistes du meuble, dans ce faubourg Saint-Antoine, où, selon une tradition déjà ancienne, rivalisent ébénistes français, comme Étienne Avril et Carlin, et ouvriers allemands, installés à demeure, Bircklé, Charles Richter et Feuerstein, qui tous deviennent des « maîtres » (1). Dans ces industries d'art ouvriers d'élite et patrons se rapprochent ; les ouvriers sont souvent les « maîtres » du lendemain. Et ils fraient avec des gens distingués : communion, toute naturelle, dans l'art et le goût. A La Rochelle, orfèvres, horlogers fréquentent les hauts bourgeois protestants et entrent dans leurs « Comités » de religion (2). La Bourgeoisie, même la moyenne, commence à apprécier les arts mécaniques et les ouvriers qui les exercent. N'est-on pas, en effet, au siècle de l'*Encyclopédie*, qui a mis sur le pavois les arts, tous les arts, avec leurs incessants perfectionnements techniques, servis par une parfaite délicatesse du goût ? C'est ce que reconnaissent les statuts mêmes d'un de ces Comités bourgeois de La Rochelle. « Tous genres mécaniques supposent dans « celui ou ceux qui les exercent un travail de main ; cependant « il est des travaux de main qui exigent des lumières et du mérite « non seulement relativement, mais en général ; ce qui rapproche « l'ouvrier de ceux exerçant arts libéraux, s'il ne les confond pas, « du moins à beaucoup d'égards (3). » Que dire de ces habiles ouvriers parisiens qui, dans les quartiers, si populeux, de la rive droite de la Seine, au nord de l'Hôtel-de-Ville, fabriquent de si délicats éventails pour les belles dames qui dans les salons de Paris et à la Cour ou aux bals de l'Opéra savent si bien en jouer ? Comment apprécier le goût de ces ouvrières qui, chez Mlle Bertin et d'autres, créent ces chefs-d'œuvre de toilette qui font encore valoir la beauté des femmes et dont rêvent les princesses et les grandes dames de l'Europe entière ? Suprématie de la mode française, à laquelle toutes les nations paient leur tribut, non sans affliger parfois leurs souverains qui voient sortir tant d'or de leurs États pour en régler la dépense (4).

(1) Voir De Champeaux, *Le Meuble*, Paris, 1885. — Etienne Avril, maître (1774) ; Carlin, maître (1766) ; Bircklé, maître (1774), a des ouvriers ; Charles Richter, maître (1774) ; Feuerstein, maître (1785) a dix-sept ouvriers en 1790. Voir l'étude d'Andrée Gobert, citée plus haut.

(2) E.-G. Léonard, travail cité sur *La Bourgeoisie protestante...*, dans le volume de l'*Assemblée générale de la Commission centrale de publication des documents sur la vie économique de la Révolution*, p. 182. L'auteur a annoncé un ouvrage d'ensemble sur *La Résistance protestante au XVIIIe siècle.*

(3) Statuts du Comité protestant de La Rochelle, arrêtés en 1750.

(4) C'était bien la pensée de Frédéric II, ce roi si économe et même si avare pour lui-même. En quoi, d'ailleurs, il ne faisait que suivre la pensée de Leibniz, jaloux de voir tant de modes françaises et de superfluités luxueuses et coû-

N'est-il pas donc pas juste que ces ouvriers et ces ouvrières, artistes comme le sont nos peintres ou nos sculpteurs, capables de perfectionner et même de « créer », reçoivent des salaires plus élevés, s'élèvent parfois à la « maîtrise » — ne sont-ils pas, en effet, des maîtres-nés ? — et grandissent en dignité et en considération sociale ? Là est le bel aspect de la vie ouvrière. Mais il ne s'agit que de quelques exceptions par rapport à une foule énorme. Et de cette foule la société ne se soucie guère. La question ouvrière, comme on dira plus tard, se pose avec acuité. Heureusement, malgré la crise, l'industrie française, même fortement concurrencée, pour le moment, par celle de l'Angleterre en pleine rénovation, est prête, on le sent, à suivre cet élan, à entrer à son tour dans l'ère du charbon, du fer, des machines et de la vapeur, et à employer aux « usines » (1) l'excédent de population que l'agriculture ne saurait occuper. C'est déjà la grande inquiétude des économistes de l'époque. Nous rejoignons par là la pensée de Turgot et de son entourage soucieuse avant tout des problèmes que pose la vie économique et sociale (2).

IX. — *Les Paysans*

Les paysans, surtout les petits, voient leur condition empirer, surtout à partir de 1777. Les petits propriétaires ont pu, jusqu'ici, comme on a vu, grâce aux hauts prix des grains, des vins, de toutes les denrées, payer facilement leurs impôts, se nourrir, se vêtir, même faire des économies et parfois les placer en terres. Maintenant, plus d'acquisitions ; les impôts les écrasent ; les bas prix ne leur laissent même pas de quoi vivre sans se priver du nécessaire (instruments aratoires, vêtement, etc.). Dès 1777, c'est un effondrement du prix des grains ; la mévente des vins devient une catastrophe pour le Midi et le Centre et pour les grands pays de vignobles du Nord-Est (Bourgogne, Champagne). Le vigneron, qui n'a à vendre que son vin et qui ne vit que de son vignoble, même dans les années de grande production, ne peut plus vendre sa récolte à des prix rémunérateurs ; car le consommateur pauvre des villes et des campagnes commence par

teuses envahir l'Allemagne. Ils oubliaient tous deux que c'était la beauté qui faisait son entrée dans leur pays. Les « réfugiés » français de Berlin, de Magdebourg et de tant d'autres cités allemandes n'avaient-ils pas commencé, souvent à leurs risques ? Car ces villes étaient encore trop petites et trop pauvres au XVIIe siècle pour acheter des bas de soie et des objets de luxe.

(1) Le mot « usines » commence à être employé, pour désigner autre chose que les mots métiers, ateliers, manufactures.

(2) Boncerf, ami de Turgot, et d'autres cherchent les moyens d'occuper tous les gros ouvriers. Voir la brochure de Boncerf, *La plus importante affaire...* (1789).

acheter des grains — et encore plutôt du seigle ou du blé noir que du froment — avant de boire du vin, si peu cher qu'il soit. Sans doute en certaines années, en 1777 et de 1778 à 1783, puis en 1786, les grains ne sont pas très chers ; mais ils le redeviennent, surtout à partir de 1787, et c'est alors la misère noire pour les petits propriétaires de vignobles (1). Dans le royaume de France, pays de vin, le peuple ne peut plus boire de vin, même à 2 sous le litre. Que dire des manouvriers-vignerons ? Leurs salaires s'effondrent, naturellement, avec la crise viticole. Tout un prolétariat de vignerons se déplace vers les terres à céréales, car le blé est roi, en quête de fermes, de métairies. Mais en trouvera-t-il ? Les propriétaires qui ont quelque argent pourront-ils affermer des terres dans les grands pays de fermage du Nord de la France ? Les conditions sont bien peu favorables : la baisse des prix des grains se poursuit jusqu'en 1787 (2), et aussi la hausse des baux, comme si l'on était encore dans la période de prospérité.

Le revenu s'effrite, sous la triple exploitation fiscale de l'État, de l'Église et des seigneurs. Les impôts royaux augmentent, surtout après 1782, pour payer la guerre d'Amérique ; les dîmes s'étendent, maintenant, aux légumes — ce sont les « dîmes novales » — et la réaction seigneuriale, qui sévit, accroît, indirectement, on l'a vu, par toute sorte d'exigences et d'abus, les multiples taxes féodales. Les dîmes et les droits seigneuriaux emportent au moins le dixième de la récolte brute ; les charges fiscales, d'après Lavoisier, absorbent encore 13 % de cette récolte, dans le cas où les vingtièmes sont à la charge du propriétaire, et, dans le cas contraire, montent à 23 et même 24 %, avec les 4 sous pour livre du vingtième ; et voilà déjà 34 % du revenu brut à défalquer (3). En outre, les frais de semences : 10 % ; voilà 44 % du produit brut enlevés au fermier. S'il est aidé par des valets, il faut ajouter les frais de cette main-d'œuvre, puis l'usure des instruments aratoires, ensuite la nourriture du cheptel qui laboure la terre, enfin les engrais (pailles, etc.). A combien estimer ces frais ? Si on les porte à 10 % au moins, voilà 54 % : hypothèse qui paraît vraisemblable, et qui laisserait au métayer 46 % de la récolte, à partager avec le propriétaire, soit 23 %, et au fermier plus de 30 %, en défalquant la rente foncière. Dans les bonnes années, celles où la récolte est abondante et drue, et où

(1) C.-E. Labrousse, *La Crise de l'Economie, ouvr. cité*, t. Ier.
(2) Voir la courbe établie par Labrousse.
(3) Si l'on met le vingtième à la charge du fermier, voilà, sans les frais de culture, 34 % du produit brut. M. Labrousse compte 50 % de frais et charges dans le vignoble, proportion qui, dit-il, « s'accorde d'assez près avec celle que donne Lavoisier pour les terres à blé », t. Ier, p. 465.

les prix se maintiennent à un niveau normal, c'est un rendement encore suffisant pour vivre dans l'aisance. Mais si les prix baissent, surtout s'ils s'effondrent, comme en 1777 ou en 1786, le revenu est très mince, et les charges apparaissent d'autant plus lourdes qu'elles tombent sur un profit en complète régression : de là les plaintes de plus en plus vives touchant les impôts royaux, la dîme ecclésiastique et les droits seigneuriaux.

Si le fermier, ou le métayer, même moyen, est ainsi accommodé, que dire du tout petit propriétaire, et surtout de ces nombreux cultivateurs, qui, n'ayant qu'un lopin, ont besoin, pour vivre, de pratiquer quelque commerce ou industrie ? Ceux-ci voient déjà cet appoint leur échapper : on ne fabrique plus autant de draps ou de toiles, en Flandre, en Normandie ou en Bretagne ; les grands marchés de toiles bretonnes, comme Pontivy, ruinés par deux guerres et les droits très élevés à l'entrée en Espagne, sont en pleine décadence (1). Ce petit revenu s'effritant, la famille doit se priver d'une foule de choses nécessaires : souvent de vin, toujours de vêtements, et même se restreindre sur le pain et la viande (2). Enfin que dire du prolétariat, sans propriété aucune, si nombreux dans les Flandres, en Normandie, en Bretagne et dans tous les pays de l'Ouest ? (3). Il y a bien des allottissements, des « affiévements » de terres incultes, dans les grands domaines de hauts et puissants seigneurs qui s'en prétendent propriétaires (4) aux dépens, disent les habitants, des communautés rurales. Mais ce ne sont pas ces petits lots, d'ailleurs contestés, qui peuvent faire vivre des ménages. Partout, les droits collectifs — usage des forêts, vaine pâture et droit de parcours — sont de plus en plus

(1) Cette incidence du déclin agricole sur l'industrie, surtout le textile, a été mise en lumière, on l'a vu, par Labrousse. Pour la Normandie, on trouve dans les Procès-verbaux de la Chambre de Commerce de Rouen, l'aveu du déclin industriel vers 1785 (donc bien avant le traité avec l'Angleterre). Pour la Bretagne, voir l'étude d'Eugène Corgne, *Les Classes sociales à Pontivy*, p. 162 (*Assemblée générale de la Commission centrale de l'étude économique de la Révolution*). Droits de 25 % sur les toiles entrant en Espagne (1780), ce qui favorise les toiles de Silésie.

(2) Voir plus haut, p. 237, le budget d'un tisserand de campagne vers 1782.

(3) Georges Lefebvre, *Les Paysans du Nord... ;* c'est une constatation générale que fait souvent cet auteur dans son grand livre et dans ses articles (voir la Bibliographie, à la fin de notre volume). C'est aussi celle que font tous les auteurs qui ont étudié l'Ouest. Il y a énormément de gens sans le moindre lopin, en propriété, dans ces vastes pays. Mais ils sont exploitants (domaniers, métayers et, maintenant, surtout fermiers en Bretagne) ; voir les travaux de Henri Sée, de Dubreuil, Le Lay, et la critique qu'en fait, au sujet du domaine congéable, P. Thomas-Lacroix, dans sa savante étude sur *Métayage et fermage en Bretagne*, notamment p. 357-360 (*Assemblée générale du Comité central pour l'étude de la vie économique de la Révolution*, 1939), en attendant l'ouvrage qu'il annonce sur la condition des paysans en Bretagne.

(4) Voir l'*Appendice*, n° V.

usurpés par les seigneurs ; les biens communaux le sont aussi, sous prétexte du droit de « triage », en dehors des cas prévus par la loi. Et, quand ces droits d'usage ne sont pas tombés en désuétude, ce sont les plus gros propriétaires du village qui en tirent le plus de profit, pour leur bétail, plus nombreux. Cependant on n'ose pas supprimer entièrement ces droits de la communauté paysanne. Il reste, dans les campagnes, malgré la puissance des « coqs de paroisse », un esprit communautaire ; il est très fort dans les provinces du Nord et de l'Est, en Picardie, dans les Flandres, en Lorraine (1).

Si, à ce point de vue, le village forme une unité vivante, que l'on voit de plus en plus se dresser devant le seigneur et ses agents, il renferme, comme on sait, des classes sociales bien différentes. Elles vont se différenciant encore. Le malheur des temps divise : les uns le supportent plus ou moins facilement, attendant et pouvant attendre des jours meilleurs, forts de leurs économies patiemment accumulées, dotés de domaines assez étendus pour les faire vivre ; les autres, tout petits propriétaires, métayers, vignerons ou journaliers, tombent souvent dans la misère, au moment des crises, comme celle de 1786, voire dans la mendicité. Mais la société, qui ne reconnaît pas le droit au travail, et qui, dans la détresse générale, ne peut procurer de l'ouvrage, n'est pas capable, par elle-même, de fournir des secours à tous ces pauvres gens, souvent surchargés d'enfants. L'État n'a pas un budget d'assistance, et ne trouve guère, pour parer à l'indigence, que les vieux et insuffisants expédients des « ateliers de charité ». A côté de la bourgeoisie rurale — gros « laboureurs » et gros fermiers — il n'y a, au temps de crise, que misère pour la masse des paysans, petits cultivateurs et journaliers : en état de « sous-consommation » dans les tristes années du règne de Louis XVI, vivant dans de misérables cabanes aux fenêtres sans vitres, allant souvent pieds nus, en haillons (2), ils deviennent plus que jamais la proie de maladies contagieuses ; beaucoup meurent en bas âge ; dans les villages les plus déshérités la moyenne de la vie humaine ne dépasse guère, on l'a vu, dix-neuf ou vingt ans (3). Ainsi la richesse en hommes, au fond la seule et vraie richesse

(1) Cette solidarité s'affirme en Picardie dans le « mauvais gré », sur lequel on a beaucoup écrit.

(2) Arthur Young parle plusieurs fois des fenêtres sans vitres des maisons paysannes. L'habitude d'aller pieds nus, du moins en été, s'est conservée au XIXe siècle dans les villages du Centre et du Midi. J'ai pu l'observer dans les villages de la vallée du Lot, chez les femmes, en été. Young insiste aussi sur la saleté repoussante des auberges du Midi et des servantes, « fumiers ambulants ».

(3) Voir l'étude d'Andrews sur *Les Paysans des Mauges d'Anjou* (thèse de Doctorat de l'Université de Paris, 1936).

d'un pays, se trouve gaspillée par l'incurie d'une société qui, malgré quelques nobles tentatives privées, sacrées ou profanes, ne fait presque rien pour la sauver de la ruine, et par l'indifférence d'un État qui n'a jamais pensé à mettre au rang des dépenses publiques l'assistance, les secours à domicile, l'organisation, dans les campagnes, d'un service de médecins et de sages-femmes (1).

X. — *Conclusion*

Dans un royaume qui s'est couvert de gloire en volant au secours des « Insurgents » d'Amérique et qui vient de triompher de sa vieille rivale sur les mers, mais où l'effort héroïque dure souvent peu de temps, la société est déjà, après la guerre, en pleine crise, sans qu'elle en ait conscience. Les hautes classes qui, au cours de deux siècles, ont fait l'alliance intime de la robe et de l'épée, restent à part, indifférentes à l'existence de la nation. Dans ce monde raffiné, fort peu nombreux, on vit sur de vieilles traditions, d'antiques préjugés de naissance ou d'honneurs, tandis que tout, fortune, mœurs, idées a changé ; mais il ne veut guère s'apercevoir de cette révolution pacifique, ayant trop peu de relations avec le dehors ; telle une garnison qui, occupant une place et nourrie par elle, ignorerait la cité où elle campe et le peuple d'alentour qui peine pour lui procurer sa subsistance. On ne songe qu'à passer le temps le plus agréablement, on jouit de la « douceur de vivre » ; on se forge des rêves et s'abandonne à de délicieuses illusions ; on joue même parfois avec les idées les plus hardies, comme si elles étaient sans conséquence ; les plus raffinés y trouvent un plaisir délicat, qui les élève un moment au-dessus de leur caste et flotte leur amour-propre. Quel égoïsme ! quel mépris pour la « vile roture » ! Cependant, que de ferments puissants travaillent la société ! Que d'hommes nouveaux s'annoncent, que de talents et de caractères se forment ! L'État, la monarchie, le roi, la Cour, les ministres ont-ils conscience du danger ? Ont-ils tenté quoi que ce soit pour rapprocher les classes de la société, faire naître des intérêts et des sentiments communs ? Ont-ils cherché à atténuer le contraste, toujours plus violent, entre la richesse et le luxe grandissant d'un petit nombre de familles et la misère croissante d'une énorme masse de peuple, vouée à la mendicité, à la famine, à la maladie, voire à la mort ? C'est ce qu'il convient maintenant d'examiner.

(1) La question des sages-femmes retiendra l'attention en 1789 ; on le voit par nombre de Cahiers des Etats Généraux. L'assistance d'Etat ne s'organisera que bien plus tard. Mais l'idée de cette assistance commence à prendre corps avant la Révolution (voir Camille Bloch, *L'Assistance et l'Etat en France à la veille de la Révolution*, 1908).

CHAPITRE II

LA MONARCHIE ABSOLUE ET LA SOCIÉTÉ (1771-1787)

Comment l'État se comporte-t-il à l'égard de la société ? Il semble bien, en 1771, ne vouloir renforcer son absolutisme, en supprimant les Parlements, que pour favoriser d'abord ses intérêts et ensuite ceux de la société même. En effet, n'est-ce pas établir ce « despotisme légal » que les économistes et même Voltaire ont été les premiers à réclamer, et qui va permettre aux ministres d'édicter et de faire exécuter leurs réformes dans l'intérêt général, sans rencontrer la résistance perpétuelle des Parlements et des privilégiés ? Et aussitôt c'est une réforme profonde de la Justice, toute une organisation nouvelle, sans vénalité des charges, celle déjà de l'avenir. Et c'est aussi, avec le contrôleur général Terray, une réorganisation du « Contrôle » : plus méthodique, plus scientifique, pourvu d'un service de statistique économique, qui lui permet de connaître avec précision les besoins et les ressources de la France, et, par suite (1) d'exercer peut-être une action plus utile sur l'économie sociale. On a parlé d'un « parti dévot », successeur de Choiseul au gouvernement, sans doute à cause du duc d'Aiguillon, membre du « triumvirat » ; mais ce gouvernement de « dévots », avec, pour grands chefs, Terray et Maupeou, est avant tout un gouvernement réformateur et même révolutionnaire.

Cet esprit de révolution, qui animait Maupeou, et auquel

(1) C'est Terray qui ordonne, en 1772, des statistiques annuelles du mouvement de la population (relevé, en général, par trimestre, puis par an, du nombre des naissances, des mariages, des décès). On sait qu'il n'y a pas eu, avant 1801, de recensements périodiques de la population. — C'est Terray qui ordonne des états périodiques des terres défrichées, par subdélégation (circulaire aux intendants, 31 mai 1770). — A côté des états du produit des récoltes, il ordonne des états d'apparence des récoltes (1770). Il s'agit, pour le Contrôle, de savoir de quelle masse de subsistances dispose le royaume pour nourrir sa population. C'est Terray qui précise la formule des états de prix (1771). Voir C.-E. Labrousse, *La Crise de l'Economie française*, t. Ier, p. 116 ; E. Levasseur, *La Population française*, t. Ier, p. 250.

Louis XV avait, par lassitude, adhéré, ne pouvait que difficilement durer, dans une société conservatrice des privilèges, des traditions et des propriétés. En tout cas, il était à peu près impossible qu'il animât un nouveau règne, qui s'ouvrait dans un sursaut de confiance et d'espérance générale. Certes l'absolutisme demeure, sous Louis XVI ; mais le roi consent, sur le conseil de son Mentor, le vieux comte de Maurepas, à rappeler les Parlements (1), avant même que soit formé le nouveau gouvernement et que Turgot ait pu s'opposer à une mesure dont il prévoit déjà les suites funestes. Car, comment réformer l'État et la société si, à chaque pas, les ministres du roi se heurtent, comme par le passé, à la résistance obstinée de Parlementaires capables, pour défendre leurs intérêts et ceux des castes alliées, de soulever, au nom de la liberté, le peuple entier contre ce qu'ils osent appeler le « despotisme ministériel » et qui n'est, au fond, que la monarchie elle-même ?

Or, que d'occasions renaissantes de conflit ! Que d'événements prochains, dont on ne peut calculer les conséquences sur les finances de l'État et les charges des sujets et sur toute la vie sociale ! La Révolution américaine, d'abord, et l'entrée en guerre de la France contre l'Angleterre en Amérique et sur les mers ; puis la fin, bientôt après la crise de 1771, de la longue époque de prospérité du siècle. Comment atténuer ces crises ; remédier au chômage, à la baisse des salaires qu'il provoque ? Comment, dans les années de récoltes médiocres, où les prix se relèvent, nourrir toute une population dont l'augmentation continue pose un terrible problème à une société un peu plus humaine que jadis et à un gouvernement plus conscient de ses devoirs et imbu de l'amour du bien public ? L'État, qui n'intervenait plus guère, dans la longue période de prospérité, va-t-il intervenir maintenant, en dépit des habitudes prises et des aspirations libérales de la société ?

I. — *L'État et ses administrateurs*

Tous les ministres et les principaux administrateurs de la fin du siècle ne sont plus, en effet, naturellement portés, comme leurs prédécesseurs, vers l'intervention constante de l'État et sa rigoureuse réglementation. Les faits, puis les doctrines les ont éclairés. Ils se sont adaptés aux idées et aux sentiments d'une société qui vit déjà de liberté et entend être hors de page. Sans doute les

(1) Voir le discours ferme du roi au Parlement et l'attitude de celui-ci, dans H. Carré, *Le Règne de Louis XVI* (*Histoire de France*, de Lavisse).

ministres qui se succèdent rapidement au pouvoir, n'ont pas tous les mêmes idées, dans les circonstances, souvent très différentes, où ils se trouvent placés ; aucun plan général n'est suivi de 1770 ou de 1774 à 1788. Mais les administrateurs qui secondent les ministres, qui ont fait toute leur carrière dans les intendances ou au Conseil d'État, rompus aux affaires, mettent une certaine suite dans la politique générale. Non que ce soit là une nouveauté : il en avait été ainsi sous Louis XIV, où des « directeurs », comme Desmaretz, sous les derniers contrôleurs généraux du règne, et des administrateurs expérimentés de la Marine et du commerce, comme le conseiller d'État Henri Daguesseau, faisaient un travail de ministre. Mais il semble bien que l'expérience, les doctrines et la discussion perpétuelle des faits et des idées dans la société plus libre, plus vivante, de la fin du siècle aient donné aux administrateurs, placés au pouvoir central, une envergure intellectuelle plus grande, des connaissances plus étendues, un zèle nouveau pour le bien général de la société entière. L'opinion publique commande à leurs pensées, à leurs travaux (1). Ils travaillent certes pour l'État, mais aussi dans l'intérêt de tous les citoyens, même parfois des plus humbles, si souvent négligés par les gouvernements du passé.

Que d'hommes de ce genre il faudrait citer, soutiens des grands chefs ou plutôt de toute la machine administrative ! Les chefs peuvent tomber, parfois très malheureusement pour le roi et le pays, du moins restent les bureaux, avec leurs guides permanents, munis d'une tradition, d'habitudes régulières, donnant l'impulsion à toutes les parties de l'Administration (2). Comment

(1) « Les ministres, au lieu d'en imposer à la capitale, avaient la plus grande déférence pour les opinions qui régnaient dans les sociétés dominantes, arbitres suprêmes des réputations ; et les gens de lettres avaient sur ces sociétés un ascendant marqué pour la plupart des objets relatifs au gouvernement. L'indifférence et la légèreté du comte de Maurepas avaient laissé un libre cours à tous les systèmes et aux écrits. Ce ministre n'avait jamais eu de suite ni de fermeté dans le caractère... (Sénac de Meilhan, *Du gouvernement..., ouvr. cité*, p. 35). Voir aussi, sur l'opinion, Necker, *Administration des finances*, préface.

(2) Sénac de Meilhan a marqué avec justesse et justice la bonté de l'Administration intérieure, p. 92, *ouvr. cité*. « Il y avait dans l'Administration de la France une force intérieure qui luttait contre la dissipation, l'ignorance et l'impéritie, et qui provenait de l'application, de l'expérience et des lumières des agents subalternes du gouvernement... Dans le perpétuel changement de ministres qui a signalé les règnes de Louis XV et de Louis XVI, il était heureux pour l'Etat qu'il y eût des hommes permanents dans leurs postes, et à portée de guider ces ministres éphémères, et de les prémunir contre la séduction des novateurs, l'enthousiasme et l'artifice des gens à projets. » — P. 93, il dit qu'après les d'Argenson et après Machault, « la marche des affaires fut moins assurée », à cause de « l'élévation des militaires et des gens de la Cour au ministère ». Mais il ne parle plus de l'Administration de la fin de l'Ancien régime : il y eut pourtant alors une bureaucratie fort remarquable. Il n'a pas voulu la louer, car il faisait la critique des ministres, dans son livre paru en 1795.

se représenter le ministère des Affaires étrangères sans Rayneval auprès de Vergennes ? Le Contrôle général, sans Trudaine de Montigny, Bouvard de Fourqueux ; et au temps de Turgot, sans Dupont de Nemours et De Vaines (1) ? Comment négliger l'administration du commerce, des subsistances, de Trudaine déjà nommé, de Tolozan, de Montaran, d'Amelot et de bien d'autres, dont l'activité bienfaisante se prolongera au delà de 1789 ? Car, même dans la chute du régime d'absolutisme monarchique, les principes de l'Administration demeurent, heureusement pour la nation et pour l'Assemblée nationale, toutes deux incapables de poursuivre cette tâche nécessaire (2).

Que ce soit donc sous Turgot, sous Necker ou sous Calonne, il y a une « permanence », si l'on peut dire, dans l'Administration, malgré la diversité du caractère des ministres et l'influence des circonstances politiques et sociales. Tout va vers la liberté, malgré parfois des retours en arrière ou des apparences de réaction : libéralisme dans l'économie sociale, qui favorise la production et le capitalisme ; libéralisme à l'égard des idées et des mœurs, et ferme adhésion à tout un programme de tolérance qui était déjà dans l'air, mais n'arrivait pas à se formuler. Sans doute subsistent encore bien des contraintes, entre autres celles qu'inventa depuis des siècles un fisc presque toujours en détresse : les vexations des commis des Fermes, les inquisitions et visites domiciliaires, et tous les abus invétérés du régime financier. Mais déjà, au fond d'eux-mêmes, les grands ministres et les administrateurs les condamnent ; forcés de s'en accommoder, ils songent, à la suite des économistes et des philosophes, leurs maîtres, à des projets de suppression ou de remplacement. L'Administration nouvelle, on le verra, s'adapte, du mieux qu'elle peut, à l'esprit du temps. Elle n'est pas figée dans des formules désuètes : toute la vie sociale, dans son libre progrès et son rapide mouvement, influe sans cesse sur elle.

II. — *L'État et ses essais d'organisation de la Nation*

Pour exercer cette action que philosophes, économistes et réformateurs de tout ordre réclament du « législateur absolu », du bon « despote », qui ne veut que le bien général, il faudrait

(1) De Vaines, ancien directeur des Domaines à Limoges, ami de Turgot.

(2) Les administrations centrales, les « Bureaux » ont continué leur œuvre, avec les mêmes chefs, très souvent, jusqu'au 10 août 1792. Là est la fracture de la bonne tradition bureaucratique, reprise sous le Consulat et même déjà sous le Directoire.

peut-être d'abord qu'il y eût en France une nation. Or on n'y trouve que des « ordres » séparés les uns des autres, et, même dans ces « ordres », des classes différentes, qui sont allées se diversifiant et s'opposant de plus en plus. Et, si l'on envisage la France au point de vue territorial, on ne voit que des provinces qui, malgré les efforts centralisateurs de la monarchie, ne jouissent pas des mêmes droits, et qui parfois apparaissent encore, sous certains aspects, financiers, douaniers ou autres, comme des « provinces étrangères », toutes, d'ailleurs, gardant leurs poids et mesures et même leurs lois civiles « coutumières ». Sans doute les sujets du roi sont, semble-t-il, enchaînés dans une vaste organisation corporative ; ils sont, comme l'exprime, en 1776, l'avocat général Séguier au Parlement, « divisés en autant de corps diffé« rents qu'il y a d'états différents dans le royaume » ; autant d'anneaux, dont le roi, tient « dans sa main » le premier. Certes, chaque anneau unit étroitement les hommes de même profession et de mêmes intérêts ; mais, en les rattachant les uns aux autres, il leur a communiqué un puissant esprit de corps, excellent peut-être, et capable de tourner au bénéfice de l'intérêt général, comme cela arriva dans les corporations, soucieuses de la loyauté et du « juste prix » des produits, mais fort capable aussi de s'inspirer de l'intérêt particulier d'une classe ou d'une caste. Alors l'esprit de corps devient néfaste ; il divise, sépare, au lieu d'unir et de rapprocher. En arrivant au pouvoir, Turgot dit à Louis XVI : « Votre nation n'a pas de constitution. C'est une société com« posée de différents ordres mal unis et d'un peuple dont les « membres n'ont entre eux que très peu de liens sociaux, où, par « conséquent, chacun n'est guère occupé que de son intérêt « exclusif. » « Agrégation inconstituée de peuples désunis », dira Mirabeau en 1789. Le moment n'est-il pas venu, Turgot étant au pouvoir, d'organiser la nation ?

Or ce sont là depuis longtemps les aspirations des philosophes et des économistes. Certes, ils veulent l'unité, les ordres partant d'en haut, donnant l'impulsion générale ; mais ils veulent aussi des provinces un peu autonomes et plus vivantes, des classes sociales collaborant ; dans chaque province ou « pays », une représentation des intérêts de la propriété foncière et du travail ; bref une opinion publique constituée, reconnue, éclairant le pouvoir central et lui procurant l'adhésion des citoyens notables. Le progrès des États provinciaux, notamment en Languedoc, celui des grandes municipalités, avec, auprès d'elles, les Chambres de commerce, le développement de la richesse et des connaissances générales ou techniques, le zèle d'une foule d'hommes instruits jusque dans les petites villes, tout cela pourrait donner aux dirigeants l'espoir, sinon de réussir d'un coup, du moins d'obtenir des résultats graduels et féconds. Mais n'est-ce pas là toute une révolution ?

Ce n'est pas, il est vrai, le gouvernement représentatif anglais. Les assemblées que préconisent les réformateurs ne seront que consultatives ; elles éclaireront le gouvernement et ne l'entraveront point. Elles seront la représentation fidèle des intérêts : d'abord dans la paroisse, puis dans la province ou la « généralité », enfin au centre même du royaume. Assemblées paroissiales, provinciales, Assemblée nationale, seront composées des principaux propriétaires fonciers, sans distinction d'« ordres ». Elles répartiront les impôts directs, contrôleront les travaux publics, routes et ponts, la police, l'assistance. Elles feront des « rapports » et émettront des vœux. Telle est, dans son ensemble, l'organisation rêvée par Turgot. C'est celle que, suivant les idées mêmes du grand ministre, Dupont de Nemours fut chargé d'exprimer et de développer dans un *Mémoire sur les Municipalités*, qu'il se proposait de présenter au roi. Mais, comme on sait, Turgot n'en eut même pas le temps.

C'est que Turgot, harassé par des tâches urgentes, et d'abord par le rétablissement des finances, entravé dangereusement par des oppositions montées en révoltes, sous prétexte de la cherté des grains (1), n'a pas encore découvert son plan général de gouvernement. Il sait qu'il effraierait le roi, défiant des « systèmes », et déjà prévenu contre l'esprit dogmatique de son ministre. Il ne sort ses projets que un à un ; mais à la fin, après quinze mois d'attente, il en présente six à la fois : maintenant il est pressé d'agir. Alors Malesherbes, son ami, qui redoute cette avalanche d'édits, de le mettre en garde : « Vous auriez pu, lui « dit-il, différer tel objet ; vous auriez amené tel autre par degrés « insensibles, dans l'espace de trois ou quatre ans, par telle ou « telle tournure qui n'aurait amené aucune réclamation. » Mais Turgot : « Est-ce qu'avec le mal de famille qui me circule dans le « sang, je puis espérer d'en avoir le temps ? » On sait la suite : l'édit sur la suppression des jurandes et maîtrises parisiennes est véhémentement attaqué et condamné par le Parlement ; tous les intérêts, qui, à la Cour et à la Ville, n'attendaient que cette

(1) Hausse du prix de la livre de pain à 3 sous 1/4. En fait, le prix du blé et du pain n'était pas plus élevé qu'au cours de mainte année précédente. La hausse ne tenait pas à la législation libérale des grains, mais à des conditions purement économiques. Ce qui n'empêchait pas le Parlement de supplier le roi de « faire baisser le prix des grains et du pain à un taux proportionné au besoin du peuple, pour ôter aux malintentionnés le prétexte et l'occasion dont ils abusent ». Il faisait ainsi de la popularité.

occasion, se liguent contre le ministre réformateur ; Maurepas, jaloux du grand homme, l'abandonne, le dessert auprès du roi, et amène sa disgrâce. Désormais, plus de grandes réformes sociales, nationales. Tous les plans d'éducation, d'unification des institutions intellectuelles, préparés par Turgot, ses rêves de libération graduelle de la propriété individuelle par le rachat des droits seigneuriaux, son grand dessein d'organisation de la nation, tous ces projets de relèvement de la France que seul le maintien de la paix en Occident pouvait, selon ses vœux, permettre de réaliser, tout sombre d'un coup. Condorcet, le marquis de Mirabeau, l'abbé de Véri, le grand ami de Turgot, font éclater leurs plaintes. Voltaire, du fond de son « ermitage » de Ferney, écrit au collaborateur de Turgot, Jean de Vaisnes : « Que deviendrons-nous ? « Je suis atterré et désespéré. C'est un désastre, je ne vois plus « que la mort devant moi. Ce coup de foudre m'est tombé sur la « cervelle et sur le cœur. »

Pourtant le projet de collaboration de la nation avec le gouvernement ne tombe pas tout à fait. Necker, directeur général des Finances, le recueille, mais avec quelle timidité ! Ce n'est plus qu'un essai, dans deux « généralités » : le Berry, en 1778, la Haute-Guyenne (Montauban et Cahors), en 1779. Ce devait être ensuite au tour de la généralité de Moulins ; mais la réforme s'arrête là. Et pourtant déjà quels heureux résultats ! Quels « rapports » substantiels présentés par ces grands notables provinciaux, nobles, ecclésiastiques, magistrats des villes, tous propriétaires, intéressés au progrès de leurs pays respectifs et de leur bonne administration ! Sans doute privilégiés et bourgeois se sont parfois heurtés dans la discussion de certaines réformes, comme la transformation de la corvée en une contribution en argent (1) ; mais n'était-ce pas chose nécessaire que de tels débats entre les « ordres » de la société pour les rapprocher d'abord et pour éclairer le gouvernement et amener la décision commandée par l'intérêt général ?

Après 1779, plus de souci d'organiser la nation. On sent bien que, dans le gouvernement de Louis XVI, sous le vieux et frivole Maurepas, ce qui manque le plus, c'est l'esprit de suite : les ministres changent avec une rapidité déconcertante ; peu à peu tous les hommes de valeur s'en vont, Malesherbes, Saint-Germain, Sartine ; il ne reste que Vergennes ; le Contrôle général voit passer, après Turgot, des chefs médiocres, Necker compris ; c'est la Cour qui choisit les ministres ; déjà après 1781, surtout

(1) C'est dans l'Assemblée provinciale du Berry. (Voir Journal de l'abbé de Véri, t. II.)

après 1785, l'influence secrète de la reine et de son cercle se fait sentir en tout (1).

Aussi tous les projets de 1776 et de 1778 sont oubliés ; ce n'est qu'en 1787 que le roi songera de nouveau à des Assemblées provinciales ; mais celles qui sont établies alors partout ne comportent pas le couronnement général rêvé par Turgot, une Assemblée nationale, consultative, collaborant en confiance avec le gouvernement. Déjà s'ouvre la grande crise du régime (2). La monarchie s'est montrée impuissante à créer définitivement un royaume unifié, achevé en toutes ses parties et ses institutions, et, à plus forte raison, une nation. Cependant la Nation se fait peu à peu, par un travail interne à demi conscient ; et, par un dernier effort sur elle-même, au milieu de la grande crise libératrice, elle se révélera au grand jour.

III. — *L'État et ses Essais de réformes fiscales et sociales*

Quelle impuissance encore de la monarchie dans ses tentatives de réformes fiscales ! Comment modifier en rien ce traditionnel

(1) Il y aurait tout un chapitre à écrire sur l'influence de Marie-Antoinette : d'après sa correspondance avec Marie-Thérèse et avec Joseph II ; d'après les documents diplomatiques, notamment la *Correspondance des agents diplomatiques étrangers en France*, publiée dans les « Nouvelles Archives des Missions », t. VIII, 1896, par Jules Flammermont, et les dépêches des ambassadeurs anglais, en particulier de Dorset, dans les *Despatches from Paris, 1784-1790 (from the Foreign Office Correspondence)*, par Oscar Browning, *Camden Third Series*, vol. XVI et XVII, Londres, 1909 ; enfin les nombreux *Mémoires* de l'époque, le *Journal* de l'abbé de Véri, t. I et II. Nous n'avons pas à traiter ici cette question spéciale. Mais il ne faut pas l'oublier, quand on étudie la marche du gouvernement de Louis XVI. Sur l'avènement de la favorite, la comtesse Jules de Polignac, l'abbé de Véri écrit, en 1780 : « Ce sera comme le règne de la Pompadour et de la Du Barry... Ainsi Louis XVI prend à vingt-cinq ans la route que Louis XV ne prit qu'à trente-cinq et quarante. » Il est vrai qu'il ne s'agit ici que du gaspillage financier. — Dans les correspondances diplomatiques, on voit la reine influer sur les choix, s'immiscer dans la politique extérieure, au profit de l'Autriche, tenir tête à Vergennes, qui se demande s'il ne va pas démissionner. Elle s'engoue de Calonne, puis de Loménie de Brienne, qui depuis longtemps est en relation avec elle, par l'intermédiaire de l'abbé de Vermond, son lecteur. Le roi ne veut pas de Brienne : « ni Nécraille, ni Prêtraille ». Mais la reine soutient Brienne. Celui-ci est créé président du Conseil des finances. Peu de jours après la reine s'explique : « Il ne faut pas s'y tromper, c'est un premier ministre. » Et, dit Sénac de Meilhan (*Du gouvernement..., ouvr. cité*, p. 210) « il ne tarda pas d'être principal ministre, qui est le titre donné à Mazarin et à Richelieu dans leurs patentes ». Sur l'influence de la reine, voir la dépêche de Hailes à Carmarthen, 25 octobre 1786 : « The Queen, not only the latter years of the reign of the late King, but even till after the birth of the Dauphin, was very far from enjoying the degree of power and influence which she is possessed of at present. » On reviendra plus loin sur les dépenses « incroyables » de la reine, jugées par l'ambassadeur anglais en 1786, 1787, t. Ier des *Despaches*, citées.

(2) Voir Renouvin, *Les Assemblées provinciales*, étude qui montre que ce ne furent en 1787 que des assemblées consultatives.

régime de privilèges, toute cette antique structure de la société ? Machault, le vertueux Machault, a jadis essayé, comme on a vu, d'obliger le Clergé à contribuer aux charges de l'État suivant ses revenus, mais il a échoué, une fois de plus : tant l'aristocratie en général, et surtout le « Clergé de France », le seul corps vraiment résistant, avec le Parlement, gardent de puissance dans cette monarchie dite absolue. Il est même impossible au Contrôleur général des finances de connaître exactement les revenus du « Clergé de France » ; peut-être plus difficile encore de savoir la fortune du « Clergé étranger », des provinces réunies depuis le XVIIe siècle. Le « Clergé de France » consentira bien, sous la pression de la nécessité et du gouvernement, à accorder en une fois un don gratuit de 30 millions. Mais ce n'est qu'une explosion de générosité passagère, qui ne se renouvellera plus. Les privilégiés, Clergé, Noblesse, aristocratie des Parlements, refuseront, en 1787, à l'Assemblée des Notables, le projet de « subvention territoriale », qui, présenté par Calonne pour remplacer les vingtièmes, prétendra établir l'égalité de tous les propriétaires devant les charges fiscales.

Ainsi, jusqu'à l'ouverture de la crise finale du régime, la monarchie n'a pas réussi à soumettre les plus riches au principe de l'égalité, c'est-à-dire de la proportionnalité, des charges publiques ; et l'impôt a continué à frapper surtout les classes moyennes et encore davantage les plus pauvres (1). Comment, d'autre part, oublier la persistance des vieux abus dans la répartition de la taille, que ni Colbert ni les contrôleurs généraux du XVIIIe siècle ne purent jamais vaincre, les « coqs de paroisse » se défendant contre le fisc aux dépens des habitants les moins bien accommodés ? Dans ce régime social où les institutions d'État ne changent que lentement, où la machine administrative semble si lourde à mouvoir et à diriger, il y a une chose qui ne se modifie point ou même va s'aggravant : l'énorme contribution de la masse du peuple aux charges publiques. Les guerres, les dépenses de la Cour, les privilèges la font pour elle de plus en plus onéreuse. Et dans une période de crise agricole, comme celle qui s'ouvre après 1777, en pleine lutte contre l'Angleterre et au plus fort de l'allégresse nationale en faveur de la liberté américaine, c'est d'un poids encore plus intolérable que retombent sur cette foule laborieuse les impôts de l'État, les anciens et les suppléments nouveaux (2).

(1) C'est ce qui ressort avec une très grande netteté de l'étude de R. Schnerb, *ouvr. cité*, sur les impôts directs dans le Puy-de-Dôme, 1937, in-8°.

(2) Voir pour l'incidence des impôts sur le revenu agricole, diminué par la

En outre, l'inégalité fiscale n'existe pas seulement entre les diverses classes de la société ; elle sévit encore entre provinces, « pays » et villes. Parmi ces villes et ces provinces, il en est de privilégiées aussi : à côté des privilèges fiscaux, combien de privilèges économiques, qui se traduisaient tous en argent ! De tous ceux-ci, considérables ou modestes, la liste serait longue : quelle géographie sociale à établir ! Il suffira de rappeler qu'au premier rang se placent les provinces qui jouissent toujours de leurs « États », le Languedoc, la Bretagne, la Bourgogne, puis les provinces réunies ou « conquises » depuis la fin du xve siècle, Provence, Alsace, Lorraine, Flandre. Les inégalités entre ces provinces et les « généralités » du vieux corps du royaume restent grandes et même choquantes, surtout si, outre les impôts directs qu'elles paient, on fait entrer en compte leurs impôts indirects (aides, marque des fers, etc.), ou encore des charges telles que la corvée des routes ou les gabelles (1). Et toutes ces inégalités se reproduisent, dans une même province, entre les différentes « élections » ou « subdélégations » dont elle se compose (2). Pour atténuer ces inégalités flagrantes, la monarchie n'a jamais rien fait. On voit même le Contrôle général, au temps de Necker, et après lui, se borner à les constater, sans davantage s'en soucier, et se contenter de les reconnaître comme des faits qui s'imposent, des effets successifs des réunions à la Couronne et du mouvement même de l'histoire.

Que des provinces entières soient encore considérées comme « provinces étrangères », ou « à l'instar de l'étranger », avec un régime commercial et douanier différent de celui des provinces centrales (« les Cinq grosses fermes » ou la « zone de l'Étendue ») ; que rien, depuis Colbert, n'ait été fait pour mettre fin à cette étrangeté, si nuisible au commerce français et à la solidarité même de tous les intérêts du royaume, on pourrait encore s'étonner, si l'on ne savait combien ces provinces se sont obstinément attachées à ces traditions et à ces privilèges, depuis leurs « capitulations » et leur réunion à la Couronne. L'Alsace, Les Trois-Évêchés, la Lorraine sont séparés de la France par un cordon de douanes et commercent librement avec l'Allemagne et les pays étrangers. La Flandre, elle, est emprisonnée entre deux

crise, C.-E. Labrousse, *ouvr. cité*, et plus haut, p. 242. Rappelons que le premier vingtième fut établi en 1749, le second en 1756, qu'en 1771 il y eut un supplément de 20 % (4 sous pour livre) du premier vingtième. Un troisième vingtième fut levé de 1782 à 1786.

(1) Voir, à *l'Appendice*, la *Note II sur les impositions et leur répartition par généralité*.

(2) Voir encore ici R. Schnerb, *ouvr. cité*, avec ses cartes éloquentes.

lignes douanières, d'un côté vers la France, de l'autre vers les Pays-Bas ; de sorte qu'elle n'a libre communication ni avec le marché français, ni avec le marché belge. Sans doute après 1760, au temps de Trudaine, quand les réformateurs essayèrent de mettre de l'ordre dans les institutions financières, un projet de « reculement des douanes aux frontières » avait été établi ; mais il provoqua de telles résistances qu'il n'en fut plus question. Il aurait fallu vaincre l'opposition de la Ferme générale à une réforme qui mettait en jeu ses intérêts, et on sait combien la Ferme était puissante depuis Louis XIV. Il aurait fallu secouer les préjugés provinciaux. Or partout, dans les provinces, reculées ou proches, éclate une foi plus vive dans les libertés provinciales. On se défie du « despotisme ministériel ». Pourtant l'État ne travaille plus dans le même esprit que Louis XIV ; mais l'empreinte mise par le grand roi sur la monarchie n'est pas effacée du souvenir. Aussi ce n'est ni Necker ni le souple Calonne qui pourront réaliser l'unité douanière, pourtant si nécessaire.

Combien, à la veille de la crise finale, le régime absolutiste est impuissant dans ses plus nobles tentatives ! Ce n'est pas l'incapacité des ministres et des administrateurs de Louis XVI qu'il en faut accuser, mais plutôt la défiance où provinces et villes, qui n'ont cessé, dès longtemps, de prendre un regain de vie indépendante, tiennent toujours le pouvoir central et ses agents ; comme si l'esprit de l'Administration n'avait en rien changé. Pour vaincre ces défiances provinciales ou municipales, qui n'étaient plus de saison, il eût fallu d'abord constituer la nation : c'est ce que Turgot avait un moment rêvé ; mais constituer la nation française, c'était toute une Révolution. Les grandes réformes fiscales ne pouvaient autrement s'accomplir. Or, sans ces réformes, le Trésor resterait toujours en déficit. Et la monarchie absolue, acculée à la détresse et à l'impossibilité de vivre, serait un jour forcée de faire appel à la nation.

IV. — *L'État et l'Économie sociale*

Encore si l'économie sociale était prospère ! Mais la crise est venue ; les impôts, de plus en plus lourds, l'aggravent, et il est impossible de les alléger.

Pourtant l'État a depuis longtemps changé de méthode. Au fond, il ne dirige plus despotiquement l'économie du pays. Les ministres eux-mêmes ont laissé une très grande liberté à son activité. Ce n'est pas qu'il ne reste bien des contraintes, toute sorte de règlements, mille institutions gênantes du passé ; mais le régime de réglementation est déjà, au fond, condamné. La tendance libérale prévaut. De ce libéralisme les économistes voudraient faire une doctrine et presque un dogme, sans égard aux circonstances ; mais les ministres responsables, qui, à raison des disettes de grains ou des prix trop élevés du pain, redoutent toujours des troubles, n'ont pas la même confiance dans la pleine liberté du commerce des blés, reviennent timidement, comme Terray et plus tard Necker, à l'ancienne réglementation, et interdisent l'exportation. De là l'opposition entre Turgot et Necker. Mais on sent bien que la liberté est le désir général des producteurs et des administrateurs et que l'exportation des grains, dès que les récoltes s'annonceront belles, sera de nouveau autorisée : c'est ce qui arrivera, sous l'administration de Calonne (1787).

Cependant, même sous Terray, on a vu une période d'intervention résolue : achats de grains par l'État, en France et à l'étranger ; établissement de grands magasins, pour parer aux disettes ; obligation aux producteurs de porter les denrées au marché, dont l'État entend assurer la liberté, sans taxation, afin d'éviter les accaparements des particuliers. Or voici que ces magasins entravent le commerce des marchands de grains, aggravent la disette, font élever le prix des blés. Alors on crie à l'accaparement, on parle déjà d'un « pacte de famine », conclu entre le roi et son contrôleur général, voire de la part de bénéfice du roi dans une entreprise qui affame le peuple... Et la légende naît, accroît ses forces en se répandant ; si bien que par les simples — et que de simples, qui, souffrant de la faim, sont prêts à tout croire ! — elle est accueillie comme une réalité, d'un bout de la France à l'autre. Légende effrayante, que l'État sera incapable de dissiper, tant que durera la monarchie (1). Ce peu de confiance dans le gouvernement révèle la psychologie des masses, et est à retenir comme un fait important et de grande conséquence.

I. — Dans le domaine agricole, la liberté sert le capitalisme des gros producteurs. On le voit bien, à ce moment-là, en Angleterre, où le nouveau système bat son plein ; où, par les clôtures et les « redistributions » des « champs ouverts », les petits propriétaires sont peu à peu chassés du village, inexorablement, pour tomber dans le prolétariat industriel. En France, des mesures semblables ont déjà été autorisées. En vue d'augmenter la production, l'État a permis, on l'a vu, d'enclore les terrains, naguère ouverts, dans plusieurs grandes provinces. Il a favorisé aussi le

(1) Ce n'est qu'au XIXe siècle qu'elle a été réduite à néant par les historiens : Biollay, Georges Girard, Léon Cahen.

partage des biens communaux, landes, pâtis et marais incultes ; il l'ordonne même (1770). Et cet ordre est à la convenance des grands propriétaires, qui partout réclament la suppression des communaux pour y semer des grains et nourrir une population en accroissement constant. Mais, si la récolte de grains doit augmenter par cette division des communaux, que deviendra le bétail des villageois, qui n'a que ces landes pour pâturages ? D'autre part, si le partage est ordonné, qui en profitera le plus, si ce n'est les gros propriétaires, qui voudront recevoir une part proportionnée à leurs terres et à leurs impôts ? Aussi rencontre-t-on, dans le Languedoc et un peu partout, bien des oppositions à cette division qui ferait perdre aux petits villageois des avantages certains (1). Par suite, l'État n'impose pas absolument l'exécution de sa « déclaration » de 1770 (2).

Quelle différence avec l'Angleterre ! Ici une politique nouvelle, ou plutôt renouvelée (3), mais, cette fois, généralisée, qui broie, au profit de la *gentry*, les petites propriétés et les humbles possesseurs du sol : le grand capitalisme agraire se prépare, d'accord avec le capitalisme industriel, qui s'annonce. Là, une politique certes inspirée des mêmes doctrines capitalistes, mais tombant de moins haut, point consacrée par la volonté nationale ou un corps représentatif de cette volonté, comme le tout-puissant Parlement anglais ; d'ailleurs timide devant la ferme opposition d'un grand nombre de « communautés d'habitants » et de particuliers, et en présence des troubles qui s'élèvent de toutes parts ; bref une législation qui tient davantage compte des intérêts contraires, et que tempère quelque sentiment de justice (4). Il serait pourtant tout aussi utile à la France qu'à l'An-

(1) Sur cette opposition, voir Emile Appolis, *Les Biens communaux en Languedoc au XVIIIe siècle*, dans le t. II de l'*Assemblée générale de la Commission d'histoire économique de la Révolution*, 1945, in-8°, p. 371-397, et aussi Léon Dutil, *L'Etat économique du Languedoc à la fin de l'Ancien régime, 1750-1789*, 1911. Ce sont les Etats qui, dès 1765-66, ont réclamé la division des communaux. Mais Loménie de Brienne, président des Etats, constate, le 31 décembre 1767, que les « diocèses » du Languedoc sont « partagés, les uns étant d'avis d'aliéner certains pâturages en conservant le surplus, et les autres de les conserver tous ». Nouvelle enquête (1768), mais nouvel échec. Cependant les Etats ne se découragent pas, font adopter par le Contrôleur général Laverdy leurs principes sur la division des communaux, (par la déclaration royale du 5 juillet 1770). Le Parlement de Toulouse l'enregistre (11 sept.). Certaines communautés résistent encore ; d'autres partagent ou arrentent les communs ; ailleurs, ce sont des usurpations de particuliers ; bref, c'est le chaos.

(2) La Déclaration royale dit : « Permettons aux communautés qui possèdent en propriété des terrains communaux d'aliéner la totalité ou seulement une portion d'iceux, à la charge d'une rente foncière annuelle envers lesdites communautés » (art. VII).

(3) Elle remonte au XVIe siècle.

(4) Voir Ph. Sagnac, *La Fin de l'Ancien régime...*, *ouvr. cité*, chap. II sur la

gleterre de clore les terres ouvertes, de supprimer tous les droits collectifs, ces entraves si gênantes à la formation de « grandes fermes » et à une riche production agricole. Mais, tandis qu'en Angleterre la « révolution » agraire se poursuit sans aucun égard, et presque sans opposition, car ne survivent plus qu'un petit nombre de propriétaires libres et indépendants ; en France, où la paysannerie, avec ses « laboureurs », ses gros fermiers, ses petits « ménagers », ses vignerons et la foule de ses « brassiers », est devenue une armée de plus en plus nombreuse, solide, et déjà consciente de ses intérêts d'ailleurs très divers, la monarchie, qui n'a plus la force de commander impérieusement, et qui, au reste, n'est point dénuée de tout sens chrétien et humain, ne peut se résoudre à sacrifier la classe la plus humble et la plus pauvre (1). Politique de compromis, qui, tout en obéissant à la tendance générale du siècle, ne règle rien définitivement, comme pour laisser un jour à la nation elle-même la faculté de décider. Sage politique, en somme ; car, en France, tout, dans la structure sociale, étant beaucoup plus varié et complexe qu'en Angleterre, réclame des solutions tempérées, nuancées. La nation s'en apercevra d'elle-même, avec le sens de l'opportunité et l'esprit de justice qui l'animeront en 1789 (2).

II. — Pour l'industrie, que le capitalisme commercial et financier a développée, et que l'État, depuis Colbert, a favorisée par des subventions et un régime indépendant du système corporatif, la liberté, toujours plus grande, qui lui est laissée, n'a cessé, surtout depuis 1760, de la rendre plus prospère. Elle jouit en partie de cette prospérité dans les premières années de

Grande-Bretagne. Ce sont les ouvrages d'histoire régionale qui permettent le mieux de se rendre compte des faits sociaux, comme Chambers, *Nottinghamshire in the XVIIIth-century*, 1932. Les Tudors et l'Eglise avaient, au XVIe siècle, mis un frein au mouvement des « enclosures » et à l'avidité de la capitaliste « gentry ». Au XVIIIe siècle, plus de frein. Les grands « landlords » font ce qu'ils veulent, soutenus par le Parlement, où ils dominent. Plus de sentiment chrétien s'opposant à leur avidité ; seuls comptent les intérêts économiques.

(1) Il n'est pas douteux que le sentiment humanitaire a eu une grande influence. On a vu déjà, p. 126, que les intendants ont été souvent animés de cet esprit, dans la division des communaux. D'autre part, nous pensons que le « Roi très Chrétien » et, avec lui, beaucoup d'administrateurs — quelles que fussent leurs opinions sur la religion — gardaient encore des scrupules religieux capables de les retenir, tout comme jadis les Tudors d'Angleterre, et de les empêcher de prendre des mesures générales aux dépens des pauvres gens de la campagne.

(2) N'avons-nous pas, comme au XVIIIe siècle, toute une série d'usages collectifs, dans les champs ouverts, très étendus encore ? Que de communaux ! En 1792, la loi en ordonnera trop hâtivement, la division ; en 1793, la loi la rendra facultative. Il y aura des ventes sous l'Empire. Mais, après divisions ou ventes, il reste encore beaucoup de communaux (bois, landes, pâtures). Ils sont nécessaires à la vie des villageois. Il n'est plus question de les détourner de leur destination.

Louis XVI : le marché intérieur, qui, malgré la diminution de la rente foncière, a gardé, des années de hauts prix, tant de réserves monétaires, la soutient encore dans toutes ses branches, et le marché extérieur, en particulier au Levant, en Allemagne et dans les États du Nord, lui demande ses draps, ses soieries et ses toiles, sans parler de ses « modes », toujours très appréciées chez les nations de l'Europe que l'art français a su gagner. Mais après 1777, avec le déclin des prix des produits agricoles, le marché intérieur se resserre : « laboureurs », vignerons, métayers, journaliers ne peuvent plus acheter autant d'étoffes, de vêtements, de linge, d'instruments aratoires, etc. ; les manufactures commencent à décliner ; le marché extérieur, au même moment, se réduit de plus en plus, avec la guerre d'Amérique et le blocus de nos côtes de l'Ouest par les navires anglais. Dans cet état de marasme, l'industrie semble n'avoir plus confiance en elle-même ; ses produits textiles perdent de leur qualité traditionnelle, et, après la paix, ne peuvent plus faire concurrence aux produits anglais. Ceux-ci, le marché français les achète volontiers, les réclame même ; dès 1785, ils l'envahissent.

Que peut l'État, dans cette demi-détresse ? Il a laissé subsister les corporations de métier que Turgot et les économistes voulaient supprimer, mais qu'avaient âprement soutenues les Parlements et les privilégiés. La liberté du travail, ce principe essentiel de la nouvelle économie, n'avait pu triompher. L'État avait rétabli les corporations et les jurandes, en les groupant, d'ailleurs, dans une sorte de hiérarchie plus cohérente. Le vieux système restait, battu en brèche par un parti puissant où, à côté des économistes et des philosophes libéraux, entraient les grands « marchands-fabricants », et même les « maîtres-ouvriers » qu'ils s'étaient assujettis à Lyon, à Abbeville et dans toutes les grandes villes. Le travail libre, qui faisait concurrence au travail des métiers jurés dans les nouvelles agglomérations de campagne, comme Roubaix, n'avait plus rien à redouter des oppositions et récriminations des grandes cités corporatives, comme Lille ; l'État lui laissait libre jeu depuis longtemps. Le mouvement libéral, l'esprit individualiste, entraînait le monde du travail, en France comme en Angleterre. Une ère nouvelle s'annonçait.

Pourtant l'État ne renonçait pas absolument à toute intervention. Des subventions venaient de temps à autre soutenir certaines « manufactures royales ». Le roi participait, comme actionnaire à des entreprises toutes modernes, comme Le Creusot. Mais ni ces subventions ni ces participations ne sont capables de sauver l'industrie menacée et d'atténuer le chômage des artisans et des ouvriers. Toute une politique commerciale nouvelle est à tenter ; les bases en ont été jetées, en principe, en 1783, dans la paix avec l'Angleterre : on en verra un jour les suites.

III. — L'État a paru décidé depuis longtemps à revenir au libéralisme commercial, quand il a supprimé enfin, en 1769, la Compagnie des Indes et rendu le trafic des Océans au commerce libre. Et pourtant tout monopole n'est pas écarté pour toujours : le gouvernement fera revivre cette même Compagnie des Indes, en 1785, et on verra se continuer une « Compagnie du Sénégal », dotée du privilège de la traite des nègres (1).

Néanmoins c'est dans le sens du libéralisme que l'État travaille, soit au Contrôle général, soit au ministère de la Marine, duquel dépendent les colonies, soit au ministère des Affaires étrangères, où pendant de longues années domine Vergennes, qui, après la mort de Maurepas (1781), devient, en fait, sinon en droit, le principal ministre. Vergennes, Castries, Calonne, les hauts administrateurs qui les secondent, comme Rayneval, « premier commis » des Affaires étrangères, tous sentent la nécessité de rénover, après la guerre d'Amérique, la politique commerciale de la France. D'abord avec ses colonies, surtout les riches Iles à sucre des Antilles, dont le négoce donne tant d'activité à Marseille et aux ports du Ponant (Bordeaux, Nantes, Rouen et Le Havre). Marchands et planteurs de Saint-Domingue et des « Iles » ont pris l'habitude de faire des échanges avec les colons des autres États, et particulièrement avec les Espagnols ou les habitants des nouveaux États-Unis : commerce « interlope », nécessaire aux colonies, qu'aucun « pacte colonial » ne saurait empêcher, comme l'expérience l'a démontré. Dans ces conditions, pourquoi l'État s'obstinerait-il à maintenir ce « pacte colonial », qui réserve tout le trafic des « Iles » à la métropole ? Avec résolution Castries supprime ce monopole, à la grande satisfaction des colons, à l'indignation des Chambres de commerce et des armateurs français qui vivent du monopole, en particulier de Bordeaux (1784). Mais il n'écoute pas les protestations de négociants qui ne voient que leurs intérêts particuliers et ne veulent pas comprendre qu'une époque animée d'un esprit nouveau vient de s'ouvrir. La formation des États-Unis a déjà modifié les rapports commerciaux en Amérique et même, en partie, les idées économiques dans le monde. L'Espagne elle-même sort de sa somnolence séculaire et ouvre tous ses grands ports au trafic avec les

(1) André Delcourt, *La Chambre de commerce de Bordeaux et la traite africaine dans les dernières années de l'Ancien régime, 1783-1791* (*Assemblée générale de la Commission d'histoire économique de la Révolution*, t. II, 1945, p. 427-430). La Compagnie du Sénégal (1779) a son privilège prorogé (1786).

autres nations et avec son immense Empire américain (1). L'Amérique entière ne dépend plus exclusivement de l'Europe ; elle entend faire son négoce librement — après la longue période de la contrebande — en dépit de tout « pacte colonial », conformément à ses besoins et à la loi naturelle des échanges. Pour les Iles françaises, c'est une nouvelle période qui commence : période de prospérité, dont profitent les ports français, Bordeaux et Marseille au premier rang, et qui, dans le déclin de notre commerce extérieur en Europe, maintient la « balance du commerce » en notre faveur.

Cependant ce n'est point une politique commerciale libérale qui s'annonce, vers 1785, dans les relations avec l'Angleterre. Les rapports diplomatiques, dans les affaires de Hollande, sont très tendus avec les Anglais (2). Est-ce pour leur faire payer leurs mauvaises dispositions à notre égard que Vergennes et les ministres frappent leurs marchandises de droits de douane de 30 %, vraiment prohibitifs (3) ? Ou bien pour essayer de combattre la supériorité des produits industriels anglais, qui se fait intensément sentir depuis quelque temps sur le marché français (4) ? En tout cas, le gouvernement de Pitt riposte à la prohibition par la prohibition. La France et l'Angleterre vont-elles se faire une guerre commerciale et, peut-être, dans l'état d'anarchie où se trouve l'Europe entière, provoquer une guerre générale ? Vergennes ne saurait y consentir. Et, pour éviter le danger, il entame, secondé par son premier commis Rayneval, des négociations commerciales avec les Anglais : William Eden (lord Auckland) arrive en avril 1786 pour conférer avec eux (5). Le traité de commerce, imprégné de l'esprit libéral, est considéré par eux comme le plus sûr moyen d'assurer la paix générale : la solidarité commerciale, fondée sur la libre réciprocité des échanges, apparaît comme la meilleure garantie de la tranquillité de l'Europe (6). On

(1) Sur le renouveau économique et social en Espagne, voir Ph. Sagnac, *La Fin de l'Ancien régime*, liv. III, chap. I et II.

(2) Dorset à Carmarthen, 3 mars 1785, *Despatches...*, citées, t. Ier, p. 45 : « I don't see how a war is to be avoided ; the Dutch still remain obstinate ; it is our business if we can to keep them so. I shall be able by the next Courier to send you something satisfactory respecting the captured Ships, which you wrote to me about a short time since. »

(3) Hailes à Carmarthen, 25 octobre 1786, t. Ier des *Despatches...*, citées, p. 149. Il parle d'Arrêts du Conseil « establishing such duties upon British manufactures as amounted almost to an absolute prohibition ».

(4) C'est la raison que donne l'ambassadeur anglais. « The ill-humour, it must be confessed, was not without cause, and it spoke loudly their inferiority in their commercial intercourse with us. »

(5) Dorset à Carmarthen, 6 avril 1786, *Despatches...*, t. Ier, p. 107.

(6) Dorset à Carmarthen, 4 mai 1786, *ibid.*, p. 113 : « The treaty of Commerce, now under negotiation between England and France has excited great

sait que le traité abaisse les droits d'entrée sur les marchandises anglaises à 12 % et même, pour la quincaillerie et les ouvrages métalliques, à 10 % : c'est peu. Par réciprocité, les articles de luxe, glaces et porcelaines, et les articles de mode français sont taxés également à 12 % à l'entrée en Angleterre ; les vins accueillis au même titre que ceux du Portugal, de « la nation la plus favorisée » ; mais les soies ne sont pas comprises et seront imposées comme il plaira aux Anglais. A première vue, le traité semble équitable. Mais il faut penser d'abord à la supériorité industrielle de l'Angleterre, au bas prix de revient de ses manufactures ; ensuite, à la douane française, où les prix déclarés par les Anglais sont fortement réduits, si bien que ce ne sont plus des taxes de 10 et 12 % que supportent leurs marchandises, mais parfois seulement des droits de 3 %. La réciprocité ne jouant pas, du côté de la douane anglaise, les marchandises françaises ne trouvent pas les mêmes avantages. En outre, l'invasion des lainages, des cotonnades, de la bonneterie et des produits métallurgiques anglais porte un coup formidable à l'industrie française, qui perd encore une partie de son marché intérieur (1). Sans doute, l'exportation des vins a augmenté, mais elle ne compense nullement l'effet du traité sur l'industrie. Certes, depuis quelque temps déjà, l'industrie déclinait (2) ; mais le traité vient inopinément précipiter cette décadence. Au reste, l'importance du traité n'est peut-être pas là : il a eu un sens international de grande conséquence, en ces années critiques pour l'Europe ; il a été avant tout un puissant instrument de paix générale. Il s'accompagne, d'ailleurs, des traités commerciaux de la France avec les Provinces-Unies, avec la Russie, ainsi que de l'ouverture de la Mer Noire au commerce de Marseille. C'est une politique toute nouvelle qui commence.

curiosity among the Corps Diplomatique, and it is natural to imagine that the respective Ministers of the different Courts of Europe are endeavouring to oppose its progress ; but it may be hoped that the Cabinet of Versailles will be brought to understanding that a liberal intercourse with Great Britain is the surest means of securing general peace and tranquility. »

(1) Sur le traité, voir E. Dumas, *Etude sur le traité de commerce de 1786 entre la France et l'Angleterre*, 1906. D'autres études, plus brèves, de Camille Bloch, de Léon Cahen (voir Henri Sée, *Histoire économique de la France*, t. Ier). Bon résumé dans H. Carré, *Le Règne de Louis XVI* p. 227-229. Léon Cahen a parfaitement raison de dire que la crise industrielle est antérieure au traité (*A propos du traité Eden*, dans le *Bulletin de la Société d'histoire moderne*, mars 1938 ; *Une nouvelle interprétation du traité franco-anglais de 1786-1787*, dans la *Revue historique*, avril 1939). Consulter encore *L'Angleterre de 1780 vue par des commerçants de Rouen* (*Revue d'histoire moderne*, t. XIII, 1938, p. 211-224).

(2) Ce ne sont pas vingt mille barriques de vin vendues en Angleterre qui sont un gros avantage. Les vins ne se vendent plus guère, en ces années de crise agricole (Labrousse, *ouvr. cité*, t. Ier). C'est la crise agricole qui est à l'origine de la crise industrielle *(ibid.)*.

L'État favorise le capitalisme commercial, non seulement aux « Iles », mais aux comptoirs de l'Inde, dans tout le Levant et même en Extrême-Orient : telle est la signification du rétablissement de la Compagnie des Indes, en 1785, au temps de Calonne. Le Contrôle général des finances a de plus en plus besoin des banquiers : la politique de gaspillage de Calonne l'a placé sous la tutelle des financiers nationaux et internationaux, en particulier de Panchaud, un banquier Suisse, comme Necker. Aussi le projet de Compagnie des Indes est-il destiné à souder les intérêts des deux Compagnies, française et anglaise : les financiers de Londres et de Paris semblent bien s'être mis d'accord, sous la haute autorité de Calonne (1). Mais qui ne voit que cette communauté des intérêts profiterait surtout à la Compagnie la plus forte, la mieux soutenue par son gouvernement, maîtresse d'une grande partie de l'Inde, et qui vient d'être solidement réorganisée par William Pitt ? A cette soudure d'intérêts, à laquelle acquiesce Calonne, prisonnier de ses banquiers, s'oppose résolument Vergennes, âpre défenseur des intérêts nationaux (2). La Compagnie est autorisée par arrêt du Conseil (21 septembre 1786) à doubler son capital et à le porter à 40 millions de livres ; en outre, son privilège durera quinze ans, au lieu de sept. C'est donc une Compagnie entièrement française, qui redoute la jalousie des Anglais, notamment du « Board of Control », malgré les assurances de l'ambassadeur anglais au Directeur Bérard (3). Car aux Indes on annonce entre Français et Anglais des rixes et des combats, comme si l'on était encore en guerre (4). Et les Anglais craignent que les Français, qui viennent de conclure un traité avec cinq beys arabes, ne fassent le commerce avec les Indes orientales par l'Égypte et Suez (5). La France voudrait suivre une

(1) F. L. Nussbaum et Wilma J. Pugh, *Finance et politique dans les dernières années de l'Ancien régime en France*, dans les *Mémoires de l'Assemblée générale de la Commission économique de la Révolution, en 1939*, t. II, 1945, p. 485-498, voir surtout p. 492 et suiv. — Voir Nussbaum, *The formation of the New East India Company of Calonne*, dans *The American historical Review*, t. XXXVIII (1932-1933). Le financier qui à Londres travaille avec les financiers de Paris et avec le gouvernement de Pitt est Bourdieu. — Les auteurs de ces articles se font une idée de Calonne absolument contraire au caractère et à la politique de ce ministre ; d'autre part (p. 491) ils font un éloge de la moralité, en général, des financiers ; ils transposent les choses du XXe siècle et les reportent sur le XVIIIe siècle français. La fin de l'Ancien régime français, sous Calonne, prend, sous leur plume, une physionomie toute d'imagination.

(2) C'est ce qui ressort de la correspondance de l'ambassadeur anglais.

(3) Hailes à Carmarthen, 28 septembre 1786, dans les *Despatches*, citées, p. 140.

(4) Le même au même, 13 juillet 1786, *ibid.*, p. 124.

(5) Hailes à Carmarthen, 12 octobre 1786, dans les *Despatches*, p. 142 : «... the French plan of carrying on a trade with the East Indies, thro' that Country and by Suez been chimerical in the highest degree, for I find it now to be a fact

politique d'expansion commerciale, voire de colonisation, jusque dans les mers chinoises, en Annam, et le gouvernement semble favoriser ces aspirations. Mais, en Égypte comme ailleurs, la situation financière et politique de la France ne permet plus, en 1787, de voir dans tous ces projets autre chose que des rêves (1) ainsi l'intervention de l'État s'arrête au moment où elle pouvait être féconde.

IV. — Si le domaine diplomatique reste à l'État — les questions commerciales sont, disait Vergennes, des questions diplomatiques — le crédit, ce nerf du commerce, lui échappe depuis longtemps. La guerre d'Amérique, les fortes dépenses de la Marine, les prêts d'argent aux colonies anglaises « insurgentes », es dépenses des services intérieurs et les prodigalités de la Cour, enfin le refus des privilégiés de contribuer en proportion de leurs revenus (2) ont, malgré de nouveaux impôts, augmenté le déficit budgétaire ; plus de 100 millions, avec un budget d'environ 550 millions. Ce ne sont, depuis la paix, qu'emprunts de toute sorte : en décembre 1783, 100 millions en rentes viagères, à 8 ou 9 % ; en décembre 1784, 125 millions à 5 %, avec 44 millions de lots, ce qui porte le taux à 8 % ; en décembre 1785, 80 millions ; puis une suite d'emprunts indirects : 354 millions, avancés par la Ville de Paris, la Bretagne, le Languedoc, la Flandre maritime ; des « extensions d'emprunts » anciens ; des suppléments de cautionnement exigés des fermiers généraux ; enfin 70 millions, arrachés à la Caisse d'Escompte, qui reçoit le privilège d'émettre des billets pendant trente ans : au total plus de 800 millions. Devant cette avalanche d'emprunts à gros intérêts, qui obère le budget et aggrave encore le déficit, les rentiers commencent à s'inquiéter : l'ouvrage de Necker sur l'*Administration des finances*, longue critique de la gestion de ses successeurs, a répandu l'alarme ; les financiers eux-mêmes commencent à redouter la banqueroute. En attendant, banquiers suisses, hollandais et français spéculent, à la Bourse, rue Vivienne, sur tous les titres

that, at the particular requisition of the Marechal de Castries, a Treaty was concluded between the French and five of those Beys. » Il se félicite que la Porte ait recouvré l'Egypte, l'ait retirée des mains des Beys (est-ce bien sûr ?) et que tous ces avantages français, déjà par eux-mêmes illusoires, se soient entièrement évanouis. — A cette époque, on parlait en France beaucoup de l'Egypte. Voir les ouvrages de François Charles-Roux, *L'Angleterre, l'isthme de Suez et l'Egypte au XVIIIe siècle*, 1922. Un consul général est alors envoyé en Egypte.

(1) Voir encore François Charles-Roux, *ouvr. cité*. Il y eut l'envoi d'un consul général en Egypte, et ce fut tout, jusqu'à l'expédition de Bonaparte.

(2) Le « Clergé de France », à son Assemblée générale de 1785, se refuse au « dénombrement » de ses biens. Calonne lui demande un don gratuit plus élevé, 20 millions ; mais il n'en promet que 18.

de ces emprunts, sur les billets de la Caisse d'Escompte, créée en 1776, sur les actions de la nouvelle Compagnie des Indes, enfin sur celles d'une série d'affaires toutes neuves : Compagnie des eaux de Paris, Compagnie d'assurances contre l'incendie, d'assurances sur la vie, sans compter la Banque de Saint-Charles, établie par Cabarrus à Madrid, et en rapport avec la banque Lecouteulx & Cie (1).

A tous ces financiers internationaux l'État laisse toute liberté. Le Contrôle général ne pourrait, d'ailleurs, faire autrement : il a besoin d'eux pour son propre crédit ; en quoi il n'y a rien de nouveau, surtout depuis les frères Pâris. Calonne est intéressé avec Perrier, dans une fondation de compagnie des eaux, qu'il soutient contre Breteuil, ministre de Paris, devant le Conseil du roi, le roi y étant effectivement et lui donnant raison, sans d'ailleurs avoir les moyens d'approfondir l'affaire (2). Calonne a même l'audace, en attaquant le projet d'adduction des eaux de l'Yvette, d'insister sur « l'insalubrité de ces eaux ». Évidemment, il préfère les eaux de Seine, parce qu'il a un intérêt personnel dans l'affaire ; les Parisiens boiront donc les excellentes eaux de Seine (3) ! C'est déjà une intervention de l'État. Bientôt Calonne se voit obligé d'intervenir jusque dans les opérations de Bourse, en particulier dans le marché à terme des actions de la Banque d'Escompte (1785) : un clan de banquiers, ayant Mirabeau à ses ordres, fait campagne pour la baisse ; un autre clan, qui a pris Beaumarchais à son service, engage une active propagande pour la hausse des prochains dividendes. Baissiers, haussiers cherchent à mettre le gouvernement de leur côté. Finalement, le Contrôleur général, par un arrêt du Conseil, casse les marchés à terme (4) : ceux qui, perdant au jeu, refusaient de remplir leurs engagements, se trouvent sauvés, comme des joueurs indélicats qui ne paient

(1) Sur toutes ces affaires, on trouvera des études documentaires de première importance dans les travaux de Jean Bouchary, *ouvr. cités* plus haut.

(2) Dorset raconte toute l'affaire à son gouvernement, 27 avril 1786, *Despatches*, dépêche 23, t. Ier, p. 109. « A disagreement happened on Sunday last between two members of the Council, in presence of the King. » — Entre le baron de Breteuil, favorisant le projet d'amener à Paris les eaux de l'Yvette, et M. de Calonne, favorisant le projet de l'adduction de l'eau de Seine (affaire de Perrier) « Calonne said that the province of all canals and the interior Navigation belonged to him, and that therefore he was astonished that His Majesty's Minister for Paris should have usurped a right that only belonged to him. He attacked the project of the Yvette and said that on every account he must oppose it, but particularly for the insalubrity of its water. »

(3) Voir encore Dorset : « The water-company under the direction of Perrier is patronised by M. de Calonne, who, with his friends, is believed to have a considerable share in the stock of that company. » Quels amis ? Evidemment Panchaud.

(4) Arrêt du Conseil, 7 août 1785.

pas leurs dettes. Ce n'était pas le moyen de donner de la moralité au marché des valeurs. Au reste, dans ce monde de manieurs d'argent, c'est là un motif hors de saison. A Paris, la spéculation, les propagandes mensongères battent leur plein : des fortunes s'édifient rapidement. Le fond honnête de la population s'élève contre ces pratiques qui démoralisent et détournent du travail probe et régulier. Et encore ne connaît-il pas les relations de ces manieurs d'argent avec l'étranger, tout ce cosmopolitisme financier, qui voudrait dominer l'État et sa politique, dans le seul intérêt de ses affaires (1).

En somme, malgré des velléités d'intervention, l'État laisse toute liberté à la Bourse. Il intervient fort peu dans les affaires commerciales et industrielles : toutefois il conclut des traités de commerce avec les grands États de l'Europe et de l'Amérique du Nord, sur la base d'une juste réciprocité, en assumant tous les risques, au moins momentanés, dans ses rapports avec l'Angleterre rénovée par sa « révolution industrielle » (2). Il pratique, du moins autant que les circonstances le permettent, la politique économique libérale, chère aux économistes, aux grands propriétaires fonciers, à la haute bourgeoisie foncière et commerçante, voire à la bourgeoisie rurale des « laboureurs » et des gros fermiers : libéralisme conforme à sa politique générale de paix et de solidarité des nations.

V. — *L'État et la liberté civile*

Dans une société où domine de plus en plus l'esprit libéral, où les mœurs s'adoucissent, où, selon des observateurs perspicaces (3), la moralité générale semble en progrès, la liberté indi-

(1) Il n'y a que des intérêts particuliers, des intérêts d'argent. Clavière avouait à un financier d'Amsterdam qu'il avait bien amélioré sa situation depuis qu'il le connaissait. « Elle valait alors à peine 50.000 écus de France ; je ne la donnerais pas aujourd'hui pour le triple ni près de là. » Il s'explique sur les bénéfices à faire sur les « effets publics ». « Ceux de France sont les plus féconds pour le bénéfice, et je ne sais pas concevoir le risque d'une banqueroute dans un pays autant favorisé de la nature. D'ailleurs, il y a dans les finances de ce pays un mélange d'emprunts et de rembours, une abondance de numéraire, une activité générale, une bonté de sol, une situation géographique, dont la réunion compose une force de résistance incalculable. » (Voir Jean Bouchary, *Les Manieurs d'argent...*, t. Ier.)

(2) On sait que ces termes classiques ne conviennent pas exactement pour l'Angleterre de 1787. Il s'agit d'une évolution industrielle, de 1760 à 1830 environ.

(3) Dans son *Journal*, l'abbé de Véri, grand personnage, ami de Turgot, constate souvent, quand il se rend dans le Berry, à l'Assemblée provinciale, les progrès de la moralité. Il n'en donne pas de preuves, malheureusement ; mais, à le lire, le fait n'est pas douteux. Nous recueillons son témoignage, à plusieurs reprises donné.

viduelle est beaucoup plus respectée que sous Louis XV. Sans doute la justice du roi, cette justice exceptionnelle, faite pour des cas particuliers, subsiste, mais il ne faut en accuser que les mœurs, encore rudes, de quelques pères de famille provinciaux, ancrés dans leurs vieilles idées, comme le marquis de Mirabeau. Au reste, Louis XVI n'abuse pas des « lettres de cachet » et des prisons d'État. Il ne semble pas qu'il y ait eu, sous son règne, de « lettres de cachet » en blanc, ni de nombreux prisonniers d'État : à la Bastille, le 14 juillet 1789, on n'y en découvrira que sept. Mais l'institution même reste comme symbole du pouvoir arbitraire, que tous les « ordres » de la société ont en horreur.

C'est aussi un certain progrès dans la législation criminelle. Il est la suite de tout un mouvement humanitaire, qui s'est produit en France, comme en Italie ou en Angleterre. Le gouvernement a supprimé la « question préparatoire », cette torture préliminaire infligée à l'inculpé. Il abolit encore la « question préalable » et l'usage infamant de la *sellette*, où l'accusé subissait un dernier interrogatoire (mai 1788) ; mais cet édit n'ayant pas encore été enregistré par les Parlements, bien lents, on le voit, aux réformes généreuses, n'a pas reçu d'exécution. L'État a du moins accompli son devoir.

La liberté de conscience, réclamée depuis longtemps par les pasteurs et par la haute bourgeoisie protestante, demandée par Turgot et par Malesherbes (1) comme une réforme juste et nécessaire, mais toujours ajournée, est enfin accordée par le roi et son gouvernement (1787) et, en somme, assez bien accueillie par le Parlement de Paris et la plupart des Parlements (2), car elle ne porte pas atteinte à la religion dominante, en dépit des craintes de certaines âmes catholiques ; elle est même conforme à la doctrine de la tolérance civile que professent de grands prélats, les Brienne, les Cicé et les Boisgelin (3). Les protestants rentrent désormais dans la communauté française : leurs mariages seront

(1) A Malesherbes avait été remis par le pasteur Du Temps, délégué général des Eglises réformées, un *Mémoire pour les religionnaires* (1775).

(2) Il n'est pas question d'entrer ici dans le détail des faits, qui sont complexes, mais bien connus. Nous faisons seulement allusion à l'action de la haute bourgeoisie protestante, étudiée par E.-G. Léonard. On l'a déjà vue plus haut, p. 239. — Le Parlement de Besançon reste hostile à la réforme. Le Clergé et le Tiers état resteront encore hostiles en 1789 : Tiers de Besançon, dans les *Archives Parlementaires*, t. II, p. 338 ; Clergé, *id.*, p. 333.

(3) On connaît les sentiments des grands prélats nommés. Mais ils ne sont pas suivis de tous leurs confrères. Voir les *Remontrances du Clergé de France*, en 1788 (Bibl. Nat., Ld^5 601) : « Ah ! Sire, quelle source inépuisable d'amertumes pour l'Eglise et de séductions pour ses enfants, si l'indulgence de la nouvelle législation préparait la voie à un tolérantisme universel contre le vœu de Votre Majesté. »

valides, aux yeux de la loi : s'ils ne veulent se présenter devant le curé, ils pourront aller devant le juge royal du lieu de leur domicile ; leurs baptêmes et leurs décès seront constatés officiellement. Mais le culte public reste toujours interdit. Ce n'est pas une réforme complète ; pourtant elle annonce celle-ci. Toutefois reste une équivoque : les protestants, qui recouvrent l'état civil, ont-ils les mêmes droits politiques que les autres Français, dans les municipalités, et bientôt dans les assemblées qui vont se réunir ? L'édit est muet. Mais, au printemps de 1789, l'esprit public l'interprétera libéralement, et des protestants, comme Barnave, des pasteurs, comme Rabaut Saint-Étienne, seront élus députés aux États Généraux. Et personne, aux États, n'y trouvera à redire (1).

La liberté de la presse est maintenant un peu plus grande, bien que l'Église et le Parlement demeurent sur leurs positions : le Parlement sévit, dès que les privilèges sont attaqués ; il condamne la brochure de Boncerf qui a critiqué fortement la réaction seigneuriale (1776). Quant à l'État, son régime de censure est toujours le même. Les censeurs, qui ont peur de perdre leur place, s'ils laissent passer une opinion quelque peu hasardée, sont fort tâtillons, mettent à la place d'un mot ferme un mot adouci, suppriment tout développement trop net et trop franc ; si bien qu'à les suivre, toute la littérature ne serait plus que grisaille (2). Mais pourtant quelles contradictions ! On comprend fort bien que le *Mariage de Figaro* ait été interdit, n'étant qu'une véhémente satire du régime social et une éloquente revendication de toutes les libertés, en premier lieu de celle d'écrire ; mais comment ne pas s'étonner qu'il ait été ensuite autorisé, joué aux applaudissements mêmes du beau monde qu'il attaquait ? Autre contradiction, et autre singulière imprudence : l'arrêt du Conseil du 5 juillet 1788, annonçant les États Généraux, demandera à « toutes les personnes instruites du royaume » d'envoyer des « renseignements » ou des « mémoires » ; alors se déversera un déluge de « mémoires » sur le mode de convocation des États, sur

(1) Il y eut une dizaine de députés protestants. — Même après la Déclaration des droits (août 1789) l'incertitude quant aux droits civiques des protestants demeurera. Dans le Midi, les catholiques voulant écarter les protestants des élections, un député de Nérac réclamera un décret catégorique sur l'admissibilité des protestants aux fonctions publiques. L'abbé Maury essaya de compliquer le débat, en joignant aux « non-catholiques » les Juifs, les comédiens et même le bourreau. Mais Barnave, protestant, et de Broglie circonscrirent la discussion et firent voter le décret du 24 décembre 1789. Voir le décret dans la *Collection des lois*, de Duvergier, t. Ier, p. 105. On trouvera nombre de documents imprimés réunis aux Archives Nationales, AD XVII, 49. Voir aussi Armand Lods, *La Législation des cultes protestants (1787-1887)*, 1887.

(2) On trouvera des faits intéressants dans Musset-Pathay, *Œuvres inédites de J.-J. Rousseau*, *ouvr. cité*.

la future constitution et sur toute la politique. Comment restreindre ensuite cette liberté ? Comment suspendre le *Journal des États Généraux*, de Mirabeau, en mai 1789 ? Plus de règle ; ordres et contre-ordres ; l'autorité se perd. Ici encore, la monarchie a dû suivre le mouvement de l'opinion et des mœurs.

VI. — *L'État et la culture intellectuelle et artistique l'éducation nationale*

Cette opinion publique qui s'enthousiasme pour toutes les découvertes de la science, l'État veut bien la suivre et lui donner les moyens de satisfaire sa curiosité et même son goût de la recherche. Ce n'est pas que la monarchie, sous Louis XVI, consacre beaucoup d'argent à la science. Cependant elle crée, dès 1772, au Collège de France, des chaires d'astronomie, de mécanique, de physique expérimentale, de chimie, d'histoire naturelle ; et c'est en ce célèbre établissement, en dehors des vieilles et routinières Universités, que se donne le libre et vivant enseignement des sciences, complété par l'enseignement des trois chaires, déjà existantes, au « Jardin du roi », de Buffon, et par des Écoles techniques et professionnelles, École de minéralogie (1778), École des Mines (1783), École du génie, de Mézières, où entrent, après un concours difficile, les meilleurs élèves de l'École militaire. Louis XVI appelle à Paris le grand géomètre Lagrange, piémontais, d'origine française, qui publiera, en 1788, sa *Mécanique analytique*, profonde synthèse, qui s'apparente, par son esprit généralisateur, à celle qu'avait jadis donnée Dalembert dans sa *Dynamique*, et qui ramène tous les phénomènes à un seul principe. L'État, tout en répondant aux aspirations scientifiques du siècle, renoue les traditions de Louis XIV et de Colbert.

Il continue aussi à subventionner, par le moyen des Académies, en particulier par l'Académie des Inscriptions, les grandes œuvres d'érudition. L'Église, les abbayes qui se sont déjà illustrées dans ce domaine, concourent toujours à ces immenses travaux de diplomatique et d'histoire, qui préparent des matériaux pour les historiens de l'avenir.

Cependant c'est surtout dans le domaine des arts, de tous les arts, que son influence est féconde. Son action se manifeste par l'intermédiaire de la Direction des Bâtiments et des deux Académies d'Architecture et de Peinture. Après le marquis de Marigny, frère de Mme de Pompadour, d'Angiviller, qui recueille la direction des Bâtiments (1774), suit la même politique : fondation d'écoles techniques, subventions à d'autres écoles, nombreuses commandes. L'« École royale des élèves protégés » est créée ; l'École de dessin, aux Gobelins, rétablie ; des subventions accordées à l'École de dessin, dirigée par Bachelier, que fréquentent mille cinq cents jeunes gens, et aux écoles provinciales, de Lyon, Marseille, Aix, Reims, Amiens, etc. Des Musées publics sont établis au Luxembourg et au Louvre, qui préparent les grands Musées de l'époque suivante. Des commandes continuelles rappellent, par leur importance, les heureux temps de Louis XIV : plans et sujets sont donnés aux artistes par la Direction des Bâtiments. Comme sous Louis XIV, l'État exerce une influence sur l'art. Cependant, le « style Louis XVI » ne doit rien au goût personnel du monarque ; il suit la direction que lui impriment la société et les artistes, ainsi que les grands courants de l'esthétique du temps (1).

Dans la musique, même initiative heureuse : l'État fait construire à Paris une nouvelle salle d'opéra — l'opéra est toujours adoré de la haute société — et surtout il développe l'enseignement d'un art qui, depuis Lulli et Rameau, garde une physionomie toute française, et qui, après le grand Rameau et les Couperin, est illustré par Grétry, Spontini et toute une école nouvelle. Et avec la musique et le chant, c'est la danse qui se rénove. « Voyez le superbe Vestris ou le fier d'Auberval engager un pas de caractère. » Quelle variété ! Dans l'expression des sentiments et des passions, dans la rapidité des changements de sa marche, de son pas, tantôt sur un pied, tantôt sans mouvement, tantôt « partant comme un trait », jouant des yeux, des bras, de tout le corps, il retient, il enchaîne le spectateur, « il enlève autant de suffrages qu'il y a de regards attachés sur sa danse enchanteresse » (2).

Si l'État veille au progrès des Écoles techniques, par intérêt pour l'industrie française autant que pour l'art national, il reste encore étranger à l'instruction générale de la jeunesse. Celle-ci demeure entre les mains de maîtres pour la plupart ecclésiastiques, successeurs, en bien des villes, des Jésuites, et c'est eux-

(1) L'action de l'Etat sur les arts peut être étudiée, en partie, au moyen des Procès-verbaux des deux Académies citées, et par la Correspondance des directeurs de Bâtiments du roi, sans parler de la Correspondance des directeurs de l'Académie de France à Rome, qui ont été publiés. Mais nous ne trouvons pas à signaler un ouvrage de synthèse sur ce sujet.

(2) Beaumarchais, *Lettre sur la critique du Barbier de Séville* (la dernière page) montre que le danseur parfait, comme Vestris, est bien supérieur au chanteur et au musicien, qui ne cesse de répéter le même air. « L'air a beau recommencer, rigaudonner, se répéter, se radoter ; il ne se répète point, lui ! tout en déployant les mâles beautés d'un corps souple et puissant, il peint les mouvements violents dont son âme est agitée... » Lire la suite : cette page est comme un tourbillon d'esprit qui suit le tourbillon de la danse.

mêmes qui établissent leurs programmes d'enseignement et d'éducation. A vrai dire, l'État n'exerce son contrôle que sur les Écoles militaires, en particulier sur l'École militaire de Paris, qui prépare à l'entrée dans le « Corps royal » (Artillerie) ou à l'École du Génie de Mézières : ce sont des professeurs ou des inspecteurs souvent laïques, parfois ecclésiastiques, comme l'abbé Bossut, mathématicien, qui examinent les candidats et leur assignent un rang. Sans doute les « Bureaux d'administration », créés après 1763, qui contrôlent les collèges, sont composés en grande partie de laïques, conseillers de Parlement, etc., mais ils ne s'immiscent point dans l'enseignement, encore moins dans l'éducation morale de ces collèges, qui, en somme, tels ceux de Juilly, de Sorèze et bien d'autres, ne dépendent que de leurs directeurs ecclésiastiques. La monarchie ne s'ingère point dans ce domaine. Elle n'empêche aucune doctrine de se répandre — nous ne sommes plus sous Louis XIV qui interdisait le cartésianisme — elle ne propose même aucune innovation (1).

Elle n'a même pas une politique linguistique pour l'ensemble du royaume ; elle n'en a jamais eu, même sous Louis XIV, ce roi des contraintes. Si elle a favorisé la fusion en un grand corps des provinces successivement réunies ou « conquises », c'est par l'administration, par l'action incessante de ses intendants qu'elle y est parvenue, et encore avec bien des ménagements. De la langue de ses sujets elle ne s'est point souciée. Idiomes, patois sont parlés, comme jadis : les dialectes germaniques règnent en Alsace, où actes de l'état civil, procès-verbaux des municipalités sont toujours rédigés en allemand ; si bien qu'après un siècle et demi cette grande province conserve une physionomie morale germanique. En Bretagne, du moins dans la partie occidentale, on ne parle que les dialectes gaëliques ; les « recteurs » (curés) du Vanetais, de la Cornouailles, du Léon, du Trégorrois ne prêchent le dimanche que dans ces dialectes, seuls connus de leurs fidèles ; et ainsi la Basse-Bretagne garde sa physionomie celtique, sans comprendre la France dont elle fait partie. Quant aux patois, ils dominent dans le Centre et surtout le Midi. Quel effort il faudra faire un jour pour propager le français et franciser la France ! La monarchie a laissé ce soin, comme tant d'autres, à l'avenir — au moment où le français est reconnu en Europe

(1) Elle n'a pas de budget de l'Education nationale. Ce domaine spirituel est toujours laissé à l'Eglise et aux ecclésiastiques. Sur le budget de la Maison du roi montant à 40 millions, c'est tout juste si 1 million est prélevé pour les établissements tels que le Collège de France, le Jardin du roi, l'Observatoire, les Académies, les Ecoles techniques, etc. Il n'est pas question des collèges, des petites écoles qui donnent l'instruction à la masse de la nation.

comme « langue universelle », où il est parlé, écrit, goûté, admiré, pour sa clarté et son élégance et pour les chefs-d'œuvre qui l'illustrent, dans toutes les Cours et par toutes les élites des autres nations (1).

VII. — *L'État et les Mœurs*

Le Français, chacun le sait, adore les distinctions. Le mot d'Alceste, « Je veux qu'on me distingue... », est profondément vrai. Cependant, sous le règne de Louis XVI, l'État ne fait rien pour « renforcer le prix des distinctions », alors que l'argent domine tout, et que la « multiplication des richesses », de fortunes rapides et énormes devrait conseiller à la monarchie une politique propre à différencier les classes extérieurement, par des honneurs, des rangs, des décorations. C'est le reproche que fait au gouvernement un observateur perspicace (2). Il y avait pourtant bien des « cordons bleus », de belles cérémonies où le roi les décernait (3) : on y accourait de Paris, comme de Versailles. Mais il est hors de doute que la Cour de Louis XVI ne déploie plus la majestueuse représentation d'autrefois ; elle n'a cependant pas « renoncé à l'éclat extérieur » (4). Quand elle se déplace pour se rendre à Fontainebleau, l'été, c'est un train de vingt mille personnes. Le luxe est énorme. L'argent coule comme une source pérenne. Et le roi laisse aller les choses.

Point de censure des mœurs, sauf dans des cas extraordinaires, où le monarque obéit aux traditions : il y a toujours des fils de famille, même mariés, qui encourent une « lettre de cachet » et la prison. On ne voit plus cette foule de prêtres jansénistes ou suspects arrêtés et emprisonnés sur le désir de leurs évêques. Le

(1) Consulter la monumentale *Histoire de la langue française*, de Ferdinand Brunot. On pourra saisir, dans ce grand ouvrage, le contraste entre la politique, indifférente, de la monarchie, et celle de la Révolution, qui s'efforcera de faire du français la langue nationale, en combattant les idiomes étrangers (dialectes germaniques, dialectes bretons, flamand, dans la Flandre maritime) et les divers patois. Voir également L. Réau, *L'Europe au siècle des lumières, ouvr. cité.*

(2) Sénac de Meilhan, *Du gouvernement...*, éd. de 1795, p. 36-37.

(3) Mme d'Oberkirch, *Mémoires,* parle souvent de ces octrois de cordons bleus.

(4) Il ne faudrait pas exagérer, comme l'a fait Sénac, en 1795. La Cour a, certains jours, un grand éclat. Voir les *Mémoires* du temps, comme ceux de Mme d'Oberkirch. Voir aussi le tableau de la Cour et les dépenses énormes du train des Maisons royales, etc., dans Taine, *L'Ancien régime,* et sur les prodigalités les nombreuses dépêches de l'ambassadeur anglais Dorset, *ouvr. cité.* C'est se moquer que d'écrire, comme Sénac, après les terribles événements : « La Cour était économe par besoin ; et, quand elle eût été prodigue, elle n'aurait pu satisfaire à l'avidité, excitée par des fortunes rapides et excessives de la Ville. » En fait, elle était d'une prodigalité qui étonnait les Anglais, et qui, en effet, n'arrivait pas à satisfaire à l'élégante mendicité des amies de la reine.

roi intervient très rarement dans la police des écrits ; il a défendu cependant, on l'a vu, de jouer le *Mariage de Figaro*, cette satire sensuelle des mœurs et de la société ; mais, pressé, harcelé par le beau monde, il a fini par céder, comme toujours.

Louis XVI maintient à sa Cour une tenue plus décente. Les dilettantes estimaient pourtant « qu'il n'y avait plus autant de politesse dans les manières et les discours, depuis la fin du règne de Louis XV » (1) ; ils regrettaient « cette galanterie, qui naît « d'une perpétuelle envie de plaire » ; mais ils étaient obligés de reconnaître que « les aventures scandaleuses étaient rares », et que « les Juvénals du temps n'auraient pas trouvé dans la Cour « de Louis XVI autant de matière à leurs énergiques déclamations « que dans les règnes précédents ». Tout était couvert d'un voile de décence et d'élégance. Et, si « les femmes avaient des arran- « gements qui, par leur durée et le calme de la possession, étaient « équivalents à des mariages », il n'en transpirait rien ou si peu que l'esprit ne s'y arrêtait pas.

Si l'on peut noter quelque déclin dans la représentation oyale, on constate un progrès peut-être dans les mœurs, ou du noins dans les convenances, gardées à Versailles mieux que adis. Le roi donne le premier l'exemple. Il est cependant mpuissant, comme ses prédécesseurs, à réfréner le luxe d'une ociété qui respire « la douceur de vivre », et qui se hâte d'en jouir, omme si elle la sentait près de finir.

Que de misère, en face de cette existence fastueuse, de ces livertissements perpétuels et de ces plaisirs, où se disperse l'es- rit et se gâte le cœur, d'où la machine humaine sort harassée (2) ! e roi, il est vrai, en bon chrétien, est le premier à distribuer de énéreuses aumônes aux pauvres : en quoi il est suivi par nombre e grands seigneurs et d'évêques. Mais il n'y a pas de budget 'État pour l'assistance, pas plus que pour l'éducation. On en arle cependant ; on sent bien que c'est le devoir de la société et de État de secourir pauvres et malades (3). Mais tout reste presque à état de théorie. Les biens des hôpitaux et des hospices, les subven- ions municipales ou privées ne suffisent pas à ce service capital, ans un royaume qui, à la veille de la Révolution, est miné par une isère qui semble irrémédiable. On est sous le régime de l'aumô- erie, on est bien loin, malgré quelques « Sociétés philanthropiques », e celui de la justice sociale ; à peine commence-t-on à l'envisager.

(1) Sénac, *ibid.*, p. 37.
(2) Mme d'Oberkirch avoue mainte fois qu'à Paris et à Versailles, et à iantilly, ces visites, ces cérémonies, ces fêtes la laissent complètement rassée. Elle a hâte de retourner dans son Alsace.
(3) Voir Camille Bloch, *L'Etat et l'assistance...*, *ouvr. cité*.

VIII. — *Conclusion*

L'État qui a une tâche énorme devant lui, et qui ne l'ignore pas — que de ministres la lui ont montrée ! — continue à vivre doucement, au bruit de sa victoire américaine, sans rien entreprendre pour sa solidité et sa grandeur. Conduisant les finances à l'abîme, il reste, devant la coalition des privilèges et des intérêts, impuissant à réaliser les réformes fiscales qu'il conçoit. Il n'agit plus guère sur l'économie sociale que pour lui mettre encore parfois des entraves, ou pour lui accorder sa liberté — et c'est tout ce qu'elle demande. Il continue à abandonner l'éducation et l'assistance à l'Église ou aux particuliers. Il n'a aucun plan d'organisation de la société et de la nation, ne voulant rien céder de son pouvoir et ne concevant pas, depuis la chute de Turgot, autre chose que la traditionnelle structure sociale. Dans ce régime d'absolutisme manque une volonté centrale. Le roi — et c'est ce que n'avait pas prévu Louis XIV en créant un tel régime — est incapable de faire son « métier de roi ». Ce n'est plus une monarchie absolue, mais une monarchie aristocratique, où tout le monde « parle tout haut », où chaque « corps » de la société veut administrer, juger, même légiférer. Et le monarque vient encore, dans son imprudence, favoriser cette aristocratie qui ne rêve que de rogner sur ses pouvoirs : il lui octroie tous les grades de l'armée (1781) ; il l'approuve, de toutes manières, de défendre ses privilèges seigneuriaux, en condamnant les véhémentes attaques qui leur sont portées par des écrits « incendiaires » (1770) (1) ; il la soutient, quand elle ordonne la réfection de ses livres terriers, aux frais des tenanciers, qu'il accroît encore considérablement. Pour elle, il obère sans cesse son Trésor, depuis longtemps dans l'extrême détresse. Il ne sait même plus obtenir d'elle, en particulier dans l'armée dont elle s'est fait réserver désormais les grades, un service régulier et la discipline nécessaire : les officiers, trop nombreux, ayant peu d'avancement, sont dégoûtés, et la plupart ne font rien. Il ne se montre jamais à son armée : on ne le voit point à cheval, passant des revues, visitant les camps, comme Louis XIV, ou même comme Louis XV (2). Favorisés, et pourtant mécontents de tout,

(1) C'est la condamnation de la brochure de Boncerf, lequel avait pour lu Turgot (1776).

(2) Le général de Kéralio déclare en 1788 : « Cette armée est si mal constituée il y règne tant d'abus, elle est infestée de tant de vices contraires à tout ordre e à toute discipline qu'on ne craindra point d'avancer qu'elle est hors d'état d faire la guerre. » Guibert fait les mêmes critiques. Voir capitaine Albert Latreille *L'Armée et la nation à la fin de l'Ancien régime*, 1914, avec carte et bibliographie

sont maintenant les grands nobles de ce royaume. Mécontente aussi est la Bourgeoisie, impatiente de jouer un rôle politique de premier plan, et encore plus cette masse énorme, toujours plus compacte, de peuple qui, après tant d'espérance en son « bon roi », tombe dans une misère noire.

Impuissante, la monarchie abandonne la partie, et, dans son désarroi, fait appel à la Nation. Tel est le premier acte du grand drame qui va se jouer. C'est la chute de l'absolutisme.

CHAPITRE III

L'ESPRIT PUBLIC. ANALYSE ET SYNTHÈSE

L'appel du roi ne trouve pas la Nation désemparée. Un esprit public s'est, en effet, formé au cours du siècle. Quels apports l'ont créé, développé ? On en a déjà vu plusieurs à l'œuvre, depuis 1730 et surtout depuis 1748. Maintenant d'autres viennent s'ajouter aux premiers. Il y a là un ensemble de forces françaises, ou de forces intellectuelles et politiques arrivées de l'étranger, qui constituent un ensemble. Cet ensemble complexe, il convient de l'analyser d'abord, puis, d'en essayer la synthèse.

I. — *La science et l'esprit critique*

La science, avec les facultés d'observation et d'expérimentation qu'elle exige et qu'elle répand, est devenue une force sociale d'une puissance grandissante. Le mouvement scientifique est de plus en plus tourné vers les observations et les expériences qui demandent une « longue patience ». Que de découvertes, que d'inventions, en France, en Angleterre, en Italie, en Allemagne, dans toute l'Europe ! C'est la puissance de la vapeur, reconnue et utilisée par l'industrie. On entrevoit déjà la navigation à vapeur : Jouffroy d'Abbans fait naviguer un bateau à roues, mû par la vapeur, sur le Doubs, puis sur la Saône, à Lyon (1776). Et on entrevoit aussi — vieux rêve de l'homme depuis Icare — la navigation dans les airs (1) : l'invention des ballons par Montgolfier, les ascensions du physicien Charles provoquent l'enthousiasme général. Le magnétisme animal, avec les expériences de Mesmer, déchaîne la passion du surnaturel. L'électricité apparaît comme une force nouvelle : on ne connaît guère encore que les

(1) Voir les deux volumes de Jules Duhem, docteur ès Lettres, *Histoire des idées aéronautiques avant Montgolfier*, 1943 ; *Musée aéronautique avant Montgolfier*, recueil de figures et de documents, 1943.

moyens de se garantir de ses effets foudroyants, comme le paratonnerre de Franklin, mais on l'étudie déjà dans toute l'Europe, comme les autres grandes forces de la physique. Et que d'inventions mécaniques, en Angleterre et ailleurs, diminuant et facilitant le travail de l'homme ! C'est l'ère du machinisme qui commence (1). Les sciences appliquées se développent à leur tour, préparant une époque nouvelle pour l'industrie et le commerce et pour tout le capitalisme européen. Découvertes, inventions de chaque année, séparées, plus ou moins juxtaposées, forment un ensemble, inorganique, au premier abord, mais peu à peu organisé par la pensée constructive des grands savants et des grands penseurs. Sans doute se présentent plus de résultats particuliers qu'auparavant, et moins d'ambitieuses synthèses. Toutefois plusieurs grandes synthèses se préparent, avec plus de patience, de lenteur, de sûreté. Deux, en France, voient le jour à cette époque : en 1778, celle de Buffon ; en 1789, celle de Lavoisier, et d'autres paraîtront bientôt après. *Les Époques de la Nature* sont la plus complète et la plus belle synthèse de la formation de l'univers et de la Terre qu'on ait encore vue : elle explique le passé par le présent, expose une théorie de l'adaptation des êtres organisés au milieu, fondée sur une foule d'observations, crée la géographie zoologique, fait déjà pressentir le transformisme des espèces vivantes (2). Le *Traité de Chimie* est le premier livre de chimie moderne : seul était capable de le donner le savant qui avait su non pas précisément analyser l'air, déjà connu dans ses éléments, mais fournir l'explication exacte et complète du phénomène, au moyen de la balance, et libérer la science de l'hypothèse, toute métaphysique, du « phlogistique », ce gaz que personne n'avait ni vu ni pesé, qu'avait admis Priestley après son analyse de l'air, et que reconnaissaient encore tous les chimistes d'Europe. Les premières lois chimiques sont posées ; la langue de la Chimie est près de se fixer (3).

A mesure que les sciences expérimentales se développent, s'opère, parmi elles, une progressive différenciation. C'est une loi de l'esprit humain que les diverses parties de la science générale se détachent peu à peu et se constituent en sciences indépendantes. Déjà, depuis Dalembert et les Bernoulli, la Mécanique s'est établie à part. De l'Astronomie générale se sépare la Mécanique céleste, à la suite des découvertes de Newton et de son école

(1) Voir, pour cette « révolution industrielle », les ouvrages indiqués dans le t. XII de *Peuples et Civilisations, La Fin de l'Ancien régime et la Révolution Américaine*, chap. : sur la Grande-Bretagne et chap. final.
(2) En attendant Lamarck.
(3) Sur la Chimie, voir E. Grimaux, *Lavoisier*.

et maintenant des travaux de Laplace (1). Avec William Herschel l'astronomie stellaire entre en scène. Le Magnétisme, l'Électricité forment des provinces de la Physique indépendantes. La Chimie, on l'a vu, est assise maintenant sur une base ferme. La Minéralogie, la Cristallographie apparaissent en sciences autonomes, elles aussi, pourvues de leurs lois essentielles, grâce aux efforts de Romé de Lisle et de Haüy (2). Et de l'Histoire naturelle, encore toute descriptive, se détachent l'Anatomie, la Physiologie (3). La Géologie établit sa méthode, avec Werner, de l'école de Freiberg, en Saxe, avec Guettard (4), avec Buffon : elle constate la double origine, plutonienne et neptunienne, des roches qui forment la Terre ; elle s'efforce d'expliquer les phénomènes passés par les phénomènes présents ; et, observant la lenteur de ceux-ci, essaie, par induction, de déterminer l'âge de notre planète, les diverses « époques » par lesquelles elle a passé, enfin d'en présenter l'évolution générale, depuis le feu et la matière brute jusqu'à l'apparition des diverses espèces vivantes et de l'homme.

Jamais, dans l'histoire de l'humanité, ne se sont offertes à la fois tant de connaissances sur l'univers et sur la Terre. Aussi conçoit-on l'hymne au progrès qu'entonnent à l'envi philosophes et poètes. Et bientôt ce sera l'*Esquisse d'une histoire des progrès de l'esprit humain*, de Condorcet (5) — testament philosophique du siècle — et les chants enthousiastes de ce nouvel Hermès, né au soleil de l'Orient, André Chénier.

Quelle somme de connaissances neuves, contraires aux enseignements théologiques traditionnels se répand presque tout d'un coup dans les jeunes cerveaux ! Et surtout quel esprit critique elle y fait fermenter ! D'autant que le progrès des sciences de la Nature retentit sans cesse, par ses résultats comme par ses méthodes, sur toutes les sciences morales, économiques et politiques, qui ont pour objet l'homme dans la société et dans l'État.

(1) Voir Andoyer, *Laplace*, in-16 (collection Payot).
(2) La loi de l'inaltérabilité des angles dièdres des cristaux.
(3) On peut, par l'*Histoire naturelle* de Buffon, où à la description des animaux se mêlent souvent des vues générales sur la physiologie, saisir la transition entre une histoire toute descriptive et une vraie science physiologique.
(4) Importance de l'œuvre de Guettard : Voir son *Mémoire sur les volcans d'Auvergne* (1752). Lavoisier suivit quelque temps Guettard.
(5) Condorcet le présente comme un progrès continu. Il semble bien qu'au cours du siècle la doctrine de la perfectibilité humaine se soit établie toujours plus nettement, et que les philosophes aient montré plus précisément la continuité du progrès. L'*Encyclopédie*, au mot *Progrès*, n'avait pas donné une doctrine bien claire et avait plutôt esquivé la question de la continuité (voir René Hubert, *Les Sciences sociales dans l'Encyclopédie*). Il serait intéressant de suivre les progrès de cette idée de perfectibilité continue pendant le siècle, jusqu'à Mme de Staël.

L'Économie sociale devient une science, qui, tout en se rattachant à la morale — Adam Smith en porte hautement témoignage — est devenue une science d'observation, fondée sur la statistique et sur une branche des mathématiques réservée à un grand avenir, le calcul des probabilités. L'Histoire, par la Géographie, par les relations des grands explorateurs, par les progrès du commerce et le spectacle de la richesse et des échanges à travers le monde, se remplit de réalités autres que les guerres et les « anecdotes » sur les princes et leurs Cours, et envisage de plus en plus les mœurs et les institutions des nations et les progrès de leur civilisation : après Voltaire, triomphe Raynal, avec son *Histoire philosophique et politique des établissements des Européens dans les deux Indes* (1778) ; on publie de fortes études d'histoire comparée, dont l'idée remonte à Montesquieu ; des travaux, nombreux et divers, sur les origines sociales et religieuses des peuples, en particulier des peuples de l'Orient, berceau de la civilisation : après l'*Encyclopédie* et Boulanger, ceux de d'Holbach, de Bailly, d'Anquetil-Duperron et de bien d'autres. Ainsi comprise et écrite, l'Histoire, dans la pensée des hommes de ce temps, doit servir à la science politique et à la science sociale. Cependant, dans ces sciences, si l'on peut les appeler alors de ce nom, on s'en tient à l'*Encyclopédie* et aux spéculations de Montesquieu et de Rousseau. En ce domaine aucune grande œuvre ne voit le jour en France, de 1770 à 1789. On n'édifie point de nouvelles théories ; il semble qu'on se recueille, et qu'au contact des événements, qui se précipitent, on cherche et on tâtonne parmi les traditions, les doctrines, les observations, les expériences sociales.

C'est un esprit réaliste qui anime ces œuvres historiques et philosophiques, économiques et sociales. Et toutes ces connaissances, concrètes, souvent précisées par des chiffres et des statistiques, développent, à leur tour, l'esprit critique et même le sens pratique — à côté de l'imagination et du sentiment, qui, au siècle de Rousseau, ne perdent point leur vertu.

II. — *L'Influence de l'Antiquité et de l'Éducation classique*

C'est précisément cette imagination qui travaille, chez les jeunes esprits, élevés dans les collèges, où l'enseignement classique est toujours à l'honneur, et souvent aussi nourris d'œuvres modernes, imprégnées de l'Antiquité : Rousseau, Mably, l'abbé Barthélemy, Montesquieu, Diderot lui-même, ce grand admirateur de Térence et de Tacite. Comment n'auraient-ils pas été transportés par Rousseau, s'écriant en face de la société moderne trop civilisée par les lettres et les arts : « O Fabricius, qu'aurait dit votre grande âme... » ? Tout leur Plutarque, toute leur histoire ancienne leur revenait en mémoire ! A la suite du « citoyen de Genève » et de Mably, leur imagination s'exalte. L'art, la poésie se retrempent aux sources antiques, que l'on croyait naguère épuisées (1). C'est le *Serment des Horaces* ; c'est l'héroïsme de Clélie ou d'Horatius Coclès ; c'est Brutus, le premier, immolant le tyran, surtout le second, détruisant ou croyant détruire, avec le tyran, la tyrannie. Ce sont les Gracques, luttant au péril de leur vie contre les aristocrates de Rome. Manon Phlipon, la future Mme Roland, prend dans ses lectures de Plutarque et de Rousseau, comme dans la réalité sociale qui la blesse, l'esprit républicain. Mirabeau, qui a dans les veines du sang des grands Florentins du Moyen âge et de la Renaissance, dans son « Discours à la Nation provençale », voulant pulvériser l'aristocratie, évoque les Gracques, dont le sang répandu engendra Marius, qui fit triompher la démocratie romaine. C'est des exemples, des modèles romains que l'âme de la jeunesse est nourrie. Au milieu d'une vie contrainte, mesquine, effacée, sans idéal moral, sans passion nationale, elle se tourne avec enthousiasme vers ces grandes existences célébrées par Plutarque, vers ces illustres citoyens de la Grèce et de Rome qui ne vécurent que pour de grandes choses et pour la gloire de leur patrie (2).

Malgré l'introduction dans les collèges des nouvelles disciplines modernes, c'est toujours l'Antiquité, surtout la latine, qui forme le fond de l'enseignement. Éducation païenne, et dont les institutions sociales et politiques ne sauraient convenir à une nation moderne. Le P. Porée avait, on le sait, déjà mis en garde ses élèves contre le prestige de l'Antiquité et les avait détournés de tout désir d'imitation ; en pleine connaissance de cause devançant les jugements autorisés des grands historiens de la France qui ont le plus profondément scruté les institutions de la Cité antique (3). Mais comment refroidir l'enthousiasme de

(1) La peinture de David, élève de Vien, directeur de l'Ecole de France Rome ; la poésie d'André Chénier : « Sur des pensers nouveaux, faisons de vers antiques » ; l'histoire et l'érudition, depuis Montesquieu, Rollin, Mably l'abbé Barthélemy, etc. ; l'influence des fouilles d'Herculanum et de Pompe

(2) Influence sur le jeune Ségur et sur les jeunes nobles de sa génération dont il parle dans ses *Mémoires*, Noailles, La Fayette, etc.

(3) Fustel de Coulanges, dans l'introduction de *La Cité antique* (1864), n' pas manqué de mettre en garde, à son tour, avec son admirable lucidité « On s'attachera surtout, dit-il, à faire ressortir les différences radicales e essentielles qui distinguent à tout jamais ces peuples anciens des sociétés modernes. Notre système d'éducation, qui nous fait vivre dès l'enfance a milieu des Grecs et des Romains, nous habitue à les comparer sans cesse à nou à juger leur histoire d'après la nôtre et à expliquer nos révolutions par les leur

jeunes Français pour les glorieux héros de la Grèce et de la République romaine à une époque où l'armée française déclinait ; où la France, qui naguère était encore capable de s'opposer à la domination universelle de sa vieille rivale et de susciter les États-Unis d'Amérique, ne tenait plus qu'un rôle effacé ; où tout, dans l'État et dans la société, réclamait une réforme profonde ? C'était là un sentiment naturel, développé par l'éducation, et que le jeune Ségur a complaisamment exprimé dans ses *Mémoires*, écho fidèle des idées et des mœurs de la haute société française, vers la fin de l'Ancien régime (1). L'Antiquité est devenue une école d'héroïsme pour une jeunesse oisive, inquiète, ambitieuse, et qui rêve de grandes choses.

Ce que nous tenons d'eux et ce qu'ils nous ont légué nous fait croire qu'ils nous ressemblaient ; nous avons quelque peine à les considérer comme des peuples étrangers ; c'est presque toujours nous que nous voyons en eux. De là sont venues beaucoup d'erreurs... Or les erreurs en cette matière ne sont pas sans dangers... Pour avoir mal observé les institutions de la cité ancienne, on a imaginé de les faire revivre chez nous. On s'est fait illusion sur la liberté chez les anciens, et pour cela seul la liberté chez les modernes a été mise en péril. Nos quatre-vingts dernières années ont montré clairement que l'une des grandes difficultés qui s'opposent à la marche de la société moderne est l'habitude qu'elle a prise d'avoir toujours l'antiquité grecque et romaine devant les yeux... Ainsi observées (avec un désintéressement total) la Grèce et Rome se présentent à nous avec un caractère absolument inimitable. Rien dans les temps modernes ne leur ressemble. Rien dans l'avenir ne pourra leur ressembler. » Et le grand historien en dit la raison : c'est que « l'homme ne pense plus aujourd'hui ce qu'il pensait il y a vingt-cinq siècles, et c'est pour cela qu'il ne se gouverne plus comme il se gouvernait » ; croyances, idées, intelligence, tout a changé, et par suite, les institutions de la société. — Voir encore, de Fustel, ses *Leçons à l'Impératrice*, 1930, leçon III, p. 30 : « Il y a quatre-vingts ans, la France était enthousiaste des Grecs et des Romains. On croyait savoir leur histoire. On était nourri dès l'enfance, dès le collège, d'une prétendue histoire grecque ou romaine, que des hommes comme le bon Rollin avaient écrite, et qui ressemblaient à la véritable histoire à peu près comme un roman à la vérité. Ainsi, l'on croyait que dans ces anciennes cités tous les hommes avaient été bons... que le gouvernement était très facile..., » et qu'il n'y avait qu'à les « imiter ». On l'a essayé : on n'a pas réussi. La société française, affublée d'institutions grecques et romaines, n'a pas pu se tenir debout, et il est arrivé qu'en imitant ces peuples anciens, que l'on connaissait mal, on a failli perdre la France. » — Remarquons que cet engouement n'existait plus chez le comte de Ségur, écrivant ses *Mémoires*, t. Ier, éd. de Stuttgart, 1829, p. 386 : « Offrons l'hommage d'une juste reconnaissance à l'auteur de *La Félicité publique* (Chastellux), qui, dissipant les préventions de l'école, replace enfin, comme elles doivent l'être, Paris et Londres fort au-dessus de cette Rome et de cette Athènes, dignes, à la vérité, de notre admiration sous beaucoup de rapports, mais qui ne méritaient pas à d'autres égards le culte enthousiaste et servile que trop longtemps nous leur avions voué. »

(1) Divers passages des *Mémoires* de Ségur rappellent l'admiration pour l'Antiquité, l'esprit païen qu'elle développait, le contraste entre l'esprit monarchique moderne et l'esprit antique, qu'on s'imaginait être un esprit de liberté. T. Ier, éd. de Stuttgart, *citée*, p. 111 : « La jeunesse, par un singulier contraste, élevée au sein des monarchies, dans l'admiration des grands écrivains comme des héros de la Grèce et de Rome, portait jusqu'à l'enthousiasme l'intérêt que lui inspirait l'insurrection américaine. »

III. — *L'Influence anglaise*

On a dit qu'un des principaux événements du XVIIIe siècle a été les relations étroites de l'esprit anglais et de l'esprit français (1), et il est certain qu'à partir de la Régence, et surtout après 1730, l'influence anglaise sur l'esprit français fut, on l'a déjà vu, considérable (2).

Il serait assez difficile de mesurer exactement cette action intellectuelle et sentimentale au cours du siècle. Cependant il est certain qu'elle ne fut jamais plus intense qu'entre 1730 et 1760 ; alors triomphent Newton et son système, même à l'Académie des Sciences, où veillent encore les derniers tenants de Descartes et de ses « tourbillons » ; puis Locke, ce maître de l'empirisme, adopté par Voltaire et surtout développé par Condillac dans son *Traité des sensations ;* puis Shakespeare, soit directement par les traductions bien infidèles de ses œuvres, et indirectement par les imitations splendides que sont *Zaïre* et d'autres tragédies de Voltaire ; enfin Richardson, Sterne et d'autres coryphées du sentiment par les géniales imitations de Rousseau et les éloquentes tirades de Diderot.

Cette influence s'affaiblit dès la fin de la guerre de Sept ans, malgré l'accueil courtois toujours réservé aux Anglais de marque passant à Paris ou y résidant longtemps, à un Gibbon, à un Horace Walpole. Les Français ne retrouvent plus dans l'Angleterre de George III et du Parlement de cette époque l'Angleterre de Newton et de Locke, décrite par Voltaire et Montesquieu, le pays par excellence de la liberté civile et politique. Ils s'en détournent déjà, devant l'attitude du Parlement et du roi à l'égard du député Wilkes, qui a des amis à Paris, et qui n'évite la prison que par sa fuite en France. Et ils ne voient plus dans l'Angleterre, jalouse de son impérialisme en Amérique, qu'une nation dominatrice des peuples comme des individus, prête peut-être, si elle réussissait dans son entreprise américaine d'asservissement, à suspendre en Angleterre même les vieilles libertés de sa Constitution. Les mieux informés, comme l'académicien Suard, remarquent, en effet, que chaque coup porté aux Colonies américaines a sa répercussion sur la politique intérieure de l'Angleterre, malgré les protestations de grands chefs parlementaires, Pitt (lord Chatham) ou Burke, et aux dépens des traditions

(1) Buckle, dans son *Histoire de la Civilisation au XVIIIe siècle.*
(2) Voir plus haut, p. 23, 33.

libérales de la nation (1). Et pourtant l'éloge, tout théorique d'ailleurs, qu'a fait Montesquieu de la Constitution anglaise, et qui a eu tant d'influence sur le Genevois Delolme, reste encore ancré dans les esprits français. Quoi qu'il arrive, on ne cessera en France de louer Montesquieu ; en 1789 son autorité restera entière ; on l'étudiera ; Marat l'expliquera (2) ; on verra dans l'auteur de *L'Esprit des lois* un apôtre de la liberté civile et politique.

Cependant, à part des exceptions, on n'a plus d'illusions politiques sur la liberté anglaise. Des hommes informés, comme Suard (3), le marquis de Casaux (4), Mirabeau (5) savent bien que l'Angleterre n'est qu'une aristocratie ; que le Parlement, avec ses députés des bourgs et des « bourgs pourris » *(rotten boroughs)* ne représente pas fidèlement la nation. Voltaire n'ignore pas que les députés se vendent ; mais lui, il s'en tire par un mot d'esprit à nos dépens : c'est que nous, personne n'a l'idée de nous acheter, parce que nous ne valons rien (6). Mais Mirabeau, plus réaliste et mieux informé, voit, un peu plus tard, il est vrai, « l'effrayante « obstruction du corps politique, cloaque infâme au moral ». Il n'a sur ce peuple aucune illusion politique. Mais que d'illusions sociales ! Que d'admiration pour cette nation agricole ! « Ce « peuple dominateur est avant tout et surtout agricole au sein « de son île... C'est partout la Nature améliorée, et non forcée. « Tout me dit qu'ici le peuple est quelque chose », et il vante la propreté de ces belles campagnes autour de Londres, de ces maisons de cultivateurs aussi nettes que des palais de France (7). Pour un peu il célébrerait à la manière de Virgile le bonheur des cultivateurs, et cela en 1784, au moment même où la «révolution industrielle » bat son plein, où les petits propriétaires, les *yeomen*, qui, au temps jadis, ont fait la puissance économique et la force militaire de l'Angleterre, sont maintenant chassés de leurs domaines par les décrets d'« enclosure » d'un Parlement à la

(1) Voir *La Fin de l'Ancien régime et la Révolution américaine*, dans *Peuples et Civilisations*, t. XII, chap. II.
(2) Marat, *Eloge de Montesquieu* (1789).
(3) Voir dans les *Mémoires de Condorcet*, t. Ier, et note, plus loin, p. 284.
(4) Sur ce personnage fort peu connu, voir l'intéressante étude du Lt de vaisseau Philippe de Roux, *Un inspirateur de Mirabeau, le marquis de Casaux*. Planteur aux Iles (La Grenade), tantôt Français, tantôt Anglais, selon les vicissitudes des guerres et des traités, voyageur en Angleterre, résidant en France à la veille de la Révolution, connaisseur des institutions sociales et financières anglaises, informateur précieux pour Mirabeau, qui ne cessera de le louer, de lui faire de larges emprunts (*Cahiers de la Révolution*, New-York).
(5) Pour Mirabeau, voir plus loin, même page.
(6) *Lettres de Madame de Graffigny*, publiées par Eugène Asse, p. 435.
(7) Mirabeau, *Lettres à Champfort* (1784).

solde des grands propriétaires de l'aristocratie (1). Quelle illusion ! Voici que ceux qui ont voyagé en Angleterre, même des plus perspicaces, sont les premiers à se tromper sur le présent et l'avenir social de la grande île ! Il ne faudra donc point s'étonner si, en 1789 et au début de la Révolution, l'Angleterre sera encore méconnue.

On s'imaginera encore trop souvent que le pouvoir royal y est réduit à presque rien par le Parlement. On ignorera, en général, comment se forme le Parlement, comment se font les élections à la Chambre des Communes. « Ces sortes de gouvernement à « constitution sont admirables, écrivait Condorcet, parce qu'ils « semblent appartenir à tous les citoyens également. » Quelle étrange erreur ! Suard lui démontre que le gouvernement est aussi maître en Angleterre que dans une forte monarchie ; que le roi a le droit de dissoudre, à sa volonté, le Parlement établi pour sept ans ; que le gouvernement peut, par la variété même du mode d'élection et la longue durée de l'élection, influer sur les élections de comté ou de bourg, faire suspendre le scrutin par le magistrat qui préside. On voit par là, dit Suard, « combien le « gouvernement a de puissance dans les élections, et qu'il en « résulte nécessairement une majorité de la Chambre des Com« munes qui lui est toute dévouée (2). » Et il conclut que ce gou-

(1) Arthur Young a noté cette ignorance totale où étaient les Français en 1789, de la transformation économique de l'Angleterre et de ses progrès considérables après la paix de 1783 et la perte de l'Amérique. L'abbé Raynal, qu'il rencontre à Marseille, l'ignore, il n'en a pas entendu parler, ni lui ni personne. « I have not met with a single person in France acquainted with these circumstances ; yet they inquiestonably form one of the most remarkable and singular experiments in the science of politics that the world has seen... » *Travels*, éd. Betham-Edwards, p. 261.

(2) Voir une très longue note de Suard à Condorcet dans les papiers de Condorcet réunis par le marquis Frédéric-Gaëtan de La Rochefoucauld-Liancourt, fils du duc de Liancourt (voir M. Tourneux, *Répertoire des sources de l'histoire de Paris pendant la Révolution*, t. IV, p. 233), sous le titre de *Mémoires de Condorcet sur la Révolution française*, 1824, in-12, t. Ier, p. 288-304. Cette note est, surtout pour l'époque, extrêmement remarquable, et on chercherait vainement quelque chose d'analogue écrit par un Français, et peut-être même au XVIIIe siècle, par un Anglais. Il étudie très exactement le mode électoral montre les variétés, puis les obligations des électeurs non-résidents qui doivent aller, souvent très loin, au lieu unique de l'élection, et dont les frais de voyage sont payés par les candidats. Or ces non-résidents sont souvent fort nombreux (D'après le dernier recensement, dit Suard, Colchester avait cinq cent vingt huit résidents, et sept cent cinquante-deux étrangers ; Lancastre n'avait que six cent cinquante-sept résidents, et mille six cent vingt-cinq étrangers). Il donne beaucoup de détails sur les frais à la charge des candidats : sommes énormes parfois, comme à Bristol (240.000 francs), sans compter « l'usage malgré la loi qui le défend, de donner des nourritures et des liqueurs aux électeurs étrangers. On ouvre des maisons publiques pour les recevoir ; mais il a paru impossible de distinguer les étrangers des électeurs de la cité, de sorte que tous y sont admis à la distribution des mets et des vins, et il en résulte une confusion et une ivresse générale dans la ville pendant tout le temps de l'élec

vernement libre n'est fait, tel qu'il est présentement, que pour le pays où il a pris naissance, et qu'on ne peut l'adopter en France sans réserve et sans délai. « Le meilleur gouvernement appar-« tenant à une autre nation ne peut convenir à la France, par « cela même qu'il convient à une autre. » Il est fait, d'ailleurs, de coutumes et d'usages qui se sont établis peu à peu, en rapport avec les conditions sociales du pays. Or ces conditions sociales de l'Angleterre, à peu près personne ne les connaît alors en France. On dirait deux pays tout voisins, qui, malgré leurs relations littéraires et philosophiques et leurs échanges commerciaux, s'ignorent presque complètement (1). L'Angleterre est en pleine transformation économique, sociale, politique, et personne en France ne s'en doute (2).

Malgré le peu de connaissance que l'on aura de l'Angleterre et de sa Constitution réelle, on voudra imiter l'Angleterre, du moins tout au début de la Révolution. Pour le moment, on est attiré davantage par les institutions politiques des États-Unis. Il est vrai que celles-ci sont des institutions anglaises ; mais si l'influence anglaise reste encore dans les esprits, elle est masquée par celle de la jeune nation américaine.

En attendant, modes et coutumes anglaises ravissent les jeunes gens. « Riants frondeurs des modes anciennes, écrira « Ségur,... tout ce qui était antique nous paraissait gênant et « ridicule. » A Voltaire, qui demande à Sherlock, un de ses visiteurs de Ferney, comment il trouve les Français : « Je ne leur trouve qu'un seul défaut, répond le Britannique, ils imitent trop les Anglais (3). » Et, en effet, quel engouement ! La jeunesse est tout anglaise dans ses plaisirs et ses modes. « L'usage nouveau des « cabriolets, des fracs, la simplicité des coutumes anglaises nous « charmaient, a écrit encore Ségur, en nous permettant de

tion » ; le tout aux frais des candidats. — On trouvera des précisions sur tout ce régime dans les historiens anglais bien connus, Lecky et surtout Namier, tout récent, et dans la remarquable *Histoire de l'Angleterre au XIXe siècle*, de Elie Halévy, t. Ier. Enfin, si l'on veut comprendre toute l'importance du contrôle financier du Parlement, on consultera Trevelyan, *England under the Queen Anne*, notamment le t. II, bien qu'il s'agisse d'une époque plus ancienne.

(1) On a déjà vu cette ignorance chez ceux qui n'ont pas voyagé en Angleterre, comme Condorcet.

(2) A cela rien d'étonnant. Même les histoires d'Angleterre les meilleures d'autrefois ne nous donnent une idée exacte de ce pays à la fin du XVIIIe siècle. Même l'histoire, pourtant excellente, de Lecky ne fait sentir suffisamment les transformations économiques et sociales. Ce n'est que depuis une quarantaine d'années que l'on a vraiment expliqué l'Angleterre sociale et politique depuis 1760. De là une Angleterre de mirage chez les écrivains français du XVIIIe siècle.

(3) Sherlock à Voltaire (1776), dans les *Lettres de Madame de Graffigny*, p. 435.

« dérober à un éclat gênant tous les détails de notre vie privée.
« Consacrant tout notre temps à la société, aux fêtes, aux plaisirs,
« aux devoirs peu assujettissants de la Cour et des garnisons,
« nous jouissions à la fois avec incurie et des avantages que nous
« avaient transmis les anciennes institutions et de la liberté que
« nous apportaient les nouvelles mœurs (1). » Tout devient anglais dans la société polie : les « thés », les jeux, les chevaux, les courses, comme les fracs. La haute noblesse (le duc d'Orléans, le prince de Conti, etc.) se divertit à l'anglaise (2). On apprend plus que jamais l'anglais. C'est la langue étrangère la plus connue en France. On raffole de tout ce qui est anglais : des draps anglais, des couteaux anglais, aux dépens de l'industrie française dont la haute société ne se soucie guère ; c'est une fureur. Comment, à voir l'Angleterre si prospère, ne penserait-on pas un jour à lui prendre aussi sa Constitution ?

IV. — *L'influence Américaine* (3)

Cependant c'est l'Amérique qui attire les regards des politiques. Les Français se trouvent fort bien préparés à comprendre les théories des Américains, leur haine de l'impérialisme britannique, leur profond amour de la liberté civile, politique et religieuse, leur invincible répugnance à des taxes imposées par une autorité étrangère, sans leur consentement. Ils peuvent d'autant mieux saisir ces théories américaines que, à côté des idées de la première révolution anglaise, ils y retrouvent un écho de la philosophie française, en particulier de l'*Esprit des lois*, tant admiré par les jurisconsultes et les avocats de Boston et de Philadelphie, et qu'invoquent plusieurs d'entre eux lors de la ratification de la Constitution amendée de 1787 (4).

(1) *Mémoires* de Ségur, éd. Stuttgart, 1829, t. Ier, p. 31.

(2) Voir Britsch, *La Jeunesse de Philippe-Egalité.*

(3) Le sujet de l'influence américaine a été traité en France dans quelques livres ou articles. Voici, par ordre chronologique : Ph. Sagnac, *Les Origines de la Révolution française : l'influence américaine*, dans la *Revue des Etudes napoléoniennes*, 1923 ; Bernard Faÿ, *L'Esprit révolutionnaire en France et aux Etats-Unis à la fin du XVIIIe siècle*, 1925 ; Daniel Mornet, *Les Origines intellectuelles de la Révolution*, tout un chapitre, où il ne s'appuie que sur B. Faÿ.

(4) Les anti-fédéralistes élèvent de fortes objections contre une Constitution qui ne sépare point les pouvoirs, et ils invoquent, à ce propos, la théorie de Montesquieu, que, pour les besoins de leur cause, ils interprètent dans un sens absolu. On trouvera ces vives critiques auxquelles répondent Madison, Hamilton et John Jay, dans le volume intitulé *The Federalist, or the new Constitution, written in 1788 by Mr. Hamilton, Mr. Madison and Mr. Jay...* (Washington, 1818, in-8° ; nouvelle édition corrigée et augmentée d'un appendice important, Hallowell, 1842, in-8°).

I. — On sait combien le mouvement de sympathie pour les Anglo-Américains fut vif et spontané parmi les jeunes officiers de l'armée (1), et avec quelle rapidité il se communiqua à toutes les classes éclairées de la nation, encore fort ignorantes de la situation et des ressources de l'Amérique, et entraîna le gouvernement lui-même, heureux de prendre sa revanche de l'humiliation du traité de Paris. Quel spectacle inouï ! Une monarchie absolue s'alliant à des colons soulevés contre leur métropole, et, favorisant elle-même des principes opposés à sa propre conservation. La nation est emportée par un enthousiasme délirant pour un peuple jeune et opprimé. La Fayette qui a abandonné sa famille pour courir l'aventure américaine, écrit à sa jeune femme, à bord de la *Victoire* (30 mai 1777) : « Défenseur de cette « liberté que j'idolâtre, libre moi-même plus que personne, en « venant, comme ami, offrir mes services à cette république si « intéressante, je n'y porte que ma franchise et ma bonne « volonté, nulle ambition, nul intérêt. En travaillant pour ma « gloire, je travaille pour leur bonheur. » Gloire personnelle, bonheur et liberté du peuple américain : ce sont là les sentiments de la nation, qui de sa victoire ne réclamera aucun avantage matériel, pas même le Canada perdu (2). Après le traité d'alliance (1778) la flotte et l'armée coopèrent avec les Américains. Dans l'armée de Rochambeau entrent des détachements d'une dizaine de régiments (3).

L'Amérique, ce pays neuf, ne pouvait manquer d'exercer une forte action sur nombre d'officiers et même de soldats d'un vieux pays. Vivant simplement, avec des laboureurs transformés en soldats, dans des contrées fort peu peuplées, sans grandes villes, les officiers français, sujets d'un roi absolu, prennent de nouvelles mœurs et un « air de compagnons » (4). Ils s'entretiennent avec

(1) On connaît le mouvement de « volontaires », recrutés par Silas Deane et Adams : en 1776, dix-neuf officiers (La Rochefermoy, qui devint brigadier général des armées continentales, le chevalier de Kermorvan, lieutenant-colonel, le chevalier de Saint-Aulaire, le colonel Saint-Martin, etc. ; en 1777, quarante-deux officiers : le marquis Armand de La Rouërie, colonel ; de La Neuville, le chevalier Du Portail, Prudhomme de Borre, brigadiers-généraux ; Tronson du Coudray, le jeune marquis de La Fayette, majors-généraux (d'après la liste donnée par Hilliard d'Auberteuil, *Essais historiques et politiques sur les Anglo-Américains*, 1781, t. II, p. 413 (Bibliothèque Nationale, Pb. 155).

(2) Ce qui faisait dire au ministre espagnol que la politique française était une politique de « Don Quichotte ».

(3) De sorte que l'influence américaine va se faire sentir plus tard sur chaque régiment tout entier : Bourbonnais, Soissonnais, Saintonge, Agenois, Gâtinais, Touraine, Hainaut, Foix, Auxonne, Royal-Deux-Ponts.

(4) Comme le disent les habitants de Providence à Rochambeau, dans leur « Adresse ». Voir *Les Combattants français de la guerre américaine, 1778-1783*, publication du ministère des Affaires étrangères des Etats-Unis, in-4° Washington, Impr. Nat., 1905 (Bibl. Nat., Pb. 813).

les républicains, avec Washington, avec tous ceux qui, au milieu de tant de difficultés et de conflits moraux et politiques, ont lutté sans relâche pour séparer l'Amérique de l'Angleterre impérialiste. Le marquis de Chastellux a de longues conversations avec Samuel Adams sur l'état social et politique du pays, discute volontiers avec ce législateur sur l'influence possible de la propriété et des grandes fortunes que le commerce va faire naître et la corruption politique ou les troubles civils qu'elles engendreront (1). La Fayette, Noailles, Damas, Chastellux, d'autres encore assistent aux délibérations de l'Assemblée législative de Pennsylvanie (2). Ils s'enquièrent des anciennes institutions du pays, voient fonctionner les nouvelles ; c'est une continuelle et vivante leçon d'histoire et de politique. Ils visitent l'Académie de Philadelphie, ce puissant foyer de pensée et d'action républicaine. Et peu à peu, par la confraternité des armes, par la lutte commune pour l'affermissement d'une démocratie rurale et commerçante, par la passion de la liberté qui les enflamme sur cette terre neuve et lointaine, ils deviennent Américains de cœur. Ils forment un groupe de « Gallo-Américains ».

Transformation complète chez plusieurs, chez Chastellux, chez La Fayette. A la fin de la campagne, La Fayette va se présenter à la Cour d'Espagne, au nom des États-Unis. « J'ai fait ce « matin ma cour au roi, écrit-il de Madrid le 17 février 1783 ; « et, malgré mon titre et habit rebelles, j'en ai été reçu fort gra- « cieusement. J'ai vu des grands bien petits, et il y a là de quoi « faire éternuer un cerveau indépendant (3). » D'autres seront avec lui, dès 1789, parmi les nobles libéraux qui accepteront sans réserve la suppression des privilèges : le bailli de Suffren, le colonel Armand de la Rouërie, le comte de Custine, le duc de Lauzun, le vicomte de Noailles, les Lameth (Charles, Alexandre et Théodore), le prince de Broglie, fils du maréchal. Mais il en est aussi que l'Amérique ne rendra pas libéraux (4).

(1) Adams lui répond : « Je sens très bien la force de vos objections. On bâtit la maison aussi pour l'avenir. » Chastellux reconnaît qu'Adams n'est pas un jurisconsulte vivant dans l'abstrait. « On a reproché souvent à ce citoyen de consulter sa bibliothèque plutôt que les circonstances actuelles et de passer toujours par les Grecs et les Romains pour arriver aux whigs et aux torys. Si cela est vrai, je dirai que l'étude a aussi ses inconvénients, mais qu'il faut que ce soient les moindres de tous, puisque M. Samuel Adams, autrefois ennemi des troupes réglées et partisan outré de la démocratie, emploie maintenant toute son influence à soutenir une armée et à établir un gouvernement mixte. » *Voyages de Monsieur le marquis de Chastellux dans l'Amérique septentrionale dans les années 1780, 1781 et 1782*, 2 vol. in-8°, Paris, 1786, t. Ier, p. 225 et suiv.

(2) Chastellux, *ibid.*, p. 186.

(3) Lettre de La Fayette à Mme de Tersé, sa tante, dans ses *Mémoires*, t. III, p. 74.

(4) D'autre part, bien des nobles restés en France n'eurent pas besoin d'une

Après la guerre, en mai 1783, un grand nombre des officiers qui ont fait campagne en Amérique forment une société, « *military Society of friends* », qui s'appelle l'ordre de Cincinnatus, « *order of the Cincinnati* », beaucoup d'officiers américains devant retourner à leurs plantations. L'ordre est approuvé par Louis XVI (décembre 1783) et ses membres autorisés à porter leurs insignes — des aigles aux ailes éployées — à la Cour et dans les cérémonies. Le ruban est bleu foncé, bordé de blanc, symbole de l'union de la France et de l'Amérique. Le but de la Société est, en effet, de perpétuer le souvenir de la « généreuse assistance que l'Amérique a reçue de la France », et de « conserver inviolables les « nobles droits et libertés de l'humanité pour lesquels Américains « et Français ont combattu et respiré », et qui sont les vraies « raisons de vivre » (1). L'ordre des Cincinnati comprend deux-cent soixante membres : deux princes, cinq ducs, deux grands d'Espagne de première classe, quarante et un marquis, quatre-vingt-deux comtes, vingt-trois vicomtes, quatorze barons. Parmi eux : le comte d'Estaing, amiral, président, le comte de Rochambeau, maréchal de France, vice-président ; le comte de Ségur, secrétaire. La première réunion a lieu chez Rochambeau, le 7 janvier 1784. Tous les ans, le 4 juillet, jour anniversaire de la Déclaration de l'Indépendance des États-Unis d'Amérique, les membres de l'ordre se réunissent en l'hôtel du comte d'Estaing, rue Sainte-Anne, pour célébrer le grand acte qui donna la liberté à tout un monde. L'amour de la liberté et des droits de l'homme, proclamés à la face de l'univers par les citoyens d'Amérique, se maintient ainsi chez les anciens compagnons d'armes. Un puissant esprit réformateur s'introduit dans l'armée française ; la haute Noblesse donne elle-même l'exemple.

Cet esprit nouveau, cette transformation morale de tant de combattants français, les Américains l'avaient aperçue sans peine, peut-être sans étonnement. Beaucoup d'entre eux la voyaient avec joie. Toutefois les plus avertis ne laissaient pas de mettre ces esprits enthousiastes en garde contre les dangers d'une

campagne en Amérique pour soutenir dès 1789 la cause de la liberté. Il y a là des questions de psychologie très délicates. Ce qui est certain, c'est que ceux qui avaient déjà des idées libérales en partant pour l'Amérique ont, en général, fortifié en eux ces dispositions premières au contact de la liberté américaine. La vie au delà de l'Atlantique élargit leurs idées, au milieu d'une démocratie agissante. On reconnaîtra, au début de la Révolution française, ceux sur qui a passé le grand souffle de la liberté, à Boston, à Philadelphie, à Valley Forge, à Yorktown.

(1) *The institution of the order of the Cincinnati* (Bib. Nat., Pb. 4496) « An incessant attention to preserve inviolate those exalted rights and liberties of human nature for which they have fought and bled and without which the high rank of a rational being is a curse instead of a blessing. »

imitation. Le Dr Cooper, ministre protestant de Boston, disait à Mathieu Dumas : « Prenez garde, jeunes gens, que le triomphe « de la cause de la liberté sur cette terre vierge n'enflamme trop « vos espérances. Vous porterez le germe de ces généreux sen- « timents ; mais, si vous tentez de le féconder sur votre terre « natale, après tant de siècles de corruption, vous aurez à sur- « monter bien des obstacles. Il nous en a coûté beaucoup de sang « pour conquérir la liberté ; mais vous en verserez des torrents « avant de l'établir dans votre vieille Europe (1). » Le Dr Cooper était bon prophète. Mais que pouvaient de tels avertissements ? La liberté transportait la jeune Noblesse de France. Ségur écrivait : « Quoique jeune, j'ai déjà passé par beaucoup d'épreuves « et je suis revenu de beaucoup d'erreurs. Le pouvoir arbitraire « me pèse. La liberté pour laquelle je vais combattre m'inspire « un vif enthousiasme, et je voudrais que mon pays pût jouir de « celle qui est compatible avec notre monarchie, notre position « et nos mœurs (2). » Conciliation de la monarchie ancienne et de la liberté nouvelle, c'est déjà toute la Révolution. Serait-elle possible, stable ? L'illusion américaine s'empare déjà de l'esprit du jeune vicomte de Ségur, comme de tant d'autres de ses amis, les La Fayette, les Noailles ou les Lameth. Chez tous ces jeunes officiers de l'armée, la sagesse du Dr Cooper est vite oubliée. Avec l'Amérique, la démocratie fait son entrée en scène ; elle trouble déjà l'esprit de l'élite française, sujette d'un monarque absolu.

II. — C'est au milieu de l'enthousiasme général pour l'Amérique que la Constitution des États-Unis parvient aux philosophes et aux publicistes français qui ont tant écrit sur le droit politique. L'Amérique vient à point leur donner l'occasion de réviser leurs théories, de les comparer à des maximes qui, elles, ne restent pas enfermées dans des livres, mais sont en train de faire leurs preuves et de créer une grande nation démocratique. Raynal, Mably, La Rochefoucauld, Chastellux, Mirabeau, Brissot et Clavière, Condorcet, tous expriment la grandeur de l'événement, souvent avec plus de ferveur que de science exacte, mais cependant, chez quelques-uns, comme Condorcet, avec le désir ardent d'y puiser de nouvelles leçons, pour le plus grand profit du droit public (3). C'est une admiration non plus seulement spon-

(1) Thomas Balch, *Les Français en Amérique pendant la guerre de l'Indépendance*, t. Ier, p. 65 (Bib. Nat., Lh 4 931) ; La Rochefoucauld-Liancourt, *Voyage dans les Etats-Unis d'Amérique, 1795-1797*, t. IV. Il s'agit ici de Mathieu Dumas, futur général. Ne pas le confondre avec le comte de Damas, cité un peu plus haut.

(2) Lettre du 10 mai 1782, dans Balch, *ibid.*, p. 214.

(3) Raynal, *Tableau et révolutions des colonies anglaises dans l'Amérique septentrionale*, 1781. Mably, *Observations sur les Etats-Unis*. Démeunier, *Essai*

tanée, comme chez nos officiers, mais raisonnée. Tous font l'éloge de l'Amérique, de ses mœurs, de son esprit public, de ses institutions, enfin de ses immenses ressources d'avenir.

Ce qui est nouveau dans le droit public américain, ce sont d'abord les « Déclarations des droits ». Certes l'Angleterre avait eu, au XVIIe siècle, ses « Bills of rights ». Ces déclarations de droits sont dans la tradition libérale anglaise. Mais les Déclarations américaines, outre la fameuse Déclaration de Philadelphie (1776), celles de Virginie, du Massachusets, de Pennsylvanie, de la Delaware, du Maryland, de la Caroline du Nord, procèdent d'un esprit tout différent de l'esprit anglais. Elles sont essentiellement philosophiques, et elles sont démocratiques. Elles proclament les « droits naturels » de l'homme, « essentiels et inaliénables » (1) : liberté, propriété, sûreté — celles de Virginie et de Pennsylvanie ajoutent le « droit au bonheur » — et par liberté elles entendent notamment la liberté de la presse, sans restriction, dit la Déclaration de Virginie, la liberté de conscience « la plus entière » et « la plus entière liberté de culte » (2). Elles proclament comme principe politique la « souveraineté du peuple ».

Il est assez naturel que les philosophes français, en lutte contre le « despotisme », aient conçu une grande admiration pour ces Déclarations, surtout pour celle de la Virginie. « L'auteur de « cet ouvrage, écrit Condorcet, a des droits à la reconnaissance « éternelle du genre humain (3). » N'est-ce pas un modèle pour les Français ? Il nous faut, dit Condorcet, une Déclaration des droits. Œuvre difficile sans doute ; car les Déclarations américaines ne sont pas encore, selon Condorcet, assez complètes, ne restreignent pas suffisamment les abus du pouvoir. Mais, profitant de l'expérience américaine et l'améliorant, la Déclaration qu'il rêve déterminera les droits de chacun, établira des principes généraux, mettra fin à la tyrannie, « assurera la tranquillité ». Ce sera un instrument de liberté et d'ordre ; car nos philosophes ne séparent point l'ordre social de la liberté.

Parmi les libertés dont jouissent les Américains nos écrivains

sur les Etats-Unis. Crèvecœur, *Lettres d'un fermier américain* (Saint-John de Crèvecœur), Londres, 1782. Clavière et Brissot, *De la France et des Etats-Unis*, 1787. Condorcet, *De l'influence de la Révolution d'Amérique sur l'Europe*, 1786 (*Œuvres*, éd. O'Connor, t. VIII). Condorcet, *Idées sur le despotisme*, 1789 (*id.*, t. IX) ; *Au corps électoral contre l'esclavage des noirs*, 3 février 1789 (*id.*, t. IX, p. 472). — Dans ces livres parfois médiocres Thomas Paine relève des erreurs graves. Il écrit à Raynal : « Je n'ai pas encore vu une description de l'Amérique faite en Europe sur la fidélité de laquelle on puisse compter. »

(1) Mots de la Déclaration de Pennsylvanie. — Toutes les Déclarations n'inscrivent pas l'égalité, comme l'a fait la Virginie.

(2) Déclaration de Virginie, art. 14 et 18.

(3) Condorcet, *Idées sur le despotisme*, dans *Œuvres*, t. IX, p. 168.

remarquent tout d'abord la liberté de la presse et la liberté religieuse. Dans leur ouvrage, *De la France et des États-Unis*, Brissot et Clavière citent l'*Act* voté en 1788 par l'Assemblée de Virginie : « Nul homme ne sera forcé de pratiquer ou de soutenir « aucun culte... ; il ne sera contraint ni molesté ni chargé dans « son corps ou dans ses biens sous le prétexte de ses opinions « religieuses ; tous les hommes seront libres de professer et de « soutenir par arguments leurs opinions en matière religieuse, et « ces opinions ne diminueront, n'étendront, n'affecteront en « aucune manière leur capacité civile... Et nous déclarons que les « droits maintenus par le seul « Act » sont les droits naturels du « genre humain, et s'il était passé aucun « act » pour révoquer « celui-ci ou limiter son effet, une telle révocation serait une « infraction au droit naturel (1). » Sans doute, même en Amérique, la tolérance n'est ni générale ni absolue, remarque Condorcet ; on trouve encore « dans les lois de quelques États de faibles « restes d'un fanatisme trop aigri par de longues persécutions... ; « mais on en découvrirait bien plus dans les législations des « peuples les plus sages, surtout dans celles de ces nations « anciennes que l'on admire tant et que l'on connaît si peu ». L'Amérique a établi « une tolérance plus étendue qu'aucune « autre nation » (2). Elle « a prouvé qu'un pays peut être heureux, « quoiqu'il n'y ait dans son sein ni persécuteurs ni hypocrites (3) ». Ces idées américaines, mises en forme de lois, particulièrement en Virginie, viennent seconder encore l'effort séculaire de nos philosophes en faveur de la tolérance.

Cependant ce sont surtout les institutions politiques qui attirent leur attention. Ils voient la souveraineté du peuple proclamée dans les Déclarations des droits rédigées notamment par le Massachusets, la Pennsylvanie, la Virginie. Le gouvernement est représentatif ; le droit de suffrage attaché à la propriété foncière, sauf dans certains États, comme la Pennsylvanie, où tous les citoyens sans distinction peuvent voter, quelle que soit leur fortune ou leur propriété, et qui réalisent la pleine démocratie.

(1) Brissot et Clavière, *De la France et des Etats-Unis*, texte traduit par eux, p. 336.

(2) Condorcet, *De l'influence de la Révolution d'Amérique*, 1786, *Œuvres*, éd. O'Connor, t. VIII, p. 12. En 1786, Mirabeau écrivait dans sa *Lettre à X... sur Messieurs de Cagliostro et Lavater :* « Vous parlez de tolérance ! Et il n'est pas un pays sur la terre, je n'en excepte pas les nouvelles républiques américaines, où il suffise à un homme de pratiquer les vertus sociales pour participer à tous les avantages de la société. » Mais cela n'est plus vrai de la Virginie en 1788. Il y a eu un progrès remarquable après les amendements de 1787 à la Constitution et les efforts de Washington, de Madison, de Hamilton et des fédéralistes du Congrès.

(3) Condorcet, *ibid.*, p. 19.

Le pouvoir législatif appartient dans chaque État à deux Assemblées, sauf en Pennsylvanie, où il n'en existe qu'une. Ce sont des institutions soit purement anglaises — « franchise » (1), gouvernement représentatif de deux Assemblées — soit parfois essentiellement américaines, comme l'Assemblée unique. Nos philosophes et nos économistes sont, en général, partisans du mode de suffrage fondé sur la fortune — on l'édictera, en 1787, dans les élections aux Assemblées municipales — ; mais les esprits les plus hardis se tournent vers le système de l'Assemblée unique. Si celle-ci effraie Mably, elle fait l'admiration de Condorcet, qui remarque que l'institution en est due à Franklin, président de la Convention qui rédigea la Constitution de Pennsylvanie (2). Et Condorcet admet aussi, contrairement aux opinions de Voltaire et de la plupart des philosophes, l'égalité pennsylvanienne des droits politiques ; car elle est, pour lui, une conséquence de « l'égalité naturelle et primitive de l'homme » ! « Le bonheur d'une « société est d'autant plus grand que les droits naturels appar- « tiennent avec plus d'étendue aux membres de l'État (3). »

Aux États-Unis, le peuple souverain a seul le droit, par ses représentants, de consentir l'impôt : principe anglais que les colons américains ont invoqué avant de se séparer de l'Angleterre, et qui a pris place dans toutes leurs constitutions. Ce droit, que les publicistes français revendiquent en faveur de la Nation, à l'encontre des Parlements du royaume qui prétendent se l'arroger, est maintenant admis comme fondement essentiel du droit public général et idéal. On en étudie les applications en Amérique, et Condorcet est encore là un des premiers (4).

Il est cependant une institution sociale qui oblige les philosophes français à de graves réserves : l'esclavage, qui subsiste dans plusieurs des États du Sud des États-Unis. Mais, se hâte de

(1) La « franchise » du franc-tenancier (cens électoral) est une institution proprement anglaise, dans les comtés et dans la plupart des bourgs.

(2) Condorcet, *Eloge de Franklin.* — Chastellux semble faire l'éloge de l'Assemblée de Pennsylvanie, qui nomme un Conseil exécutif de douze membres, obligés de rendre compte à l'Assemblée dans laquelle ils n'ont pas de voix. C'est la séparation des pouvoirs. Mais Chastellux n'est qu'un voyageur, non un doctrinaire ; on ne sait pas s'il préfère ce système de l'Assemblée unique (Chastellux, *Voyages...*, t. Ier, p. 161, où il raconte sa visite à Huntington, président du Congrès, qu'il trouve « dans son cabinet, éclairé par une seule chandelle ; cette simplicité rappelait celle des Fabricius et des Philopœmen ».

(3) Condorcet, *De l'influence de la Révolution d'Amérique*, p. 6.

(4) Condorcet, *Idées sur le despotisme*, 1789 (*Œuvres*, t. IX). Il critique certaines constitutions qui autorisent l'établissement de taxes pour le paiement des frais du culte, applicables à tel ou tel culte, suivant la volonté du contribuable. Il prétend que « toute taxe de cette espèce est contraire au droit des hommes, qui doivent conserver la liberté de ne payer pour aucun culte comme de n'en suivre aucun » (t. IX, 5°).

déclarer Condorcet, « tous les hommes éclairés en sentent la « honte comme le danger, et cette tache ne souillera plus long-« temps la pureté des lois américaines » (1). Tout un mouvement d'opinion se propage, en effet, dans la Nouvelle-Angleterre, en faveur des nègres ; et le quaker Bénazet, dont Brissot parle avec éloge, en est l'âme : mouvement plus puissant encore en Angleterre, et qui reçoit l'impulsion des évangélistes, Wilberforce et ses amis, et même l'appui du gouvernement de William Pitt. Et c'est sous l'influence de cette opinion américaine (2), et aussi anglaise, que se fonde en France la *Société des amis des noirs*, avec Brissot, Mirabeau, dans des vues plus sentimentales et généreuses que politiques (3).

Enfin la constitution d'une grande République, encore peu peuplée, mais très étendue, et appelée, disent les Français, aux plus hautes destinées, amènera nos théoriciens à confronter ce fait historique avec la maxime de Rousseau qui n'admet le gouvernement républicain que pour les petits États. Toutefois les publicistes ne discutent pas encore la question ; ni Brissot et Clavière ni même Condorcet (4). A vrai dire, on attend l'expérience américaine ; car c'est bien — Washington le déclare lui-même — une expérience de République fédérale que tente alors la jeune nation des États-Unis.

Ainsi les principes américains viennent fortifier et parfois modifier les principes que philosophes et économistes ont déjà posés. L'exemple éclatant de l'Amérique renouvelle en partie les théories politiques et sociales françaises et les vivifie. « Le spec-« tacle d'un grand peuple où les droits de l'homme sont respectés « est utile à tous les autres, malgré la différence des climats, des « mœurs et des Constitutions », déclare Condorcet. Ainsi se crée une sorte de droit public franco-américain.

(1) Condorcet, *De l'influence de la Révolution d'Andrique*, p. 12. Brissot, à la fin de son livre.

(2) Condorcet, *Au corps électoral, contre l'esclavage des noirs :* « La nation française... partagera sans doute la générosité d'un peuple dont elle a défendu la cause, à qui elle doit peut-être une partie de ses lumières actuelles ».

(3) On sait ce que, soixante-dix ans après, a coûté aux Etats-Unis la guerre contre l'esclavage. On sait moins ce qu'ont coûté à la France les réformes généreuses introduites dans ses colonies, notamment à Saint-Domingue, dès 1790. Ce mouvement d'opinion surtout anglaise n'a rien coûté à l'Angleterre. Il est des historiens avertis, comme M. Gaston-Martin, qui pensent que ce mouvement si largement développé en Angleterre était destiné à amener l'opinion française à des réformes inconsidérées, hâtives et capables de faire perdre à la France ses dernières colonies. Ces idées machiavéliques ont-elles germé dans l'esprit des gouvernants anglais ? Nous n'osons l'affirmer. Mais il y a là un sujet fort intéressant à étudier.

(4) Ce n'est qu'en 1791, après la fuite du roi, que se déroulera la controverse, avec Condorcet, Sieyès, Thomas Paine. Alors Condorcet décidera dans le sens américain.

III. — On ne veut plus voir l'Angleterre, semble-t-il. Sa constitution, tant vantée, est trop compliquée, et, en somme, faite pour une aristocratie ; même on aurait vu, sans la révolution américaine, « l'absolutisme s'établir » dans ce pays si fier de ses institutions (1). Ici Condorcet a raison. Mais l'influence américaine, au point de vue politique, c'est toujours, en grande partie, l'influence anglaise ; il est vrai, celle de la première république, de Milton et des puritains, fortifiée en Amérique par le malheur et la lutte contre le despotisme mercantile et politique de la métropole. L'école moderne de droit public qui s'est formée alors ne date pas seulement de « l'ère américaine » (2), comme le pensait La Fayette. Elle est l'œuvre commune de l'Angleterre, des Provinces-Unies, de l'Amérique et de la France : c'est une des plus grandes œuvres de la civilisation occidentale, celle qui la distingue, socialement et politiquement, dans le monde (3). Mais, il faut le reconnaître, le ferment américain joua en France un rôle décisif.

On veut se rapprocher de plus en plus de l'Amérique, fortifier les liens d'amitié, de commerce, de civilisation. La « Société gallo-américaine », fondée à Paris (1787) cherche à étendre les relations commerciales et intellectuelles avec les États-Unis. Elle se propose de répandre les progrès de l'agriculture, de l'industrie, de la législation américaine ; de « faire venir de l'Amérique libre les « gazettes, les livres, les actes de législation, les journaux du « Congrès, etc. » et d'entretenir des rapports avec les sociétés de cette république (4). Parmi les membres de la Société, Brissot, Clavière, Saint-Jean de Crèvecœur (5), Bergasse, sans doute aussi

(1) Condorcet, *De l'influence de la Révolution d'Amérique*, p. 17-18, 25 : « On cessera de vanter ces machines si compliquées où la multitude des ressorts rend la marche violente, irrégulière et pénible, où tant de contre-poids qui, dit-on, se font équilibre, se réunissent dans la réalité pour peser sur le peuple. » Il dit encore : « La guerre d'Amérique a été un bien. Elle a préservé l'Europe de plus grands maux : de l'accaparement du globe par les Anglais et des guerres que l'ambition anglaise aurait suscitées ; de l'absolutisme qui se serait établi en Angleterre... »

(2) La Fayette, *Mémoires*, éd. 1837, in-16, t. III . « Les discours de La Fayette portent l'empreinte de cette moderne école de droit public créée aux Etats-Unis, transplantée en Europe, et que La Fayette a nommée l'ère américaine. »

(3) On voit, dès le début du XVIIe siècle, le passage des doctrines politiques libérales des Provinces-Unies, calvinistes, républicaines, en Angleterre, puis d'Angleterre, au temps de la première Révolution, en Amérique. Voir sur ces questions capitales les livres bien connus de Borgeaud, Gooch, etc. sans préjudice des Histoires de Blok (Hollande) et de Gardiner (Révolution d'Angleterre).

(4) Brissot et Clavière, *De la France et des Etats-Unis*, p. 340 (prospectus de la Société Gallo-Américaine). Dans la *Correspondance de Brissot*, éd. Perroud, p. 111, on trouve les Procès-verbaux. Il y a douze membres à Paris, vingt-quatre en province ; autant aux Etats-Unis, et dans les autres pays en nombre indéterminé.

(5) Saint-Jean de Crévecœur, consul de France à New-York a déjà écrit au

La Fayette et Mirabeau (1). Quelle qu'ait pu être l'action de cette Société, il est hors de doute qu'elle ne réussit pas à développer les relations commerciales avec les États-Unis : l'Angleterre gardait sa prépondérance dans ses anciennes colonies, qui ne s'étaient séparées d'elle qu'à contre-cœur ; où tant de citoyens, pendant la terrible lutte, lui étaient restés attachés (2) ; où tant de liens de famille subsistaient, où la langue restait le grand instrument de rapprochement et d'échange.

IV. — Ce qui est certain, c'est l'influence énorme de l'esprit américain sur les Français d'élite. Déjà on la constate dans la magistrature, non pas la vieille, celle des Séguier et des Barentin, racornie par les traditions du « corps », hostile d'emblée à tout changement, mais la jeune, en particulier au Parlement de Paris, toujours en quête de nouveautés généreuses et utiles à la société. En 1787 et 1788, nombre de conseillers du Parlement sont déjà « Américains » : Lepeletier de Saint-Fargeau, Hérault de Séchelles, Dionis du Séjour. L'ordre des avocats compte, naturellement, beaucoup d'admirateurs de l'Amérique. A Toulouse, dès 1784, un avocat au Parlement, Mailhe, écrit, dans un *Discours sur la grandeur et l'importance de la Révolution américaine*, qui obtient le prix de l'Académie des Jeux floraux, qu'il croit voir s'ouvrir, avec la victoire de l'Amérique, une ère nouvelle de paix et de prospérité ; cependant, comme il ne veut pas céder à l'enthousiasme humanitaire, il déclare : « Un tel avenir ne fût-il qu'une « brillante illusion, il est du moins probable que les guerres seront « désormais plus rares (3). » Il est, lui aussi, emporté par l'optimisme que ne manquait pas d'inspirer la révolution de la liberté. Non moins que magistrats et avocats, les ecclésiastiques, même ceux du plus haut rang, accueillent souvent avec le même élan l'Amérique et sa révolution et sa Déclaration des droits : parmi eux l'archevêque de Bordeaux Champion de Cicé (4). Il est hors

maréchal de Castries (1er mars 1785) sur le commerce à faire, les soins à apporter à l'emballage, « les individus d'une mauvaise conduite qui ternissent, en émigrant, notre réputation ». Voir Julia Post Mitchell, *Saint-Jean de Crèvecœur* (Columbia University, 1916) et la thèse de doctorat de l'Université de Paris de Howard Rice sur ce personnage, 1934.

(1) Nous ne connaissons pas l'action de la Société.

(2) Voir en particulier les ouvrages sur l'Etat de New-York, cités dans *La Fin de l'Ancien régime et la Révolution américaine*, t. XII de *Peuples et Civilisations*. Dans cet Etat, un des plus importants par son étendue, sa population et sa situation centrale, la moitié des citoyens fut hostile à la séparation et à l'indépendance ; c'est la plus forte proportion que l'on trouve, en comparant les treize Etats de l'Union.

(3) Mailhe, *Discours...*, Toulouse, 1784, p. 34 (Bib. Nat., Pb 3900).

(4) Champion de Cicé, comme ministre de la justice, en juillet 1789, à 'Assemblée Constituante, à Versailles, exprimera la nécessité d'une Déclaration des droits, à l'imitation des Américains.

de doute que, suivant ces grands exemples, l'esprit de liberté américain s'est répandu rapidement parmi la Bourgeoisie cultivée, surtout dans la jeunesse des collèges, et même, de proche en proche, dans toutes les conditions sociales (1).

En dehors de ce souffle général venu du large, que demander de particulier à l'Amérique ? Dans quelle mesure puiser chez elle des principes, voire des institutions, pour les introduire en France ou les adapter à la France ? Problème bien difficile à traiter avant 1789 ; et, de fait, ni Raynal, ni Mably, ni même Condorcet, ne l'ont examiné ; l'heure n'est pas venue de le considérer dans son ensemble ; trop d'obstacles s'y opposent, d'abord la constitution sociale et politique d'une France monarchique et même encore seigneuriale et féodale. Cependant, si nos philosophes n'entrent pas dans le détail de l'application, on voit bien quels principes ils voudraient transplanter en France. Ce sont ceux de la Déclaration des droits américaine, base ferme qui servirait, on l'a vu, à combattre le despotisme ; c'est aussi un gouvernement représentatif, mais sans les barrières trop fortes que le « veto » du pouvoir exécutif et du pouvoir judiciaire oppose en Amérique au pouvoir législatif (2).

Au reste, dans les deux pays, les besoins et par suite les aspirations ne sont pas les mêmes : l'Amérique a besoin d'un État fédéral plus fort, la France d'un gouvernement libre et d'une administration décentralisée. L'Amérique pourrait prendre à la France monarchique quelque chose de son système centralisateur ; la France à l'Amérique une part de ses institutions représentatives, en tout cas cet esprit de liberté et d'égalité des droits, véritable fondement de la dignité du citoyen.

V. — *De l'analyse à la synthèse : fusion des divers éléments réformateurs*

De tous ces éléments essentiels apportés par le progrès de la science, par le contact avec l'Angleterre et l'Amérique, par l'éducation classique, par tout le progrès de la philosophie

(1) On a vu déjà le témoignage de Ségur, pour les jeunes officiers.

(2) Condorcet, *De l'influence de la Révolution d'Amérique*, citée plus haut, p. 295, n. 1. Les idées des écrivains français sur l'Amérique, leurs jugements sont parfois confus ou contradictoires. Condorcet trouve le lien fédéral trop fort, en 1783. Erreur : il n'y a qu'à lire, pour voir la faiblesse du Congrès, la correspondance de Washington : que de difficultés politiques, diplomatiques, financières auxquelles fut en butte l'Etat fédéral ! (et cela encore en 1787, même en 1788, au milieu des discussions de presse). Mably, au contraire, juge que le lien fédéral n'est pas assez fort. Il est bien dans la réalité.

française, s'est fait, peu à peu, dans les esprits cultivés, une synthèse, diverse, certes, suivant les esprits, qui y ont ajouté de leur propre fonds, ou y ont mêlé plus ou moins les traditions nationales. Car les réformateurs ne vivent pas dans l'abstrait ni dans la superstition de l'étranger. Il est, même dans ce siècle impie ou prétendu tel, beaucoup de citoyens (1) des hautes classes ou des classes moyennes qui, ayant conservé quelque peu le sens chrétien, l'associent aux idées d'égalité des droits et de liberté, en dépit de Voltaire et de Diderot, peut-être grâce à Rousseau, dont le « Vicaire savoyard » les a confirmés dans la croyance à la Providence ou les y a ramenés.

Avec la fusion des différents éléments se crée un état d'esprit complexe, ni anglais, ni américain, ni purement rationaliste et classique, ni exclusivement empiriste, mais tout cela à la fois, et qui prend pour levier les vieilles institutions représentatives de la France, oubliées depuis près de deux siècles : les États Généraux ; point de départ nouveau, avec les modifications heureuses qui vont être obtenues par la masse de la nation dans le mode de représentation. Et c'est dans ce cadre des États Généraux à rénover que va s'enfermer, pratiquement, la pensée politique, pendant que la pensée sociale le dépassera hardiment. Alors joueront toutes les idées et tous les sentiments, français ou étrangers, apportés ou inspirés au cours du siècle, et formant un tout. Mais au-dessus de cet ensemble, le maintenant, le vivifiant, lui donnant le mouvement et la vie, il est un sentiment puissant qui lui communique une énergie infinie — infinie comme la religion même — c'est la foi en la « régénération » de la société française. Régénération de chaque Français d'abord, « résurrection des Français en hommes », comme dira André Chénier, et en « citoyens », et union de tous les citoyens en une « nation ». Acte de foi, de volonté. Par lui, la synthèse des éléments spirituels recueillis par le siècle acquiert un dynamisme insoupçonné, exalte toutes les forces individuelles et collectives. La puissance que semble avoir perdue la religion, cette foi nouvelle la conquiert. Elle est une religion. C'est la grande espérance en la « régénération » des hommes de France et même de l'humanité. Révolution essentiellement morale et, par là-même, révolution sociale.

Ce n'est pas, en effet, le déficit des finances, pourtant grave, ni la crise économique, plus grave encore, ni la misère populaire,

(1) On peut employer ce mot à la veille de la Révolution. On parle de patriote et de patriotisme, de citoyen. Ces mots sont entrés dans la langue courante. Et le mot de nation prend déjà sa signification nouvelle, révolutionnaire.

cependant si profonde et si lamentable ; ce n'est ni le déclin national, si patent, ni le refus des Notables et des privilégiés du Clergé et des Parlements de soutenir de leur argent la monarchie en détresse, qui ont conduit la nation française à la Révolution. C'est tout cela sans doute, mais c'est avant tout le sursaut des âmes vers la liberté. La liberté, dira le Constituant Malouet, voilà la magie de la Révolution. » Magie ? Certes, et plus puissante que celle des Mesmer et des Cagliostro qui a fait fureur et attiré, comme un aimant, toute la haute société. C'est une mystique qui remplit d'une ferveur sacrée les belles âmes : il semble qu'elles planent entre Ciel et Terre. Ainsi va se dresser, fière, résolue, à la face des peuples du monde, la « nation des Droits de l'homme ». C'est, en dépit de tout, cet idéal qui surnagera, celui qu'auront toujours devant eux, pour les soutenir et les élever dans leurs épreuves, les soldats-citoyens de la Révolution. C'est cette pure image, dégagée de toutes les souillures, qui longtemps planera au-dessus des peuples étonnés (1).

(1) Gœthe lui-même, dans *Hermann et Dorothée*, dont l'action se place au moment de l'émigration allemande, vers 1792, saluera splendidement cet idéal, qui se lève comme un soleil nouveau. Redisons dans une vulgaire prose ce que le poète a magnifié : « Qui peut nier que son âme ne se soit élevée et que son cœur n'ait battu plus libre et plus pur lorsque parurent les premières clartés du nouvel idéal, et qu'on entendit parler du droit commun à tous les hommes, de la liberté inspiratrice et de la louable égalité ! » Gœthe écrit en 1797 après la Terreur et on sent bien un regret qu'on ne soit pas resté fidèle à l'idéal des débuts de la Révolution. Il n'a pas à en rechercher les raisons : la farouche hostilité des souverains et de l'aristocratie de l'Europe entière à la Révolution française, dès les commencements, comme l'esprit de vengeance, que la multitude souffrante prend pour la justice, dès 1788.

CONCLUSION

Le XVIIIe siècle a vu une révolution complète des idées, des sentiments, des mœurs. La société s'est transformée, avec les progrès de la richesse et de la culture intellectuelle. La Bourgeoisie urbaine et même la Bourgeoisie rurale se sont élevées moralement. Il semble qu'un rapprochement aurait dû se faire entre les hautes classes et la Bourgeoisie ; et certes, par les salons, les Académies, les diverses Sociétés, les loges maçonniques, il s'est produit, à Paris surtout, une tendance vers le mélange des classes polies et cultivées ; mais ce n'est pas un mouvement de sympathie profonde, c'est la curiosité, le plaisir intellectuel qui ont porté, un moment, les grands seigneurs vers les savants et les écrivains qui n'avaient pour eux que leur talent et leur gloire. En réalité, les hautes classes de la société, au lieu de se rapprocher de la Bourgeoisie, n'ont cessé, par toute leur politique, de s'en écarter, et de se muer en castes : grande Noblesse, Noblesse de robe, haute Église sont devenues des mondes fermés. Elles s'isolent, dans leurs privilèges de droit et de fait : la « roture » ne peut plus entrer dans leurs rangs, au moment même où, de toute évidence, ni les unes ni les autres ne rendent plus à l'Église et à l'État les services sociaux en vue desquels elles avaient reçu jadis grades, fonctions, faveurs, fortune, voire privilèges fiscaux. Elles se séparent de l'ensemble de la société, par leur esprit de caste et de corps, par leurs mépris, par leurs refus réitérés de contribuer aux dépenses publiques en proportion de leur fortune. Elles viennent encore de renouveler ce refus, solennellement, à l'Assemblée des Notables, que le gouvernement de Calonne a convoquée, l'espérant plus complaisante que le Parlement (1787).

Dans la crise financière, devenue aiguë, après la longue période de prodigalité qui a suivi la coûteuse guerre d'Amérique, le Parlement, le Clergé de France, comme les Notables, protestent avec véhémence contre tous les projets d'égalité fiscale qu'après Calonne veut appliquer le gouvernement de Brienne. Depuis la fin de 1787 le Parlement de Paris est en pleine révolte contre le pouvoir royal ; tous les privilégiés sont avec les Parlements, dénonçant l'absolutisme, le « despotisme » ; bientôt même ils demandent, imprudemment, les États Généraux. Le déficit s'aggravant, le Trésor menacé de rester vide, le roi se voit obligé de promettre les États Généraux (5 juillet 1788) (1).

C'est la faillite de la monarchie absolue, de cette puissante, orgueilleuse et somptueuse monarchie qu'avait créée Louis XIV, et dont seul il avait pu soutenir le fardeau et la majesté. De ce jour l'absolutisme est condamné. Peut-être Louis XVI, la reine et la Cour n'en ont-ils pas eu conscience, peut-être ont-ils pensé ne recourir qu'à un expédient temporaire, et que les États Généraux, se comportant comme les anciens, avec la séparation des ordres et le vote par ordre, ne seraient pas plus dangereux pour l'État et pour la société. Et sans doute aussi les classes privilégiées, en réclamant les États Généraux, croyaient-elles que la masse de la Nation serait, comme autrefois, respectueuse des privilèges des deux premiers ordres, et que, si elles se révoltaient contre le pouvoir absolu, leur exemple n'entraînerait pas la rébellion d'un Tiers état jadis docile contre leurs propres privilèges.

Quel aveuglement ! Dans leur isolement du reste de la nation, hautes classes, Cour et monarque ne peuvent concevoir la puissance latente de l'ensemble d'une société dont ils n'ont ni suivi ni compris les graduelles transformations, qui, après soixante-quinze ans, se résument en une révolution des idées et des aspirations politiques et morales. Elles ne voient même pas le divorce qui menace les fameux « ordres » traditionnels, antiques fondements de cette société, les partis, les factions même qui se sont formés dans le Clergé et la Noblesse, et qui viennent encore de se fortifier. Or la Bourgeoisie est déjà impatiente, dès la promesse des États Généraux, de s'organiser en vue de son rôle aux États, de former de nouvelles sociétés et encore des « clubs » pour y préparer son programme de réformes, le faire prévaloir dans les Cahiers du Tiers état et aux élections, et obtenir d'abord le doublement de la représentation du Tiers état. Elle n'ignore pas les divisions intestines du Clergé, ni celles de la Noblesse, où s'annonce un petit parti libéral, ardent partisan des réformes. Mais elle compte surtout sur elle-même. Les ordres privilégiés, en se révoltant contre l'absolutisme, lui ont frayé la voie. Elle s'y engage, derrière eux, d'abord, puis de plus en plus hardiment. Car elle a derrière elle toute la nation, tout le peuple des villes et des

(1) Arrêt du Conseil du 5 juillet, convoquant les Etats, sans indication de date. — Le 8 août les Etats sont convoqués pour le 1er mai 1789.

campagnes qui ne demande qu'à la suivre même plus violemment qu'elle ne voudrait.

A la faveur de la crise économique, que vient aggraver la disette de grains — une disette effroyable qui rappelle celle de 1709 — le régime social se décompose. Partout, des troubles permanents dans les marchés, où les grains atteignent des prix encore inconnus ; l'ordre difficilement maintenu par de tout petits détachements pris sur les régiments des frontières ; partout des émeutes de la faim, des pillages de greniers et de voitures de blé ; des attentats aux châteaux et aux personnes même ; un désarroi total des autorités civiles, la fuite de plusieurs intendants de province. Au même moment, les États provinciaux de Bretagne, du Dauphiné se mettent en révolte réglée ; les Parlements et la Noblesse excitent le peuple ; l'armée elle-même n'obéit plus au roi, fait cause commune avec la rébellion. C'est le chaos. Fait très grave, inattendu des privilégiés : la guerre sociale commence, dans les campagnes et dans les villes ; le Tiers état, hostile certes au « despotisme », l'est bien davantage aux privilèges et aux privilégiés ; il se tourne résolument contre eux, agite le pays tout entier par ses « sociétés » et ses « clubs », envoie le mot d'ordre de Paris ; et « sociétés », « clubs », municipalités correspondent entre eux, en Bretagne et ailleurs, se tiennent en liaison, dès 1788. C'est un embrasement général. Le roi devra céder sur la question du doublement du Tiers (27 décembre 1788).

La France est, de toute évidence, en pleine révolution : révolution politique, contre la monarchie absolue ; révolution sociale, contre les privilèges et les privilégiés. La structure même de la société, seigneuriale, féodale, qui, dans sa faiblesse, venait de se consolider artificiellement, du consentement même du monarque, est maintenant en cause : événement devenu, peu à peu, fatal. La société ne peut plus respirer dans ce réseau inextricable de privilèges de personnes, de villes, de provinces, après l'immense travail de rénovation économique et morale accompli depuis deux siècles. En face de deux cent mille personnes, pour la plupart oisives, contemplatives, comblées des biens de la fortune, de dignités et d'honneurs, se trouvent vingt-six millions de sujets, dont le quart peut-être dans la prospérité, à peine la moitié dans une aisance précaire, et plus du quart dans la misère, voué à la famine, à la maladie et à la mort. La classe supérieure du Tiers état, riche, cultivée, ambitieuse, éloignée du pouvoir, n'accepte plus cette choquante injustice, pas plus que la majeure partie du Clergé et une imposante minorité de la Noblesse même. Et pourtant l'illusion berce toujours les grands privilégiés des deux premiers « ordres », et la Cour, et la reine et le roi lui-même, qui pourtant, par son appel aux États Généraux, vient, semble-t-il, de déposer son pouvoir absolu.

C'est cette démission royale qui fraie la voie à la Révolution. Au 5 juillet 1788, date de la promesse royale des États Généraux, s'ouvre la première phase de la Révolution française. Il faut s'arrêter, momentanément, ici. L'Ancien régime est condamné ; il vient de se condamner lui-même. La tradition de notre grande fête nationale (14 juillet) ne doit pas faire illusion (1). La réunion des États à Versailles (5 mai 1789) ne commence nullement la Révolution sociale et politique ; elle en ouvre seulement la deuxième phase. L'idéal de la Révolution, ses plans de réformes, au milieu même de la lutte des classes, des menaces et déjà des violences, tout cela est formulé, précisé, de 1788 à 1789, par les chefs du mouvement révolutionnaire et par l'immense armée des Français, dans leurs villes et leurs villages : réformes sociales, économiques, politiques, religieuses et ecclésiastiques, intellectuelles, éducatives, animées par l'esprit de liberté et d'égalité des droits, par un profond sentiment national et humain. Car il ne s'agit pas seulement de donner enfin à la France une « constitution ». Il s'agit de « régénérer » l'homme de France, d'en faire vraiment un homme, un citoyen ; c'est une religion nouvelle — qui s'associe parfois à la religion traditionnelle — une immense espérance a traversé la terre de France, pour elle et pour l'humanité (2). Voilà le levier de la Révolution française. Voilà ce qui va faire d'elle un événement universel, dont, malgré tous les retours et toutes les réactions, les conséquences dureront et iront se développant dans les siècles suivants, parce que l'espérance en des jours meilleurs reste et restera toujours au cœur de l'homme, et que la morale et la dignité humaine finiront par vaincre les puissances mauvaises. « Hoc signo vinces. »

(1) Un historien éminent, Aimé Chérest, a le premier, je crois, dans son ouvrage *La Chute de l'Ancien régime, 1787-1789*, paru en 1882, 3 vol. in-8°, conçu la Révolution comme commençant après la première Assemblée des Notables (1787). — Sur l'année 1788-1789 on pourra lire les derniers chapitres de H. Carré et de Ph. Sagnac dans *Le Règne de Louis XVI, ouvr. cité*, et aussi le volume de Ph. Sagnac, t. XII de *Peuples et Civilisations*.

(2) Même en demandant une constitution (et après avoir réclamé, à l'imitation des Américains, une Déclaration des droits), le Tiers état de Paris exprimera avec éloquence, dans son Cahier, quelle place elle tiendra dans la vie morale et sociale de la France nouvelle : « Chaque année, et au jour anniversaire de sa sanction, elle sera lue et publiée dans les églises, dans les tribunaux, dans les écoles, à la tête de chaque corps militaire et sur les vaisseaux, et ce jour sera un jour de fête solennelle dans tous les pays de la domination française. »

NOTE
SUR UNE BIBLIOGRAPHIE DES BIBLIOGRAPHIES POUR SERVIR A L'HISTOIRE DE LA SOCIÉTÉ DU XVIIIe SIÈCLE

Nous ne donnons pas une Bibliographie raisonnée : elle tiendrait une place trop considérable dans un ouvrage de synthèse. Au reste, les références sont extrêmement nombreuses dans ce second volume.

On trouvera des Bibliographies dans une foule de livres, et d'abord dans l'*Histoire de France* (de Lavisse), où les deux volumes sur le XVIIIe siècle sont de Henri Carré ; dans *Peuples et Civilisations*, t. XI et XII, de Pierre Muret et de Philippe Sagnac, 1941, 1944.

Pour l'histoire économique se présente d'abord l'ouvrage de Henri Sée, *Histoire économique de la France*, t. Ier, publié en 1939, composé en 1924, et très heureusement complété dans ses bibliographies, jusqu'en 1938, par R. Schnerb ; surtout les ouvrages de Labrousse, son *Esquisse du mouvement des prix et des revenus*, 1933, et *La Crise de l'Économie (1770-1791)*, t. Ier, livre très important et pourvu d'abondantes bibliographies. Pour les doctrines, l'ouvrage de Weulersse, 1910, sur les physiocrates (ajoutons les *Histoires des doctrines économiques*, de Ch. Gide et Rist, puis de René Gonnard, 1921-22). Quant à l'histoire financière, de Marcel Marion, le t. Ier de son ouvrage sur les finances de la France depuis 1715 ; ajoutons R. Schnerb, qui a étudié de très près les impositions dans le Puy-de-Dôme avant et pendant la Révolution, 1937. On trouvera une foule de monographies économiques, citées par Sée et Schnerb dans leur *Histoire économique*, dont les principales sont signalées dans le t. XII de *Peuples et Civilisations*. Sur les paysans, citons en particulier l'important ouvrage de Georges Lefebvre, *Les Paysans du Nord pendant la Révolution*, 1924. Rappelons aussi, de Marc Bloch, *Les Caractères originaux de l'histoire rurale française*, 1931 ; d'Edmond Soreau, *Ouvriers et paysans en 1789* et, du même, *La Chute de l'Ancien régime*. Enfin, sur l'industrie et le commerce, une foule d'études — de Germain Martin, d'Olivier Martin, de Gaston Martin, de Martin Saint-Léon, de Bouchary, de Bigo, citées dans ce volume, comme beaucoup d'autres encore (Coornaert, etc.).

Sur l'histoire sociale et politique : outre les ouvrages anciens, qui ne peuvent plus servir beaucoup (Tocqueville, Taine), Aimé Chérest, *La Chute de l'Ancien régime, 1787-1789*, 3 vol. 1882, encore très utile ; Daniel Mornet, *Les Origines intellectuelles de la Révolution*, 1933, ouvrage capital, avec ses bibliographies considérables ; René Hubert, *Les Sciences sociales dans l'Encyclopédie*, très important ; Henri Carré, *La Noblesse de France et l'Opinion publique au XVIIIe siècle*, 1920 ; à quoi l'on peut ajouter quelques grandes biographies, comme celle de Loménie sur *Les Mirabeau*, 4 vol. ; celle de Britsch sur *La Jeunesse de Philippe duc d'Orléans*, celle de Stern sur *La Vie de Mirabeau*, trad. fr. Point d'étude générale analogue sur le Clergé, ni sur la Bourgeoisie, ni sur les Paysans ; mais un grand nombre de monographies, dont plusieurs très récentes : pour le Clergé, sur Champion de Cicé (L. Lévy-Schneider); sur de Boisgelin (abbé Lavaquery) ; sur Sieyès (Paul Bastid) ; pour la Bourgeoisie, Ch. de Ribbe, *Les Familles et la Société en France avant la Révolution* (1874, 2 vol. in-12) où il est question surtout de la Provence et du Midi en général ; Bouchard, *L'Évolution des esprits dans la bourgeoisie bourguignonne*, 1929. Et on trouvera une masse considérable de documents et de faits dans toutes les histoires de province ou de « généralité », de ville, de bourg même, d'abord dans des livres comme ceux de F. Dumas, *La Généralité de Tours au XVIIIe siècle : l'intendant du Cluzel*, 1894 ; de A. de Saint-Léger, *La Flandre maritime et Dunkerque sous la domination française*, 1900 ; de R. Latouche, *La Vie en Bas-Quercy, du XIVe au XVIIIe siècle*, 1923 ; puis dans toutes les histoires de villes : Bordeaux (Camille Jullian, Paul Courteault) ; Lyon (S. Charléty, et P. Grosclaude, pour la vie intellectuelle et morale de cette grande cité, et Vallas pour la Musique) ; Marseille (P. Masson, Chabaud) ; Nantes (Gaston Martin) ; Dijon et le Dijonnais (Roupnel) ; Lille (A. de Saint-Léger) ; Saint-Malo (Henri Sée) ; Pontivy (Le Lay, 1911, E. Corgne) ; Nevers (Louis Guéneau, 1919), etc. On trouvera ces études citées presque toutes dans ce volume, surtout les plus récentes. — Sur le mariage et les contrats de mariage, rien ; cependant une promesse est intéressante ; c'est la brève étude de J. de La Monneraye, *Le Mariage dans la Bourgeoisie parisienne, 1789-1804*, qui n'est pas inutile pour la fin du XVIIIe siècle (article publié dans le volume de l'*Assemblée générale (1939) de la Commission d'histoire économique de la Révolution*, t. Ier, 1942).

Enfin, sur l'éducation, l'assistance, on trouvera des bibliographies dans l'ouvrage de Schimberg, *L'Éducation morale des Jésuites*, et dans celui de Camille Bloch, *L'État et l'assistance avant la Révolution*, sans oublier le capital livre de Daniel Mornet, déjà cité, qui donne une longue liste d'histoires de collèges et de biographies d'éducateurs. Le livre de l'abbé Allain est précieux pour l'histoire de l'enseignement primaire. Parmi les livres récents, celui de F. de Dainville étudie l'enseignement des Jésuites, particulièrement en géographie.

Sur l'histoire intellectuelle et artistique, on connaît les bibliographies ou les ouvrages qui donnent d'abondantes bibliographies. Rappelons seulement la Bibliographie de la littérature française, de G. Lanson, et les histoires littéraires de G. Lanson, de Bédier et Hazard, d'E. Faguet, de F. Brunetière, et, de celui-ci, son *Manuel d'histoire de la littérature française,* pourvu d'amples bibliographies ; et n'oublions pas les nombreux articles de Sainte-Beuve, sur Sieyès, sur Ramond, etc. On trouvera cités dans le présent volume des livres anciens, trop peu connus, documentaires, sur nos écrivains (Musset-Pathay, sur Rousseau, etc.). Quant à l'histoire des arts, on possède des bibliographies considérables : dans l'*Histoire générale de l'art,* d'André Michel et de ses collaborateurs ; dans le volume de L. Réau, *L'Europe au siècle des lumières,* etc. Sur la Musique, les ouvrages de Combarieu et de Prunières. Et, naturellement, les œuvres d'art, les Catalogues des Musées français, étrangers ; les collections d'estampes, de gravures (à la Bibliothèque Nationale, la collection Hennin, la collection de Vinck, sans oublier la belle collection des Cartes géographiques).

Sur l'histoire des Sciences en France, il n'y a pas d'ouvrages de synthèse. Mais on pourrait dresser une bibliographie, en recourant aux meilleures monographies : de P. Brunet sur les physiciens hollandais, sur le newtonisme en France, sur Maupertuis ; de Jules Duhem sur l'aéronautique ; de Berthelot et de Grimaux, ainsi que de Daumas, sur Lavoisier ; de G. Bouchard sur Guyton-Morveau ; d'Hélène Metzger sur « la doctrine chimique », sur la genèse de la science des cristaux ; de D. Mornet sur « les sciences de la nature en France » ; de P. Flourens sur Buffon ; d'Ed. Perrier sur « la philosophie zoologique » ; de A. Giard sur « les controverses transformistes » ; de H. Daudin sur « les classes zoologiques et l'idée de série animale » ; d'Andoyer sur Laplace ; de J. Bertrand sur Dalembert ; etc.

Voilà une rapide esquisse d'une « Bibliographie des Bibliographies ». Simple esquisse, disons-nous. Car même une pure Bibliographie des bibliographies générales et spéciales donnerait matière à un petit volume. Et nous n'avons rien dit des *sources,* qui, à elles seules, demanderaient, pour être classées, parfois même authentifiées, encore tout un volume, qui ne serait pas le moins important. (Correspondances officielles, privées ; Journaux publics ; Journaux privés, Mémoires et Souvenirs ; « Livres de raison », Archives de famille, etc.)

APPENDICE

I

Note sur la population et sa densité dans les régions les plus peuplées (d'après Necker, *Administration des finances,* 1784, t. Ier, tableau, p. 306).

La population, répartie par généralité dans le tableau de Necker, est évaluée à 24.676.000 habitants. Il faut ajouter la population de la Corse (124.000 âmes) ; donc au total 24.800.000. Mais ne sont pas compris les non catholiques.

Densité par lieue carrée :

	Habitants		Habitants
Les trois généralités de Normandie	1.170	Amiens	1.164
Lille	1.772	Riom	1.047
Paris	1.540	La Rochelle	1.034
Lyon	1.522	Valenciennes	1.031
Rennes	1.292	Tours	964
Strasbourg	1.183		

II

Note sur les impositions et leur répartition par généralité (d'après Necker, *ibid.*).

Le total des impositions, à la date où paraît l'ouvrage de Necker (1784) est de 568 millions de livres tournois.

Voici les généralités qui fournissent les plus grosses sommes globales, en raison de leur étendue ou de leur richesse, et la proportion d'impôt par tête d'habitant.

	Somme globale	Par tête d'habitant
	Livres	Livres
Paris	114.500.000	64,5
Montpellier	37 millions	22,5
Tours	30 —	22,8
Rennes	28.500.000	12,10
Bordeaux	23 millions	16
Chalons	21.800.000	26,6
Dijon	20.300.000	19,3
Orléans	20 millions	28,4
Lyon	19 —	30

L'imposition par tête d'habitant est très réduite dans les pays d'États (Bretagne, Bourgogne, Languedoc). On peut y ajouter la Provence (19 l. 18 sous), la Franche-Comté (13 l. 14), le Dauphiné (17 l. 15) et même la Flandre (20 l. 3). De même l'Alsace (14 l. 1), Nancy (12 l. 19).

Il y a de très grandes inégalités. Sans doute certaines provinces très étendues, très peuplées, ont moins de ressources que d'autres ; la Bretagne est moins bien partagée, économiquement, que les trois généralités de Normandie. Mais il n'en reste pas moins qu'en tenant compte de toutes ces différences naturelles et économiques, les inégalités entre généralités sont choquantes. La Champagne, qui n'est pas beaucoup plus étendue que la Franche-Comté, supporte la charge de 2.900.000 livres pour les trois vingtièmes (il y en eut trois, un moment) et la Franche-Comté seulement 1.600.000 pour cette imposition. Tous les impôts sont beaucoup plus forts en Champagne qu'en Franche-Comté (Necker, t. Ier, p. 247). On pourrait multiplier les comparaisons. Dans les pays d'États, actuels ou anciens, exemption des droits d'aides, de marque des fers, des sous pour livres ajoutés aux impôts, abonnement aux vingtièmes, toujours très avantageux, etc., ainsi en était-il en Bretagne, en Bourgogne, en Franche-Comté, en Flandre, en Provence, en Dauphiné. Même des provinces qui n'avaient pas d'États, comme la Guyenne, étaient exemptes des aides et rédimées des gabelles ; il est vrai qu'en Guyenne les corvées des routes étaient une lourde charge.

Les disparités en ce qui concerne les diverses impositions sont frappantes : sans parler de celles qui sont relatives au sel (voir dans le *Compte rendu*, de Necker (1781), une carte en couleurs des régions diverses des Gabelles) — il y a de grandes inégalités en dehors des abonnements — dans la répartition des vingtièmes, suivant qu'ils sont établis, ici d'après une vérification récente et complète, là d'après une vérification partielle, ailleurs enfin d'après d'anciens tarifs sans proportion avec le revenu actuel des terres (Necker, *Administration des finances*, t. Ier, p. 300). Necker fait remarquer d'ailleurs la difficulté des comparaisons et les précautions à prendre. En effet, « entre deux généralités qui, d'après le « règlement le plus exact, se trouveraient assujetties à une même « somme de vingtièmes, si l'imposition de la taille était beaucoup « plus forte dans l'une que dans l'autre, les inductions qu'on « pourrait tirer de l'égalité des vingtièmes manqueraient d'exac- « titude. Car la taille étant supportée par les fermiers, qui font leur « compte en conséquence, la mesure de cette imposition influe « nécessairement sur le prix des baux et, par conséquent, sur « la partie des revenus du propriétaire soumise à l'impôt du « vingtième ».

On a vu qu'il y a des généralités exemptes d'aides ; quelques-unes le sont aussi d'octrois municipaux ; bref, surtout dans les pays d'États, il y a de nombreuses franchises d'impôts, et de même dans les provinces conquises aux XVIIe et XVIIIe siècles, même quand elles n'ont pas d'États, comme l'Alsace, la Lorraine, la Franche-Comté. Or, pour les comparaisons des charges respectives des généralités, ces exemptions doivent être considérées ; de même le prix du sel, ici de 25 livres au quintal, là de 62 livres, là encore très différent ou presque nul. Necker le rappelle, au cas où l'on voudrait estimer la charge qui retombe sur le propriétaire. « Quoique la gabelle, les aides et d'autres droits ne portent pas « aussi immédiatement que la taille sur le revenu des biens-fonds, « il est sensible qu'avec des circonstances d'ailleurs semblables « le revenu d'un propriétaire de terre doit être plus considérable « dans les généralités où les franchises d'impôts sont nombreuses « que dans celles où tous les droits du fisc sont établis ; et l'on s'en « apercevrait d'une manière encore plus frappante si, dans toutes « les transactions, l'empire de la propriété sur le prix des travaux « communs et faciles ne rejetait pas en augmentation de misère « pour le peuple une grande partie des impôts sur les consom- « mations. » (Necker, t. Ier, p. 301-302) Necker ne développe pas cette observation fort intéressante, et qu'il faut retenir.

En tout cas, l'idée essentielle qui ressort de toute l'organisation fiscale est « l'inégale distribution des impôts entre les diverses généralités du royaume ». Toutes ces différences viennent du passé. Elles « tirent, dit Necker, leur origine ou de rachats faits « dans les siècles précédents, ou de pactes conventionnels, consentis « par le souverain lors de la réunion successive d'une partie du « royaume à la monarchie française. » Malheureusement, « en se « procurant de nouvelles ressources par des sous pour livre ajoutés « aux droits sur le sel, sur le tabac, sur les aides et sur quelques « autres objets particuliers de consommation, on n'a fait qu'ac- « croître davantage la première inégalité des distributions ». Et Necker ajoute : « Peut-être que ces observations serviront à pré- « munir contre de pareilles erreurs » (t. Ier, p. 304-305).

Aux inégalités flagrantes entre les généralités doivent être ajoutées les inégalités entre les diverses « élections » ou « subdélégations », puis, dans celles-ci entre les différentes classes de la société : nobles et seigneurs nobles et bourgeois, ecclésiastiques ; roturiers de tout ordre. Ce sont les élections les plus pauvres sur qui pèsent le plus les impôts directs avant 1789, et ces inégalités si injustes dureront encore en partie pendant la Révolution, ne s'atténuant que peu à peu de 1790 à 1792, puis de 1792 au Directoire, enfin arrivant à disparaître sous le Directoire, dont il est traditionnel de médire, mais qui, au point de vue financier, sans fracas, a accompli une tâche financière très importante. (Voir sur tous ces points Robert Schnerb, *Les Contributions directes à l'époque de la Révolution dans le département du Puy-de-Dôme* (thèse de doctorat ès lettres, Paris, 1937).

On a vu plus haut Necker aborder la question de l'incidence des impôts sur le revenu des biens-fonds : question complexe et difficile, qu'il ne traite point, car ce n'est point son sujet principal. Divers auteurs ont essayé d'établir la part prise par les impôts royaux, les dîmes et les droits seigneuriaux sur le revenu net des biens-fonds. On peut voir la note de Taine, en appendice de l'*Ancien régime*, éd. in-8°, p. 542-543. On lira son tableau. Il nous semble y manquer un élément essentiel, le chiffre des propriétaires et fermiers qui paient les contributions. D'après Taine, qui fait une moyenne, il ne resterait au propriétaire taillable, sur un revenu net de 100 livres, que 18 l. 29 c., Taine dit bien que tout varie de province à province et d'individu à individu — et c'est précisément là qu'est l'*Ancien régime*, comme l'a montré Necker — mais il passe outre à ces inégalités si importantes et prétend établir une moyenne. D'autre part, ce serait admettre que, sur une base constante de revenu = 100, les impôts frappent toujours du même poids. Or, si le revenu a varié énormément — il a beaucoup baissé dans l'ensemble de 1770 à 1789 par suite de la baisse même des prix — les impôts ont beaucoup varié, dans le siècle même, sous le seul règne de Louis XVI (il y eut, à un moment, trois vingtièmes), et leur incidence a été très changeante suivant leur rapport avec le revenu : des impôts très lourds, frappant un revenu considérable, peuvent se supporter ; mais, portant sur un revenu très faible, ils deviennent excessivement lourds, intolérables, entraînant la misère du plus grand nombre. Nous renvoyons ici, pour cette baisse et pour l'étude de l'incidence des impôts sur le revenu foncier aux ouvrages de Labrousse, en particulier au grand ouvrage sur *La Crise de l'économie* (de 1770 à 1791). Nous en donnerons une analyse dans la *Revue d'histoire économique et sociale*, de l'éditeur Marcel Rivière.

III

Note sur la fortune et la contribution du « Clergé de France ».

On sait que le « Clergé de France » ne paie ni vingtièmes ni capitation. Necker donne très certainement une évaluation trop faible de ses revenus : 110 millions. Nous l'avons estimé (p. 212) à 130 millions au moins. Même en se fondant sur le chiffre de 110 millions, Necker ne trouve à réclamer à ce Clergé, au titre des vingtièmes, que 7.800.000 livres. Or même en prenant pour base 110 millions, les deux vingtièmes et les quatre sous pour livre du premier vingtième donneraient une contribution de 11 millions et, avec la remise habituelle d'un dixième, environ 10 millions, au lieu de 7.800.000 livres. Si l'on prend pour base de revenus, comme il convient de le faire, 130 millions, c'est au moins 12 millions que le « Clergé de France » devrait payer au titre des vingtièmes.

Quant à la capitation, il en serait de même. Necker part de la somme totale que procure la capitation dans le royaume, soit 41.500.000 livres, et il ne trouve, pour la capitation, dans l'étendue des pays du Clergé de France, que 9 millions. Cela paraît bien hypothétique (1). Le Clergé de France avait payé — Necker le rappelle lui-même — 4 millions de capitation, de 1695 à 1698, et même somme de 1701 à 1710, avant de se racheter pour 24 millions. S'il a payé alors 4 millions, c'est certainement, vu la forte baisse de la valeur de l'argent, entre 1695 et 1785, beaucoup plus de 4 millions qu'il devrait payer maintenant ; car ses revenus ont augmenté, en valeur monétaire. Sans fixer, même approximativement, un chiffre, on ne peut accepter celui de 3 millions que donne Necker (2). En se contentant du chiffre, trop faible, de 4 millions, et en l'ajoutant aux 12 millions que représenteraient les vingtièmes, on arrive à un total de 16 millions. Et peut-être faudrait-il dire 18 millions, au lieu des 10.800.000 livres auxquels monte l'estimation de Necker (3). Comme les sommes levées en remplacement de la capitation et des vingtièmes sur les bénéfices du Clergé de France ne se montent qu'à 10.050.000 livres, les contributions du Clergé se trouveraient inférieures de 8 millions de livres « à celles dont il serait tenu si, avec les mêmes privilèges que la Noblesse, il était assujetti aux formes ordinaires de répartition ».

La politique constante du Clergé, a été de diminuer la valeur de ses revenus. L'Assemblée du Clergé de France de 1765 ne les estime que 62 millions, au lieu dès 110 où les porte Necker, qui remarque, en 1785, que ces revenus des dîmes et des terres, tout en denrées, ont considérablement augmenté en valeur monétaire depuis vingt ans. Le Clergé prétend que les « dons gratuits » compensent les vingtièmes dont il est exempt. Mais l'opinion publique, même le contrôleur général Calonne (4) et le roi, sont persuadés qu'il ne contribue pas en proportion de ses revenus. Sans doute, après avoir fourni des « dons gratuits » assez élevés dès 1748, il en a offert de moindres en 1762, en 1765 ; mais il a été obligé d'en accorder de plus considérables en 1770, surtout en 1780, pendant la guerre d'Amérique, et encore en 1782 et 1785 (5). Certes, sous la pression du gouvernement, des nécessités de l'État et de l'opinion, le Clergé a fait parfois, comme en 1780, un gros effort. Mais cet effort se relâche, à la première occasion. En somme, depuis 1745, en quarante-trois ans, il n'a donné au roi que 182 millions et demi,

(1) Necker dit lui-même : « On sent combien il est difficile de déterminer une telle proportion » (la capitation à laquelle devrait être assujetti le Clergé de France, s'il était soumis aux règles communes).

(2) *Administration des Finances*, t. II, p. 324.

(3) *Ibid.*, p. 325.

(4) Calonne dira aux notables, en 1787 : « Le Clergé n'a jamais payé ce qu'il aurait dû fournir dans la contribution générale en proportion de la valeur de ses biens. »

(5) En 1748, 16 millions ; en 1755, 16 ; en 1758, 16 ; en 1760, 16. — En 1770, 17 ; en 1780, 30 ; en 1782, 16 ; en 1785, 18 ; en 1788, un supplément de 1.800.000 livres en quatre termes, qui, vu les circonstances et le mode de paiement, paraît beaucoup trop faible au gouvernement et dérisoire à l'opinion éclairée.

soit, par an, moins de 4.250.000 livres (1). Aussi, de temps à autre, le gouvernement réclame des déclarations plus exactes. Protestations du Clergé ; en 1788, même refus d'offrir le « don gratuit » demandé ; effort misérable, dans la grande crise.

IV

Note sur le Commerce extérieur et la Balance du Commerce.

On a vu au liv. III, chap. Ier, les statistiques commerciales, puisées à l'ouvrage, bien connu, d'Arnould, de 1791.

Sur les chiffres d'Arnould, une observation s'impose. Dans la comparaison à établir entre les diverses périodes du XVIIIe siècle, il faudrait tenir compte de la baisse de la valeur (du pouvoir d'achat) de la monnaie, qui a été continue. Aussi l'augmentation des exportations, par exemple en 1788, est loin d'avoir la signification qu'à première vue l'on pourrait lui donner. Entre le chiffre des exportations de la période 1764-1776, soit 309 millions de francs, et celui de 1784-88, soit 354 millions, il n'y a peut-être pas, au fond, grande différence de valeur réelle. Si l'on admet — ce n'est, d'ailleurs, qu'une hypothèse gratuite — que le pouvoir d'achat a baissé, en vingt ou vingt-quatre ans, d'un dixième, les chiffres de ces deux périodes se rejoignent à peu près. Tout ce que l'on peut dire, c'est que le commerce se maintient. Il ne se présente pas avec les merveilleux progrès que les historiens du règne de Louis XVI ont, en général, célébrés.

Arnould déclare lui-même que « la balance en argent n'est qu'un fantôme de prospérité publique ». Ce qui fait surtout illusion, c'est le commerce colonial, qui donne tant d'activité à Bordeaux, au Havre, et, en partie seulement, à Marseille. Quelle est l'importance de ce commerce avec les Iles ? C'est ici qu'il convient de bien comprendre Arnould. On a vu plus haut les chiffres qu'il fournit pour les exportations et les importations. Or, il donne encore des chiffres tout différents : de 1764 à 1776, 725 millions, exportations et importations au lieu de 474, et de 1784 à 1788, 1.061 millions, au lieu de 655. La différence tient au commerce colonial qui, cette fois, est inclus, avec ses importations des Iles (sucres, rhums, tabac, indigo, etc.) et ses exportations de produits coloniaux raffinés en France et réexpédiés en Europe : près de 400 millions à la fin de l'Ancien régime. Cela semble bien concorder avec ce que l'on sait du commerce extérieur de Marseille (600 millions) et celui de Bordeaux, vers 1788 (250 millions). Nous insistons sur ce point ; car dans aucun ouvrage d'histoire économique on ne trouve rien de net sur cette question. En somme, on voit que le commerce

(1) Si l'on part de 1715, c'est seulement, en tout, 237 millions et demi, soit par an, 3.250.000 livres. Quand le Clergé donne de 1785 à 1790 19.800.000 livres, pour cinq ans, c'est une moyenne annuelle de 4 millions, soit à peine 4 % si l'on prend même la base de fortune établie par Necker (110 millions) que nous estimons trop faible.

français et les ports ne se soutiennent que par le va-et-vient aux « Iles » et des « Iles » en France, et de France en Europe, pour l'expédition des produits coloniaux. S'il en est bien ainsi, on comprend que la balance en argent ne soit regardée par Arnould que comme « un fantôme de prospérité publique ».

On a toujours présenté le règne de Louis XVI comme un règne de grand progrès économique. Les travaux, d'une exactitude toute mathématique, de M. Labrousse viennent démontrer le contraire, en ce qui concerne l'économie agricole (grains, vins, laines, bois, etc.). Or c'est l'économie rurale qui, dans un pays essentiellement rural comme la France du XVIIIe siècle, domine l'ensemble de l'économie : l'industrie, le commerce. Tout est solidaire. Mais il est bon de reconnaître qu'il y a un facteur étranger à la métropole qui joue fortement : ce sont les colonies.

V

Documents sur le régime seigneurial au XVIIIe siècle

Il serait fort intéressant de connaître avec précision l'évolution des droits seigneuriaux, vers la fin de l'Ancien régime. Voici quelques documents tirés des *Papiers des Princes apanagés*, qui sont aux Archives Nationales, série R, inventoriée par Bruel.

A) Droits seigneuriaux annuels

I. — Il s'agit d'abord des cens, des accensements opérés sur les terres de M. comte de Provence.

Accensements : Conseil de Monsieur (1779). [*R^5 × 217, f° 76*]

« M. Gerbier a parlé de la baronnie de Montdoubleau et a fait lecture d'un projet de lettres-patentes à l'effet d'une augmentation de cens, proposant de l'évaluer à raison du prix du blé.

« Monseigneur a, en conséquence, ordonné qu'il serait fait de nouveaux accensements à tous les détenteurs de terrains faisant partie de l'ancienne forêt de Montdoubleau et qui ont été déclarés de nature domaniale par l'arrêt du Conseil d'État du 25 janvier 1792, à la charge d'une redevance en grains proportionnée à la valeur des terrains, et, à l'égard des détenteurs des parties plantées en bois, à raison de 3 livres de redevance par arpent. Et assurer d'autant ces nouveaux accensements, Monsieur a autorisé le projet des lettres-papentes du roi confirmatives de ces aliénations, et a autorisé M. le Surintendant à en solliciter l'expédition auprès du ministre. »

II. — *Droit de prévôté : Conseil de Monsieur (30 mai 1777)*
[*R^5 × 217, f°s 5-6*]

Monseigneur afferme le droit de prévôté sur la ville de Beaufort et le droit d'herbage. Or, ce droit de prévôté les habitants s'en prétendent exempts.

Les observations du rapporteur, M. de Linion, reconnaissent que le corps des habitants en est exempt moyennant 15 livres par an. « Mais l'extrait de la déclaration que l'on a rapportée n'indique pas si cette exemption est bornée aux provisions qu'ils consomment ou si elle va jusqu'à leur donner la liberté de négocier, vendre et étaler toutes sortes de denrées. Il est indispensable de l'éclaircir, parce qu'en effet, à la faveur d'une extension, ils pourraient trouver le moyen d'anéantir les droits de prévôté ; il faut donc qu'ils représentent les anciens titres, titres qu'ils ont énoncés dans leur déclaration formée aux assises de 1682. »

B) Droits casuels

Les droits casuels (lods et ventes, etc.) sont très variables selon les années, mais deviennent très importants, certainement à cause de la hausse des prix de vente, peut-être aussi à cause d'une circulation plus grande des biens-fonds. Voici quelques listes de chiffres, tirés des papiers des princes.

1. *Recette des droits casuels dans le duché d'Angoulême* [*R*[1] *12*]

Année	1783	5.920 livres	Année	1788	17.040 livres
—	1784	6.772 —			

2. *Recette des droits casuels dans le comté de Poitou* [*R*[1] 7]

Année	1779	15.659 livres	Année	1784	92.257 livres
—	1781	18.074 —	—	1788	34.272 —
—	1787	42.756 —	—	1789	26.283 —
—	1783	79.552 —			

3. *Recette des droits casuels dans le Berry* [*R*[1] *172*]

Année	1777	20.161 livres	Année	1784	27.432 livres
—	1778	176.738 —	—	1785	30.922 —
—	1779	12.608 —	—	1786	17.495 —
—	1780	25.677 —	—	1787	14.962 —
—	1781	13.513 —	—	1788	13.907 —
—	1782	11.226 —	—	1789	8.551 —
—	1783	20.000 —	—	1790	3.164 —

4. *Droits casuels du duché d'Anjou et du comté du Maine* [*R*[5] *532*]

	Livres			Livres
Année 1774 (d'après les états des quartiers)	38.904	Année	1777.	65.551
— 1775 (d'après les états des quartiers)	31.464	—	1778.	78.768
— 1776	61.452	—	1779.	45.846
		—	1781.	37.751
		—	1782.	48.148

5. *Liquidation des lods et ventes de la terre de Montrevault par M. le marquis de Contades (1778)* [$R^5 \times$ *213*]

Prix de l'adjudication	541.000 livres
Frais de licitation	4.000 —
— consignation	13.525 —

Le receveur des domaines et bois prétend que les profits de la justice et des fiefs paraissent avoir été portés au-dessous de leur valeur et qu'ils doivent être augmentés. Il remarque qu'on n'a pas eu égard au droit de nomination à quatre chapelles, à trois canonicats ; qu'on n'a évalué qu'à 4.000 francs le château, qui était annoncé dans les affiches grand et beau et qui doit être porté au moins à 30.000 francs. Il soutient que les lods et ventes doivent être portés au sixième et non au douzième, sur les deux tiers du Petit Montrevault et sur la baronnie de Bohardy. Il pose pour principe que l'on se décide pour la loi du chef-lieu ; que, les seigneurs de Bohardy et du Petit Montrevault exigeant ces droits au sixième en vertu de la disposition de la coutume, Monseigneur leur suzerain a le même avantage sur eux. Enfin il estime qu'il n'y a pas lieu de faire des remises, parce qu'il s'agit d'une licitation pour laquelle ainsi que pour les décrets, Sa Majesté, par l'arrêt du 16 juin 1771, les a interdites. Par l'article 156 de la Coutume d'Anjou, les lods se paient au douzième, mais dans quelques parties de l'Anjou ils se paient au sixième. La Coutume ne détermine pas ces contrées particulières. Le receveur remarque que le propriétaire des terres du Petit Montrevault et de la baronnie de Bohardy perçoit le sixième sur ses vassaux et censitaires. Et il est de principe, selon lui, que le suzerain ne peut pas avoir moins de droit sur son vassal que celui-ci n'en a sur les arrière-fiefs et les censives qui sont tenus de lui.

M. Racine dit que la prétention du receveur général n'est pas soutenable. Il propose le sixième et la remise. Monsieur et le Conseil approuvent le rapport de M. Racine et ses propositions.

6. *Remises sur les droits casuels. Résultat du Conseil de Monsieur pour la fixation de ces remises.* [$R^5 \times$ *214, f*[os] *200-201*]

L'usage avait consacré les remises sur le montant de ces droits. « Les anciens propriétaires des fiefs étaient dans l'usage d'accorder sur le recouvrement de leurs droits seigneuriaux casuels des remises souvent arbitraires et communément plus considérables que celles réglées par l'arrêt du Conseil du 16 juin 1771. »

Monsieur arrête qu'on appliquera dans ses domaines l'arrêt du Conseil d'État de 1771 ; qu'on n'accordera pas des remises dans les cas de ventes forcées, lorsque les contrats à l'amiable n'auront pas été fournis et les droits payés.

7. *Droit de relief dans le Bas-Vendômois* [*D XIV, carton 13*] (*Décision du Comité féodal de l'Assemblée constituante*)

Le droit de relief se percevait dans ce pays sur les héritages censuels à toute mutation par décès en ligne directe ou collatérale.

« Ce droit était pour ainsi dire tombé en désuétude dans le Bas-Vendômois depuis cent cinquante ans. Quelques seigneurs ont voulu le faire revivre depuis environ trente ans... »

C) Terriers

1. *Frais des Terriers*

On fait de nouveaux terriers à la fin de l'Ancien régime, afin d'y inscrire des droits longtemps négligés. Les frais des terriers sont à la charge des tenanciers. Le *Recueil général des anciennes lois françaises,* d'Isambert, ne donne pas les *Lettres patentes* d'août 1786, qui modifient les arrêts du Conseil antérieurs, quant aux frais des terriers. D'après l'arrêt du Conseil du 19 juin 1736, c'étaient 5 sols pour le premier article de chaque déclaration, 2 sols 6 deniers pour chacun des autres articles. Cet arrêt est homologué par des arrêts de Parlement, notamment le 20 janvier 1784, sous l'expression suivante : « Les droits des notaires requis pour recevoir les déclarations que les censitaires doivent aux terriers de leurs seigneurs sont fixés à 5 sols pour le premier article de chaque déclaration, à 2 sols 6 deniers pour chacun des autres articles (Archiv. Nat. AD IV 16). Les Lettres patentes du 26 août 1786 concernant la taxe des droits des commissaires à terrier (Arch. Nat., AD IV. 16) exposent dans leur préambule : « Nous sommes informé que jusqu'à présent il n'a été pourvu d'aucuns règlements pour les actes de foi et hommage, aveux et dénombrements et déclarations qui sont rendus aux propriétaires des fiefs, ce qui donne lieu à des discussions pour les droits qui peuvent être dus soit aux juges, soit aux commissaires à terrier ; et comme nous devons faire cesser toutes les difficultés qui s'élèvent à ce sujet et fixer les droits qui devront être payés pour raison desdits actes et leurs expéditions... »

En réalité, cette question avait déjà été réglée, on l'a vu. Mais on parlait ainsi pour cacher la contradiction entre les anciens règlements, comme celui de 1736, et le nouveau. Celui-ci augmentait très fortement les droits à la charge des censitaires. Pour le premier article de chaque déclaration : 30 sous pour les biens urbains et 15 sous pour les biens ruraux ; pour chacune des autres déclarations, la moitié de ces taxes. On payait donc 30 sols dans les villes (pour le premier article) au lieu des 5 d'autrefois, soit six fois plus, et 15 dans les campagnes, soit trois fois plus.

Ces frais paraissent exorbitants aux tenanciers, d'autant que dans les campagnes les terres sont très divisées, morcelées. C'est ce que fait remarquer le Cahier de Chassy (Auxerre), en 1789, art. 23 (voir *Bull. Soc. Yonne,* t. XXXVIII, p. 186, Bibl. Nat.,

Lc [20]/26) : « Que les articles 10 et 11 de la Déclaration du roi du 20 août 1786 soient réduits au moins à moitié, parce que, dans l'étendue du bailliage d'Auxerre où les héritages sont très morcelés, il en coûterait à un propriétaire de 50 arpents d'héritage plus de deux cents livres pour fournir une déclaration. » Déjà le feudiste Fréminville, dans *La Pratique universelle pour la rénovation des terriers et des droits seigneuriaux*, 1757, avait fait remarquer que pour un seul article il y en avait parfois dix et plus, ce qui accroissait d'autant les frais (t. Ier, p. 277).

A la suite de ces Lettres patentes de 1786, les commissaires à terrier eurent encore plus de travail. On fait encore des terriers, après la prise de la Bastille, au moment de la révolution paysanne. Gracchus Babeuf écrit à sa femme, de Paris (25 juillet 1789). X... « est certain de me faire avoir deux terriers très considérables, et M. Maury m'a aussi assuré celui de l'abbaye de Saint-Quentin-de-Beauvais, en ajoutant qu'il m'en procurerait tant que je voudrais si l'on était content ». (Advielle, *Histoire de Gracchus Babeuf et du babouvisme*, 1884, t. Ier, p. 55).

On trouve dans les Cahiers de 1789 bien des plaintes sur la fortune rapide des feudistes, qui sont mal payés par les seigneurs, et qui vexent les sujets (voir celles des paroisses de Cérans, de Sainte-Sabine et Poché, de Volnay, t. Ier, p. 322 et t. IV, p. 56 et 355 *Cahiers du Maine*, publiés par Bellée, Duchemin et Brindeau, 1881-1887, 4 vol. in-12 (Bibl. Nat., La [32]/428).

Voici les plaintes de la paroisse de Volnay : « Autrefois les sei-
« gneurs payaient des feudistes pour tenir leurs fiefs. Ces officiers
« peu connus alors ne pouvaient tout faire à la fois..., et les droits
« que ces officiers exigeaient des vassaux et censitaires étaient
« modérés. Mais aujourd'hui notre province compte plus de feu-
« distes que de fiefs. Ces hommes qui, pour avoir appris à lire et à
« écrire et pour avoir travaillé pendant quelques mois chez un
« ancien feudiste, croient tout savoir, trouvent tous les seigneurs
« disposés à traiter avec eux. L'accord est bientôt fait. Le seigneur
« ne donne rien, mais il laisse la liberté entière de tromper, molester,
« vexer les vassaux et censitaires. De là toutes les injustices dont
« les tribunaux retentissent sans cesse ; de là les gémissements des
« malheureux habitants de la campagne dont les maux sont
« aggravés par les nouveaux droits dont ces gens dévoués aux
« seigneurs ont l'adresse de surcharger les fonds. »

2. *Recherches de droits dans l'apanage de Monsieur*

Conseil de Monsieur, du 18 mars 1780 [R5 × 218, f° 5]

Rapport de M. Gamard sur la réclamation faite par les officiers du bureau des finances d'Alençon.

« Le domaine du Roi a été tellement négligé depuis un grand nombre d'années qu'il faut faire un travail particulier et de grandes recherches pour apprendre pour ainsi dire en quoi il consiste.

« Toutes les rentes domaniales étaient comprises dans le bail des fermes et les fermiers généraux étaient assez indifférents sur ce recouvrement, parce que les frais de perception auraient absorbé une partie du produit ; c'était un trop faible objet pour fixer leur attention et leurs soins. Presque toutes ces rentes ont disparu, on ignore leur existence, on n'a aucune connaissance des héritages sur lesquels elles étaient assises et de la perte d'un très grand nombre de mouvances. Ce domaine ne produit pas aujourd'hui peut-être la dixième partie de ce qu'il devrait rapporter. Mais, tandis que le revenu s'affaiblissait et s'éteignait, les charges augmentaient ; elles sont devenues si considérables qu'insensiblement il y aurait à craindre qu'elles n'excédassent la recette, si on ne s'occupait pas des moyens de rétablir le domaine dans l'état où il doit être.

« La première opération était la connaissance et l'étude des titres : ce travail se fait avec activité depuis deux ans dans le duché d'Alençon. Il donne l'expectative d'un accroissement de revenu assez important. Pour réaliser cette espérance, il faut que les recettes et les mouvances soient reconnues par les vassaux et les censitaires et qu'ils en passent des déclarations nouvelles en acquittant les arrérages qui sont dus... On a cru devoir adopter le plan suivi par le Conseil du duc d'Orléans dans l'administration de son apanage, et qui a été très profitable. Le duc d'Orléans a formé une chambre du domaine composée de plusieurs commissaires pris dans ses bailliages pour recevoir les aveux, dénombrements, déclarations, et juger toutes les affaires domaniales de leur ressort. Ces commissaires sont nommés par des lettres-patentes du roi. On a obtenu des lettres-patentes qui commettent cinq commissaires du bailliage d'Alençon.

3. *Résultats des recherches*

Conseil de Monsieur du 10 mars 1788 [R[5] × 218, f° 52]

M. Guichard rend compte des améliorations notables faites dans son département depuis environ cinq ans. Suites de la réunion du domaine de Baugé, ci-devant engagé à M. le duc d'Estissac moyennant environ 45.000 livres, domaine dont le revenu s'élève actuellement à 10.000 livres par l'effet d'un terrier qu'on a fait renouveler avec le plus grand succès et sans aucuns frais pour Monsieur.

Nouvel aménagement des forêts de la maîtrise de Baugé, dont le produit commun, borné autrefois à 18.000 ou 19.000 livres, s'élève annuellement environ à 40.000 livres.

Accensement de terrains vains et vagues tant en Anjou que dans le Perche, d'îles, îlots, grèves et atterrissements de la Loire et autres rivières, dont les cens et rentes montent environ à 8.500 livres.

Augmentation des revenus du domaine de Gray, qui, fixés

environ à 6.000 livres par les procès-verbaux de reconnaissance et d'évaluation de ce domaine, montent à présent à plus de 13.000 livres.

4. *Usurpations de droits, déclarées par les Administrateurs du département de l'Yonne à l'Assemblée nationale 2 décembre 1790* [*DXIV, carton 11*]

« Les preuves de cette usurpation se tirent des anciennes chartes, des vieux terriers, qui, comparés aux nouveaux, démontrent que les seigneurs ont donné à leurs droits une extension qui a de beaucoup dépassé la ligne primitive ; tous les Cahiers de doléances des campagnes attestent cette vérité. »

VI

Défrichements et troubles provoqués à cette occasion

D'après les *Papiers des Princes apanagés*, aux Archives Nationales, série R, inventoriée par M. Bruel (cartons et registres).

I. — *Concessions de Landes et troubles.*

Dans le domaine de Monsieur, comte de Provence, des concessions ont été faites de terrains incultes, bruyères, etc., dans le duché d'Alençon. Des troubles s'en sont suivis. Au Conseil de Monsieur rapport est présenté par M. Gamard (1779) [Arch. Nat. R^5 × 217, f°s 68-71].

« Au commencement de 1777 des terrains incultes, faisant
« partie du domaine d'Alençon, sont affichés pour être concédés à
« titre de fieffes ; plus de six mois s'écoulent sans que personne se
« présente pour en prétendre la propriété. Le 12 novembre 1777
« il est passé un contrat de fieffe de ces terrains au profit des sieurs
« de Launai frères, moyennant 2.200 francs de rente. On leur
« dégrade leurs terrains. Ils font assigner le sieur Chesnaye, et
« alors les habitants prétendent être propriétaires de ces terrains.

« M. Gamard a ajouté qu'il était de son devoir de rendre
« compte à Monseigneur, avec quelque détail, des contradictions
« qu'il éprouve en Normandie ; que, plus il fait d'efforts pour
« améliorer le domaine, plus on s'arme contre lui ; qu'il a pour
« adversaires ceux mêmes qui devraient par état devenir les
« défenseurs des droits du roi et de la propriété de Monseigneur.
« Les terrains vains et vagues dont on fait des concessions occa-
« sionnent la plus singulière fermentation, dont l'unique cause est
« l'opiniâtreté avec laquelle on veut se maintenir dans des usur-
« pations ; que la Coutume de Normandie semble favoriser ce
« délire et que l'esprit national ne veut pas reconnaître une auto-
« rité légitime ; qu'un des articles de la Coutume porte que pres-
« cription de quarante ans vaut titre en toute justice et qu'il
« suffit que le possesseur ait joui pendant ce temps ; que de là tous
« les Normands prétendent qu'on les dépouille de leur bien propre

« quand on veut les convaincre que l'objet dont ils jouissent est « domanial, et qu'ils feignent d'ignorer que, par l'homologation de « cette Coutume, le roi, en improuvant cet article, a expressément « ordonné qu'il n'apporterait aucun préjudice ou diminution à ses « droits. Que cet article ne peut jamais être opposé à Monseigneur « avec succès ; autrement le meilleur de tous les titres serait d'être « usurpateur ; et que, depuis le temps que le domaine de la Cou- « ronne est négligé, Monseigneur perdrait la moitié de ce qui « compose le duché d'Alençon, s'il était obligé de respecter une « jouissance de quarante ans qui deviendrait propriété légitime. « Que presque tous les terrains que les gens de Monseigneur « aliènent étaient dans les mains soit des communautés d'habi- « tants, soit des seigneurs voisins, qui avaient augmenté leur « possession aux dépens du domaine ; que ces derniers voient avec « douleur qu'on leur demande des titres et qu'ils appellent à leur « secours pour ainsi dire la province entière afin de faire cause « commune...

« Qu'en vain objecterait-on qu'il devient impossible en Nor- « mandie d'accoutumer les esprits à respecter cette nature de « propriété. Qu'on a la preuve que les commissaires du roi y ont « fait de semblables concessions, et que les concessionnaires y ont « été maintenus parce qu'ils étaient protégés, ce que M. Gamard « a appuyé d'un exemple, s'est plaint des tribunaux et notamment « du bureau des finances d'Alençon qui, honoré de la confiance de « Monseigneur, s'oppose à tout ce qu'on fait pour le bien du « domaine et rend des sentences sous le plus ridicule prétexte pour « empêcher l'inventaire des titres étant dans ses dépôts, sentences « qu'a confirmées le Parlement de Rouen par des arrêts. De sorte « que l'opération la plus utile, la plus nécessaire, la plus impor- « tante pour connaître en quoi consiste le domaine de la Cou- « ronne et la propriété de Monseigneur, est contredite par les « magistrats. »

II. — *Troubles dans des paroisses, à cause de défrichements* [Conseil de Monsieur, 13 juin 1778, R[5] × 217, f° 43].

« M. Gamard lit un mémoire au sujet des désordres que com- « mettent les habitants des paroisses de Marey, Anney, Sainte- « Scolasse, les Ventes-de-Bource, Clairet, Bellefond et La Ferrière- « Béchet, pour empêcher les fieffataires de faire leurs défrichements, « sous prétexte d'envoyer leurs bestiaux dans des terres en friches. « Expositif que le roi, ayant autorisé Monsieur à concéder à titre « de fieffe les terrains vains et vagues des domaines de son apanage, « on a d'abord examiné quelles étaient les bruyères ou communes « appartenant à l'État : sur quoi nul habitant ne peut réclamer un « droit de propriété. Ensuite il en a été passé des contrats de fieffe « à bas prix ; d'où il résulte une culture qui, en procurant l'abon- « dance, donnera aux habitants plus de moyens de se soutenir et « d'autres avantages pour le prince et même pour l'État, ce qui

« mérite l'attention du gouvernement. A la vérité, cette nouvelle
« culture prive les habitants oisifs de la faculté d'envoyer comme
« par le passé des bestiaux paître dans ces bruyères, ressource par
« conséquent pour les pauvres ; mais cet inconvénient n'a point
« échappé, et, pour prévenir les plaintes, Monseigneur a abandonné
« à perpétuité aux pauvres habitants de son duché d'Alençon le
« quart des rentes en provenant ; et, afin d'accélérer ce secours et
« en rendre l'effet plus sensible, Monseigneur, avant de rien
« toucher, a fait verser de son trésor, l'an dernier, une somme assez
« forte à M. l'évêque de Séez, pour être distribuée en aumônes
« extraordinaires et suppléer au petit avantage que le pâturage
« procurait. Pourrait-on apporter plus de précautions ? Néan-
« moins les murmures ont fermenté, « de légères rumeurs ont suivi ;
« la maréchaussée, par de fréquentes rondes, en a imposé quelque
« temps, mais aujourd'hui sa présence n'y peut plus rien ; la
« révolte est ouverte et réfléchie. Les fieffataires mandent qu'après
« avoir fait de grandes dépenses ils vont être obligés d'abandonner
« leur entreprise. Les habitants s'assemblent la nuit. Ils comblent
« les fossés, arrachent les arbres, foulent aux pieds les grains,
« voulant sans doute forcer les fieffataires à renoncer à la culture,
« afin de rester maîtres du terrain pour leurs bestiaux. »

« Monseigneur a ordonné qu'il serait écrit à M. le maréchal
« d'Harcourt pour le prier de rendre une ordonnance portant
« défense, sous des peines graves, de troubler les défrichements et
« de nuire à la culture des terres appartenant au domaine.

« Monseigneur a de plus décidé qu'on instruirait les ministres
« des désordres et de la révolte dont il s'agit, à l'effet d'obtenir des
« ordres du roi et un arrêt du Conseil qui puissent les faire cesser et
« procurer aux fieffataires une possession stable et tranquille. »

III. — *Protestations contre les lettres-patentes du roi, du 30 juin 1776, réunissant des terrains de bruyères au domaine royal d'Alençon* [R[5] × 465, 466 et 467].

R[5] × 465, f° 97. Les habitants de Tauques se prétendent propriétaires des bruyères de la paroisse, et leur avocat déclare que cette possession remonte bien au delà de deux cents ans. Il y a possession immémoriale. « L'appropriation primitive de ce terrain doit être réputée avoir la même antiquité que la formation même
« de la société civile, que l'établissement primitif des lois... S'il
« en était autrement, il n'est point dans le royaume de patrimoine
« dont la propriété ne pût être enlevée au plus légitime pro-
« priétaire... »

VII

Ordonnances royales et Réalités
A propos des Municipalités

Nous tenons, une fois de plus, à mettre en garde les jeunes historiens et juristes contre la tendance à prendre les Édits et Ordonnances pour des lois toujours exactement appliquées par les administrateurs et les magistrats.

Dans le domaine municipal, par exemple, que de complications !

A la fin du XVIIe siècle et au XVIIIe, on trouve dans les villes des maires perpétuels, qui ont acheté leur charge — à moins que villes ou États provinciaux n'aient racheté ces charges, afin de rétablir les élections ; et c'est ce que firent les États de Bourgogne (voir le livre d'A. Thomas). En 1764, le Roi rétablit les élections municipales. Nous avons donné les édits relatifs à certaines villes, p. 178. Mais il faudrait suivre les destinées de chacun de ces édits dans ces cités. Puis, en 1771, la monarchie, dans sa détresse financière, sous Terray, revient à la fiscalité, mais, naturellement, dans les seules villes où s'était rétablie la liberté des élections, en 1764. Car, en réalité, ces changements n'avaient pas eu lieu partout — il s'en faut de beaucoup.

Il y eut, en effet, un grand nombre de villes où, depuis Louis XIV, rien ne fut changé. Par exemple à Avesnes (Hainaut) : la petite cité eut jusqu'en 1789 un maire perpétuel ; l'« office » était resté sans changement (voir M. Michel Missoffe qui a très habilement reconstitué, d'après des papiers de famille, la vie municipale et sociale de cette petite ville, dans ses précieux ouvrages : *Le Conventionnel Gossuin (1758-1827)*, maire d'Avesnes à la fin de l'ancien régime, après six de ses ancêtres ; puis surtout *Une Famille de robe : les Bévière (1550-1914)*, Paris, 1930, in-8o, hors commerce ; sans parler des *Officiers de justice du bailliage royal d'Avesnes (1661-1790)*.

Combien d'autres villes étaient dans le même cas que la petite cité d'Avesnes et avaient eu depuis Louis XIV un maire perpétuel ! C'était sans doute le cas pour la plupart des petites cités. Et cela diminue beaucoup l'importance des édits de 1764 et de 1771.

En outre, en 1787, lors de la création d'Assemblées provinciales dans toute la France, l'édit institue des municipalités de village, dont le chef est le « syndic ». Et il est dit que le seigneur du lieu n'en sera plus que le premier habitant. Le seigneur est-il donc diminué dans son influence ? Il ne convient pas d'interpréter l'édit dans ce sens et de lui donner cet effet. Il n'y a rien de changé, au fond, pour le seigneur. On est en pleine réaction aristocratique et seigneuriale. Les Rohan restent tout-puissants dans leur fief de Josselin et même dans la petite cité de Pontivy, où ils détiennent des monopoles, ont des agents (voir F. Le Lay,

L'Administration municipale de Pontivy au XVIIIe siècle, 1913), et le prince de Condé ne l'est pas moins à Clermont-en-Beauvaisis (voir l'étude de Saucerotte, dans *La Révolution française*, 1934). Les seigneurs ont toujours leur justice, leurs monopoles (halles, four, etc.), leurs officiers, etc. En Dauphiné, dans les villages, ils sont représentés par les « châtelains », et c'est de ces agents que se plaignent les villageois dans les *Cahiers des municipalités rurales*, publiés par l'abbé Guillaume, dans la collection de la Commission d'Histoire économique de la Révolution. Et malgré tout cela — comme le déclarent les syndics de l'élection de Bar-sur-Aube — l'établissement des municipalités rurales de 1787 « a réveillé les campagnes de leur engourdissement ».

VIII

Fortune et traitements de grands personnages

I. — *Le comte de Montmorin, secrétaire d'État des Affaires étrangères* [d'après Frédéric Masson, *Le Département des Affaires Étrangères pendant la Révolution*, Appendice 5].

A) Terre de Gaillefontaine, à 4 lieues de Neufchâtel-en-Bray estimée 1.250.000 livres.

Terre de Theil, à 6 lieues de Sens, rapporte .... 25.000 livres de rente
Diverses rentes .... 22.000 —
Traitement .... 298.000 —

En tout, un revenu de près de 400.000 livres.

B) Les dépenses sont énormes :

Du 9 février 1788 au 9 avril 1789, en quatorze mois, 612.000 livres, donc près de 500.000 livres par an.
Le comte dépense plus de 100.000 livres de trop, par an.
En outre, il a à payer pour ses dettes, 70.000 livres.
Le déficit est donc de 170.000 livres par an.
On voit que chez le seul banquier Duruey, son compte accuse un passif de 212.000 livres.

C) Comment dépense-t-il tant ? Il a soixante domestiques, vingt-quatre chevaux dans son écurie. Et le service de bouche coûte, à lui seul, 202.000 livres par an. On boit par mois cinq cents bouteilles de tous vins.

II. — *Loménie de Brienne, archevêque de Sens, principal ministre en 1788* [d'après Marmontel, *Mémoires*, éd. Jouaust, t. III, p. 152].

Traitement de ministre .... 240.000 livres

C'est 20.000 livres par mois. La veille de son départ, le 22 août 1786, il envoie prendre au Trésor (où il n'a laissé que

X

Affaires Etrangères

I. — *Subsides à des souverains, princes et personnages étrangers en 1787* [d'après Frédéric Masson, *Le Département des Affaires Etrangères pendant la Révolution*, p. 50].

Subside annuel à la Suède	1.500.000 livres
— — au Duché de Deux-Ponts	500.000 —
— — au duché de Nassau-Sarrebrück	100.000 —
— viager à l'Infant duc de Parme	375.000 —
— à la Maison de Carignan	197.500 —
— à diverses princesses allemandes, allant de 6.000 à 12.000.	
— à plusieurs gentilshommes suédois : total	14.000 —
— aux Chanoines et sujets de l'État de Liége.........................	22.800 —
— aux Polonais, aux Vénitiens.	

II. — *Dépenses secrètes* [F. Masson, p. 51].

Pension à la chevalière *(sic)* d'Eon..........	12.000 livres
— à la famille de Broglie	20.000 —

En outre, Mme de Broglie touche 20.000 livres sur les fonds de la Guerre.

Sommes données à des nobles, agents secrets, et à des femmes.

III. — *Traitements des ambassadeurs, ministres* [F. Masson, p. 48].

Ambassadeurs :	Vienne, Londres, Madrid	200.000 livres
	Rome, La Haye	150.000 —
	Constantinople	104.000 —
Ministres :	Saint-Pétersbourg	100.000 —
	New York	72.000 —
	Berlin	60.000 —

XI

Journaux

I. — *Gazette de France* [F. Masson, *Le Département des Affaires Étrangères*, p. 54]. Elle rapporte par an 100.000 livres,

dont 20.000 assurées aux anciens directeurs, privilégiés et employés de la *Gazette* ;

38.000 accordées à des hommes de lettres : Delille, Saint-Lambert, Champfort, Palissot, Favart, Florian, Bailly, Bernardin de Saint-Pierre ; aux filles de Fréron ; aux premiers commis des Affaires étrangères, touchant chacun 2.400 livres.

II. — *Mercure de France* [MARMONTEL, *Mémoires*, éd. Jouaust, t. II, p. 60-61].

Marmontel raconte comment il reçoit Boissy, « égaré, hors de lui-même », et comment Marmontel lui demandant « ce qui pouvait le mettre dans cet état : « Ah ! Monsieur, dit-il, ne le savez-vous « pas ? Vous, mon généreux bienfaiteur, vous qui m'avez sauvé « la vie, vous qui d'un abîme de malheurs me faites passer dans une « situation d'aisance et de fortune inespérée ! J'étais venu solli-« citer une pension modique sur le *Mercure*, et M. de Saint-« Florentin m'annonce que c'est le privilège, le brevet même du « *Mercure* que le roi vient de m'accorder... » Alors Marmontel collabore au *Mercure*.

Le brevet en faveur de Louis de Boissy (12 octobre 1754) se trouve — dit l'éditeur Tourneux — dans les registres du secrétariat de la Maison du roi (Archives Nationales, O[1] 98, f°s 314-317). Il renferme la liste des pensions que le titulaire devra servir à partir du 1er janvier 1755 :

2.000 livres à Cahusac, qui les touche depuis 1744, « en considération de ses services et de ses travaux littéraires » ;
2.000 — à l'abbé Raynal, « chargé de la composition du *Mercure* depuis plusieurs années et qui a perfectionné cet ouvrage par son attention et son travail ;
2.000 — à M. de Lironcourt, « ci-devant consul de France au Caire, et que S. M., satisfaite de ses services, a nommé au consulat de Lisbonne » ;
2.000 — à Ph. Bridard de La Garde ;
1.200 — à Piron ;
1.200 — à Marmontel ;
1.200 — à Séran de La Tour ;
1.200 — au chevalier de La Négerie, frère de feu M. de La Bruère.

XII

Académies provinciales

Lyon	1700	Rouen	1744
Montpellier	1706	Clermont-Ferrand	1747
Bordeaux	1712	Auxerre	1749
Pau	1720	Amiens	1750
Béziers	1723	Nancy	1750
Marseille	1726	Châlons-sur-Marne	1750
Toulouse	1729	Besançon	1752
Montauban	1730	Metz	1760
La Rochelle	1732	Cherbourg	1773
Dijon	1740		

XIII

Quelques Bibliothèques privées

A

Au XVIIIe siècle, il y eut d'abord les grandes et riches Bibliothèques, très anciennes, des ordres religieux, à l'Oratoire de la rue Saint-Honoré, dont les trésors servirent tant à d'illustres érudits, tels que Richard Simon ; à l'abbaye de Saint-Germain-des-Prés, où avaient vécu et tant travaillé Mabillon, Montfaucon et où poursuivaient la tâche nombre d'érudits célèbres ; à l'abbaye de Sainte-Geneviève (aujourd'hui le Lycée Henri IV, où l'on voit encore les boiseries splendides de la Bibliothèque devenue un dortoir, et la belle et solide porte d'entrée, avec son escalier donnant rue Clovis).

De grands personnages, ecclésiastiques ou laïques, formèrent aussi de grandes bibliothèques, comprenant livres et manuscrits.

Les bibliothèques ainsi formées furent données ou vendues, et quelques-unes devinrent des bibliothèques publiques — tout comme les bibliothèques des ordres religieux, qui déclarées biens nationaux, par le décret du 2 novembre 1789, restèrent propriétés de l'État, et formèrent parfois, comme Sainte-Geneviève, une bibliothèque publique à part.

B

1. Parmi les bibliothèques privées les plus riches, il faut placer celle de de Paulmy, qui fut vendue au comte d'Artois. C'est cette Bibliothèque qui a été installée à l'Arsenal.

2. La Bibliothèque du marquis de Méjanes, à Aix, fut donnée par ce riche collectionneur à la Ville d'Aix-en-Provence : manuscrits, livres d'heures, ouvrages de toute sorte, c'est un des plus beaux trésors de France. Voir le *Catalogue*, par Rouard 1831.

3. Le Cardinal Loménie de Brienne, archevêque de Sens, principal ministre en 1788, forma une énorme collection de livres. Elle fut vendue pendant la Révolution. Voir le *Catalogue d'une partie des livres de la Bibliothèque du Cardinal de Loménie de Brienne, dont la vente se fera Maison de Brienne, rue Saint-Dominique, près de la rue de Bourgogne* (Paris, Mauger, librairie, rue Croix-des-Petits-Champs n° 59 ; Lejeune, huissier-priseur, rue Guénégaud, n° 42. An V (1797, v. st.) in-8°, VIII-252 p.

On lit dans l'*Avertissement* : « Le Catalogue ne contient que les débris d'une collection infiniment plus nombreuse. Si elle existait entière, ou s'il était possible d'en présenter l'ensemble, on serait étonné que la vie d'un seul homme ait suffi pour la rassembler. Je ne crois pas, en effet, que personne ait jamais porté le goût des livres aussi loin que le cardinal de Loménie... Les cabinets particuliers, les dépôts des maisons religieuses lui furent ouverts (en Italie) et c'est dans ces derniers surtout qu'il recueillit la plus grande partie de cette riche collection d'édition du xve siècle dont nous devons le catalogue et la description aux soins éclairés du P. Laire... L'histoire littéraire surtout, et particulièrement celle d'Italie fournit des articles qu'on chercherait inutilement à Paris, même dans nos grandes bibliothèques publiques. » Le catalogue ne contient que la moitié des livres à vendre. — « Il y a plus de mille deux cents pièces de théâtre en italien dont un grand nombre sont rares. » Ce catalogue est fort intéressant : Théologie, Philosophie, Morale, Politique, Droit, Économie publique et particulière ; Médecine, Sciences et arts, Alchimie, Astronomie, Astrologie ; Géographie et Topographie, Cartes, Voyages ; Histoire ancienne et moderne, Chronologie, Histoire ecclésiastique, Antiquités, Histoire littéraire, Biographie, Bibliographie, Belles-Lettres, Grammaire, Poésie ancienne, française, italienne, Poésie dramatique.

On trouve un grand nombre d'ouvrages de Médecine, de Pharmacie, d'Alchimie, d'Astrologie, de Magie, du xvie et du xviie siècle, presque tous en latin, des ouvrages sur les prophéties, les songes, les divinations ; des traités d'astrologie judiciaire, imprimés à Venise, à Bâle, à Paris, à Lyon, au xvie siècle (depuis environ 1520 à 1650, et, avec l'*Histoire des oracles,* de Fontenelle, jusqu'en 1687 : c'est, évidemment, dans ce siècle et demi qu'on a le plus écrit sur ces choses).

Parmi les journaux, on trouve le *Journal des Savants,* de 1665 à 1789 et 1790 (121 vol. in-8° jusqu'en 1788) ; *L'Année littéraire,* de 1754 à 1787, 1788, 1789 (217 vol. in-12 jusqu'en 1787 compris) ; le *Journal Encyclopédique,* de l'origine à 1787, 1788, 1789, 1790 (215 vol. in-12 jusqu'à 1787 compris. Et des journaux latins : *Acta Eruditorum Lipsiae publicata,* 1682-1776 ; — italiens : *Giornali dei Litterati d'Italia,* un grand nombre édités à Venise, Florence, Rome, Pise, Modène, etc. Certainement, la bibliothèque de Brienne était extrêmement riche en ouvrages italiens sur la littérature : les périodiques italiens y tiennent plus de place que les périodiques français, et la poésie italienne y est mieux représentée que la poésie française.

INDEX

A

C

D

F

N

Q

R

S

TABLE DES MATIÈRES

1946. — Imprimerie des Presses Universitaires de France. — Vendôme (France)
ÉDIT. N° 21170 IMP. N° 10952